D0274422

Collection dirigée par
Henriette Joël et Isabelle Laffont

DU MÊME AUTEUR

chez le même éditeur

LA VARIÉTÉ ANDROMÈDE, 1970
SPHÈRE, 1988

MICHAEL CRICHTON

LE PARC JURASSIQUE

Traduit de l'américain par Patrick Berthon

ROBERT LAFFONT

Couverture : dessin de Chip Kidd

Titre original : *JURASSIC PARK*

ISBN 2-221-07022-4
(édition originale :
ISBN 0-394-58816-9 Alfred A. Knopf, New York)

Pour A.M.
et
T.

La répulsion que nous inspirent les reptiles est due à leur corps froid, leur couleur pâle, leur squelette cartilagineux, leur peau squameuse, leur aspect féroce, leur regard rusé, leur odeur désagréable, leur voix âpre, leur habitat sordide et leur terrible venin; c'est pour cela que leur Créateur s'est appliqué à ne pas en faire trop.

LINNÉ (1707-1778).

Il est impossible de supprimer une nouvelle forme de vie.

ERWIN CHARGAFF, 1972.

Introduction

L'INCIDENT INGEN

La fin du XXe siècle a vu dans le domaine scientifique une nouvelle ruée vers l'or d'une ampleur considérable : un mouvement impétueux et acharné pour commercialiser les découvertes du génie génétique. Le phénomène s'est développé si rapidement et a fait l'objet de si rares études en dehors de la communauté scientifique que son extension et ses conséquences sont très mal comprises.

La biotechnologie annonce la plus grande révolution de l'histoire de l'humanité. Dès la fin de la décennie, ses applications dans notre vie de tous les jours dépasseront celles du nucléaire et de l'informatique. Selon les termes d'un observateur averti :

« La biotechnologie va transformer tous les aspects de la vie humaine : soins médicaux, alimentation, santé, loisirs, jusqu'à notre corps. Plus rien ne sera comme avant. La face de la planète en sera littéralement changée. »

Mais la révolution biotechnologique diffère sur trois points essentiels des précédentes transformations scientifiques.

Premièrement, elle a une large base. Les États-Unis sont entrés dans l'ère atomique grâce aux travaux d'un unique groupe de chercheurs établis à Los Alamos, puis dans l'ère informatique grâce aux recherches effectuées dans une douzaine d'entreprises. Mais les chercheurs en biotechnologie sont aujourd'hui disséminés dans plus de deux mille laboratoires, uniquement sur le territoire américain. Cinq cents entreprises dépensent annuellement cinq milliards de dollars pour cette technologie.

Deuxièmement, une grande partie de ces recherches a un caractère futile ou manque à tout le moins de sérieux. Des travaux visant à créer des truites d'une couleur très claire pour les rendre plus visibles dans un cours d'eau, des arbres à section carrée pour faciliter le débitage, ou encore des cellules odorantes injectables pour sentir en permanence son parfum préféré pourraient passer pour une blague, mais il n'en est rien.

En réalité, le fait que la biotechnologie trouve des applications dans les industries traditionnellement soumises aux caprices de la mode, telles que la cosmétologie et les activités de loisirs, contribue à accroître les inquiétudes que l'on peut nourrir sur une utilisation fantaisiste de cette nouvelle technologie.

Troisièmement, ces travaux ne font l'objet d'aucun contrôle. Nul ne les supervise; aucune loi ne les réglemente; il n'existe aucune politique gouvernementale cohérente, pas plus aux États-Unis qu'ailleurs. En outre, comme la gamme des produits de la bio-industrie s'étend des drogues aux productions agricoles et à la neige artificielle, l'instauration d'une politique intelligente est malaisée.

Mais le plus inquiétant est l'absence de toute surveillance à l'intérieur de la communauté scientifique. Il faut savoir que la quasi-totalité des généticiens sont également engagés dans le commerce de la biotechnologie. Il n'y a pas d'observateurs désintéressés; tout le monde a beaucoup à gagner.

La commercialisation de la biologie moléculaire est, sur le plan de l'éthique, l'événement le plus étonnant de l'histoire de la science et tout s'est passé avec une rapidité stupéfiante. Depuis Galilée et pendant près de quatre siècles, la science a mené sans relâche ni contrainte ses investigations sur les mécanismes de la nature. Les scientifiques ne tenaient aucun compte des frontières et ne se souciaient pas des contingences de la politique, ni même des guerres. Ils se rebellaient contre le secret des recherches et voyaient d'un mauvais œil la nécessité de faire breveter leurs découvertes. Dans leur esprit, ils œuvraient pour le bien de l'humanité et, pour des générations d'humains, les découvertes des scientifiques furent essentiellement désintéressées.

Quand, en 1953, deux jeunes chercheurs, Francis Crick et James Watson, déchiffrèrent en Angleterre la structure de l'A.D.N., leurs travaux furent salués comme un triomphe de l'esprit humain, un pas décisif dans la quête séculaire vers la compréhension de l'univers. Nul ne doutait que cette découverte serait utilisée, d'une manière désintéressée, pour le plus grand bien de l'humanité.

Il en alla tout autrement et, trente ans plus tard, la plupart des collègues de Watson et Crick étaient engagés dans une œuvre d'un genre entièrement différent. La recherche en génétique moléculaire était devenue une vaste entreprise commerciale, avec des milliards de dollars à la clef, dont le point de départ pouvait être fixé non pas en 1953, mais en avril 1976.

C'est à cette époque que des contacts avaient été noués entre un homme d'affaires, Robert Swanson, et Herbert Boyer, biochimiste à l'université de Californie. Les deux hommes décidèrent de fonder une société destinée à assurer l'exploitation commerciale des techniques de greffe de gènes de Boyer. Cette société, Genentech, devint rapidement la plus importante et la plus prospère des nouvelles entreprises de génie génétique.

Tout le monde semblait soudain n'avoir qu'un seul but : s'enrichir. De nouvelles sociétés étaient créées chaque semaine ou presque et les scientifiques affluaient pour s'adonner à l'exploitation de la recherche génétique. En 1986, on dénombrait au moins trois cent soixante-deux chercheurs, dont soixante-quatre membres de l'Académie des Sciences, qui siégeaient aux comités consultatifs des firmes de biotechnologie. Le nombre de ceux qui avaient investi des capitaux personnels ou occupaient un poste de consultant était encore beaucoup plus élevé.

Il convient d'insister sur la portée de ce changement d'attitude. Les adeptes de la recherche fondamentale n'avaient toujours eu que mépris pour les affaires. Pour eux, la poursuite de l'argent était une activité dépourvue d'intérêt, qu'ils laissaient aux boutiquiers. La recherche industrielle, y compris dans les prestigieux laboratoires Bell ou I.B.M., n'était qu'un prix de consolation pour ceux qui n'avaient pu obtenir un poste universitaire. La recherche fondamentale se montrait donc très critique à l'égard des sciences appliquées et de l'industrie en général. Un antagonisme de longue date protégeait les chercheurs du corps universitaire de toute contamination de l'industrie et, chaque fois qu'un débat s'engageait sur une question de technologie, des tenants de la recherche fondamentale étaient toujours disponibles pour donner un avis désintéressé au niveau le plus élevé.

Mais la situation a beaucoup évolué. Il y a de nos jours très peu de spécialistes de la biologie moléculaire et d'instituts de recherches qui ne soient rattachés à une structure commerciale. Une page est tournée. La recherche génétique se poursuit avec une frénésie accrue. Mais elle est faite en secret, à la hâte et uniquement pour le profit.

Dans ce climat mercantile, il semble inévitable de voir apparaître une société aussi ambitieuse qu'International Genetic Technologies, basée à Palo Alto, et nul ne s'étonnera que la crise qu'elle a provoquée ait été passée sous silence. Les recherches d'InGen avaient été menées dans le plus grand secret, l'« incident » eut lieu dans une région totalement isolée d'Amérique centrale et il eut à peine une vingtaine de témoins dont une poignée seulement survécurent.

Même par la suite, quand International Genetic Technologies comparut devant le Tribunal Fédéral de San Francisco, le 5 octobre 1989, le procès n'attira guère l'attention des médias. L'affaire semblait banale; InGen était la troisième société de biotechnologie à déposer son bilan cette année-là et la septième depuis 1986. Peu de documents furent rendus publics, les créanciers étant des consortiums d'investissement japonais, tels que Hamaguri et Densaka, qui, traditionnellement, fuient la publicité. Afin d'éviter toute révélation embarrassante, l'avocat d'InGen, Daniel Ross, du cabinet Cowan, Swain et Ross, représentait également les investisseurs japonais. Et la déposition insolite du vice-consul du Costa Rica fut reçue à huis clos. Rien d'étonnant, dans ces conditions, à ce que l'affaire eût été discrètement réglée à l'amiable en moins d'un mois.

Les parties intéressées, y compris les scientifiques distingués siégeant à la commission consultative, signèrent un accord de non-divulgation et personne ne révélera ce qui s'est passé. Mais la plupart des principaux acteurs de l'« incident InGen » ne figurent pas parmi les signataires et ils ont accepté de revenir sur les événements extraordinaires qui se déroulèrent pendant ces deux journées du mois d'août 1989 sur une petite île écartée, au large de la côte ouest du Costa Rica.

Prologue

LA MORSURE DU RAPTOR

La pluie tropicale tombant à verse tambourinait sur le toit de tôle ondulée de la clinique. L'eau vomie par les gouttières éclaboussait le sol et s'écoulait en torrents. Debout devant la fenêtre, Roberta Carter soupira. Elle distinguait à peine la plage et l'océan voilés par le brouillard. Elle ne s'attendait certainement pas à cela quand elle avait décidé de venir passer deux mois en qualité de médecin à Bahía Anasco, un village de pêcheurs sur la côte Pacifique du Costa Rica. Bobbie Carter comptait se détendre au soleil, après deux années d'internat éreintantes au service des urgences de l'hôpital Michael Reese, à Chicago.

Elle était à Bahía Anasco depuis trois semaines. Et il avait plu tous les jours.

Le reste lui plaisait. Elle aimait l'isolement du village et la gentillesse de ses habitants. L'infrastructure hospitalière du Costa Rica était l'une des vingt meilleures au monde et la modeste clinique du petit village côtier était bien entretenue et bien équipée. Manuel Aragón, son assistant, était intelligent et tout à fait compétent. Bobby avait donc la possibilité de dispenser des soins d'une qualité comparable à ceux qu'elle donnait à Chicago.

Hélas! il y avait la pluie. Cette pluie incessante!

Manuel, qui travaillait à l'autre bout de la salle d'examens, pencha soudain la tête sur le côté.

– Écoutez, murmura-t-il.

– N'ayez crainte, dit Bobbie, j'entends.

– Mais non, écoutez bien!

Elle perçut un bruit qui se mêlait à celui de la pluie, un grondement d'abord indistinct qui se précisa peu à peu jusqu'à ce qu'elle reconnaisse le bourdonnement saccadé d'un hélicoptère. Ce n'est pas possible, songea-t-elle, on ne peut pas voler par ce temps!

Mais le vrombissement ne cessait de s'amplifier. L'hélicoptère déchira soudain le brouillard flottant sur l'océan et survola la clinique en rase-mottes avant de décrire un grand cercle pour revenir. Bobbie vit l'appareil passer près des barques de pêche, se laisser glisser vers la jetée branlante, puis repartir en direction de la plage. Il cherchait un endroit où se poser.

C'était un Sikorsky ventru portant sur le flanc une bande bleue et une inscription : InGen Construction. Le nom de l'entreprise qui construisait un parc de loisirs sur l'une des îles voisines. Le bruit courait que le résultat serait impressionnant et une abondante main-d'œuvre locale participait à la construction de ce complexe dont les travaux duraient déjà depuis plus de deux ans. Bobbie imaginait ce que serait le parc de loisirs : un ensemble gigantesque, à l'américaine, avec piscines et courts de tennis, où les clients pourraient se distraire et siroter des daiquiris sans avoir le moindre contact avec les autochtones, sans rien connaître du pays.

Elle se demanda ce qui avait bien pu arriver dans l'île pour qu'un hélicoptère décolle sous cette pluie diluvienne. Elle vit à travers le plexiglass de l'habitacle le pilote manifester son soulagement quand l'appareil se posa sur la grève. Des hommes bondirent sur le sable et ouvrirent la porte latérale de l'hélicoptère. Bobbie entendit des cris et des exclamations en espagnol, et Manuel la poussa du coude.

Ils réclamaient un médecin.

Un Blanc aboya des ordres et deux Noirs transportèrent un corps inanimé vers la clinique. Le Blanc était vêtu d'un ciré jaune et des mèches rousses dépassaient de sa casquette de base-ball.

– Y a-t-il un médecin ? cria-t-il tandis que Bobbie s'élançait à la rencontre du petit groupe.

– Je suis le Dr Carter, dit-elle.

De grosses gouttes de pluie s'écrasaient sur sa tête et ses épaules. Elle vit le regard sceptique du rouquin se poser sur son short en jean et son débardeur. Elle avait sur l'épaule un stéthoscope dont le métal était déjà rouillé par l'air marin.

– Je m'appelle Ed Regis. Nous avons un blessé grave, docteur.

– Dans ce cas, il vaudrait mieux l'emmener à San José. En hélicoptère, vous en avez pour vingt minutes.

– C'est ce que nous voulions faire, mais, avec ce temps, nous ne pourrons pas franchir les montagnes. Il va falloir le soigner ici.

Bobbie suivit les deux Noirs qui transportaient le blessé vers l'entrée de la clinique. Il était très jeune, pas plus de dix-huit ans. Elle écarta la chemise imbibée de sang, découvrit une plaie profonde à l'épaule, une longue déchirure dans les chairs, et une autre le long de la jambe.

– Que lui est-il arrivé ? demanda-t-elle en élevant la voix pour couvrir le bruit de la pluie.

– Accident du travail, répondit vivement Ed Regis. Il est tombé et une pelleteuse lui est passée dessus.

Debout devant la porte verte de la clinique, Manuel fit signe d'entrer aux deux Noirs qui déposèrent sur la table occupant le centre de la salle d'examens le blessé sans connaissance, exsangue et frissonnant. Puis il commença à lui faire une intraveineuse tandis que Bobbie faisait pivoter la lampe et se penchait pour examiner les plaies. Elle comprit aussitôt que c'était grave et que le jeune homme ne s'en sortirait probablement pas.

Une longue déchirure courait de l'épaule au torse. Au centre de la plaie aux bords déchiquetés, les os de l'épaule disloquée étaient visibles. Une seconde plaie béante montrait les muscles lacérés de la cuisse et, tout au fond, l'artère fémorale qui battait. La première impression de Bobbie fut que la jambe avait été ouverte par une morsure.

– Pouvez-vous me donner des détails sur ce qui s'est passé ? demanda-t-elle.

– Je n'ai pas vu l'accident, répondit Ed, mais on m'a affirmé qu'il avait été traîné par la pelleteuse.

– On dirait presque une morsure, poursuivit Bobbie Carter en palpant les bords de la plaie.

De ses années passées au service des urgences, elle avait conservé le souvenir très précis de certains patients. Elle avait vu deux cas de morsures graves : le premier était un enfant de deux ans attaqué par un rottweiller, le second un employé de cirque ivre qui s'était fait surprendre par un tigre du Bengale. Les blessures étaient similaires et elles avaient un aspect caractéristique.

– Une morsure ? reprit Ed. Non, non, je vous assure que c'était une pelleteuse.

Le visage crispé, il passait nerveusement la langue sur ses lèvres et donnait l'impression d'avoir fait quelque chose de mal. Bobbie se demanda pourquoi : s'ils employaient sur l'île une main-d'œuvre locale inexpérimentée pour les travaux de construction, les accidents devaient être très fréquents.

– Voulez-vous que je nettoie la plaie ? demanda Manuel.

– Oui, mais faites d'abord une ligature.

Elle se pencha un peu plus pour écarter du bout des doigts les lèvres de la plaie. S'il était bien passé sous un excavateur, il aurait dû y avoir de la terre jusqu'au fond de la plaie. Mais il n'y avait rien, juste une sorte de mousse écumeuse et visqueuse. Une odeur bizarre se dégageait de la blessure, une odeur fétide de pourriture et de mort que Bobbie ne connaissait pas.

– Quand l'accident s'est-il produit ?

– Il y a une heure.

Elle fut de nouveau frappée par la nervosité d'Ed Regis. Il avait un tempérament ardent, agité, et ne ressemblait pas à un contremaître d'une entreprise de construction. On eût plutôt dit un cadre et il était à l'évidence complètement dépassé.

Bobbie Carter reporta son attention sur le blessé. Elle avait la conviction qu'il ne s'agissait pas d'une lésion mécanique. La plaie n'était pas souillée de terre et il n'y avait pas d'écrasement des tissus. Un choc violent – accident de voiture ou du travail – provoquait presque toujours un écrasement des tissus dont elle ne trouvait pas trace ici. Mais la peau de l'épaule et de la cuisse était déchirée, lacérée.

Cela ressemblait décidément à une morsure. Et pourtant la plus grande partie du corps ne portait pas de marques, ce qui était rare en cas d'attaque par un animal. Elle examina attentivement la tête, les bras, les mains...

Les mains ! Elle ne put réprimer un frisson en voyant les mains du jeune homme. De profondes coupures zébraient les deux paumes ; les poignets et les avant-bras étaient couverts d'ecchymoses. Bobbie avait assez d'expérience pour savoir ce que cela signifiait.

– Allez attendre dehors, ordonna-t-elle à Ed Regis.

– Pourquoi ? demanda-t-il, manifestement inquiet de la tournure que prenaient les choses.

– Voulez-vous que je le soigne ou non ? lança-t-elle en le repoussant vers la porte qu'elle lui claqua au nez.

Elle ne savait pas ce qui s'était passé, mais elle n'aimait pas ce qu'elle voyait.

– Je continue à nettoyer la plaie ? demanda Manuel d'une voix hésitante.

– Oui.

Elle alla chercher son petit Olympus autofocus et prit plusieurs photos des blessures en changeant de position pour avoir un meilleur éclairage. Cela ressemblait vraiment à des morsures. Quand le blessé fit entendre un gémissement, elle reposa son appareil et se pencha vers le jeune homme. Elle vit ses lèvres remuer.

– *Raptor,* articula-t-il avec difficulté. *Lo sa raptor...*

A ces mots, Manuel eut un mouvement de recul horrifié.

– Qu'est-ce que ça veut dire ? demanda Bobbie.

– Je ne sais pas, docteur, répondit Manuel en secouant vivement la tête. *Lo sa raptor... no es español.*

– Vraiment ? fit Bobbie, qui avait pourtant cru reconnaître des mots espagnols. Dans ce cas, continuez à nettoyer les blessures.

– Non, docteur, répliqua Manuel en fronçant le nez. Mauvaise odeur, ajouta-t-il en se signant.

Bobbie examina de nouveau les traînées d'écume visqueuse. Elle en prit un peu et la frotta entre ses doigts : cela ressemblait beaucoup à de la bave... Le blessé remua encore les lèvres.

– *Raptor,* murmura-t-il d'une voix à peine audible.
– Il a été mordu, fit Manuel d'une voix horrifiée.
– Par quoi ?
– Un raptor.
– Qu'est-ce que c'est ?
– La *hupia.*

Le visage de Bobbie s'assombrit. Les Costaricains n'étaient pas particulièrement superstitieux, mais elle avait déjà entendu prononcer au village ce nom de hupia. S'il fallait en croire les rumeurs, il s'agissait d'esprits nocturnes, de vampires qui enlevaient des enfants en bas âge. D'après les croyances populaires, les hupias, qui vivaient autrefois dans les montagnes, habitaient maintenant dans les îles.

Manuel continuait à reculer en se signant et en marmonnant des paroles incompréhensibles.

– Ce n'est pas normal, cette odeur, murmura-t-il. C'est la hupia.

Bobbie s'apprêtait à lui ordonner de se remettre au travail quand le blessé ouvrit les yeux et se dressa sur son séant. Manuel poussa un hurlement de terreur. Le jeune homme gémit et tourna la tête de droite et de gauche, les yeux écarquillés, puis il vomit du sang. Il se tordit aussitôt dans les convulsions. Bobbie essaya de le retenir, mais il tomba de la table sur le sol de ciment. Il vomit derechef ; il y avait du sang partout.

– Que se passe-t-il ? demanda Ed Regis en ouvrant brusquement la porte.

En voyant le sang, il se détourna en portant la main à sa bouche. Bobbie saisit une baguette qu'elle glissa entre les mâchoires crispées du jeune homme, mais elle comprit qu'il était trop tard. Le corps fut secoué d'un dernier spasme, puis il se détendit et demeura inerte.

Elle se pencha pour pratiquer le bouche-à-bouche, mais Manuel la prit par l'épaule et la tira violemment en arrière.

– Non ! s'écria-t-il. La hupia passerait dans votre corps.
– Manuel, je vous en prie !
– Non ! répéta-t-il en affrontant hardiment son regard. Il y a des choses que vous ne pouvez pas comprendre !

Bobbie baissa les yeux vers le corps étendu sur le ciment et elle comprit qu'il ne servait à rien d'insister : jamais elle n'aurait réussi à le ranimer. Manuel appela les Noirs, qui entrèrent dans la salle d'examens et emportèrent le corps. Ed apparut à son tour, s'essuyant la bouche du dos de la main.

– Je suis sûr que vous avez fait tout votre possible, marmonna-t-il.

Bobbie suivit du regard les hommes qui transportaient le corps. Ils le hissèrent dans l'hélicoptère et l'appareil décolla aussitôt en vrombissant.

– C'est mieux comme ça, déclara Manuel.

Bobbie songeait encore aux mains du jeune homme, sillonnées de coupures et couvertes d'ecchymoses, des mains levées pour se défendre. Elle avait maintenant la conviction qu'il n'avait pas péri dans un accident du travail, mais qu'il avait été attaqué et avait simplement cherché à se protéger.

– Où se trouve cette île ? demanda-t-elle.

– Dans l'océan. A environ cent quatre-vingts kilomètres de la côte.

– Un endroit bien isolé pour un parc de loisirs.

– J'espère qu'ils ne reviendront pas, dit Manuel en suivant des yeux l'hélicoptère qui s'éloignait rapidement.

J'ai au moins réussi à prendre quelques photos, songea Bobbie. Mais, quand elle retourna dans la salle d'examens, elle constata que son appareil avait disparu.

Dans le courant de la nuit, la pluie cessa enfin. Seule dans sa chambre, à l'arrière de la clinique, Bobbie se plongea dans son dictionnaire d'espagnol très usagé. Le jeune homme avait dit « raptor » et, malgré les dénégations de Manuel, elle soupçonnait que c'était un mot espagnol. Elle le trouva effectivement ; il signifiait « ravisseur » ou « kidnappeur ».

Cela lui donna à réfléchir ; le sens de ce mot était étrangement proche de celui de hupia. Il allait sans dire qu'elle ne croyait pas à cette superstition et les mains du jeune homme n'avaient pas été lacérées par un fantôme. Qu'avait-il essayé de lui révéler ?

Elle entendit des gémissements venant de la pièce voisine. Une des villageoises était dans les douleurs de l'accouchement et Elena Morales, la sage-femme de la clinique, se trouvait à son chevet. Bobbie entra dans la salle de travail et fit signe à Elena de sortir avec elle.

– Elena...

– *Si*, docteur ?

– Savez-vous ce qu'est un raptor ?

Robuste et grisonnante, âgée d'une soixantaine d'années, la sage-femme avait l'esprit pratique et les pieds sur terre. A la clarté des étoiles, Bobbie la vit plisser le front.

– Un raptor ?

– Oui. Vous connaissez ce mot ?

– *Si*, fit Elena en hochant la tête. C'est... une personne qui vient dans la nuit et qui enlève un enfant.

– Un kidnappeur ?

– Oui.

– Une hupia ?

L'attitude de la sage-femme changea du tout au tout.

– Ne prononcez pas ce mot, docteur.

– Pourquoi ?

– Ne parlez pas de hupia en ce moment, reprit Elena avec fermeté en indiquant de la tête la porte de la salle de travail. Ce n'est pas prudent.

– Est-ce qu'un raptor mord et lacère ses victimes ? insista Bobbie.

– Non, docteur, répondit la sage-femme, l'air perplexe. Pas du tout... Un raptor est un homme qui enlève les nouveau-nés.

Elle semblait irritée par la conversation et impatiente d'y mettre un terme.

– Je vous appellerai quand elle sera prête, docteur, poursuivit-elle en repartant vers la salle de travail. Je pense qu'il y en a encore pour une ou deux heures.

Bobbie leva la tête vers les étoiles. Elle entendait le doux clapotis des vagues sur la grève et distinguait dans l'obscurité les barques de pêche amarrées à une encablure du rivage. La scène était si paisible, si rassurante, qu'elle se sentait idiote de parler de vampires et de bébés kidnappés.

Bobbie regagna sa chambre en se souvenant que Manuel avait affirmé avec insistance que ce n'était pas un mot espagnol. Par curiosité, elle ouvrit son petit dictionnaire d'anglais et, à son grand étonnement, elle découvrit que le mot y figurait également.

RAPTOR [deriv. of L. *raptor* pillard, fr. *raptus*] : oiseau de proie.

[illegible]

[illegible] la [illegible]

Elle [illegible] conversation [illegible]

[illegible]

— Je [illegible] d'être [illegible] de [illegible] travaille, je [illegible] qu'il y en a cinq [illegible] ou deux heures.

Bobbie [illegible] Elle entendit le [illegible] sur la [illegible] dans [illegible] les barques de pêche [illegible] de [illegible]

Bobbie [illegible] avec insistance [illegible] mot [illegible] Par curiosité, elle [illegible] commencé, elle découvrit que [illegible]

[illegible] oiseau de proie

PREMIÈRE ITÉRATION

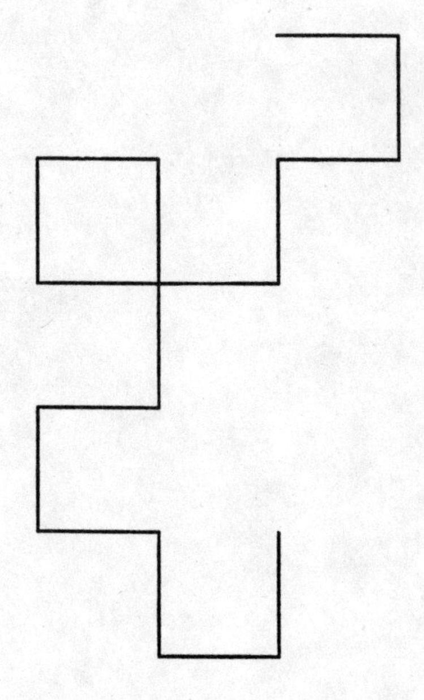

A la première représentation de la courbe fractale n'apparaissent que de rares indices de la structure mathématique sous-jacente.

IAN MALCOLM

UN GOÛT DE PARADIS

Mike Bowman sifflotait gaiement au volant du Land Rover de location qui traversait la réserve biologique de Cabo Blanco, sur la côte Pacifique du Costa Rica, par une belle matinée de juillet. La route pittoresque longeait une corniche dominant d'un côté la jungle, de l'autre les flots azurés du Pacifique. Les guides touristiques affirmaient que l'on trouvait à Cabo Blanco une nature intégralement préservée, presque le paradis. En regardant autour de lui, Bowman avait l'impression que les vacances commençaient enfin.

Agé de trente-six ans, Mike Bowman, promoteur immobilier à Dallas, était venu passer deux semaines au Costa Rica avec sa femme et sa fille. C'est sa femme, Ellen, qui avait eu l'idée de ce voyage. Pendant plusieurs semaines, elle lui avait vanté la beauté des parcs nationaux du Costa Rica et répété que ce serait bien que Tina puisse les découvrir. Mais, dès leur arrivée, Mike apprit qu'Ellen avait rendez-vous à San José avec un spécialiste de la chirurgie esthétique. C'est la première fois qu'il entendait parler des excellents chirurgiens aux honoraires modérés et des luxueuses cliniques privées de San José.

Une terrible dispute avait naturellement éclaté, Mike ayant le sentiment justifié que sa femme lui avait menti, et il s'était fermement opposé à toute intervention. D'ailleurs, l'idée même était ridicule : tout juste âgée de trente ans, Ellen était encore très belle. Elle avait été élue reine de l'université Rice en dernière année et cela remontait à moins de dix ans. Mais Ellen, d'une nature anxieuse, s'inquiétait depuis quelque temps de voir l'éclat de sa beauté se faner.

Le Land Rover rebondit dans un nid-de-poule et projeta de la boue sur les bas-côtés.

– Mike, demanda Ellen, assise derrière le conducteur, es-tu sûr que c'est la bonne route ? Nous n'avons vu personne depuis des heures.

– Nous avons croisé une voiture il y a un quart d'heure, répondit-il. La bleue, tu t'en souviens ?

– Oui, mais elle allait dans la direction opposée...

– Ma chérie, c'est une plage déserte que tu voulais... Eh bien, tu vas l'avoir.

– J'espère que tu as raison, fit Ellen en secouant la tête d'un air peu convaincu.

– Oui, papa, lança Christina de l'arrière, j'espère que tu as raison.

– Faites-moi donc confiance.

Il roulèrent en silence pendant quelque temps, puis Mike reprit la parole :

– C'est beau, non ? Regardez-moi ce paysage ! Magnifique !

– Ouais, fit Tina, c'est pas mal.

Ellen prit son poudrier et se regarda dans le miroir. Elle pressa les doigts sous ses yeux et remit en soupirant le poudrier dans son sac.

La route commença à descendre et Mike Bowman se concentra sur la conduite. Soudain, une petite silhouette sombre traversa la route à toute allure et Tina poussa un cri avant que l'animal disparaisse dans la jungle.

– Regardez ! Regardez !

– Qu'est-ce que c'était ? demanda Ellen. Un singe ?

– Peut-être un saïmiri, répondit Bowman.

– Je peux le compter ? fit Tina en prenant son crayon.

La fillette, âgée de huit ans, dressait pour l'école la liste de tous les animaux qu'elle avait vus pendant le voyage.

– Je n'en suis pas sûr, répondit Mike.

Tina parcourut les photos du guide touristique.

– Je ne crois pas que c'était un saïmiri, annonça-t-elle. Probablement un autre singe hurleur.

Ils en avaient déjà vu plusieurs depuis le début du voyage.

– Écoutez, poursuivit-elle avec entrain. D'après le guide, « les plages de Cabo Blanco sont fréquentées par de nombreuses espèces d'animaux sauvages : singes hurleurs et à tête blanche, paresseux à trois doigts et coatis ». Tu crois que nous verrons un paresseux à trois doigts, papa ?

– Je te parie tout ce que tu veux.

– Vraiment ?

– Regarde dans le rétroviseur.

– Très drôle !

Bordée par la végétation tropicale, la route continuait de descendre doucement vers l'océan.

Mike Bowman se sentit dans la peau d'un héros quand ils atteignirent enfin la plage totalement déserte, un croissant de sable blanc festonné de palmiers et long de plus de trois kilomètres. Il gara le Land

Rover à l'ombre d'un arbre, en bordure de la grève, et sortit les cartons du pique-nique.

– Franchement, dit Ellen en commençant à mettre son maillot de bain, je me demande comment je vais pouvoir perdre du poids.

– Ta silhouette est parfaite, ma chérie, fit Mike qui, au fond de lui-même, trouvait sa femme trop mince, mais avait appris à ne pas aborder le sujet.

– N'oublie pas ta crème solaire! cria Ellen à sa fille qui courait déjà sur la plage.

– Plus tard! répondit Tina par-dessus son épaule. Je vais voir si je peux trouver un paresseux.

Ellen Bowman scruta l'immensité de la grève, puis se tourna vers les arbres qui la bordaient.

– Elle ne risque rien? demanda-t-elle d'une voix inquiète.

– Tu vois bien qu'il n'y a pas âme qui vive à des kilomètres à la ronde.

– Et les serpents?

– Je t'en prie, soupira Mike Bowman. Il n'y a pas de serpents sur une plage.

– On ne sait jamais.

– Ma chérie, poursuivit-il avec fermeté, les serpents sont des animaux à sang froid, des reptiles, incapables de réguler la température de leur corps. Il fait presque 35 °C sur le sable; si un serpent sortait de la forêt, il grillerait aussitôt. Crois-moi, il n'y a pas de serpents sur cette plage.

Mike Bowman leva la tête et vit que sa fille était déjà loin, petite silhouette noire sur le sable blanc.

– Laisse-la faire, ajouta-t-il en passant le bras autour de la taille de sa femme. Laisse-la s'amuser.

Tina courut jusqu'à ce qu'elle se sente épuisée, puis elle se laissa tomber sur le sable brûlant et roula jusqu'au bord de l'eau. L'océan était chaud et il n'y avait presque pas de vagues. Elle resta assise quelques instants, le temps de reprendre son souffle, puis se retourna vers ses parents pour voir quelle distance elle avait parcourue.

Sa mère agita les bras pour lui faire signe de revenir. Tina lui répondit en levant joyeusement la main, comme si elle n'avait pas compris. Elle n'avait pas envie d'enduire son corps de crème solaire, pas plus que d'entendre sa mère répéter qu'elle devait maigrir. Elle avait simplement envie de rester où elle était et, avec un peu de chance, elle verrait peut-être un paresseux.

Elle en avait vu un l'avant-veille, au zoo de San José. Il ressemblait à un personnage des Muppets et avait l'air tout à fait inoffensif. En tout cas, le paresseux était incapable de se déplacer rapidement et elle courait beaucoup plus vite que lui.

Entendant sa mère l'appeler, Tina décida de s'éloigner de l'eau et de se réfugier sous le couvert des palmiers. Dans cette partie de la plage, leur feuillage dominait un enchevêtrement de racines noueuses de palétuviers, la mangrove impénétrable. La fillette s'assit et poussa du pied les feuilles sèches de palétuvier. Elle remarqua de nombreuses traces de pattes d'oiseau sur le sable. Le Costa Rica était renommé pour ses oiseaux ; les guides affirmaient qu'il y avait trois fois plus d'oiseaux dans ce petit pays qu'aux États-Unis et au Canada réunis. Certaines traces à trois doigts étaient petites et si peu marquées qu'on les distinguait à peine. Mais il y en avait de plus grandes, des empreintes bien plus profondes dans le sable. Tina les regardait distraitement quand elle entendit une sorte de gazouillement, suivi d'un bruissement de feuilles dans la mangrove. Est-ce que les paresseux gazouillaient ? Tina ne le pensait pas, mais elle n'en était pas sûre. C'était plutôt le cri d'un oiseau de l'océan. Elle attendit tranquillement, sans bouger, puis elle perçut un nouveau bruissement et découvrit la source du gazouillement. A quelques mètres d'elle, un grand lézard sortit de la mangrove et la regarda avec curiosité.

Tina retint son souffle. Un nouvel animal pour sa liste ! Le lézard se dressa sur ses pattes arrière, sa queue épaisse lui servant de balancier, et continua de la regarder fixement. Dans cette position, il était haut de près de trente centimètres, avec un corps vert foncé au dos rayé de brun. Ses petits membres antérieurs se terminaient par de minuscules doigts de lézard avec lesquels il battait l'air. Sans détacher d'elle son regard, le lézard pencha la tête sur le côté.

Tina le trouva mignon, comme une sorte de grosse salamandre. Elle leva la main et agita les doigts à son tour.

Sans manifester la moindre crainte, le lézard s'avança vers elle en marchant sur ses pattes de derrière. Il était à peine plus gros qu'un poulet et, comme un poulet, il marchait avec de petites secousses de la tête. Tina se dit qu'il ferait un merveilleux animal familier.

Elle remarqua que les empreintes du lézard avaient trois doigts, exactement comme celles des oiseaux. L'animal se rapprocha de la fillette qui demeura parfaitement immobile pour ne pas l'effrayer. Elle n'en revenait pas de le voir venir si près, mais elle se rappela qu'elle était dans un parc naturel où tous les animaux devaient savoir qu'ils étaient protégés. Ce lézard était probablement apprivoisé, peut-être attendait-il même qu'elle lui donne à manger. Par malheur, elle n'avait rien. Tina tendit lentement la main, la paume ouverte, pour lui montrer qu'elle était vide.

Le lézard s'arrêta, pencha la tête et gazouilla.

– Je regrette, dit Tina, mais je n'ai rien pour toi.

Brusquement, l'animal bondit sur la main tendue de la fillette. Tina sentit les petits doigts du lézard lui pincer la peau et le poids de l'animal l'obligea à baisser le bras.

Puis le lézard remonta le long du bras tendu en direction de son visage.

– Pourquoi est-ce qu'on ne la voit plus ? demanda Ellen Bowman, les yeux plissés pour se protéger de l'éclat du soleil. Je voudrais la voir, c'est tout ce que je demande.

– Je suis sûr que tout va bien, fit son mari en fouillant dans le carton de pique-nique préparé par l'hôtel.

Il y avait du poulet rôti peu appétissant et une sorte de pâté à la viande. Ellen n'allait jamais vouloir manger cela.

– Elle n'aurait pas eu l'idée de s'éloigner de la plage ?

– Non, chérie, je ne pense pas.

– Cet endroit est tellement isolé, poursuivit Ellen.

– Je croyais que c'était ce que tu cherchais.

– C'est vrai.

– Alors, quel est le problème ?

– Je voudrais simplement la voir, répondit Ellen.

Soudain, portée par le vent, ils entendirent la voix de leur fille. Elle poussait des hurlements.

PUNTARENAS

– Je pense que tout ira bien maintenant, déclara le Dr Cruz en rabattant le pan de plastique de la tente à oxygène dans laquelle Tina était endormie.

Mike Bowman était assis au chevet de sa fille. Le Dr Cruz, qui paraissait très capable, parlait un excellent anglais, perfectionné pendant des stages à Londres et à Baltimore. Non seulement le praticien respirait la compétence, mais la Clínica Santa Maria, l'hôpital ultramoderne de Puntarenas, était bien équipée et d'une propreté impeccable.

Et pourtant, Mike Bowman restait inquiet. Il ne parvenait pas à sortir de son esprit que l'état de sa fille unique était très grave et qu'ils se trouvaient loin de chez eux.

Quand il était arrivé auprès de Tina, elle poussait des hurlements hystériques. Tout son bras gauche était ensanglanté, couvert d'une multitude de petites morsures, de la taille d'un pouce, et parsemé de taches de bave mousseuse, comme une salive gluante.

Il l'avait transportée le long de la plage et avait vu presque aussitôt le petit bras commencer à rougir et à enfler. Mike n'oublierait pas de sitôt le trajet du retour vers la civilisation. Le Land Rover dérapait et patinait sur la piste boueuse qui s'enfonçait dans les collines tandis que Tina, dont le bras devenait de plus en plus rouge et gonflé, hurlait sans discontinuer, de peur et de douleur mêlées. Bien avant qu'ils atteignent la lisière du parc, l'enflure s'était étendue jusqu'au cou et Tina avait commencé à avoir des difficultés à respirer...

– Ça ira maintenant ? demanda Ellen, le regard rivé sur la tente à oxygène.

– Je pense, répondit le Dr Cruz. Je lui ai administré une autre dose de stéroïdes et elle respire beaucoup plus facilement. Vous pouvez constater que l'œdème du bras a bien diminué.

– Et ces morsures... ? commença Mike Bowman.

– Nous ne sommes pas encore en mesure d'en déterminer la nature, répondit le médecin. Je n'ai personnellement jamais rien vu de tel, mais vous remarquerez qu'elles sont en train de disparaître. Il est déjà difficile de les distinguer, mais j'ai eu le temps de prendre quelques photos. En nettoyant son bras, j'ai également pris plusieurs échantillons de cette salive gluante. L'un sera analysé ici, un autre envoyé au laboratoire de San José et nous conserverons le troisième qui sera congelé, en cas de besoin. Avez-vous son dessin ?

– Oui, répondit Mike Bowman.

Il tendit au médecin le croquis que Tina avait fait quand on l'avait interrogée à son arrivée à l'hôpital.

– C'est l'animal qui l'a mordue ? demanda Cruz en regardant le dessin.

– Oui, répondit Mike Bowman. Elle a dit que c'était un lézard vert, de la taille d'un poulet ou d'un corbeau.

– Je ne connais pas cette espèce, poursuivit le médecin. Elle l'a représenté debout sur ses pattes de derrière.

– En effet, confirma Bowman, elle m'a dit qu'il marchait sur ses pattes de derrière.

Le Dr Cruz haussa les sourcils et considéra plus longuement le dessin.

– Comme je ne suis pas spécialiste, reprit-il, j'ai demandé au Dr Guitierrez de venir nous voir. C'est un chercheur de la Reserva Biológica de Carara, de l'autre côté de la baie. Il pourra peut-être identifier l'animal.

– Il n'y a personne de Cabo Blanco ? demanda Bowman. C'est là qu'elle a été attaquée.

– Malheureusement non. Il n'y a pas de permanents à Cabo Blanco et aucun chercheur n'y a travaillé depuis un certain temps. Vous avez dû être les premiers à fouler le sable de cette plage depuis plusieurs mois. Mais, vous verrez, mon confrère est très compétent.

Le Dr Guitierrez portait la barbe, un short kaki et une chemise. A leur grande surprise, les Bowman découvrirent qu'il était américain.

– Ravi de faire votre connaissance, dit-il avec un léger accent du Sud, au moment des présentations.

Marty Guitierrez expliqua qu'il était biologiste diplômé de Yale et qu'il travaillait au Costa Rica depuis cinq ans. Puis il examina minutieusement Tina, lui souleva délicatement le bras, étudia chacune des morsures avec un stylo-torche et les mesura à l'aide d'une règle de poche. Au bout d'un moment, Guitierrez s'écarta en hochant lentement la tête, comme s'il venait de comprendre quelque chose. Puis il examina les épreuves prises au Polaroïd par le Dr Cruz et posa quelques questions sur la salive qui, d'après son confrère, était déjà analysée au laboratoire.

Marty Guitierrez se tourna enfin vers les Bowman qui attendaient anxieusement.

– Je pense que tout ira bien pour Tina, déclara-t-il. Mais il y a quelques détails sur lesquels j'aimerais revenir, ajouta-t-il en prenant des notes d'une écriture rapide et déliée. Votre fille affirme avoir été mordue par un lézard vert, haut d'une trentaine de centimètres, qui a gagné la plage en sortant de la mangrove, dressé sur ses pattes de derrière ?

– Oui, c'est bien cela.

– Et ce lézard a émis des sons ?

– Tina a dit qu'il gazouillait, qu'il poussait de petits cris aigus.

– Un peu comme une souris ?

– Oui.

– Très bien, fit le Dr Guitierrez. Je connais ce lézard.

Le biologiste expliqua que, sur les six mille espèces de lézards répertoriées dans le monde, une douzaine au plus étaient capables de se tenir debout. Seules quatre de ces espèces vivaient en Amérique latine et, à en juger par la couleur, le lézard qui avait attaqué Tina ne pouvait appartenir qu'à une seule espèce.

– J'ai la conviction qu'il s'agit d'un *Basiliscus amoratus,* un basilic, un reptile saurien rayé que l'on trouve au Costa Rica et également au Honduras. Debout sur ses pattes de derrière, il peut atteindre trente centimètres.

– C'est une espèce venimeuse ?

– Non, madame Bowman, absolument pas.

Guitierrez expliqua que le gonflement du bras de Tina était un phénomène allergique.

– D'après les statistiques, ajouta-t-il, quatorze pour cent des gens sont violemment allergiques aux reptiles et votre fille semble faire partie de cette fraction de la population.

– Mais elle hurlait, elle criait qu'elle avait mal...

– C'est probablement vrai, fit le biologiste. La salive des reptiles contient de la sérotonine, une substance qui cause de vives douleurs. Sa tension artérielle est retombée avec les antihistaminiques ? demanda-t-il en se tournant vers son confrère.

– Oui, répondit Cruz. Rapidement.

– Sérotonine, fit Guitierrez. Pas de doute.

Ellen Bowman ne parvenait pas à chasser son anxiété.

– Mais pourquoi un lézard l'aurait-il mordue ? demanda-t-elle.

– Les morsures de lézard sont très courantes, répondit Guitierrez. Surtout dans les zoos, parmi le personnel chargé des soins des animaux. Mais j'ai appris il y a quelques jours qu'un lézard avait mordu un bébé dans son berceau, à Amaloya, à une centaine de kilomètres de l'endroit où vous étiez. Les morsures sont donc fréquentes, mais je ne m'explique pas très bien pourquoi votre fille en avait tant. Que faisait-elle au moment où le lézard l'a attaquée ?

– Rien. Elle m'a dit qu'elle était assise et qu'elle évitait de bouger pour ne pas l'effrayer.

– Assise sans bouger, fit Guitierrez, l'air perplexe. Je crois que nous ne saurons jamais exactement ce qui s'est passé, ajouta-t-il en secouant la tête. Il est impossible de prévoir la réaction d'un animal sauvage.

– Et la salive qu'elle avait sur le bras ? poursuivit Ellen. Je ne cesse de penser à la rage...

– Ne craignez rien, chère madame, les reptiles ne transmettent pas la rage. Votre fille a eu une réaction allergique à la morsure d'un basilic. C'est tout.

Mike Bowman montra à Guitierrez le dessin de Tina.

– C'est une représentation acceptable d'un basilic, fit le biologiste en hochant la tête, même si quelques détails sont inexacts. Le cou est beaucoup trop long et elle n'a dessiné que trois doigts aux pattes de derrière qui en ont cinq. La queue est trop épaisse et elle ne devrait pas être dressée. A part cela, c'est un spécimen tout à fait ressemblant de l'espèce qui nous intéresse.

– Mais Tina a bien spécifié que le cou était long, insista Ellen Bowman. Et elle a affirmé que les pattes avaient trois doigts.

– Notre fille est très observatrice, glissa Mike.

– Je n'en doute pas, répliqua le biologiste en souriant. Mais je pense quand même qu'elle a été mordue par un *Basiliscus amoratus* et qu'elle a eu une violente réaction herpétologique. Avec les soins qui lui sont prodigués, tout devrait être terminé en douze heures. Votre fille sera en pleine forme demain matin.

Dans le laboratoire moderne installé au sous-sol de la Clínica Santa Maria, le bruit se répandit que le Dr Guitierrez avait identifié l'animal ayant mordu la petite Américaine : un inoffensif basilic. Les analyses de la salive furent aussitôt interrompues malgré un premier fractionnement qui révélait la présence de plusieurs protéines ayant un poids moléculaire très élevé et une activité biologique anormale. Mais le technicien de nuit avait beaucoup à faire et il plaça les échantillons de salive sur la tablette du réfrigérateur.

Le lendemain matin, son collègue de jour consulta la liste des patients devant quitter l'hôpital dans la journée. Voyant que Christina Bowman était autorisée à sortir dans la matinée, il jeta les échantillons de salive. Mais, au dernier moment, il remarqua qu'un échantillon portait l'étiquette rouge signifiant qu'il devait être envoyé au laboratoire de l'université de San José. Il récupéra l'éprouvette dans la corbeille et l'expédia au laboratoire.

– Allez, fit Ellen Bowman en poussant Tina en avant, dis merci au Dr Cruz.

– Merci, docteur, articula la fillette. Je me sens beaucoup mieux maintenant.

Elle leva le bras pour serrer la main du médecin.

– Vous avez une nouvelle chemise, ajouta Tina.

Cruz prit un air perplexe, puis un sourire s'épanouit sur son visage.

– Tu as raison, Tina. Quand je suis de service de nuit, je change de chemise le matin.

– Mais vous ne changez pas de cravate.

– Non, seulement la chemise.

– Mike vous a dit qu'elle est très observatrice, glissa Ellen Bowman.

– C'est certain, fit le médecin en souriant et en serrant la main de la fillette.

– Je te souhaite une excellente fin de séjour au Costa Rica, Tina, dit-il avec gravité.

– Je vous remercie, docteur.

– A propos, Tina, lança le médecin tandis que les Bowman commençaient à s'éloigner. Te souviens-tu du lézard qui t'a mordue ?

– Oui, bien sûr, répondit la fillette en se retournant.

– Te souviens-tu de ses pieds ?

– Oui, oui.

– Il avait des doigts ?

– Oui.

– Combien en avait-il ?

– Trois.

– Comment peux-tu en être sûre ?

– Parce que j'ai regardé, répondit Tina. De toute façon, toutes les empreintes des oiseaux sur le sable avaient trois doigts. Comme ceci, ajouta-t-elle en levant la main, les trois doigts du milieu écartés. Et celles du lézard aussi.

– Les empreintes du lézard étaient comme celles d'un oiseau ?

– Oui, oui, répondit Tina. Et il marchait comme un oiseau, en remuant la tête.

Elle fit quelques pas en levant et baissant alternativement la tête.

Après le départ des Bowman, le Dr Cruz décida de faire part de cette conversation à Guitierrez qui avait regagné le centre de biologie.

– Je dois reconnaître que le témoignage de la petite est étrange, fit Guitierrez d'une voix songeuse. De mon côté, j'ai fait quelques vérifications et je ne suis plus certain qu'elle ait été mordue par un basilic. En réalité, j'en doute fort.

– Alors, qu'est-ce que cela pourrait être ?

– Évitons les suppositions hâtives, répondit Guitierrez. A propos, avez-vous entendu parler à l'hôpital d'autres morsures de lézard ?

– Non, pourquoi ?

– Si vous apprenez quelque chose, cher ami, tenez-moi donc au courant.

LA PLAGE

Marty Guitierrez regardait le soleil descendre vers l'horizon. Ses rayons obliques qui faisaient miroiter l'eau de la baie percèrent l'écran des feuilles des palmiers et atteignirent l'endroit où il était assis, à la limite de la mangrove et de la plage de Cabo Blanco. Il devait se trouver tout près de l'endroit où, l'avant-veille, la petite Américaine avait été attaquée par le lézard.

Comme il l'avait dit aux Bowman, les morsures de lézard étaient assez courantes, mais, à sa connaissance, jamais un basilic n'avait mordu personne. Et il n'avait jamais entendu parler d'une hospitalisation à la suite d'une morsure de lézard. De plus, le rayon de l'empreinte des dents sur le bras de Tina semblait être légèrement trop grand pour un basilic. Dès son retour à Carara, il avait fait des recherches dans la petite bibliothèque du centre, mais n'avait rien trouvé sur les morsures de basilic. Il avait ensuite consulté une banque de données américaine, International BioSciences Services, mais n'avait trouvé aucune référence à une hospitalisation à la suite de morsures de ce saurien.

Par acquit de conscience, il avait appelé le centre médical d'Amaloya où on lui avait confirmé qu'un nouveau-né de neuf jours, dormant dans son berceau, avait été mordu au pied par un animal qui, selon la grand-mère du nourrisson – le seul témoin –, était un lézard. Le pied avait aussitôt gonflé et le bébé avait failli en mourir. D'après la description faite par la grand-mère, le lézard était vert, avec des rayures brunes, et l'animal avait mordu le bébé à plusieurs reprises avant d'être chassé par la vieille femme.

– Étrange, avait murmuré Guitierrez.

– Non, avait répliqué le fonctionnaire, comme les autres.

Il avait expliqué qu'il avait été informé de plusieurs autres incidents de même nature : un enfant mordu dans son sommeil, à Vasquez, le village côtier le plus proche ; un autre à Puerta Sotrero. Tous ces incidents avaient eu lieu au cours des deux derniers mois et concernaient des enfants ou des bébés endormis.

Ce schéma nouveau et si caractéristique incita Guitierrez à envisager l'existence d'une espèce de lézard encore inconnue, ce qui semblait tout à fait plausible au Costa Rica. Large de cent vingt kilomètres à son point le plus étroit, le pays était plus petit que l'État du Maine. Et pourtant, malgré sa superficie restreinte, le Costa Rica disposait d'un habitat biologique d'une exceptionnelle diversité : deux océans, l'Atlantique et le Pacifique; quatre chaînes de montagnes culminant à plus de trois mille cinq cents mètres, avec des volcans en activité; forêt tropicale et forêt pluviale, zones tempérées, régions marécageuses et déserts arides. Une telle diversité écologique engendrait une extraordinaire multiplicité d'organismes animaux et végétaux. Le Costa Rica comptait trois fois plus d'oiseaux que l'ensemble de l'Amérique du Nord, plus de mille espèces d'orchidées et cinq mille d'insectes.

On découvrait sans cesse de nouvelles espèces et, pour une raison navrante, ce phénomène prenait de l'ampleur depuis quelques années. La déforestation gagnait tout le pays et, à mesure que leur habitat était détruit, les espèces vivant dans la forêt changeaient de milieu et parfois aussi de comportement.

Il était donc tout à fait plausible qu'il s'agisse d'une espèce inconnue. Mais, en même temps que l'excitation provoquée par cette idée, il y avait l'éventualité inquiétante de nouvelles maladies. Les lézards étaient porteurs de maladies virales dont certaines pouvaient être transmises à l'homme. La plus grave était une forme d'encéphalite qui provoquait une sorte de maladie du sommeil chez l'homme et le cheval. Il était donc important de découvrir ce nouveau lézard, ne fût-ce que pour déterminer s'il était porteur d'un virus.

Marty Guitierrez soupira en regardant le soleil descendre vers l'horizon. Peut-être Tina Bowman avait-elle vu un animal inconnu, peut-être pas. En tout cas, lui, il n'avait rien vu. A son arrivée, dans la matinée, il avait chargé son pistolet à air comprimé de fléchettes de ligamine et s'était dirigé vers la plage, plein d'espoir. Mais il avait perdu sa journée; il allait bientôt être obligé de regagner la voiture, car il ne voulait pas conduire de nuit sur la route mal entretenue.

Guitierrez se leva et commença à rebrousser chemin le long de la plage. Après quelques centaines de mètres, il aperçut la silhouette sombre d'un singe hurleur qui avançait en bordure de la mangrove. Le biologiste s'écarta et se dirigea vers la mer. Si c'était bien un singe hurleur, il y en avait probablement d'autres dans les arbres et ces bestioles avaient la charmante manie de couvrir les intrus d'urine.

Mais celui-ci semblait être seul; il marchait lentement et s'arrêtait fréquemment pour s'asseoir. Le singe avait quelque chose dans la bouche. Guitierrez se rapprocha et il vit que l'animal mangeait un lézard dont la queue et les pattes postérieures dépassaient de sa bouche. Même à la distance où il se trouvait, il distinguait les rayures brunes sur le fond vert.

Le biologiste s'allongea sur le sable, prit son pistolet et visa le singe. Le hurleur, habitué à vivre dans une réserve, le regarda avec curiosité. Il ne s'enfuit pas, même quand la première fléchette passa en sifflant près de lui. Quand la seconde se ficha dans sa cuisse, l'animal poussa un cri aigu de colère et de surprise mêlées. Il lâcha les restes de son repas et s'enfonça dans la mangrove.

Guitierrez se releva et s'avança. Il n'avait aucune inquiétude pour le singe; la dose de tranquillisant était trop faible pour provoquer autre chose qu'une somnolence de quelques minutes. Le biologiste pensait déjà à ce qu'il allait faire de sa découverte; il rédigerait un rapport préliminaire, mais il allait de soi que les restes de l'animal seraient envoyés aux États-Unis pour être formellement identifiés. A qui les envoyer? L'expert patenté était Edward H. Simpson, professeur honoraire de zoologie à l'université de Columbia, à New York. Un homme âgé, élégant, aux cheveux de neige. Simpson était le plus grand spécialiste mondial de la taxinomie des lézards. Guitierrez songea qu'il enverrait probablement le sien au Dr Simpson.

NEW YORK

Le Dr Richard Stone, chef du laboratoire des maladies tropicales du Centre médical de l'université de Columbia, ne manquait jamais une occasion de signaler que cette appellation pompeuse ne correspondait pas à la réalité. Au début du siècle, à l'époque où le laboratoire occupait la totalité du quatrième étage du bâtiment de recherches biomédicales, des équipes de techniciens travaillaient sans relâche à éliminer des fléaux tels que la fièvre jaune, le paludisme et le choléra. Mais les progrès de la médecine et l'ouverture de laboratoires de recherches à Nairobi et São Paulo avaient sensiblement réduit l'importance de celui de Columbia. Le labo n'occupait plus qu'une partie de l'étage et n'employait plus que deux techniciens à plein temps, dont le plus clair du travail consistait à diagnostiquer des maladies contractées par des New-Yorkais de retour de l'étranger. Le paisible train-train du laboratoire des maladies tropicales fut rompu ce matin-là par l'arrivée d'un colis.

– Charmant, dit la technicienne en prenant connaissance de l'étiquette de la douane. « Fragment partiellement mastiqué de lézard du Costa Rica. » A vous l'honneur, docteur Stone, ajouta-t-elle avec une grimace de dégoût.

Richard Stone s'approcha pour inspecter le colis.

– C'est ce que nous envoie le labo d'Ed Simpson ? demanda-t-il.

– Oui, mais je ne comprends pas pourquoi ils nous envoient un lézard.

– La secrétaire de Simpson a téléphoné, expliqua Stone. Son patron est en mission à Bornéo jusqu'à la fin de l'été et, comme il y a un risque de maladie transmissible, elle a demandé à notre labo d'examiner ce lézard. Voyons de quoi il s'agit.

Le cylindre de plastique blanc, de la taille d'une bouteille de deux litres, était muni de fermetures métalliques et d'un couvercle à pas de vis. Il portait l'inscription : SPÉCIMENS BIOLOGIQUES INTERNATIONAUX, et était couvert d'étiquettes et d'avis rédigés en quatre langues et destinés à dissuader des douaniers soupçonneux de l'ouvrir.

Selon toute apparence, ces avis avaient fait leur effet. Stone dirigea la grosse lampe sur le cylindre et il constata que les plombs étaient encore intacts. Il mit des gants de caoutchouc et un masque; le labo avait récemment identifié des spécimens contaminés par la fièvre équine du Venezuela, l'encéphalite B du Japon, la maladie de la forêt de Kyasanur, le virus Langat et le virus Mayaro. Puis il dévissa le couvercle.

Il entendit le chuintement d'un gaz qui s'échappait et vit sortir une vapeur blanche. La surface du cylindre devint glacée. Stone sortit du cylindre un sac en plastique à fermeture Éclair contenant quelque chose de vert. Il étala un drap chirurgical sur la table et retourna le sac qu'il secoua. Un morceau de chair congelée tomba avec un bruit mat.

– Ah! ah! fit la laborantine. Il est à moitié dévoré.

– Oui. Que veulent-ils que nous fassions de ça?

La technicienne consulta les documents joints au colis.

– Ce lézard aurait mordu des enfants. Ils demandent une identification de l'espèce et redoutent que les morsures n'aient transmis des maladies. L'une des victimes a fait un dessin de l'animal, ajouta-t-elle en montrant à Stone un dessin d'enfant portant le nom de « Tina » au bas de la feuille.

– Il est évident que nous ne pouvons pas faire grand-chose pour l'identifier, dit Stone en jetant un coup d'œil au dessin, mais, à condition que ce fragment nous fournisse un peu de sang, il sera facile de vérifier s'il est porteur d'une maladie. Au fait, comment appellent-ils cet animal?

– *Basiliscus amoratus* à trois doigts, une anomalie génétique, répondit la laborantine en lisant le document.

– Bon, dit Stone, mettons-nous au travail. En attendant qu'il dégèle, faites une radio et prenez quelques photos pour le dossier. Dès que vous aurez du sang, commencez les recherches d'anticorps jusqu'à ce que nous ayons trouvé une structure voisine. Prévenez-moi s'il y a un problème.

Avant le déjeuner, le laboratoire avait la réponse : le sang du lézard ne montrait aucune réactivité notable aux antigènes viraux ou bactériens. Ils avaient également effectué des tests de toxicité et trouvé une seule réponse positive : une légère réactivité au venin du cobra royal de l'Inde. Mais ce type de réactivité était courant entre les différents reptiles et le Dr Stone ne jugea pas utile de le mentionner dans le fax que la laborantine envoya le soir même au Dr Martin Guitierrez.

Ils n'essayèrent pas d'identifier le lézard; il faudrait attendre le retour du Dr Simpson. Comme il ne devait pas rentrer avant plusieurs semaines, sa secrétaire demanda au laboratoire de Columbia de conserver le fragment de lézard pendant ce temps. Le Dr Stone le glissa dans le sac à fermeture Éclair et plaça le tout dans la chambre froide.

Martin Guitierrez prit connaissance du fax du Centre médical de Columbia / Laboratoire des maladies tropicales. Le texte était laconique :

Sujet : *Basiliscus amoratus* avec anomalie génétique (transmis par le bureau du Dr Simpson).

Matériel : segment postérieur ? animal partiellement dévoré.

Examens pratiqués : radiographie, examen microscopique, RTX immunologique maladies virales, parasitaires, bactériennes.

Résultats : aucun signe histologique ni immunologique de maladie transmissible à l'homme dans cet échantillon de *Basiliscus amoratus*.

Richard A. Stone, directeur du laboratoire.

Guitierrez tira deux conclusions de l'étude de ces résultats. Premièrement, l'identification du lézard comme un basilic avait été confirmée par des scientifiques de l'université de Columbia. Deuxièmement, l'absence de maladie transmissible signifiait que les cas récents de morsures par cette espèce ne présentaient aucun danger grave pour le Costa Rica. Il avait au contraire le sentiment que sa première théorie était la bonne : des lézards appartenant à une espèce inconnue avaient été chassés de leur habitat naturel et s'approchaient de la population locale. Guitierrez avait la conviction qu'il suffirait de quelques semaines pour que les lézards s'adaptent à leur nouveau milieu et que les attaques cessent.

Des trombes d'eau s'abattaient sur le toit de tôle ondulée de la clinique de Bahía Anasco. Il était près de minuit, l'électricité avait été coupée par l'orage et Elena Morales, la sage-femme, travaillait à la lumière d'une torche électrique quand elle perçut un petit cri aigu, une sorte de gazouillement bref. Croyant qu'il s'agissait d'un rat, elle posa rapidement une compresse sur le front de la jeune accouchée et se dirigea vers la salle contiguë où se trouvait un nouveau-né. Au moment où elle posait la main sur la poignée de la porte, elle entendit un autre gazouillement et elle se détendit. C'était à l'évidence un oiseau qui voletait dans l'encadrement de la fenêtre en cherchant à s'abriter de la pluie. Une vieille croyance affirmait que, lorsqu'un oiseau venait voir un nouveau-né, c'était un signe de chance.

Elena ouvrit la porte. Le bébé était couché dans un couffin en osier, emmailloté dans un lange léger, de sorte que seul son visage était découvert. Autour du couffin, trois lézards d'un vert sombre étaient accroupis comme des gargouilles. En voyant Elena, ils penchèrent la tête sur le côté et la regardèrent avec curiosité, mais ils ne prirent pas la fuite. A la lumière de sa torche, Elena vit le sang qui coulait de leur gueule. Un lézard se pencha lentement, avec un petit gazouillement, et, d'un mouvement preste de la tête, arracha une bouchée de chair dans le berceau.

Elena se précipita en hurlant vers les lézards qui s'enfuirent dans l'obscurité. Avant même d'avoir atteint le couffin, elle avait compris ce qu'ils avaient fait au visage du bébé et elle savait qu'il devait être mort. Les lézards s'enfoncèrent dans la nuit en babillant et en laissant sur le sol des empreintes de pattes à trois doigts, comme celles des oiseaux.

LA FORME DES DONNÉES

Un peu plus tard, quand elle eut retrouvé son calme, Elena Morales décida de ne pas faire état de l'attaque des lézards. Malgré la scène horrible dont elle avait été témoin, elle redoutait qu'on ne l'accuse d'avoir laissé le bébé sans surveillance. Elle annonça donc à la mère que le nouveau-né était mort asphyxié et elle remplit des formulaires qu'elle envoya à San José en déclarant qu'il s'agissait d'un brusque syndrome infantile mortel, un syndrome inexpliqué et banal chez les enfants en bas âge, et son rapport ne fut pas mis en doute.

Le laboratoire universitaire de San José qui analysa l'échantillon de salive prélevé sur le bras de Tina Bowman fit deux découvertes étonnantes. Comme prévu, elle contenait une grande quantité de sérotonine. Mais une des protéines de la salive était tout à fait exceptionnelle : masse moléculaire de 1 980 000, une des plus grosses connues. Les résultats de l'activité biologique n'étaient pas encore connus ; il semblait s'agir d'une substance neurotoxique, apparentée au venin du cobra, mais à la structure plus primitive.

Le laboratoire décela également des traces de gamma-amino-méthionine, une hydrolase. Comme cette enzyme était un marqueur en génie génétique et n'existait pas chez les animaux sauvages, les techniciens supposèrent qu'il y avait eu contamination au laboratoire, et ils n'en firent pas mention quand ils appelèrent le Dr Cruz, le médecin de Puntarenas qui leur avait fait parvenir l'échantillon.

Le fragment de lézard attendait dans la chambre froide du Laboratoire des maladies tropicales de l'université de Columbia le retour du Dr Simpson qui n'était pas prévu avant au moins un mois. Les choses auraient pu demeurer en l'état, si une laborantine nommée Alice Levin n'avait vu le dessin de Tina Bowman en entrant dans le labo.

– Qui a dessiné ce dinosaure ? demanda-t-elle.

– Quoi ? fit Richard Stone en se retournant lentement vers elle.

– Le dinosaure... C'en est bien un, non ? Mon fils passe son temps à en dessiner.

– C'est un lézard, répliqua Stone. Un lézard du Costa Rica qu'une gamine en vacances a dessiné.

– Non, insista Alice Levin en secouant vigoureusement la tête. Regardez bien, il n'y a aucun doute... Une grosse tête, un long cou, une queue épaisse, debout sur les pattes de derrière. C'est un dinosaure.

– Impossible. Il ne faisait que trente centimètres de haut.

– Et alors ? fit Alice. Il y avait de petits dinosaures. Je sais de quoi je parle : j'ai deux garçons et je suis devenue une spécialiste. Le plus petit dinosaure mesurait moins de trente centimètres. Je ne me rappelle plus comment il s'appelait... Ils ont tous des noms impossibles. Après dix ans, on est incapable de les retenir.

– Vous n'avez pas compris, dit Richard Stone. Ce dessin représente un animal contemporain dont on nous a envoyé un fragment. Il est dans la chambre froide.

Stone alla chercher le sac en plastique et le secoua pour faire tomber le fragment de lézard sur une table.

Alice Levin examina sans la toucher la partie postérieure congelée de l'animal et haussa les épaules.

– Je ne sais pas, murmura-t-elle, mais, pour moi, cela ressemble à un dinosaure.

– Impossible, riposta Stone en secouant la tête.

– Pourquoi ? Il pourrait s'agir de restes, de vestiges, je ne sais pas comment on appelle ça.

Stone continua de secouer la tête. Alice était mal informée ; ce n'était qu'une technicienne du laboratoire de bactériologie dotée d'une imagination fertile. Stone se souvenait qu'elle avait cru un jour être suivie dans la rue par un des garçons de laboratoire...

– Vous savez, Richard, reprit Alice Levin, s'il s'agit vraiment d'un dinosaure, c'est un coup sensationnel.

– Ce n'est pas un dinosaure.

– Quelqu'un a vérifié ?

– Non, répondit Stone.

– Eh bien, poursuivit Alice, envoyez-le au Muséum d'histoire naturelle ou ailleurs... Vous devriez le faire, vous savez.

– Cela m'embarrasserait beaucoup.

– Voulez-vous que je m'en occupe ?

– Non, répondit Richard Stone. Je ne veux pas.

– Vous n'allez rien faire ?

– Rien du tout.

Il remporta le sac dans la chambre froide et claqua la porte.

– C'est un lézard, reprit-il, pas un dinosaure. Et, de toute façon, nous attendrons que le Dr Simpson revienne de Bornéo pour l'identifier. Ce lézard n'ira nulle part, Alice. Un point, c'est tout !

DEUXIÈME ITÉRATION

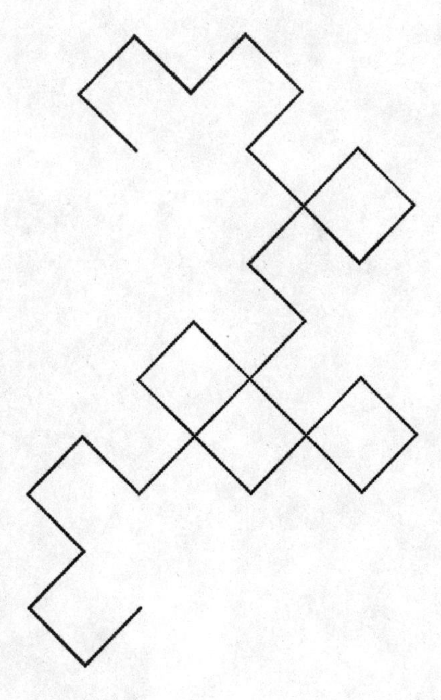

Dans les représentations suivantes de la courbe fractale, de brusques changements peuvent apparaître.

IAN MALCOLM

LA CÔTE DE LA MER INTÉRIEURE

La température dépassait 35 °C. Alan Grant était accroupi, le nez à quelques centimètres du sol. Il avait mal aux genoux malgré ses genouillères de grosse toile, la poussière alcaline lui irritait les poumons et des gouttes de sueur coulaient de son front. Mais Grant était indifférent à l'inconfort de sa position. Toute son attention était concentrée sur les quinze centimètres carrés de terre qui se trouvaient juste devant lui.

Travaillant patiemment à l'aide d'un cure-dents et d'une brosse de peintre en poil de chameau, il était en train d'exhumer un minuscule fragment de maxillaire en forme de L, long de vingt-cinq millimètres et pas plus épais que son auriculaire. Les dents, qui formaient une rangée de petites pointes, étaient plantées selon un angle caractéristique. Des débris d'os se détachaient à mesure qu'il progressait. Grant s'arrêta quelques instants pour enduire l'os de colle avant de poursuivre sa tâche. Il ne faisait aucun doute qu'il s'agissait d'un maxillaire ayant appartenu à un bébé dinosaure carnivore, mort depuis soixante-dix-neuf millions d'années, à l'âge de deux mois. Si la chance était avec lui, Grant pouvait découvrir le reste du squelette. Et, si cela se réalisait, ce serait le premier squelette complet d'un bébé carnivore...

– Ohé! Alan!

Grant leva la tête en plissant les yeux pour se protéger du soleil. Il ajusta ses lunettes de soleil et s'essuya le front du revers de la main. Il se trouvait sur le flanc d'une butte isolée par l'érosion, dans les bad lands de Snakewater, Montana. Sous le ciel d'un bleu implacable, des éminences de calcaire érodé parsemaient la plaine à perte de vue. Pas le moindre buisson, pas un seul arbre à l'horizon; rien que la pierre dénudée, le soleil brûlant et les gémissements du vent.

Les visiteurs trouvaient les bad lands d'une austérité déprimante mais, quand Grant contemplait ce paysage, il y voyait tout autre chose.

Ces terres désolées étaient tout ce qui restait d'un monde très différent, disparu depuis quatre-vingt millions d'années. Grant se représentait un lieu chaud et marécageux formant la limite d'une vaste mer intérieure. Cette mer, large de plus de quinze cents kilomètres, s'étendait des Rocheuses, de formation très récente, à la chaîne des Appalaches aux pics déchiquetés. Tout le Middle West des États-Unis était sous l'eau.

A l'époque, il y avait de petits nuages dans le ciel assombri par la fumée des volcans voisins. L'atmosphère était plus dense, plus riche en gaz carbonique, et les plantes poussaient rapidement en bordure de la mer. Il n'y avait pas de poissons dans ces eaux, mais des mollusques bivalves et des nautiles. Des ptérosaures descendaient en piqué pour saisir des algues flottant à la surface de l'eau. Quelques dinosaures carnivores rôdaient entre les palmiers poussant sur les rives marécageuses. Au large apparaissait une petite île, d'une superficie de un hectare. Bordée par une végétation dense, cette île formait un sanctuaire où des troupeaux de dinosaures herbivores à bec de canard pondaient leurs œufs dans des nids communautaires et élevaient leurs petits.

Pendant les millions d'années qui suivirent, la profondeur du gigantesque lac alcalin d'un vert pâle diminua et toute l'eau finit par disparaître. La terre dénudée se plissa et se craquela sous l'effet de la chaleur ; l'île où les dinosaures pondaient leurs œufs devint le mamelon érodé au flanc duquel Alan Grant, un barbu de quarante ans au large poitrail, était en train de creuser.

– Ohé ! Alan !

Il se releva. Il entendit le halètement du générateur portable et le fracas lointain du marteau-piqueur attaquant la roche de la colline voisine. Il vit les étudiants s'agiter autour de la machine et écarter les blocs de pierre après avoir vérifié qu'ils ne renfermaient pas de fossiles. Au pied de la colline, il vit les six tipis du campement, la tente de la cantine battue par le vent et la caravane qui faisait office de laboratoire de campagne. Il vit Ellie qui lui faisait de grands signes de la main à l'ombre de la caravane.

– De la visite ! cria-t-elle en tendant le bras vers l'est.

Grant distingua le nuage de poussière et la Ford bleue cahotant sur la route défoncée. Il regarda sa montre : pile à l'heure. Sur la colline voisine, les jeunes gens suivaient la voiture avec intérêt. Les visiteurs étaient rares à Snakewater et les raisons poussant un avocat de l'Agence pour la protection de l'environnement à venir voir Alan Grant avaient donné lieu à bien des conjectures.

Mais Grant savait que la paléontologie, la science des êtres disparus, prenait depuis quelques années une importance inattendue dans le monde moderne. Ce monde changeait rapidement et des questions urgentes sur les conditions météorologiques, la déforestation, le réchauffement général de l'atmosphère ou la couche d'ozone semblaient pouvoir obtenir des réponses, au moins partielles, du passé. Les paléontologistes étaient en mesure de fournir certaines précisions et, en deux occasions, Alan Grant avait été appelé à témoigner en qualité d'expert.

Il commença à descendre la colline pour aller à la rencontre du visiteur.

La poussière blanche fit tousser l'homme tandis qu'il claquait la portière de la voiture.

– Bob Morris, A.P.E., dit-il en tendant la main. Je travaille pour le bureau de San Francisco.

– Vous avez l'air d'avoir chaud, fit Grant après s'être présenté. Voulez-vous une bière ?

– Et comment !

Morris n'avait pas trente ans. Il portait une cravate, un pantalon de complet et tenait un porte-documents. Ses chaussures à languette crissaient sur les pierres tandis que les deux hommes se dirigeaient vers la caravane.

– Quand je suis arrivé au sommet de la colline, fit Morris en désignant les tipis, j'ai cru que c'était une réserve indienne.

– Non, répliqua Grant, mais c'est le meilleur moyen de vivre par ici.

Il lui expliqua qu'en 1978, la première année des fouilles, ils avaient fait venir des tentes octogonales ultraperfectionnées, mais le vent les avait renversées. Ils essayèrent ensuite d'autres modèles, mais le résultat fut le même. Ils décidèrent enfin de monter des tipis, plus spacieux, plus confortables et plus stables quand le vent soufflait.

– Ce sont des tipis de Pieds Noirs, ajouta Grant. Ils sont tendus sur quatre piquets alors que ceux des Sioux n'en ont que trois. Mais, comme nous sommes sur l'ancien territoire des Pieds-Noirs, nous avons pensé...

– Oui, oui, bonne idée, fit Morris, les yeux plissés, en parcourant du regard le paysage désolé. Depuis combien de temps êtes-vous là ?

– A peu près soixante caisses, répondit Grant. Nous mesurons le temps en caisses de bière, expliqua-t-il en voyant l'air surpris du fonctionnaire. Nous commençons en juin avec cent caisses et nous en avons fini une soixantaine.

– Soixante-trois, pour être précis, lança Ellie Sattler au moment où ils arrivaient devant la caravane.

Grant sourit en voyant Morris écarquiller les yeux. Âgée de vingt-quatre ans, le teint hâlé, des cheveux blonds attachés en queue-de-cheval, Ellie portait un jean coupé en haut des cuisses et une chemise nouée autour de la taille.

– Si nous tenons le coup, c'est grâce à elle, poursuivit Grant après avoir fait les présentations. Elle est très bonne dans sa partie.

– Quelle est sa partie ? demanda Morris.

– Paléobotanique, répondit Ellie. Et je m'occupe aussi des préparations de routine.

Elle ouvrit la porte et ils entrèrent dans la caravane. La climatisation abaissait seulement la température à 28 °C, mais ils eurent une impression de fraîcheur après la chaleur torride de midi. Plusieurs longues tables de bois étaient alignées, sur lesquelles de petits fragments d'os étaient soigneusement disposés et étiquetés. Un peu plus loin, il y avait des plats et des pots de céramique. Une forte odeur de vinaigre flottait dans l'air.

– Je croyais que les dinosaures étaient très gros, dit Morris en regardant les os.

– C'est vrai, fit Ellie, mais tout ce que vous voyez ici provient de bébés. Le site de Snakewater est particulièrement important pour le nombre de nids fossilisés. Avant que nous commencions les travaux sur ce gisement, les bébés dinosaures étaient très mal connus, puisqu'un seul nid avait été découvert, dans le désert de Gobi. Ici, nous avons mis au jour une douzaine de nids de hadrosaures, avec des œufs et des squelettes de bébés.

En se dirigeant vers le réfrigérateur, Grant montra à Morris les bains d'acide acétique utilisés pour dissoudre la gangue calcaire entourant les fragiles ossements.

– On dirait des os de poulet, fit Morris en se penchant vers les plats de céramique.

– Oui, acquiesça Ellie. Ils ressemblent à des os d'oiseau.

– Et ceux-là ? demanda Morris en montrant par la fenêtre de la caravane des piles de gros os enveloppés dans des bâches en plastique.

– Des rebuts, expliqua Ellie. Des débris trop fragmentaires que nous avons extraits. Avant, nous les aurions jetés mais, aujourd'hui, nous faisons faire des analyses génétiques.

– Des analyses génétiques ? répéta Morris.

– Tenez, fit Grant en lui fourrant une bière dans la main.

Il en tendit une autre à Ellie qui la but au goulot en rejetant son long cou en arrière sous le regard ahuri de Morris.

– Comme vous le voyez, nous ne faisons pas de manières ici, déclara Grant. Voulez-vous passer dans mon bureau ?

– Avec plaisir, répondit Morris.

Le chercheur le précéda tout au fond de la caravane où se trouvaient un canapé défoncé, un fauteuil affaissé et une table basse de guingois. Grant se laissa tomber sur le canapé qui émit un craquement et projeta un nuage de poussière crayeuse. Il s'appuya contre le dossier, posa ses bottes sur le bord de la table et indiqua le fauteuil au visiteur.

– Asseyez-vous donc.

Alan Grant était professeur de paléontologie à l'université de Denver et l'un des plus éminents chercheurs dans son domaine, mais il fuyait les mondanités. Il se considérait comme un homme de terrain et savait que, dans sa spécialité, les découvertes les plus importantes étaient faites sur le terrain, avec les mains. Grant supportait difficilement les universitaires et autres conservateurs de musée, ceux qu'il surnommait les « chasseurs de dinosaures en chambre », et dont il mettait un point d'honneur à se distinguer, aussi bien dans sa mise que dans son attitude, allant jusqu'à donner ses cours en jean et tennis.

Grant regarda Morris épousseter soigneusement le fauteuil avant de s'asseoir, ouvrir son porte-documents, fouiller dans ses papiers, tourner la tête vers Ellie qui retirait des os d'un bain d'acide avec des pincettes sans prêter la moindre attention aux deux hommes.

– Vous devez vous demander ce que je suis venu faire ?

– C'est un long trajet, monsieur Morris, fit Grant en hochant la tête.

– Allons droit au but, si vous voulez bien. L'Agence pour la protection de l'environnement se préoccupe des activités de la fondation Hammond qui vous verse des subsides.

– Trente mille dollars par an, confirma Grant en hochant la tête. Depuis cinq ans.

– Que savez-vous sur cette fondation ?

– La fondation Hammond est une source respectée de subventions universitaires. Elle finance des recherches dans le monde entier, y compris les travaux de plusieurs spécialistes des dinosaures. Je sais qu'elle aide financièrement Bob Kerry, dans l'Alberta, et John Weller, en Alaska. Il y en a probablement d'autres.

– Savez-vous pourquoi la fondation Hammond subventionne tant de recherches sur les dinosaures ? poursuivit Morris.

– Bien sûr. C'est parce que le vieux John Hammond est dingue de ces grosses bêtes.

– L'avez-vous déjà rencontré ?

– Une ou deux fois, répondit Grant avec un haussement d'épaules. Il est venu nous rendre de courtes visites. Il n'est plus de la première jeunesse, vous savez. C'est un excentrique, comme le sont parfois les gens très riches, mais il est toujours plein d'enthousiasme. Pourquoi cette question ?

– Eh bien, répondit Morris, il se trouve que la fondation Hammond est un organisme assez mystérieux.

Il prit dans ses papiers la photocopie d'un planisphère, parsemé de points rouges, qu'il tendit à Grant.

– Voici les fouilles que la fondation a financées l'année dernière. Est-ce que vous remarquez quelque chose de curieux ? Montana, Alaska, Canada, Suède... Uniquement des sites septentrionaux. Il n'y a rien au-dessous du 45e parallèle. Et, tous les ans, c'est la même chose, ajouta Morris en sortant d'autres cartes. Jamais aucun programme de recherches n'a été subventionné dans le Sud, que ce soit en Utah, au Colorado ou au Mexique. La fondation Hammond finance exclusivement des fouilles dans les régions froides. Nous aimerions savoir pourquoi.

Grant parcourut rapidement les cartes du regard. S'il était vrai que seules les fouilles dans les régions froides recevaient une aide financière de la fondation, c'était une politique bizarre, car certains des meilleurs chercheurs travaillaient dans les pays chauds et...

– Il y a d'autres énigmes, reprit Morris. Quel est par exemple le lien entre les dinosaures et l'ambre ?

– L'ambre ?

– Oui. La résine fossilisée, dure et jaune...

– Je sais ce que c'est, le coupa Grant. Mais pourquoi me posez-vous cette question ?

– Parce que, depuis cinq ans, Hammond a fait l'acquisition d'énormes quantités d'ambre aussi bien en Amérique qu'en Europe et en Asie, y compris un certain nombre de bijoux dignes d'être exposés dans les musées. La fondation a investi dix-sept millions de dollars dans des achats d'ambre. Elle possède aujourd'hui la plus importante réserve privée du monde.

– Je ne comprends pas pourquoi, dit Grant.

– Personne ne comprend pourquoi. Autant que nous puissions en juger, cela ne mène à rien. L'ambre synthétique est facile à produire ; cette matière n'a aucune valeur commerciale ni militaire. Il n'y a aucune raison de la stocker, mais c'est ce que fait Hammond depuis plusieurs années.

– De l'ambre, murmura Grant en secouant la tête.

– Et cette île au Costa Rica ? poursuivit Morris. Il y a dix ans, la fondation Hammond a loué une île au gouvernement de ce pays, soi-disant pour y créer une réserve biologique.

– Je ne suis pas au courant, fit Grant, l'air perplexe.

– Je n'ai pas réussi à découvrir grand-chose, reconnut Morris. L'île se trouve à cent soixante kilomètres de la côte occidentale du Costa Rica. Elle est très accidentée et, dans ces parages, la conjonction des vents et des courants engendre un brouillard presque permanent. Les autochtones la surnomment l'île des brumes. *Isla Nublar*. Les Costaricains ne comprenaient pas que quelqu'un s'y intéresse. Si je vous en parle, poursuivit le fonctionnaire en fouillant dans son porte-documents, c'est parce que, d'après nos dossiers, vous avez reçu des honoraires de consultant à propos de cette île.

– Moi ? demanda Grant.

Morris lui tendit une feuille de papier. C'était la photocopie d'un chèque émis en mars 1984 par InGen Inc., Palo Alto, Californie. *Payez contre ce chèque à M. Alan Grant la somme de douze mille dollars.* Au bas du chèque, dans l'angle, était écrit : HONORAIRES CONSULTANT/ COSTA RICA/HYPERESPACE JEUNESSE.

– Oui, fit Grant, je m'en souviens. C'était une histoire très bizarre, mais je m'en souviens bien. Et cela n'avait aucun rapport avec une île.

C'est en 1979 qu'Alan Grant avait découvert sa première couvée d'œufs de dinosaure et il en avait exhumé plusieurs autres pendant les deux années suivantes. Mais c'est seulement en 1983 que les résultats de ses recherches avaient été publiés. Sa description d'un troupeau de dix mille dinosaures à bec de canard vivant sur la rive d'une vaste mer intérieure, construisant dans la boue des nids communautaires et élevant leurs petits au sein du troupeau, avait fait de lui du jour au lendemain une célébrité. La notion d'instinct maternel chez les dinosaures géants – et les croquis d'adorables bébés pointant le museau à travers la coquille de leur œuf – avait séduit dans le monde entier. Grant s'était vu harcelé de demandes d'interviews, de conférences et de livres. Fidèle à son image, il avait refusé en bloc, car seule la poursuite de ses fouilles l'intéressait. C'est pendant cette période agitée des années 83-84 que la société InGen lui avait proposé un poste de consultant.

– Aviez-vous déjà entendu parler d'InGen ? demanda Morris.

– Non.

– Comment ont-ils pris contact avec vous ?

– J'ai reçu un coup de téléphone d'un certain Gennaro, ou Gennino, quelque chose comme ça.

– Donald Gennaro, confirma Morris avec un petit hochement de tête. C'est leur conseiller juridique.

– Quoi qu'il en soit, ce Gennaro voulait se renseigner sur les habitudes alimentaires des dinosaures et il m'a proposé de l'argent si j'écrivais ce que je savais là-dessus.

Grant vida sa bière et la posa sur le plancher.

– Gennaro s'intéressait surtout aux jeunes dinosaures, poursuivit-il. Il voulait savoir ce que mangeaient les bébés et les jeunes. Il devait penser que je savais tout cela.

– Et ce n'est pas le cas ?

– Pas vraiment. Nous avions découvert un grand nombre d'ossements, mais nous disposions de peu d'éléments sur le régime alimentaire. Gennaro m'a dit qu'il savait que tout n'avait pas été publié et il voulait tout ce que nous avions. Il m'a proposé une très grosse somme : cinquante mille dollars.

– Vous permettez ? demanda Morris en prenant un magnétophone qu'il posa sur la table basse.

– Je vous en prie.

– Gennaro vous a donc téléphoné en 1984. Que s'est-il passé ensuite ?

– Vous avez vu notre site, répondit Grant. Cinquante mille dollars nous permettaient de financer les fouilles pendant deux étés. Je lui ai dit que je ferais le maximum.

– Vous avez donc accepté de rédiger un document ?

– Oui.

– Sur l'alimentation des jeunes dinosaures ?

– Oui.

– Avez-vous rencontré Gennaro ?

– Non, tout s'est passé au téléphone.

– Gennaro vous a-t-il dit pourquoi il voulait ces renseignements ?

– Oui, répondit Grant. Il se proposait d'ouvrir un musée pour enfants et il désirait présenter des bébés dinosaures. Il m'a dit qu'il avait engagé un certain nombre de consultants choisis dans le corps universitaire et m'a donné quelques noms. Il y avait plusieurs paléontologistes, un mathématicien du Texas nommé Ian Malcolm, deux écologistes, un analyste-programmeur. Une bonne équipe.

– Vous avez donc accepté ce poste de consultant ? demanda Morris en prenant des notes.

– Oui. J'ai accepté de lui envoyer un résumé de nos travaux, ce que nous savions sur les hadrosaures que nous avions découverts.

– Quel genre de renseignements lui avez-vous fournis ? demanda Morris.

– Nidification, étendue du territoire, habitudes alimentaires, comportement social. Tout.

– Comment Gennaro réagissait-il ?

– Il ne cessait de téléphoner. Parfois en pleine nuit pour demander si les dinosaures mangeaient telle ou telle chose, si tel ou tel objet pouvait être exposé. Je n'ai jamais compris pourquoi il se mettait dans cet état. Bien sûr que les dinosaures sont importants, mais pas à ce point-là. Ils ont disparu depuis soixante-cinq millions d'années et il aurait pu attendre le lendemain matin pour téléphoner !

– Je vois, dit Morris. Et les cinquante mille dollars ?

– Finalement, j'en ai eu assez de Gennaro et j'ai tout laissé tomber. Nous nous sommes mis d'accord sur une somme de douze mille dollars. Ce devait être vers l'été 1985.

– Et InGen ? demanda Morris en griffonnant quelques chiffres. Avez-vous eu d'autres rapports avec eux ?

– Pas depuis 1985.

– Quand la fondation Hammond a-t-elle commencé à financer vos recherches ?

– Il faudrait que je vérifie, répondit Grant, mais c'était à la même époque.

– Tout ce que vous savez sur Hammond, c'est qu'il est riche et passionné par les dinosaures ?

– Oui.

Morris continua de prendre des notes.

– Écoutez, fit Grant, si l'Agence pour la protection de l'environnement s'intéresse tellement à Hammond et à ses activités – les fouilles dans les pays froids, les achats d'ambre, l'île au Costa Rica –, pourquoi ne l'interrogez-vous pas ?

– Pour l'instant, c'est impossible.

– Pourquoi ? demanda Grant.

– Parce que nous n'avons aucune preuve que ses activités soient illégales. Mais, pour moi, il ne fait aucun doute que John Hammond tourne la loi.

– C'est le Bureau des transferts de technologies qui nous a alertés, expliqua Morris. Cet organisme contrôle les expéditions de matériel américain pouvant avoir de l'importance dans le domaine militaire. Ils ont appelé pour nous signaler qu'InGen avait peut-être effectué des transferts de technologies illégaux dans deux secteurs d'activité. D'une part, trois Cray XMP avaient été expédiés au Costa Rica sous le couvert d'un envoi de matériel à une autre division de l'entreprise et en spécifiant qu'ils n'étaient pas destinés à la revente. Mais le Bureau se demandait qui pourrait avoir besoin de machines aussi performantes au Costa Rica.

– Trois Cray, murmura Grant. Ce sont bien des ordinateurs ?

– Des superordinateurs extrêmement puissants. Pour vous donner une idée, la puissance de calcul de trois Cray est supérieure à celle de l'équipement informatique de n'importe quelle compagnie privée américaine. Et InGen les a envoyés au Costa Rica... On est bien obligé de se poser des questions.

– Je donne ma langue au chat, fit Grant. Vous savez pourquoi ?

– Personne ne le sait. Et le cas des Hood est encore plus inquiétant. Ce sont des séquenceurs automatiques, des machines capables de déterminer seules les codes génétiques, si récentes qu'elles ne figurent pas encore sur les listes du matériel sensible. Mais n'importe quel laboratoire de génie génétique peut en posséder une, s'il a les moyens de débourser un demi-million de dollars. Si mes renseignements sont exacts, poursuivit-il en consultant ses notes, InGen a expédié *vingt-quatre* séquenceurs Hood vers son île du Costa Rica. Ils affirment là aussi qu'il s'agit d'un transfert de matériel vers une filiale de l'entreprise et non d'une exportation. Le Bureau des transferts de technologies n'a pas pu faire grand-chose, car l'utilisation du matériel n'est pas officiellement de son ressort. Mais, à l'évidence, InGen est en train de mettre sur pied l'une des plus importantes installations de génie génétique du monde dans un petit pays d'Amérique centrale. Un pays sans réglementation. Cela s'est déjà vu.

– Il y avait déjà eu plusieurs entreprises de biotechnologie qui s'étaient installées à l'étranger afin d'échapper aux lois et réglementations en vigueur aux États-Unis. Le cas le plus flagrant était celui de Biosyn.

En 1986, la Genetic Biosyn Corporation, de Cupertino, expérimenta un vaccin antirabique dans une ferme du Chili sans en avertir les autorités locales ni les ouvriers agricoles et sans prendre la moindre précaution.

Le vaccin consistait en un virus de la rage, dont on avait modifié le matériel génétique pour le rendre inactif. Mais la virulence n'avait pas été vérifiée ; Biosyn ne savait pas si le virus pouvait encore inoculer la rage. De plus, le virus avait été modifié. On ne pouvait en principe contracter la rage qu'après avoir été mordu par un animal atteint, mais les expériences de Biosyn sur le virus lui permettaient de traverser les alvéoles pulmonaires de sorte qu'il suffisait de respirer pour être infecté. Les chercheurs de Biosyn transportèrent le virus dans un sac, sur un vol commercial. Morris s'était souvent demandé ce qui serait arrivé si la capsule s'était brisée pendant le vol. Tous les voyageurs auraient pu contracter la rage.

C'était une attitude scandaleuse, irresponsable. C'était une négligence criminelle. Et pourtant aucune mesure ne fut prise contre Biosyn. Les ouvriers agricoles qui avaient risqué leur vie sans le savoir n'étaient que des paysans ignorants ; le gouvernement chilien avait une crise économique sur les bras et d'autres chats à fouetter ; les autorités américaines ne pouvaient exercer leur juridiction. Lewis Dodgson, le généticien responsable du projet, était toujours employé par Biosyn qui continuait d'agir avec la même insouciance. Et d'autres entreprises américaines s'empressaient de s'installer dans des pays dont la législation n'était pas adaptée au développement des recherches génétiques. Des pays pour qui le génie génétique n'était qu'une des technologies de pointe et qui accueillaient ces entreprises sur leur territoire sans soupçonner les périls qu'elles leur faisaient courir.

– Voilà donc pourquoi nous avons commencé à nous intéresser à InGen, reprit Morris. Cela remonte à trois semaines.

– Qu'avez-vous découvert ? demanda Grant.

– Pas grand-chose, reconnut le jeune homme. A mon retour à San Francisco, nous serons probablement obligés de clore l'enquête. Et je pense en avoir à peu près terminé ici, ajouta-t-il en reprenant son porte-documents. A propos, que signifie « hyperespace jeunesse » ?

– C'était juste une appellation fantaisiste pour mon rapport, répondit Grant. Hyperespace est un terme désignant un espace multidimensionnel. Si l'on observe le comportement d'un animal, son alimentation, ses déplacements, son sommeil, tout cela prend place dans un espace multidimensionnel. D'après certains de mes confrères, le comportement d'un animal doit être considéré à l'intérieur d'un hyperespace écologique. Un « hyperespace jeunesse » – expression prétentieuse s'il en fut – fait simplement allusion au comportement de jeunes dinosaures.

Le téléphone sonna à l'autre extrémité de la caravane. Ellie décrocha.

– Il est en réunion en ce moment, dit-elle. Peut-il vous rappeler ?

– Merci pour votre aide, dit Morris en se levant et en refermant son porte-documents. Et pour la bière.

– Je vous en prie, fit Grant en le raccompagnant jusqu'à la porte.

– Hammond vous a-t-il demandé de lui fournir du matériel provenant de votre site ? Des os, des œufs, ce genre de choses ?

– Non.

– D'après le Dr Sattler, vous faites des travaux de génétique ici...

– Ce n'est pas exactement cela, rétorqua Grant. Quand nous mettons au jour des fossiles endommagés ou qui, pour toute autre raison, ne peuvent être conservés dans un musée, nous expédions les ossements à un laboratoire qui les broie et essaie d'en extraire des protéines. Ces protéines sont identifiées et on nous envoie les résultats.

– Quel est le nom de ce laboratoire ? demanda Morris.

– Medical Biologic Services, à Salt Lake City.

– Comment l'avez-vous choisi ?

– Leurs prix sont compétitifs.

– Ce laboratoire n'a rien à voir avec InGen ? insista Morris.

– Pas à ma connaissance.

Grant ouvrit la porte de la caravane et sentit un souffle d'air brûlant. Morris prit le temps de mettre ses lunettes de soleil.

– Une dernière chose, dit-il. Imaginons que le véritable objectif d'InGen n'ait pas été une exposition dans un musée. Auraient-ils pu utiliser d'une autre manière les renseignements que vous leur avez fournis ?

– Bien sûr, fit Grant en riant. Ils auraient pu nourrir un bébé hadrosaure.

– Un bébé hadrosaure, répéta Morris en se mettant à rire à son tour. J'aimerais bien voir cela. Quelle taille avaient-ils ?

– Ils étaient grands comme ça, fit Grant en écartant les mains d'une quinzaine de centimètres. De la taille d'un écureuil.

– Et combien de temps fallait-il à l'animal pour devenir adulte ?

– A peu près trois ans, répondit Grant.

– Eh bien, reprit Morris en lui tendant la main, merci encore pour votre aide.

– Soyez prudent en conduisant, fit Grant.

Il attendit que Morris soit arrivé devant sa voiture, puis il referma la porte de la caravane.

– Que penses-tu de lui ? demanda-t-il à Ellie.

– Un garçon candide.

– As-tu aimé la manière dont il a présenté John Hammond comme le parfait scélérat ? poursuivit Grant en riant. Hammond est à peu près aussi sinistre que Walt Disney... A propos, qui a appelé ?

– Une femme du nom d'Alice Levin, répondit Ellie. Elle travaille au Centre médical de Columbia. Tu la connais ?

– Non, répondit Grant en secouant la tête.

– Elle voulait te demander d'identifier les restes d'un animal. Elle aimerait que tu la rappelles tout de suite.

SQUELETTE

Ellie Sattler écarta de son visage une mèche de cheveux blonds et reporta toute son attention sur les bains d'acide. Il y en avait six, échelonnés de cinq à trente pour cent. Elle devait surveiller les solutions les plus fortes, sinon après avoir rongé le calcaire elles attaqueraient les os. Et les os d'un bébé dinosaure étaient extrêmement fragiles. Ellie s'émerveillait encore à l'idée qu'ils s'étaient conservés pendant quatre-vingts millions d'années.

Elle écouta distraitement Grant qui parlait au téléphone.

– Mademoiselle Levin ? Alan Grant à l'appareil. De quoi s'agit-il exactement ?... Vous avez quoi ? Un *quoi ?*

Il éclata d'un gros rire.

– Oh ! J'en doute fort, mademoiselle..., poursuivit le paléontologiste. Non, je regrette, je n'ai vraiment pas le temps. Écoutez, je veux bien jeter un coup d'œil, mais je peux déjà vous garantir qu'il s'agit d'un basilic. Mais... Oui, vous pouvez faire cela. D'accord, envoyez-le tout de suite.

Grant raccrocha en secouant la tête.

– Les gens ont de ces idées, soupira-t-il.

– Que voulait-elle ? demanda Ellie.

– C'est à propos d'un lézard qu'elle essaie d'identifier, expliqua Grant. Elle va m'envoyer un fax d'une radiographie.

Il se dirigea vers le télécopieur et attendit la transmission du document.

– A propos, dit-il, j'ai fait une nouvelle trouvaille qui t'intéressera.

– Qu'est-ce que c'est ?

– Je l'ai trouvé juste avant l'arrivée de Morris. Sur la Colline sud, horizon quatre. Un bébé velociraptor, avec mâchoire et dentition complète : l'identification est donc facile. Et, comme le site a l'air intact, nous trouverons peut-être un squelette entier.

– Fantastique ! s'écria Ellie. Quel âge ?

– Tout jeune, répondit Grant. Entre deux et quatre mois.

– Tu es sûr qu'il s'agit d'un velociraptor ?

– Je suis formel. La chance a peut-être enfin tourné.

Depuis deux ans, l'équipe travaillant sur le site de Snakewater n'avait exhumé que des bébés hadrosaures. Ils avaient déjà rassemblé de nombreux indices attestant que de grands troupeaux de dix ou vingt mille de ces dinosaures herbivores parcouraient les plaines du crétacé, comme on le verrait faire plus tard aux troupeaux de bisons.

Mais une question se posait avec une insistance croissante : où étaient les prédateurs ?

Il allait de soi qu'ils étaient en nombre limité. Des études menées dans les parcs naturels d'Afrique et de l'Inde montraient qu'il y avait en gros un prédateur carnivore pour quatre cents herbivores. Cela signifiait qu'un troupeau de dix mille becs de canard pouvait nourrir vingt-cinq tyrannosaures. Ils avaient donc très peu de chances de découvrir les restes d'un grand prédateur.

Mais où étaient les petits ? Il y avait plusieurs dizaines de sites de nidification à Snakewater – à certains endroits, le sol était littéralement couvert de fragments de coquilles – et de nombreux petits dinosaures se nourrissaient d'œufs. Il aurait dû y avoir une profusion de prédateurs de un à deux mètres de long, des animaux tels que *Dromaeosaurus, Oviraptor, Velociraptor* et *Cœlurus.*

Mais ils n'en avaient pas encore découvert un seul.

Ce squelette de velociraptor était peut-être le signe que la chance allait leur sourire. Et c'était un bébé ! Ellie savait que l'un des rêves d'Alan était d'étudier la manière dont les dinosaures carnivores élevaient leurs petits, comme il l'avait fait pour les herbivores. Peut-être était-ce le premier pas sur la voie de la réalisation de ce rêve.

– Tu dois être très excité, lança-t-elle.

Grant ne répondit pas.

– J'ai dit : tu dois être très excité, répéta Ellie.

– Mon Dieu ! murmura Grant, le regard fixé sur le télécopieur.

Ellie regarda le fax de la radiographie par-dessus l'épaule du paléontologiste et elle expira lentement.

– Tu crois que c'est un *amassicus ?*

– Oui, répondit Grant. Ou bien un *triassicus* ; le squelette est si frêle.

– Mais ce n'est pas un lézard.

– Non. Pas un seul lézard à trois doigts n'a foulé le sol de notre planète depuis deux cents millions d'années.

La première idée d'Ellie fut qu'il s'agissait d'un canular. Un canular habile et ingénieux, une menace dont tous les biologistes savaient qu'elle était omniprésente. Le plus célèbre canular, celui de l'Homme de Piltdown, avait mystifié tout le monde pendant quarante ans et son auteur demeurait inconnu. Plus récemment, un astronome distingué du nom de Fred Doyle avait certifié qu'un archéoptéryx, un oiseau fossile exposé au British Museum, était un faux. Mais il fut prouvé par la suite qu'il était authentique.

L'essence d'un canular réussi consistait à présenter aux scientifiques ce qu'ils s'attendaient à voir. Pour Ellie, la radio était absolument exacte. Le pied tridactyle avait les proportions voulues, avec la griffe médiane plus petite que les deux autres. Les rudiments des quatrième et cinquième doigts étaient situés près de l'articulation métatarsienne. Le tibia était fort et sensiblement plus long que le fémur; la cavité cotyloïde complète. La queue comptait quarante-cinq vertèbres. C'était bien un jeune *Procompsognathus*.

– Cette radio est-elle truquée? demanda Ellie.

– Je n'en sais rien, répondit Grant, mais il est presque impossible de falsifier une radio. Et *Procompsognathus* est un animal peu connu; même chez ceux qui connaissent bien les dinosaures, beaucoup n'ont jamais entendu parler de lui.

Ellie commença à lire le texte accompagnant le cliché.

– Spécimen découvert sur la plage de Cabo Blanco, le 16 juillet... Il semble qu'un singe hurleur ait été en train de manger l'animal et c'est tout ce qui a pu être récupéré... Ha! il paraît aussi que le lézard avait attaqué une petite fille.

– J'en doute, fit Grant, mais on ne sait jamais. *Procompsognathus* était si petit et léger que nous supposons qu'il était nécrophage, qu'il ne pouvait se nourrir que d'animaux morts. Pour ce qui est de la taille, poursuivit-il en mesurant rapidement, il ne fait que vingt centimètres jusqu'aux hanches, ce qui signifie que l'animal entier ne ferait guère plus de trente centimètres de haut. A peu près la taille d'un poulet. Même un enfant lui paraîtrait redoutable. Il pourrait s'attaquer à un bébé, mais pas à un enfant.

Le front barré par un pli perplexe, Ellie étudiait la radio.

– Tu crois qu'il pourrait s'agir d'un animal redécouvert? Comme le cœlacanthe?

– Peut-être, fit Grant.

Le cœlacanthe était un poisson long d'un mètre cinquante dont on croyait l'espèce éteinte depuis soixante-cinq millions d'années, jusqu'à ce qu'un spécimen vivant soit pêché en 1938. Mais il y avait d'autres exemples: l'opossum nain d'Australie dont on ne connaissait que des fossiles, jusqu'à ce qu'on en découvre un dans une poubelle, à Melbourne. Et une chauve-souris frugivore de Nouvelle-Guinée, un fossile de dix mille ans, dont la description fut faite par un zoologiste qui, peu de temps après, en reçut un spécimen vivant par la poste.

– Tu crois que cela peut être sérieux? insista Ellie. Quel âge aurait-il?

– Ce n'est pas facile de déterminer l'âge, fit Grant en hochant la tête.

La plupart des animaux redécouverts s'ajoutaient aux fossiles connus remontant à une époque assez récente, de l'ordre de dix ou vingt mille ans. Certains dataient de quelques millions d'années, soixante-cinq pour le cœlacanthe, mais ce qu'ils avaient devant les yeux était infiniment plus vieux. Les dinosaures avaient disparu à la fin du crétacé, soixante-cinq millions d'années plus tôt. Leur apparition au trias remontait à peu près à deux cent vingt millions d'années et ils avaient dominé la vie de la planète pendant tout le jurassique, la période intermédiaire.

Procompsognathus avait vécu au trias, en des temps si reculés que notre planète avait un aspect différent de celui que nous lui connaissons. Tous les continents étaient rassemblés en un bloc unique, la Pangée, qui s'étendait d'un pôle à l'autre ; un gigantesque continent couvert de fougères et de forêts, comprenant quelques grands déserts. L'océan Atlantique n'était qu'un lac étroit entre ce qui allait devenir l'Afrique d'un côté, la Floride de l'autre. L'air était plus dense et la terre plus chaude. Il y avait des centaines de volcans actifs. C'est dans cet environnement que vivait *Procompsognathus*.

– Nous savons, reprit Ellie, que certains animaux ont traversé le temps. Les crocodiles sont des animaux du trias qui ont survécu jusqu'à nos jours. Les requins aussi. Nous pouvons donc affirmer que c'est possible.

– Quelle autre explication peut-il y avoir ? fit Grant en acquiesçant de la tête. Soit la radio est truquée, ce dont je doute, soit cet animal vient d'être redécouvert. Je ne vois pas d'autre solution.

Le téléphone sonna.

– C'est probablement Alice Levin qui rappelle, dit Grant. Voyons si elle acceptera de nous envoyer l'animal en chair et en os.

Il décrocha et se tourna vers Ellie, l'air surpris.

– Oui, je prends M. Hammond. Oui, oui, bien sûr.

– Hammond ? dit Ellie d'un ton interrogateur. Que veut-il ?

Grant secoua la tête en signe d'ignorance, puis il retourna son visage vers le combiné.

– Oui, monsieur Hammond. Oui, à moi aussi, cela me fait plaisir de vous entendre... Oui...

Il se tourna derechef vers Ellie.

– Ah bon !... C'est vrai ? Toujours aussi excentrique, ajouta-t-il à l'attention d'Ellie en posant la main sur le microphone. Il faut que tu écoutes ça.

Grant enfonça la touche « haut-parleur » et Ellie entendit une voix râpeuse de vieillard, au débit rapide.

– ... Toutes ces tracasseries d'un type de l'Agence pour la protection de l'environnement qui doit être à moitié cinglé... On dirait qu'il travaille pour son compte... Il passe son temps à poser des questions et à fouiner partout. J'imagine que vous n'avez encore reçu la visite de personne...

– En fait, répondit Grant, quelqu'un est venu me voir.

– C'est bien ce que je craignais, ricana Hammond. Un jeunot du nom de Morris qui se croit plus malin que tout le monde ?

– Oui, il s'appelait bien Morris.

– Il va voir tous nos consultants, poursuivit Hammond. L'autre jour, il a rendu visite à Ian Malcolm... Vous savez, le mathématicien du Texas. C'est lui qui m'a mis au courant. Nous essayons d'étouffer l'affaire, mais c'est tout à fait caractéristique de la manière dont agit le gouvernement : aucune plainte, aucune charge, rien que les tracasseries d'un blanc-bec qui voyage aux frais du contribuable ! Vous a-t-il dérangé ? A-t-il interrompu votre travail ?

– Non, non, il ne m'a pas dérangé.

– Dans un certain sens, je le regrette, fit Hammond. Si c'était le cas, j'essaierais de faire mettre un terme à ses agissements. Nos avocats ont pris contact avec l'A.P.E. pour savoir quel était leur problème et le responsable du bureau qu'ils ont pu joindre prétend ne pas être informé qu'une enquête est en cours ! Essayez de comprendre quelque chose à cette foutue bureaucratie ! Si vous voulez mon avis, je pense que ce jeune fouineur cherche à se renseigner sur notre île au Costa Rica. Vous savez que nous avons une île là-bas ?

– Non, répondit Grant en regardant Ellie. Je n'étais pas au courant.

– Mais si, nous avons acheté une île et nous avons commencé à mettre sur pied notre affaire, il y a quatre ou cinq ans... je ne sais plus très bien. C'est une grande île, appelée Isla Nublar, à cent cinquante kilomètres de la côte. Ce sera une réserve biologique... Un endroit de rêve, une végétation tropicale. Vous devriez aller y faire un tour, docteur.

– Cela me paraît très intéressant, répliqua Alan, mais, vous savez...

– Les travaux sont presque terminés maintenant, poursuivit Hammond sans le laisser achever sa phrase. Je vous ai envoyé une documentation. L'avez-vous reçue ?

– Non, mais nous sommes si loin de tout.

– Vous l'aurez peut-être dans le courant de la journée. Étudiez-la... L'île est magnifique ; il y a tout ce dont on peut rêver... Un parc immense. Les travaux ont commencé il y a trente mois, vous imaginez ? L'ouverture est prévue pour septembre, l'an prochain. Vous devriez vraiment aller la voir.

– Cela a l'air très excitant, mais...

– En fait, poursuivit Hammond, je tiens absolument à ce que vous y alliez. Je sais que vous vous y sentirez en pays de connaissance, que vous serez absolument fasciné.

– Je suis en plein..., commença Grant.

– Écoutez, je vais vous dire quelque chose, lança Hammond comme si l'idée lui venait juste à l'esprit. Il se trouve que certains de nos anciens consultants s'y rendent ce week-end pour la visiter. A nos frais, cela va sans dire. Ce serait merveilleux si vous pouviez nous donner votre opinion.

– C'est impossible, affirma Grant.

– Juste pour le week-end, insista Hammond avec la jovialité irritante d'un vieillard obstiné. C'est tout ce que je vous demande, docteur... Je ne voudrais pas interrompre votre travail. Je sais à quel point c'est important... Ne jamais interrompre votre travail, je sais. Mais vous pourriez faire un saut, juste pour le week-end, et être de retour lundi.

– Non, je ne peux pas, dit Grant. Je viens juste de découvrir un nouveau squelette et...

– Oui, je comprends, mais je pense quand même que vous devriez venir, reprit Hammond qui n'écoutait même pas.

– De plus, nous venons de recevoir du matériel concernant une découverte tout à fait extraordinaire. Il s'agirait d'un procompsognathus vivant.

– Un quoi ? demanda Hammond. Je n'ai pas bien compris, ajouta-t-il plus lentement. Vous avez dit un procompsognathus vivant ?

– Parfaitement, confirma Grant. Un spécimen biologique, un fragment d'animal rapporté d'Amérique centrale. Un animal vivant.

– Ça alors ! s'exclama Hammond. Un animal vivant ! C'est extraordinaire !

– C'est aussi notre avis, fit Grant. Vous comprenez bien que le moment est mal choisi pour m'absenter...

– Vous avez parlé d'Amérique centrale ?

– Oui.

– Savez-vous plus précisément où, en Amérique centrale ?

– Une plage appelée Cabo Blanco. Mais je ne sais pas exactement où...

– Je vois, fit Hammond en s'éclaircissant la voix. Et quand ce spécimen est-il arrivé entre vos mains ?

– Aujourd'hui.

– Aujourd'hui..., fit Hammond en se raclant de nouveau la gorge. Je vois, je vois...

Grant se tourna vers Ellie et forma silencieusement avec les lèvres : *Qu'est-ce qu'il a ?*

Il a l'air troublé, fit-elle de la même manière en secouant la tête. *Regarde si Morris est encore là.*

Ellie se dirigea vers la fenêtre, mais la voiture était partie.

– Heu ! reprit Hammond en toussotant. En avez-vous parlé à quelqu'un, docteur ?

– Non.

– Bien, très bien. Écoutez, je vais être franc avec vous : il y a un petit problème dans cette île et l'affaire avec l'A.P.E. arrive au mauvais moment.

– Que se passe-t-il ? demanda Grant.

– Eh bien, il y a eu des difficultés imprévues, des retards... Disons simplement que je suis sous pression en ce moment. J'aimerais que vous voyiez comment cela se passe et que vous me donniez votre avis. Votre rémunération sera de vingt mille dollars par jour, le prix habituel pour nos consultants du week-end. Pour les trois jours, cela vous fera soixante mille dollars. Et, si le Dr Sattler est libre, elle sera payée au même tarif. Nous avons besoin d'une botaniste. Qu'en pensez-vous ?

Le regard d'Ellie resta fixé sur le visage de Grant tandis qu'il parlait.

– Ce que j'en pense, c'est qu'une telle somme nous permettrait de financer l'intégralité de nos travaux pendant les deux étés qui viennent.

– Parfait, parfait, fit distraitement Hammond qui semblait déjà avoir l'esprit ailleurs. Je veux que les choses soient aussi simples que possible... Je vais envoyer l'avion de la société vous prendre à l'aérodrome privé qui se trouve à l'est de Choteau. Vous voyez celui auquel je pense. En voiture, vous n'en avez que pour deux heures de trajet. Soyez-y demain, à 17 heures. Je vous y attendrai et nous partirons directement. Pouvez-vous prendre cet avion tous les deux ?

– Je pense que c'est possible.

– Parfait... Emportez le minimum de bagages. Vous n'aurez pas besoin de passeport. A demain.

Et John Hammond raccrocha.

COWAN, SWAIN ET ROSS

Le soleil de midi pénétrait dans le bureau du cabinet Cowan, Swain et Ross, donnant à la pièce une gaieté que Donald Gennaro était loin d'éprouver. Le combiné collé contre l'oreille, il regardait son patron, Daniel Ross, une figure de croque-mort dans un complet sombre à petites rayures.

– Je comprends, John, dit Gennaro. Et Grant a accepté de venir ? Très bien... Oui, cela me convient parfaitement. Mes félicitations, John.

Il raccrocha et se tourna vers Ross.

– Nous ne pouvons plus faire confiance à Hammond, déclara-t-il. La pression est trop forte pour lui. L'Agence pour la protection de l'environnement a ouvert une enquête sur ses activités, les travaux ont pris du retard au Costa Rica et les investisseurs commencent à s'impatienter. Trop de rumeurs ont couru, trop d'ouvriers sont morts. Et maintenant cette histoire d'un procompso... d'un de ces animaux vivants découvert sur le continent.

– De quoi s'agit-il ? demanda Ross.

– Ce n'est peut-être rien, répondit Gennaro. Hamachi est l'un de nos principaux investisseurs et j'ai reçu la semaine dernière un rapport de leur représentant à San José. Il semblerait que des lézards d'une espèce inconnue mordent des enfants sur la côte Pacifique.

– Des lézards d'une espèce inconnue ? demanda Ross en écarquillant les yeux.

– Oui, répondit Gennaro. Nous ne devons pas prendre cela à la légère. Il faut faire une inspection de cette île sans perdre de temps. J'ai demandé à Hammond de prendre des dispositions pour organiser une inspection hebdomadaire des différents chantiers pendant les trois semaines à venir.

– Qu'a-t-il répondu ?

– Il affirme qu'il n'y a aucun problème dans l'île et que toutes les mesures de sécurité nécessaires ont été prises.

– Mais vous ne le croyez pas ?

– Non, je ne le crois pas.

Gennaro avait rejoint le cabinet Cowan, Swain et Ross après avoir commencé sa carrière dans une banque d'affaires. Les clients du cabinet, des sociétés de technologies avancées, avaient fréquemment besoin de capitaux que Gennaro les aidait à trouver. L'une des premières tâches qu'on lui avait confiées, en 1982, avait consisté à assister le vieux John Hammond, presque septuagénaire, qui cherchait à se procurer les capitaux nécessaires à la création d'InGen. Ils réussirent à rassembler près d'un milliard de dollars, mais Gennaro se souvenait des difficultés qu'il leur avait fallu surmonter.

– Hammond est un rêveur, lança-t-il.

– Un rêveur potentiellement dangereux, renchérit Ross. Jamais nous n'aurions dû nous laisser entraîner dans cette affaire. Quelle est notre position ?

– Le cabinet possède cinq pour cent des parts.

– C'est une S.A.R.L. ?

– Non.

– Jamais nous n'aurions dû faire cela, répéta Ross en secouant la tête.

– A l'époque, cela semblait être une bonne idée. Cela remonte à huit ans, vous savez. Nous avons accepté ces parts en échange d'une partie de nos honoraires et, comme vous ne l'avez probablement pas oublié, le projet de Hammond pouvait rapporter gros. Personne ne croyait vraiment qu'il pourrait y arriver.

– Et pourtant, il semble bien avoir réussi, fit Ross. Quoi qu'il en soit, il est temps d'aller inspecter les lieux. A qui allez-vous demander de vous accompagner ?

– Je vais commencer par des spécialistes que Hammond avait engagés comme consultants au début du projet, répondit Gennaro en posant une liste sur le bureau de Ross. Le premier groupe est composé d'un paléontologiste, d'une paléobotaniste et d'un mathématicien. Ils y vont ce week-end et je les accompagne.

– Allez-vous leur dire la vérité ?

– Je crois. Aucun d'eux n'a eu grand-chose à voir avec l'île et le mathématicien, Ian Malcolm, était ouvertement hostile au projet depuis le début. Il a toujours affirmé que cela ne marcherait pas, ne pourrait pas marcher.

– Qui y aura-t-il d'autre ?

– Juste un technicien, l'analyste-programmeur. Il doit vérifier le fonctionnement de l'installation informatique du parc et corriger quelques erreurs de programmation. Il devrait arriver vendredi matin.

– Très bien, dit Ross. Vous vous occupez de prendre les contacts ?

– Hammond a demandé de s'en charger personnellement. Je crois qu'il tient à faire comme si tout allait pour le mieux, comme si c'était une simple invitation à visiter les installations dont il est si fier.

– Parfait, conclut Ross. Mais je compte sur vous ; il faut de la poigne. Je veux que la question soit réglée en une semaine.

Sur ce, il se leva et sortit du bureau.

Gennaro composa un numéro et entendit le sifflement d'un radiotéléphone.

– Grant à l'appareil, articula une voix grave.

– Bonjour, docteur Grant. C'est Donald Gennaro, l'avocat-conseil d'InGen. Nous nous sommes déjà parlé au téléphone, il y a quelques années... Je ne sais pas si vous vous souvenez de moi...

– Je m'en souviens.

– Voilà, poursuivit Gennaro, je viens d'avoir une conversation téléphonique avec John Hammond qui m'a annoncé la bonne nouvelle. Vous venez visiter notre île au Costa Rica...

– Oui, grommela Grant, je pense que nous y allons demain.

– Eh bien, je voulais juste vous remercier d'avoir pu vous libérer si vite. Tout le monde apprécie beaucoup votre bonne volonté. Nous avons également demandé de venir à Ian Malcolm, qui, comme vous, fut l'un de nos premiers consultants. Vous savez, c'est le mathématicien de l'université du Texas, à Austin.

– John Hammond m'en a parlé, fit Grant.

– Bon, très bien, poursuivit Gennaro. Je serai également du voyage... A propos, ce spécimen que vous avez découvert de pro... procomp... Comment dites-vous ?

– Procompsognathus.

– C'est ça... Vous l'avez en votre possession, docteur ?

– Non, répondit Grant, j'ai seulement vu une radio. Le spécimen se trouve à New York. C'est quelqu'un de l'université de Columbia qui m'a averti.

– Peut-être pourriez-vous me donner quelques détails, insista Gennaro, afin que je puisse en faire la description à M. Hammond qui est très impatient d'en savoir plus. Je suis sûr que vous mourez d'envie de voir ce spécimen... Je pourrais peut-être m'arranger pour qu'on nous l'envoie sur l'île pendant que nous y serons tous.

Grant lui fournit les renseignements dont il disposait.

– Je vous remercie, fit Gennaro. Mes hommages au Dr Sattler. Je me réjouis de vous voir demain, ajouta l'avocat avant de raccrocher.

PLANS

– Ça vient d'arriver, annonça Ellie le lendemain matin en se dirigeant vers le fond de la caravane, une grosse enveloppe de papier bulle à la main. Un des étudiants l'a rapportée du village. C'est de la part de Hammond.

En décachetant l'enveloppe, Grant reconnut le logo bleu et blanc d'InGen. Il n'y avait pas de lettre à en-tête, juste une liasse de feuillets attachés ensemble qu'il sortit de l'enveloppe. C'étaient des plans, de format réduit, assemblés en cahier. La couverture portait en titre : Parc Isla Nublar / Installations (Complément : pavillon safari).

– Qu'est-ce que c'est que ça ? demanda-t-il en ouvrant le cahier. Une feuille volante tomba.

Chers Alan et Ellie,

Comme vous pouvez l'imaginer, nous ne disposons pas encore d'un abondant matériel publicitaire, mais les documents ci-joints vous donneront une idée de notre projet de l'île des brumes. J'espère que vous partagerez mon enthousiasme !

Dans l'attente d'en discuter avec vous de vive voix. Je compte sur vous !

Amicalement

John Hammond.

– Je ne comprends pas, dit Grant en feuilletant le cahier. Ce sont des plans.

Il regarda la première feuille.

Centre des visiteurs/ Pavillon	Parc de l'île des brumes
Client :	InGen Inc., Palo Alto, Californie.
Architectes :	Dunning, Murphy & associés, New York. Conception : Richard Murphy; plans : Theodore Chen; administration : Sheldon James.
Ingénierie :	Construction : Harlow, Whitney & Fields, Boston. Mécanique : A.T. Misikawa, Osaka.
Aménagements paysagers :	Shepperton Rogers, London; A. Ashikiga, H. Ieyasu, Kanasawa.
Électricité :	N.V. Kobayashi, Tokyo. Consultant : A.R. Makasawa.
Équipement informatique :	Integrated Computer Systems, Inc., Cambridge, Mass. Direction du programme : Dennis Nedry.

Grant commença à étudier les plans. Ils portaient les mentions : Secrets industriels/Reproduction interdite et Document confidentiel/Ne pas diffuser. En haut de chaque feuille numérotée figurait la même inscription : *Ces plans représentent les réalisations confidentielles d'InGen Inc. Ne sont communiqués qu'après signature du document 112/4A, sous peine de poursuites.*

– Complètement paranos, marmonna Grant.

– Il doit y avoir une raison, dit Ellie.

La feuille suivante était une carte topographique représentant l'île des brumes. En forme de larme renversée, renflée au nord et effilée au sud, longue de treize kilomètres, l'île était divisée en plusieurs grands secteurs.

Le secteur septentrional était baptisé : Zone Visiteurs, et contenait un certain nombre de bâtiments nommés « Accueil visiteurs », « Centre des visiteurs/Administration », « Électricité/Dessalement », « Résid. Hammond » et « Pavillon Safari ». Grant distingua le contour d'une piscine, les rectangles de quelques courts de tennis et des gribouillis arrondis représentant des plates-bandes et des massifs d'arbustes.

– Cela ressemble vraiment à un parc de loisirs, glissa Ellie.

Il y avait ensuite plusieurs plans détaillés du Pavillon Safari. Les croquis en élévation montraient un long bâtiment bas aux dimensions imposantes et au toit surmonté d'une série de formes pyramidales. Mais il n'y avait pas grand-chose sur les autres bâtiments du Secteur Visiteurs.

Le reste de l'île était encore plus mystérieux. Autant que Grant pût en juger, il y avait peu de constructions; un réseau de routes, des tunnels, des bâtiments isolés et un lac étroit et allongé, apparemment artificiel, avec des digues de béton. Mais la plus grande partie de l'île était divisée en vastes zones aux contours arrondis ne renfermant que de rares constructions. Chacune de ces zones était désignée par un code :

/P/PROC/V/2A, /D/TRIC/L/5(4A+1), /LN/OTHN/C/4(3A+1), /VV/HADR/X/11(6A+3+3DB).

– Y a-t-il une explication pour ces codes ? demanda Ellie.

Grant feuilleta le cahier, mais il ne trouva rien.

– Peut-être l'ont-ils fait disparaître, suggéra-t-elle.

– Vraiment paranos, grommela Grant.

Il étudia les grandes zones de l'île, délimitées par un réseau de routes. Il n'y avait que six divisions, séparées des routes par des fossés de béton le long desquels s'élevait une clôture portant une pancarte figurant un éclair. Ils s'interrogèrent pendant quelque temps et finirent par comprendre que les clôtures devaient être électrifiées.

– C'est curieux, dit Ellie. Des clôtures électrifiées dans un parc de loisirs ?

– Elles s'étendent sur des kilomètres, fit Grant. Clôtures électrifiées et fossés côte à côte. Et le plus souvent en bordure de la route.

– Comme dans un zoo, lança Ellie.

Ils revinrent à la carte topographique et étudièrent soigneusement les courbes de niveau. Les routes étaient bizarrement disposées. La voie principale, tracée du nord au sud, traversait les collines centrales de l'île et une section semblait même courir au flanc d'une colline surplombant un cours d'eau. Ils commençaient à soupçonner qu'il y avait eu une volonté délibérée de faire de ces vastes espaces de gigantesques enclos séparés des routes par des fossés et des clôtures électrifiées. Et les routes étaient surélevées, de sorte que l'on pouvait voir par-dessus les clôtures...

– As-tu remarqué, fit Ellie, que certaines dimensions sont véritablement imposantes ? Regarde ce fossé de béton : il fait près de dix mètres de large. On dirait un ouvrage défensif.

– Les bâtiments aussi, fit Grant.

Il avait remarqué que chaque zone renfermait quelques constructions, situées en général à l'écart de la route, des bâtiments en béton aux murs épais. Vus de profil, on eût dit des sortes de bunkers percés d'ouvertures étroites, semblables aux blockhaus construits par les Allemands.

A ce moment-là, ils entendirent une explosion assourdie.

– Il faut se remettre au travail, déclara Grant en reposant les plans.

– *Feu !*

Il y eut une légère vibration, puis des lignes jaunes apparurent sur l'écran de l'ordinateur. Cette fois, la netteté était parfaite et Alan Grant distingua le squelette aux contours bien marqués, le long cou ployé en arrière. C'était indiscutablement un bébé velociraptor et il avait l'air en parfait...

L'écran s'éteignit brusquement.

– Je déteste ces foutus ordinateurs, grommela Grant en plissant les yeux pour se protéger du soleil. Que se passe-t-il encore ?

– Un problème d'alimentation, expliqua un des étudiants. Il y en a pour une minute.

Le jeune homme s'agenouilla pour étudier l'enchevêtrement de fils branchés sur l'arrière de l'ordinateur portable qu'ils avaient installé sur une caisse de bière, au sommet de la Colline Quatre, tout près de l'engin baptisé « Thumper ».

Grant s'assit et regarda sa montre.

– Nous allons être obligés de faire cela à l'ancienne mode, dit-il à Ellie.

– Allons, Alan, lança un autre étudiant.

– Écoute, répliqua Grant, j'ai un avion à prendre et je tiens à ce que le fossile soit protégé avant mon départ.

Quand on avait commencé à exhumer un fossile, il fallait continuer, sinon on risquait de le perdre. Les visiteurs s'imaginaient que le paysage des bad lands était immuable, mais en réalité une incessante érosion se poursuivait, littéralement sous leurs yeux. Toute la journée, on entendait le bruit des cailloux dévalant les collines qui s'éboulaient. Et il y avait toujours le risque qu'un fragile fossile soit emporté par une pluie torrentielle, même de courte durée. Le squelette partiellement exhumé de Grant était donc en péril et il convenait de le protéger jusqu'à son retour.

La protection des fossiles consistait ordinairement à recouvrir le site d'une toile goudronnée et à creuser une tranchée autour pour l'écoulement des eaux. La question était de savoir quelles dimensions devait avoir la tranchée pour le fossile de velociraptor. Pour les calculer, ils utilisaient un tomographe à ondes sonores, assisté par ordinateur, appelé C.A.S.T., un procédé très récent. Thumper faisait exploser une balle de plomb, produisant des ondes de choc qui étaient interprétées par l'ordinateur et reconstituées pour former une sorte de radiographie de la colline. Ils avaient utilisé ce procédé tout l'été, avec des résultats variables.

L'engin se trouvait à cinq ou six mètres, une grosse boîte argentée, surmontée d'un parasol, offrant le spectacle insolite d'une voiture de marchand de glaces égarée dans les bad lands. Deux jeunes gens étaient en train de charger la balle de plomb suivante.

Jusqu'à présent, le programme C.A.S.T. n'avait servi qu'à évaluer la surface des gisements et avait aidé l'équipe de Grant à travailler plus efficacement. Mais les étudiants affirmaient que, dans quelques années, il serait possible d'obtenir une image parfaite des ossements, en trois dimensions, si détaillée que les excavations deviendraient inutiles. C'était la promesse d'un âge d'or pour l'archéologie, qui pourrait se passer des fouilles.

Mais on n'en était pas encore là et le matériel fonctionnant impeccablement dans le laboratoire de l'université se révélait incroyablement fragile et très peu fiable sur le terrain.

– Combien de temps faut-il encore ? demanda Grant.

– Nous avons l'image, Alan. Ce n'est pas mauvais du tout.

Grant alla regarder l'écran. Il vit le squelette complet, aux traits d'un jaune vif. C'était un spécimen vraiment très jeune. La caractéristique la plus remarquable du velociraptor, une griffe recourbée en faux qui, chez l'adulte, constituait une arme de quinze centimètres de long lui permettant d'éventrer sa proie, n'était, chez ce bébé, pas plus grosse qu'une épine de rosier et à peine visible sur l'écran. De plus, le velociraptor était un dinosaure à la charpente frêle, un animal aux os aussi fins que ceux d'un oiseau et à l'intelligence vraisemblablement aussi développée.

Le squelette semblait être parfaitement disposé, sauf la tête et le cou qui étaient renversés vers l'arrière-train. Cette flexion du cou était si fréquente chez les fossiles que certains chercheurs avaient formulé une théorie pour l'expliquer. Ils avançaient que les dinosaures avaient disparu de la surface de la terre parce qu'ils avaient été empoisonnés par les alcaloïdes des nouvelles plantes. Pour eux, le cou rejeté en arrière était le signe de l'agonie. Grant avait réfuté cette théorie en démontrant que, chez de nombreuses espèces d'oiseaux et de reptiles, il se produisait après la mort une contraction des ligaments postérieurs du cou provoquant une inclinaison caractéristique de la tête en arrière. Cela n'avait rien à voir avec la cause de la mort ; il s'agissait simplement de la manière dont une carcasse séchait au soleil.

Grant remarqua que le squelette qu'il voyait sur l'écran avait également une déformation latérale, de sorte que la jambe et le pied droits étaient plus hauts que la colonne vertébrale.

– Il a l'air tordu, fit l'un des étudiants. Mais je ne pense pas que cela vienne de l'ordinateur.

– Non, répondit Grant. C'est juste l'œuvre du temps. D'un temps immensément long.

Grant savait qu'il est difficile au profane de se faire une idée des temps géologiques. La vie humaine est à une échelle totalement différente. La chair d'une pomme brunit en quelques minutes ; l'argenterie noircit en quelques jours ; un tas de compost pourrit en une saison ; un enfant grandit en une décennie. Aucun de ces phénomènes de la vie de tous les jours ne prépare les gens à imaginer ce que représentent quatre-vingts millions d'années, le laps de temps écoulé depuis que ce petit animal était mort.

Pour ses cours, Grant avait essayé différentes comparaisons. Si l'on imaginait les soixante ans de la durée d'une vie humaine condensés en un jour, quatre-vingts millions d'années en représenteraient encore trois mille six cent cinquante-deux, plus que l'âge des pyramides. Cela faisait vraiment très longtemps que le bébé velociraptor était mort.

– Il n'a pas l'air très effrayant, fit remarquer l'un des étudiants.

– Il le serait devenu en atteignant l'âge adulte, rétorqua Grant.

Le bébé s'était probablement nourri des carcasses d'animaux tués par les adultes quand, le ventre plein, ils se doraient au soleil. Les carnivores pouvaient ingurgiter en un seul repas le quart de leur poids, ce qui provoquait une somnolence bien naturelle. Les bébés devaient pendant ce temps escalader avec force pépiements les corps engourdis des adultes indulgents et arracher des lambeaux de chair à la carcasse de la proie. Ces petits devaient être des animaux très mignons.

Il n'en allait pas de même du velociraptor adulte. A poids égal, ce dinosaure était le plus vorace de tous ceux qui eussent jamais existé. Bien que relativement petit, de la taille d'un léopard, et ne pesant que quatre-vingt-dix kilos, le velociraptor était rapide, intelligent et méchant, bien armé avec ses dents acérées, ses bras puissants aux ongles crochus et la terrible griffe de son pied.

Les velociraptors chassaient en groupe et Grant songeait que ce devait être un sacré spectacle que de voir une douzaine de ces animaux fondre sur leur proie et bondir sur le dos d'un dinosaure beaucoup plus gros qu'eux, lui mordre le cou, lui lacérer les côtes et le ventre...

– Nous n'avons plus beaucoup de temps, dit Ellie, interrompant sa rêverie.

Grant donna ses instructions pour le creusement du fossé. D'après l'image obtenue sur l'écran, le squelette se trouvait dans une zone bien délimitée et il suffisait de creuser un fossé autour d'un carré de deux mètres de côté. Pendant ce temps, Ellie commençait à fixer la toile goudronnée. Grant l'aida à enfoncer les derniers pieux.

– Comment ce bébé est-il mort ? demanda un étudiant.

– Je doute que nous puissions le découvrir, répondit Grant. La mortalité infantile est très forte chez les animaux sauvages. Dans les parcs d'Afrique, elle s'élève à soixante-dix pour cent chez certains carnivores. La mort peut avoir été provoquée par une maladie, la séparation du groupe, n'importe quoi... Il peut même avoir été attaqué par un adulte. Nous savons que ces animaux chassaient en groupe, mais nous ignorons tout de leur comportement social.

Les jeunes gens hochèrent la tête. Ils avaient tous étudié le comportement des animaux et savaient par exemple que, lorsqu'un nouveau mâle remplace l'ancien chef à la tête d'une bande de lions, il commence par tuer tous les lionceaux. La raison est en apparence d'ordre génétique : le mâle tenant à engendrer sa propre descendance, une fois les lionceaux disparus, toutes les femelles sont rapidement en chaleur et fécondées par ses soins. Cela évite également aux lionnes de perdre leur temps avec la progéniture d'un autre mâle.

Peut-être les troupeaux de velociraptors étaient-ils également conduits par un mâle dominant. Nous en savons si peu sur les dinosaures, songea Grant. Après cent cinquante ans de recherches et de fouilles sur tous les continents, nous ne savons presque rien sur leur vie.

– Si nous voulons être à Choteau à cinq heures, dit Ellie, il faut partir maintenant.

HAMMOND

La secrétaire de Gennaro entra en coup de vent, portant une valise neuve dont elle n'avait même pas enlevé les étiquettes.

– Vous savez, monsieur, lança-t-elle d'un air sévère, quand vous oubliez vos bagages, j'ai l'impression que vous n'avez pas vraiment envie de partir.

– Vous avez peut-être raison, fit Gennaro. Je vais rater l'anniversaire de ma fille.

L'anniversaire de Samantha était le lendemain et Elizabeth avait invité une vingtaine de petits brailleurs de quatre ans ainsi que Cappy le clown et un magicien. Sa femme n'avait pas été contente d'apprendre qu'il serait absent pendant le week-end et Samantha encore moins.

– Compte tenu du peu de temps dont je disposais, poursuivit la secrétaire, j'ai fait ce que j'ai pu. Il y a des chaussures de sport à votre pointure, un short, des chemises kaki et un nécessaire de rasage. Si les soirées sont fraîches, vous aurez également un jean et un sweat-shirt. La voiture vous attend pour vous conduire à l'aéroport et, si vous ne voulez pas rater votre avion, je vous conseille de partir tout de suite.

Elle sortit et Gennaro s'engagea dans le couloir en arrachant les étiquettes attachées à la poignée de la valise. Quand il passa devant la salle de conférences aux parois de verre, Dan Ross quitta la table et le rejoignit dans le couloir.

– Bon voyage, Donald, dit Ross. Mais il faut que les choses soient bien claires... Je ne sais pas exactement quelle est la situation, mais s'il y a un problème dans cette île, n'hésitez pas à tout foutre en l'air !

– Mais enfin, Dan... C'est un énorme investissement !

– N'hésitez pas, ne vous posez pas de questions. Faites ce que je vous dis ! C'est compris ?

– Compris, fit Gennaro en acquiesçant de la tête. Mais Hammond...

– Qu'il aille se faire voir !

– Mon garçon, mon garçon, murmura la voix âpre et familière. Comment allez-vous donc, mon cher Donald ?

– Très bien, monsieur, répondit Gennaro en s'enfonçant dans le siège de cuir capitonné du *Gulfstream II* qui avait mis le cap à l'est et volait en direction des Rocheuses.

– Vous ne m'appelez plus jamais, poursuivit Hammond d'un ton de reproche. Vous me manquez, Donald... Et comment va votre ravissante épouse ?

– Elizabeth va très bien, je vous remercie. Nous avons une petite fille.

– C'est merveilleux ! Quelle joie d'avoir des enfants ! Je suis sûr qu'elle serait enchantée de visiter notre nouveau parc, au Costa Rica.

Gennaro avait oublié que Hammond était tout petit. Assis dans le siège voisin du jet, ses pieds ne touchaient même pas le sol et il balançait les jambes en parlant. Il y avait quelque chose d'enfantin chez ce vieillard qui devait maintenant avoir soixante-quinze ans... peut-être soixante-seize. Il paraissait plus vieux que Gennaro n'en avait gardé le souvenir, mais ils ne s'étaient pas revus depuis près de cinq ans.

John Hammond était un personnage débordant d'énergie, qui avait le sens de la mise en scène. Quand Gennaro l'avait connu, en 1983, il avait un éléphant qu'il emportait avec lui dans une petite cage. L'éléphant, qui mesurait vingt-deux centimètres de haut et trente de long, était parfaitement proportionné, sauf ses défenses qui étaient rabougries. Hammond l'emmenait dans toutes les réunions organisées pour collecter des fonds, et c'est en général Gennaro qui apportait dans la salle la cage recouverte d'un tissu léger comme un couvre-théière. Hammond faisait son discours habituel sur les perspectives de développement de ce qu'il appelait « le marché de la biologie », puis, d'un geste théâtral, il enlevait le tissu et l'éléphant apparaissait.

L'éléphant avait toujours un succès monstre. Son corps minuscule, à peine plus gros que celui d'un chat, était la promesse de miracles inouïs à venir du laboratoire de Norman Atherton, le généticien de Stanford associé à Hammond dans son ambitieuse entreprise.

Hammond parlait fort bien de l'éléphant, mais il passait beaucoup de choses sous silence. Pour commencer, il voulait lancer une firme de biotechnologie, mais l'éléphant n'était pas le résultat de travaux génétiques ; Atherton s'était contenté de prendre un embryon d'éléphant nain et l'avait placé dans une matrice artificielle en apportant des modifications hormonales. C'était déjà un exploit, mais Hammond laissait entendre qu'il y avait encore beaucoup plus fort.

Malgré tous ses efforts, Atherton n'avait pas réussi à produire un autre spécimen de son éléphant miniature, or tous ceux qui le voyaient en réclamaient un. De plus, l'animal s'enrhumait facilement, surtout en hiver, et les éternuements sortant de la petite trompe remplissaient

Hammond d'appréhension. Parfois, l'éléphant coinçait ses défenses entre les barreaux de la cage et il essayait de se dégager avec de petits barrissements irrités; parfois encore, une infection se déclarait à la racine des défenses. Hammond redoutait que l'animal ne meure avant qu'Atherton lui fournisse un remplaçant.

Ce que le vieillard avait soin de cacher aux investisseurs éventuels, c'est que le processus de miniaturisation avait profondément altéré le comportement de son éléphant. Le petit animal ressemblait certes à un éléphant, mais il avait des réactions très vives de rongeur vicieux et méchant, et Hammond devait dissuader les gens de le caresser pour qu'ils ne se fassent pas mordre les doigts.

Même si John Hammond avançait avec assurance des revenus pour l'année 1983 d'un montant de sept milliards de dollars, son projet était extrêmement hasardeux. Il avait les idées et l'enthousiasme, mais il ne pouvait y avoir aucune certitude que son plan réussirait. D'autant plus que Norman Atherton, le cerveau de l'affaire, était atteint d'un cancer dans sa phase terminale... Encore un point que Hammond oubliait de mentionner.

Quoi qu'il en soit, avec l'aide de Gennaro, il réussit à trouver l'argent dont il avait besoin. Entre septembre 1983 et novembre 1985, John Alfred Hammond trouva huit cent soixante-dix millions de dollars pour financer sa future compagnie, International Genetics Technologies Inc. Il aurait pu en avoir plus, mais il tenait à garder le secret absolu sur son entreprise et ne proposait aux investisseurs aucune rémunération du capital pendant au moins cinq ans. Cette condition en découragea plus d'un et, en fin de compte, il lui fallut accepter une majorité de capitaux japonais. Les Nippons étaient les seuls investisseurs à qui la patience ne fît pas défaut.

Confortablement installé dans le siège du jet, Gennaro songeait que le vieil homme était décidément très retors. Hammond faisait comme si cette inspection ne lui avait pas été imposée par le cabinet d'avocats et se conduisait comme s'il s'agissait d'un simple voyage d'agrément.

– Dommage que vous n'ayez pu emmener votre famille, Donald!

– C'est l'anniversaire de ma fille, fit l'avocat avec un haussement d'épaules. Une vingtaine de gamins avaient déjà été invités, sans parler du gâteau et du clown. Vous savez ce que c'est...

– Je comprends, dit Hammond. Ce sont des choses importantes pour les enfants.

– Le parc est-il prêt à accueillir des visiteurs? demanda Gennaro.

– Pas officiellement, répondit Hammond. Mais l'hôtel est terminé et il est donc possible d'y dormir...

– Et les animaux?

– Bien sûr! Les animaux y sont tous. Dans les zones qui leur sont réservées.

– Si ma mémoire est bonne, poursuivit Gennaro, vous espériez, dans le projet originel, atteindre un total de douze...

– Oh ! Nous avons fait beaucoup mieux ! Nous en sommes à deux cent trente-huit, Donald.

– Deux cent trente-huit ?

– Le vieillard émit un gloussement de plaisir en voyant la réaction de l'avocat.

– Vous ne pouvez pas imaginer... Nous en avons des troupeaux entiers !

– Deux cent trente-huit... Et combien d'espèces ?

– Quinze espèces différentes, Donald.

– C'est incroyable ! s'exclama Gennaro. C'est fantastique ! Et tout le reste, tout ce dont vous aviez besoin ? Les installations, les ordinateurs ?

– Nous avons tout, répondit Hammond. Et tout ce que nous avons fait venir dans cette île est du matériel de pointe. Vous le verrez vous-même, c'est absolument merveilleux. Voilà pourquoi vos... *inquiétudes*... sont sans fondement. Il n'y a absolument aucun problème.

– Dans ce cas, poursuivit Gennaro, une inspection ne devrait pas non plus poser de problèmes.

– Aucun, répondit Hammond. Mais cela fait perdre du temps. Tout doit s'arrêter pendant la visite officielle...

– De toute façon, vous êtes déjà en retard. Vous avez différé l'ouverture.

– Oh ! fit Hammond en tirant sur la pochette de soie rouge qui ornait son blazer. C'était inévitable... Absolument inévitable.

– Pourquoi ? demanda Gennaro.

– Pour expliquer cela, Donald, il faut remonter au tout début. A l'idée de départ, celle du parc d'attractions le plus sophistiqué du monde, doté des derniers perfectionnements électroniques et utilisant les découvertes les plus récentes de la biotechnologie. Je ne parle pas des circuits : il y en a partout, même à Coney Island. Et maintenant, tout le monde recrée des environnements avec animation électronique... La maison hantée, le repaire des pirates, le Far West, le tremblement de terre... On trouve cela partout. Nous avons donc entrepris de créer des attractions biologiques, des attractions *vivantes*. Si stupéfiantes qu'elles enflammeront l'imagination du monde entier.

Gennaro ne put s'empêcher de sourire. C'était, presque mot pour mot, le discours qu'il tenait aux investisseurs cinq ans auparavant.

– Et nous ne pouvons oublier notre objectif essentiel, poursuivit Hammond en regardant par le hublot. Gagner de l'argent... gagner énormément d'argent.

– Je n'ai pas oublié, fit Gennaro.

– Le secret pour gagner de l'argent dans un parc d'attractions, ajouta Hammond, c'est de réduire les frais de personnel, d'ouvrir un parc qui fonctionne avec le minimum de personnel. C'est pourquoi nous avons investi de si grosses sommes dans l'équipement informatique. Nous avons automatisé tout ce que nous pouvions.

– Je me souviens...

– Mais il faut savoir, poursuivit Hammond sans le laisser parler, qu'avec tous les animaux et un équipement informatique aussi sophistiqué on rencontre nécessairement des obstacles. Qui a jamais mené à bien la réalisaion d'un programme informatique d'envergure sans prendre de retard ? A ma connaissance, personne.

– Vous considérez donc qu'il s'agit d'un retard normal de misc en service ?

– C'est bien cela, dit Hammond. Un retard normal.

– A ce qu'il paraît, reprit Gennaro, il y a eu des accidents pendant les travaux. Des ouvriers seraient morts...

– En effet, il y a eu plusieurs accidents et un total de trois morts. Deux ouvriers ont péri pendant la construction de la route de la corniche et un autre a perdu la vie en janvier, écrasé par un excavateur. Mais il n'y a pas eu d'accidents depuis plusieurs mois. Donald, poursuivit-il en posant la main sur le bras de l'avocat, il faut me croire quand je vous dis que tout avance comme prévu. Tout va bien dans notre île.

L'interphone bourdonna.

– Veuillez attacher vos ceintures, annonça la voix du pilote. Nous allons atterrir à Choteau.

CHOTEAU

La plaine aride s'enfuyait en direction de lointaines buttes sombres. Le vent faisait voler de la poussière sur la piste de béton craquelé. Debout près de la jeep, Grant et Ellie attendaient que le jet Grumman ait terminé ses manœuvres d'approche avant l'atterrissage.

– Je déteste être à la disposition de ces richards, grommela Grant.

– Cela fait partie du boulot, répliqua Ellie.

Un certain nombre de disciplines scientifiques, telles que la physique et la chimie, étaient subventionnées par l'État, mais la paléontologie dépendait encore fortement des fonds privés. Indépendamment de sa propre curiosité pour l'île du Costa Rica, Grant savait que, si John Hammond faisait appel à ses services, il ne les lui refuserait pas. C'est ainsi que, de toute éternité, le mécénat avait fonctionné.

Le petit appareil se posa en douceur et roula sur la piste dans leur direction. Ellie fit passer son sac de voyage sur son épaule. Le jet s'immobilisa et une hôtesse en uniforme bleu ouvrit la porte de la carlingue.

Grant fut étonné par l'exiguïté de l'intérieur de l'appareil, malgré les aménagements luxueux. Il lui fallut courber la tête pour aller saluer Hammond.

– Docteur Grant, docteur Sattler, c'est vraiment très gentil d'avoir accepté de vous joindre à nous. Permettez-moi de vous présenter mon associé, Donald Gennaro.

Gennaro était un homme trapu et vigoureux, d'environ trente-cinq ans, portant un complet Armani et des lunettes à monture métallique. Grant éprouva pour lui une aversion instinctive et lui donna une poignée de main rapide. Puis Ellie s'avança à son tour pour lui serrer la main.

– Mais vous êtes une femme ! s'exclama Gennaro.

– Ce sont des choses qui arrivent, rétorqua Ellie.

Elle ne l'aime pas non plus, songea Grant.

– Vous savez, bien entendu, mon cher Donald, ce que font les docteurs Grant et Sattler. Ce sont des paléontologistes ; ils exhument des dinosaures.

Sur ce, Hammond éclata de rire, comme s'il trouvait l'idée très drôle.

– Veuillez vous asseoir, s'il vous plaît, demanda l'hôtesse en refermant la porte.

Aussitôt, l'appareil se mit en mouvement.

– Vous m'excuserez, reprit Hammond, mais nous sommes assez pressés. Donald pense qu'il est important d'arriver là-bas aussi vite que possible.

Le pilote annonça que la durée du vol était de quatre heures jusqu'à Dallas, où ils se ravitailleraient en carburant avant de repartir pour le Costa Rica où l'arrivée était prévue le lendemain matin.

– Combien de temps y resterons-nous ? demanda Grant.

– Eh bien, répondit Gennaro, cela dépend. Nous avons un certain nombre de choses à éclaircir.

– Vous avez ma parole, glissa Hammond en se tournant vers Grant, que nous n'y resterons pas plus de quarante-huit heures.

– Je n'avais jamais entendu parler de cette île, dit Grant en bouclant sa ceinture. Renferme-t-elle des secrets ?

– D'une certaine manière, répondit Hammond. Nous avons pris toutes les précautions pour que personne ne sache quoi que ce soit, en attendant le jour où nous ouvrirons l'île à un public étonné et émerveillé.

UNE OCCASION À SAISIR

La Biosyn Corporation, de Cupertino, Californie, n'avait encore jamais organisé une réunion en urgence de son conseil d'administration. Les dix administrateurs assis dans la salle de conférences étaient donc nerveux et d'humeur irascible. Il était 20 heures et ils discutaient entre eux depuis dix minutes, mais le silence s'installait peu à peu dans la salle. Chacun remuait des papiers ou regardait sa montre avec insistance.

– Qu'attendons-nous ? demanda l'un d'eux.

– Il en manque encore un, répondit Lewis Dodgson. Il en faut un de plus.

Il regarda sa montre. La secrétaire de Ron Meyers avait confirmé que son patron avait pris le vol en provenance de San Diego, dont l'arrivée était prévue à 18 heures. Même en tenant compte des difficultés de la circulation, Meyers devrait être là.

– Il vous faut un quorum ? demanda un autre administrateur.

– Oui, dit Dodgson, c'est exactement ça.

Tout le monde se tut. S'il fallait un quorum, cela signifiait qu'on allait leur demander de prendre une décision d'importance. Et elle était d'importance, même si Dodgson eût préféré se dispenser de cette réunion. Mais Steingarten, le patron de la Biosyn, avait été intraitable.

– Cette fois, vous aurez besoin de leur accord, Lew, lui avait-il dit.

Les avis étaient partagés : Lewis Dodgson était considéré tantôt comme le plus dynamique des généticiens, tantôt comme le plus dangereux. Agé de trente-quatre ans, le front dégarni, avec un visage émacié et un regard d'aigle, il avait été renvoyé de l'université Johns Hopkins pour avoir utilisé une thérapie génique sur des patients sans avoir obtenu les autorisations de la Food and Drug Administration. Engagé par la Biosyn, il avait dirigé au Chili l'expérience très contestée du vaccin antirabique. Il occupait maintenant le poste de chef du développement des produits, ce qui consistait en gros à prendre le produit d'un concurrent, à le décortiquer, à découvrir comment il fonctionnait et à fabriquer sa propre version. En pratique, il s'agissait de mener à bien des opérations d'espionnage industriel, essentiellement dirigées contre InGen.

Pendant les années quatre-vingt, quelques entreprises de génie génétique commencèrent à se poser une question : « Quel est l'équivalent d'un walkman Sony dans le domaine biologique ? » Ces firmes ne s'intéressaient nullement aux produits pharmaceutiques ou à la santé ; ce qu'elles visaient, c'étaient les activités de loisir ou sportives, les produits de beauté, les animaux de compagnie. La demande individuelle à l'horizon 1990 était très forte. InGen et la Biosyn attaquaient toutes deux le même créneau.

La Biosyn avait déjà un succès à son actif : la création pour le Département de la pêche et de la chasse de l'Idaho d'une variété de truite plus claire. Ce nouveau poisson, plus aisé à distinguer dans les cours d'eau, était censé faciliter la vie du pêcheur à la ligne. (Il avait en tout cas l'avantage de faire taire ceux qui se plaignaient au Département de la pêche et de la chasse qu'il n'y eût plus de truites dans les cours d'eau de l'État.) On oubliait simplement de préciser que la brûlure du soleil pouvait être fatale à la nouvelle variété, que sa chair était pâteuse et insipide. La Biosyn travaillait sur ces différents points et...

La porte s'ouvrit et Ron Meyers entra pour se glisser aussitôt dans un fauteuil. Le quorum était atteint ; Dodgson se leva.

– Messieurs, commença-t-il, nous sommes réunis ce soir pour décider si nous devons saisir une occasion. La cible est InGen.

Dodgson fit un rapide historique. La création d'InGen, en 1983, grâce à des investisseurs japonais ; l'achat de trois superordinateurs Cray XMP ; l'acquisition d'une île du Costa Rica, Isla Nublar ; le stockage d'ambre ; les donations insolites à des zoos du monde entier, de la New York Zoological Society au Parc naturel de Ranthapur, en Inde.

– Malgré tous ces indices, poursuivit le généticien, nous ignorions le véritable objectif d'InGen. A l'évidence, ils concentraient leurs activités sur des animaux et ils avaient engagé des chercheurs dans des disciplines orientées vers l'étude du passé, paléobiologistes, phylogénéticiens, etc. Puis, en 1987, InGen racheta la Millipore Plastic Products, une modeste société de Nashville, Tennessee. C'était une entreprise de matériel agricole qui venait de faire breveter une matière plastique ayant les caractéristiques d'une coquille d'œuf d'oiseau. Cette matière plastique pouvait être moulée en forme d'œuf et utilisée pour le développement d'embryons de poulet. Dès l'année suivante, InGen réserva à son usage exclusif la totalité de la production de cette matière plastique.

– Tout cela est passionnant, docteur Dodgson, mais...

– Simultanément, poursuivit le généticien sans tenir compte de l'interruption, les travaux commencèrent à Isla Nublar. De très importants travaux de terrassement et en particulier le creusement d'un lac de faible profondeur et de trois kilomètres de long, au centre de l'île. Les plans d'un complexe touristique ont été dressés dans la plus grande discrétion, mais il semble bien qu'InGen ait entrepris dans cette île la construction d'un immense parc zoologique privé.

– Très bien, Dodgson, fit l'un des administrateurs en se penchant vers la table. Où voulez-vous en venir ?

– Ce n'est pas un zoo comme les autres, répondit Dodgson. Celui-ci est unique au monde. Il semble en effet qu'InGen ait réalisé quelque chose de tout à fait extraordinaire. Ils ont réussi à cloner des animaux appartenant à des espèces disparues.

– Quels animaux ?

– Des animaux dont l'incubation se fait dans des œufs et qui ont besoin de beaucoup d'espace.

– *Quels animaux ?*

– Des dinosaures, répondit Dodgson. Ils clonent des dinosaures.

Le silence consterné qui s'abattit dans la salle était, de l'avis de Dodgson, totalement injustifié. Le problème avec tous ces gens de la finance, c'est qu'ils ne se tenaient au courant de rien. Ils avaient investi de l'argent dans un domaine, mais ignoraient toutes les possibilités qui y étaient offertes.

En fait, l'idée du clonage de dinosaures était apparue dans les revues spécialisées dès 1982. D'une année sur l'autre, la manipulation de l'A.D.N. était mieux maîtrisée. Du matériel génétique avait déjà été extrait de certaines momies égyptiennes et de la peau du zèbre couagga, une espèce disparue en 1880. Il semblait possible, en 1985, de reconstituer l'A.D.N. du couagga et de donner naissance à un autre animal. S'il en allait ainsi, il s'agirait du premier animal éteint recréé par l'homme. Et si c'était possible avec ce zèbre, pourquoi pas avec d'autres animaux ? Le mastodonte ? Le smilodon ? Le dodo ?

Et pourquoi pas un dinosaure ?

Il allait sans dire que l'A.D.N. de dinosaure était introuvable. Mais, en broyant de grandes quantités d'os de dinosaure, il serait peut-être possible d'en extraire des fragments. On considérait autrefois que la fossilisation éliminait l'A.D.N., mais les chercheurs avaient démontré que cette théorie était erronée. En récupérant des fragments d'A.D.N. en quantité suffisante, il n'était pas interdit de penser que l'on parviendrait à cloner un animal vivant.

En 1982, les problèmes techniques semblaient insurmontables, mais il n'existait pas d'obstacle théorique. C'était simplement difficile, coûteux et extrêmement aléatoire. Mais c'était assurément possible, si quelqu'un décidait de s'atteler à la tâche.

C'est apparemment ce qu'InGen avait décidé de faire.

– Ils ont donc construit le plus grand parc d'attractions dans l'histoire du monde, reprit Dodgson. Comme vous le savez sans doute, les zoos sont extrêmement populaires. L'an dernier, les parcs zoologiques ont accueilli plus de visiteurs qu'il n'y a eu de spectateurs dans les stades de base-ball et de football réunis. Les Japonais aussi sont friands de zoos... Il y en a actuellement cinquante au Japon et d'autres sont en construction. Pour la visite du sien, InGen pourra pratiquer n'importe quel tarif. Deux mille dollars par jour... Pourquoi pas dix mille ? Sans compter les à-côtés : la vente de livres, tee-shirts, peluches, illustrés, animaux de compagnie.

– Comment cela ?

– Bien sûr. Si InGen est en mesure de fabriquer des dinosaures grandeur nature, ils peuvent également fabriquer des dinosaures nains pour servir d'animaux de compagnie. Quel gamin n'aura pas envie d'un dinosaure miniature chez lui ? Un petit animal breveté rien que pour lui ? InGen en vendra par millions... Et ils les fabriqueront de telle manière que ces animaux n'accepteront que la nourriture produite par InGen...

– Bon Dieu ! souffla quelqu'un.

– Eh oui ! Le parc zoologique sera le pivot d'une gigantesque entreprise.

– Vous avez dit que ces dinosaures seraient brevetés ?

– Bien sûr. Les animaux résultant de manipulations génétiques peuvent maintenant être brevetés. C'est une décision de la Cour suprême qui s'est prononcée en faveur de Harvard en 1987. Ces dinosaures seront la propriété d'InGen et personne d'autre ne pourra également en fabriquer de semblables.

– Qu'est-ce qui nous empêche de créer nos propres dinosaures ? demanda quelqu'un.

– Rien, mais ils ont cinq ans d'avance. Il sera presque impossible de les rattraper avant la fin du siècle. Bien sûr, poursuivit Dodgson après un silence, si nous parvenions à nous procurer des échantillons de leurs dinosaures, nous pourrions les analyser et fabriquer les nôtres en apportant suffisamment de modifications à l'A.D.N. pour passer outre à leur brevet.

– Pouvons-nous nous procurer ces échantillons ?

– Oui, répondit Dodgson, je pense que c'est possible.

– Il n'y aurait rien d'illégal ? demanda un autre administrateur après s'être éclairci la voix.

– Oh non ! fit vivement Dodgson. Absolument rien d'illégal. Je pense à un employé mécontent, des déchets incomplètement détruits, quelque chose de ce genre...

– Avez-vous une source sûre, docteur Dodgson ?

– Oui, répondit le généticien. Mais je crains qu'il ne faille prendre une décision extrêmement rapide, car InGen est actuellement en proie à de petites difficultés et ma source devra agir dans les vingt-quatre heures.

Un long silence tomba dans la salle. Les regards des administrateurs se tournèrent vers la secrétaire qui prenait des notes et le magnétophone posé devant elle.

– Je ne vois pas la nécessité d'une résolution en bonne et due forme, reprit Dodgson au bout d'un moment. J'aimerais simplement avoir votre sentiment, savoir si je dois continuer dans cette voie...

Toutes les têtes s'inclinèrent lentement.

Personne ne prononça un seul mot. Pas une déclaration ne figura au procès-verbal de séance. Ils hochèrent simplement la tête en silence.

– Messieurs, je vous remercie d'être venus, conclut Dodgson. C'est maintenant à moi d'agir.

AÉROPORT

Lewis Dodgson entra dans la cafétéria de l'aéroport de San Francisco et balaya la salle du regard. L'homme qu'il cherchait était déjà là, assis au comptoir. Dodgson s'installa sur le siège voisin et posa entre eux sa mallette.

– Vous êtes en retard, mon vieux, dit l'homme qui attendait. Qu'est-ce que c'est, un déguisement ? ajouta-t-il en riant, le regard fixé sur le chapeau de paille du généticien.

– On ne sait jamais, répliqua Dodgson en réprimant un mouvement de colère.

Depuis six mois, il cultivait patiemment cet homme qui, à chaque rencontre, devenait d'une arrogance plus odieuse. Mais il ne pouvait rien y faire ; ils savaient tous deux ce qui était en jeu.

L'A.D.N. synthétisé était, à poids égal, ce qu'il y avait de plus précieux au monde. Une unique bactérie microscopique, invisible à l'œil nu, mais contenant le gène d'une enzyme responsable de l'infarctus, la streptokinase, ou bien une autre qui protégeait les récoltes du gel, pouvait atteindre, si l'on savait à qui s'adresser, la somme de cinq milliards de dollars.

Cet état de choses avait donné naissance à une nouvelle forme d'espionnage industriel dans lequel Dodgson excellait. En 1987, il avait persuadé une généticienne mécontente de quitter Cetus pour Biosyn en emportant cinq souches de bactéries. Sa consœur avait tout simplement déposé avant de sortir de son laboratoire une goutte de chaque souche sur les ongles de sa main.

Mais, pour InGen, le pari était plus difficile. Ce n'était plus de l'A.D.N. bactérien que voulait Dodgson, mais des embryons congelés, et il savait qu'InGen avait pris pour protéger ses embryons des mesures de sécurité extrêmement sophistiquées. Il lui fallait trouver quelqu'un ayant accès aux embryons, acceptant de les dérober et capable de déjouer les mesures de sécurité. Une telle personne n'était pas facile à dénicher.

Dodgson avait enfin réussi quelques mois auparavant. Bien que cet homme n'eût pas accès au matériel génétique, Dodgson était resté en contact avec lui. Il l'avait retrouvé une fois par mois chez « Carlos et Charlie », à Silicon Valley, et lui avait rendu de menus services. Maintenant qu'InGen invitait des commanditaires et des consultants à visiter l'île, le moment tant attendu était proche : l'homme allait avoir accès aux embryons.

– Ne tournons pas autour du pot, dit l'homme. Je ne dispose que de dix minutes avant le départ de mon avion.

– Voulez-vous que nous revoyions tout encore une fois ? demanda Dodgson.

– Inutile, docteur. Ce que je veux voir, c'est la couleur de l'argent.

Dodgson fit jouer la fermeture de la mallette et l'entrouvrit de quelques centimètres. L'homme baissa la tête avec un détachement feint.

– C'est tout ?

– Il y a la moitié de la somme. Sept cent cinquante mille dollars.

– Bon, d'accord, dit l'homme en se retournant pour finir sa tasse de café. C'est parfait, docteur.

– C'est pour les quinze espèces, fit Dodgson en refermant prestement la mallette. Vous n'avez pas oublié ?

– Je n'ai pas oublié. Quinze espèces... Embryons congelés. Mais comment vais-je les transporter ?

Dodgson lui tendit une bombe de mousse à raser Gillette.

– C'est ça ?

– Oui, c'est ça.

– Et si l'on fouille mes bagages ?

– Appuyez sur le bouchon, dit Dodgson.

L'homme fit ce qu'on lui demandait et une mousse immaculée jaillit dans sa paume.

– Pas mal, murmura-t-il en s'essuyant la main sur le bord de son assiette. Pas mal...

– Le bidon est un peu plus lourd que les autres, c'est tout.

L'équipe de techniciens de Dodgson avait passé quarante-huit heures à mettre le dispositif au point, en travaillant jour et nuit. Il en expliqua rapidement le fonctionnement.

– Quelle quantité de gaz réfrigérant contient la bombe ?

– Il y en a assez pour trente-six heures. C'est le temps dont vous disposez pour rapporter les embryons à San José.

– Cela dépendra du type du bateau, répliqua l'homme. Vous feriez mieux de vous assurer qu'il a une glacière à bord.

– Je m'en occuperai, acquiesça Dodgson.

– Récapitulons les conditions...

– Elles n'ont pas changé : cinquante mille dollars à la remise de chaque embryon. S'il est viable, cinquante mille de plus.

– Parfait. Assurez-vous que le bateau attendra bien vendredi soir, le long du quai est de l'île. Pas le quai nord, là où accostent les navires ravitailleurs. Le quai est ; c'est un petit quai de service. Vous vous en souviendrez ?

– Je m'en souviendrai. Quand serez-vous de retour à San José ?

– Probablement dimanche, répondit l'homme en s'écartant du comptoir.

– Vous êtes sûr que vous savez comment neutraliser..., commença Dodgson sans dissimuler son anxiété.

– Je le sais, répondit l'homme. Faites-moi confiance.

– Encore une chose, lança le généticien. Nous croyons savoir que l'île reste en contact radio permanent avec le siège central d'InGen, en Californie...

– Ne vous inquiétez pas, répliqua l'homme, j'ai tout prévu. La seule chose que vous ayez à faire, c'est préparer l'argent. Je veux la totalité de la somme dimanche matin, à l'aéroport de San José, en espèces.

– Je vous y attendrai, dit Dodgson. N'ayez aucune crainte.

MALCOLM

Peu avant minuit, il monta dans l'avion à l'aéroport de Dallas. C'était un homme de trente-cinq ans, grand et mince, au crâne déplumé, tout de noir vêtu ; chemise, pantalon, chaussettes, chaussures de sport, tout était noir.

– Ah, docteur Malcolm ! lança Hammond avec une jovialité forcée.

– Bonjour, John, répondit Malcolm avec un sourire. Eh oui, je crains que votre persécuteur ne soit de retour !

Il serra la main de tout le monde en se présentant rapidement.

– Ian Malcolm, comment allez-vous ? Je fais des maths.

Il donna l'impression à Grant d'être plus amusé qu'autre chose par cette expédition. Le paléontologiste le connaissait déjà de nom. Ian Malcolm était l'un des plus célèbres mathématiciens de la nouvelle génération pour qui il était important de savoir « comment fonctionne véritablement le monde ». Ces scientifiques rompaient avec le cloisonnement traditionnel des mathématiques sur plusieurs points d'importance. D'abord, ils faisaient une utilisation systématique de l'ordinateur, une pratique qui faisait tiquer les tenants de la tradition. Ensuite, ils travaillaient presque exclusivement sur des équations non linéaires, dans la spécialité naissante baptisée « théorie du chaos ». Ils semblaient également tenir à ce que les mathématiques décrivent quelque chose existant réellement. Pour finir, comme s'ils voulaient bien marquer la rupture avec l'univers clos de l'Université et leur entrée dans le monde, ils s'habillaient et s'exprimaient avec ce qu'un de leurs confrères blanchis sous le harnois qualifiait de « déplorable excès de personnalité ». En fait, ils se conduisaient le plus souvent comme des stars du rock.

Malcolm prit place dans un fauteuil capitonné et l'hôtesse s'avança pour lui demander s'il désirait boire quelque chose.

– Un coca light.

Des bouffées d'air moite entraient par la porte ouverte.

– Ne fait-il pas un peu trop chaud pour s'habiller en noir ? demanda Ellie.

– Vous êtes vraiment ravissante, docteur Sattler, fit Malcolm, et je pourrais admirer vos jambes pendant une journée entière. Mais vous vous trompez, le noir est une couleur parfaitement adaptée à la chaleur. Souvenez-vous du corps noir : il absorbe toutes les radiations qu'il reçoit. Quoi qu'il en soit, je ne choisis des vêtements que de deux couleurs : le noir et le gris.

Ellie le regarda, bouche bée.

– Ces couleurs conviennent à toutes les circonstances, poursuivit le mathématicien. De plus, elles s'harmonisent et, s'il m'arrivait par erreur de mettre des chaussettes grises avec un pantalon noir, ce ne serait pas gênant.

– Mais ne trouvez-vous pas ennuyeux de toujours porter les deux mêmes couleurs ?

– Pas le moins du monde. Je trouve au contraire que c'est une libération. J'attache du prix à ma vie et je ne veux pas la gaspiller en pensant aux vêtements. Je ne veux pas me demander le matin comment je vais m'habiller. Sincèrement, peut-on imaginer quelque chose de plus barbant que la mode ? Le sport professionnel, peut-être... Des adultes qui lancent un ballon ou tapent dans une petite balle pendant que le reste du monde paie pour aller les applaudir. Mais, tout compte fait, je trouve la mode encore plus ennuyeuse que le sport.

– Le Dr Malcolm, crut bon de glisser Hammond, est un homme aux opinions tranchées.

– Et il travaille du chapeau, ajouta gaiement Malcolm. Mais vous devez reconnaître que ce ne sont pas des questions triviales. Le convenu est partout dans le monde où nous vivons... Il est convenu de se conduire de telle manière, de s'intéresser à telle chose. N'est-ce pas stupéfiant ? Dans la société de l'information, personne ne pense. Nous avions cru éliminer le papier, mais c'est la réflexion que nous avons bannie.

– C'est vous qui l'avez invité, dit Hammond en se tournant vers Gennaro et en levant les mains en signe d'impuissance.

– Heureusement, répliqua Malcolm. Car il semble que vous ayez un grave problème.

– Nous n'avons aucun problème, riposta vivement Hammond.

– J'ai toujours affirmé que cette île serait inexploitable, dit Malcolm. Je l'ai prédit dès le commencement. Et je suis sûr, ajouta-t-il en fouillant dans sa serviette de cuir, que tout le monde sait maintenant à quoi s'en tenir : vous allez être obligés de fermer.

– De fermer ! s'écria Hammond en bondissant de son siège. C'est ridicule !

– J'ai apporté des copies de mon premier rapport, poursuivit imperturbablement le mathématicien. Ce que vous allez lire est le rapport que j'ai rédigé pour InGen au titre de consultant. Les maths sont assez compliquées, mais je pourrai vous aider à vous y retrouver. Vous nous quittez ? ajouta-t-il en voyant Hammond s'éloigner.

– J'ai des coups de téléphone à donner, répondit Hammond en se dirigeant vers la cabine contiguë.

– Le voyage sera long, reprit Malcolm à l'intention des autres. Cela vous fera un peu de lecture.

Grant savait que Ian Malcolm ne manquait pas de détracteurs et il comprenait pourquoi d'aucuns trouvaient son style trop corrosif et ses applications de la théorie du chaos parfois tirées par les cheveux. Le paléontologiste feuilleta le rapport sans s'attarder sur les équations.

– La conclusion de votre rapport est que le projet de Hammond est voué à l'échec, dit Gennaro.

– Exact.

– A cause de la théorie du chaos ?

– Encore exact. Ou plutôt, pour être plus précis, à cause du comportement du système dans l'espace des phases.

– Pouvez-vous expliquer cela d'une manière compréhensible ? demanda Gennaro en posant le rapport.

– Bien sûr, répondit Malcolm. Voyons par où nous allons commencer. Savez-vous ce qu'est une équation non linéaire ?

– Non.

– Bon, fit Malcolm. Reprenons depuis le commencement.

Il réfléchit quelques instants, les yeux levés au plafond.

– La physique a parfaitement réussi à décrire certaines sortes de comportements : planètes en orbite, vaisseau spatial se dirigeant vers la lune, pendules, ressorts et roulement d'une balle, ce genre de choses. Le mouvement régulier d'objets. Pour les décrire, on utilise ce qu'on appelle des équations linéaires, faciles à résoudre pour des mathématiciens. Nous connaissons cela depuis plusieurs siècles.

– D'accord, dit Gennaro.

– Mais il y a une autre sorte de comportement que la physique traite d'une manière beaucoup moins satisfaisante. Par exemple, tout ce qui se rapporte aux turbulences. Le jaillissement de l'eau, l'air glissant sur l'aile d'un avion, les conditions météorologiques, la circulation du sang à l'intérieur du cœur. Les turbulences sont décrites par des équations non linéaires, difficiles à résoudre... En réalité, elles sont la plupart du temps impossibles à résoudre. Voilà donc toute une catégorie de phénomènes que la physique n'a jamais permis de bien comprendre. Jusqu'à il y a une dizaine d'année. La nouvelle théorie qui les décrit a reçu le nom de théorie du chaos. Son origine remonte aux années soixante, lorsqu'on a essayé, à l'aide d'ordinateurs, de créer des modèles des phénomènes atmosphériques. La météorologie est un système vaste et complexe, à savoir l'étude de l'atmosphère de notre planète en interaction avec la terre et le soleil. Le fonctionnement de ce système est si complexe qu'il a toujours défié l'entendement. Il nous était donc impossible de prévoir le temps qu'il allait faire. Mais, d'après les modèles fournis par leurs ordinateurs, les premiers chercheurs ont découvert que, même si l'on parvenait à comprendre les phénomènes atmosphériques, on ne pouvait rien prévoir. Toute prévision météorologique est absolument impossible. La raison en est que le comportement du système dépend notablement des conditions initiales.

– Je ne vous suis plus, fit Gennaro.

– Si j'utilise un canon pour lancer un obus d'un certain poids, à une certaine vitesse et à un certain angle d'inclinaison... et si je tire ensuite un deuxième obus avec à peu près le même poids, la même vitesse et le même angle, que va-t-il se passer ?

– Les deux obus vont tomber à peu près au même endroit.

– Exact, fit Malcolm. C'est de la dynamique linéaire.

– D'accord.

– Mais si je prends maintenant un système atmosphérique avec une certaine température, une certaine vitesse du vent et une certaine humidité, puis un autre avec des données très voisines, le second système n'évoluera pas d'une manière très voisine. Son comportement s'écartera de celui du premier et il deviendra rapidement *très* différent. Il y aura des orages à la place du soleil. C'est de la dynamique non linéaire. Elle est sensible aux conditions initiales : des différences infimes ne feront que s'amplifier.

– Je crois avoir compris, murmura Gennaro.

– C'est ce que l'on appelle l'« effet papillon ». Si un papillon bat des ailes à Pékin, le temps sera différent à New York.

– D'après la théorie du chaos, tout est donc le fait du hasard et impossible à prévoir ? demanda Gennaro. C'est bien cela ?

– Non, répliqua Malcolm. En réalité, nous trouvons certains phénomènes cachés qui se reproduisent régulièrement dans l'infinie variété de comportements d'un système complexe. C'est pourquoi la théorie du chaos a maintenant des applications très vastes et est utilisée pour étudier aussi bien les marchés financiers qu'une émeute ou les ondes cérébrales pendant une crise d'épilepsie. Dans tous les systèmes complexes où il y a confusion et imprévisibilité, nous pouvons trouver un ordre sous-jacent. Vous me suivez ?

– Oui, répondit Gennaro. Et quel est cet ordre sous-jacent ?

– Il est essentiellement caractérisé par le mouvement du système à l'intérieur de l'espace des phases, répondit Malcolm.

– Seigneur ! soupira Gennaro. Tout ce que je veux savoir, c'est pourquoi vous pensez que l'entreprise de Hammond ne réussira pas.

– Je comprends, fit Malcolm, et je vais y arriver. La théorie du chaos affirme deux choses. D'abord qu'il y a un ordre sous-jacent dans les systèmes complexes tels que la météorologie; ensuite, l'inverse, à savoir que des systèmes simples peuvent engendrer un comportement complexe. Prenons l'exemple d'une boule de billard. Quand on frappe une boule de billard, elle commence à rebondir sur les bandes du billard. En théorie, c'est un système relativement simple, presque newtonien. Sachant que l'on peut déterminer la force transmise à la boule et sa masse, il est possible de calculer selon quel angle elle touchera la bande et donc de prévoir sa trajectoire. Nous sommes théoriquement en mesure de prévoir cette trajectoire pendant un laps de temps très long, tandis que la balle continue de rebondir sur les bandes. On peut prévoir où elle s'arrêtera au bout de trois heures... toujours en théorie.

– D'accord, fit Gennaro en hochant lentement la tête.

– Mais, en réalité, poursuivit Malcolm, il apparaît que l'on ne peut prévoir le mouvement de la boule pendant plus de quelques secondes. Presque aussitôt après l'impact, des détails infimes – imperfections de la surface de la boule, minuscules aspérités sur le rebord ou le tapis – modifient la trajectoire et il ne faut pas longtemps pour que les calculs les plus minutieux soient faussés. C'est ainsi que l'on découvre que le système simple d'une boule roulant sur une table de billard a un comportement imprévisible.

– D'accord.

– Le projet de Hammond, reprit le mathématicien, est en apparence un autre système simple – des animaux à l'intérieur d'un parc zoologique – qui finira par montrer un comportement imprévisible.

– Ce qui vous permet de dire cela, c'est...

– La théorie du chaos, acheva Malcolm.

– Mais ne pensez-vous pas qu'il vaudrait mieux voir l'île afin de savoir ce qui s'y passe réellement ?

– Non, c'est tout à fait superflu. Les détails n'ont aucune importance. La théorie m'assure que la situation de l'île va bientôt évoluer d'une manière imprévisible.

– Et vous faites confiance à votre théorie ?

– Sans restriction, répondit Malcolm en s'enfonçant dans son siège. Il y a un problème dans cette île. Un accident va se produire.

ISLA NUBLAR

Dans un hurlement de rotors, l'appareil décolla et ses pales projetèrent leur ombre sur la piste de l'aéroport de San José. Grant perçut des grésillements dans son casque tandis que le pilote dialoguait avec la tour de contrôle.

Ils avaient pris un nouveau passager à San José, un certain Dennis Nedry, arrivé en avion. C'était un homme adipeux et débraillé qui grignotait une barre de chocolat. Il avait des traces brunes sur les doigts et des débris de papier d'aluminium sur le devant de sa chemise. Nedry avait marmonné quelque chose à propos des ordinateurs de l'île et s'était assis sans serrer la main à quiconque.

A travers la vitre de plexiglass, Grant regarda la piste se dérouler sous l'appareil et l'ombre de l'hélicoptère prendre de la vitesse en faisant route vers l'ouest, en direction des montagnes.

– Nous en avons pour trois quarts d'heure, annonça Hammond, assis à l'arrière.

Grant observa les collines qui se rapprochaient, puis l'hélicoptère traversa une zone nuageuse avant de déboucher de nouveau en plein soleil. Il contempla le relief tourmenté des montagnes et s'étonna de l'ampleur du déboisement tandis que l'appareil survolait les pentes dénudées.

– Le Costa Rica, reprit Hammond, exerce un contrôle plus strict que ses voisins, mais la déforestation est importante. Le phénomène s'est accéléré ces dix dernières années.

Quand ils sortirent d'une nouvelle couche de nuages, ils étaient de l'autre côté des montagnes et Grant distingua les plages de sable de la côte Pacifique. Puis l'hélicoptère survola un petit village.

– Bahía Anasco, annonça le pilote. Un village de pêcheurs. Un peu plus haut sur la côte, ajouta-t-il, vous apercevez la réserve de Cabo Blanco et ses plages magnifiques.

L'appareil changea de cap et commença à survoler l'océan. L'eau devint verte, puis d'un bleu-vert profond. Sa surface miroitait au soleil, déjà fort malgré l'heure matinale.

– Encore quelques minutes, dit Hammond, et nous allons apercevoir Isla Nublar.

Il expliqua que ce n'était pas une vraie île, mais le sommet d'une montagne immergée, un soulèvement du fond de l'océan.

– Cette origine volcanique se retrouve sur toute la surface de l'île, poursuivit-il. Il y a des projections de vapeur en de nombreux endroits et le sol est souvent très chaud. C'est pour cela, mais aussi en raison des courants dominants, qu'Isla Nublar se trouve dans les brumes... Vous verrez quand nous arriverons... Ah ! Nous y voilà !

De l'hélicoptère rasant les flots, Grant vit apparaître au loin une île rocheuse, escarpée, brisant la surface de l'océan.

– Bon sang ! souffla Malcolm. On dirait Alcatraz.

Le brouillard enveloppant les versants boisés conférait à l'île un aspect mystérieux.

– Mais en beaucoup plus grand, fit observer Hammond. Treize kilomètres de long sur cinq à l'endroit le plus large, soit une superficie d'environ soixante kilomètres carrés, qui en fait le plus grand parc animalier privé d'Amérique du Nord.

L'hélicoptère commença à prendre de la hauteur, en direction de l'extrémité nord de l'île. Grant écarquillait les yeux pour distinguer le relief dans l'épais brouillard.

– En général, il n'est pas aussi dense, fit Hammond avec une pointe d'inquiétude.

Au nord de l'île, les monts plus élevés se dressaient à plus de six cents mètres au-dessus de l'océan. Les crêtes étaient invisibles, mais Grant distingua des versants escarpés et le bouillonnement des vagues se fracassant contre la roche. Puis l'hélicoptère reprit de la hauteur.

– Nous sommes malheureusement obligés de nous poser sur l'île, dit Hammond. Je n'aime pas le faire, parce que cela effraie les animaux et que c'est parfois assez risqué...

Il fut interrompu par la voix du pilote.

– Nous allons commencer la descente. Accrochez-vous bien.

L'appareil descendit un peu et ils furent aussitôt plongés dans le brouillard. Grant entendit dans son casque un signal électronique discontinu, mais il ne distinguait absolument rien. Au bout d'un moment, il commença à discerner la cime de grands pins qui perçaient le brouillard et dont l'hélicoptère frôla quelques branches.

– Comment diable peut-il réussir cela ? demanda Malcolm.

Mais personne ne répondit.

Le pilote regarda d'abord sur la gauche, puis sur la droite. Les arbres étaient encore très près et l'appareil descendait rapidement.

– Seigneur ! souffla Malcolm.

L'intensité du signal électronique s'accrut. Grant tourna la tête vers le pilote qui était très concentré. Le paléontologiste baissa les yeux et vit sous l'appareil, à travers le plexiglass, une gigantesque croix brillante. Des lumières clignotaient à l'extrémité de ses branches. Le pilote corrigea légèrement le cap et l'appareil se posa sur l'aire d'atterrissage. Le bruit des rotors diminua, puis cessa.

Grant poussa un soupir et détacha sa ceinture.

– Nous sommes obligés de descendre rapidement, comme vous l'avez constaté, expliqua Hammond. C'est à cause des courants ascendants. Ils sont souvent très forts ici et... Quoi qu'il en soit, nous sommes sains et saufs.

Quelqu'un s'élança vers l'hélicoptère, un homme aux cheveux roux, coiffé d'une casquette de base-ball.

– Bonjour tout le monde ! s'écria-t-il d'une voix joviale en ouvrant la porte. Je m'appelle Ed Regis et je vous souhaite la bienvenue à Isla Nublar. Faites attention en descendant.

Un sentier étroit serpentait à flanc de colline. A mesure qu'ils descendaient dans l'air froid et humide, le brouillard se dissipait et le paysage leur apparaissait plus distinctement. Grant trouva qu'il ressemblait un peu à celui de la côte nord-ouest du Pacifique, dans la péninsule d'Olympia.

– Très juste, dit Regis. L'écosystème est celui d'une forêt pluviale à feuillage caduc, assez différente de la végétation du continent, où la forêt pluviale est plus classique. Mais nous avons ici un microclimat qui ne se trouve que sur les hauteurs, sur les pentes des monts du nord. Le climat de la plus grande partie de l'île est de type tropical.

Ils distinguaient en contrebas les toits blancs de plusieurs grands bâtiments nichés au milieu de la végétation. Grant fut surpris de voir une construction aussi soignée. Lorsque les dernières écharpes de brume eurent disparu, l'île lui apparut dans toute son étendue ; comme l'avait dit Regis, elle était essentiellement couverte par une forêt pluviale.

A quelque distance du petit groupe, Grant remarqua un tronc nu, totalement dépourvu de feuilles, une haute tige incurvée s'élevant au-dessus des palmiers. Puis le tronc se mit à bouger et se tourna pour faire face aux nouveaux arrivants. C'est alors que le paléontologiste comprit qu'il ne s'agissait pas d'un arbre.

C'était le cou gracieux et interminable d'un animal gigantesque, s'élevant jusqu'à une quinzaine de mètres du sol.

Ce qu'il avait devant les yeux était un dinosaure.

COMITÉ D'ACCUEIL

– Mon Dieu! souffla Ellie, les yeux fixés sur l'animal dont la tête dominait les arbres. Mon Dieu!

Sa première pensée fut que le dinosaure était d'une extraordinaire beauté. Les livres les décrivaient comme des créatures colossales et obtuses, mais cet animal au long cou se déplaçait avec grâce, voire une manière de dignité. Et il était vif... Son comportement n'était assurément pas celui d'un lourdaud. Le sauropode les considéra avec attention, puis il émit une sorte de barrissement assez semblable au cri de l'éléphant. Quelques instants plus tard, une deuxième tête se dressa au-dessus du feuillage, suivie d'une troisième et d'une quatrième.

– Mon Dieu! répéta Ellie, pétrifiée.

Gennaro demeurait sans voix. Il savait depuis le commencement à quoi s'attendre – il le savait depuis plusieurs années – mais, au fond, il n'y avait jamais cru entièrement et là, en considérant cette scène, il avait le souffle coupé. Le pouvoir terrifiant des nouvelles technologies génétiques, qu'il avait jusqu'alors considérées comme de simples arguments de vente, lui apparaissait maintenant avec une implacable clarté. Ces animaux étaient si gros! Véritablement énormes, grands comme des maisons! Et ils étaient si nombreux! Des dinosaures en chair et en os, aussi réels qu'on pouvait l'imaginer!

Nous allons gagner une fortune ici, songea-t-il. Une véritable fortune!

Il se prit à espérer que l'île offrait toutes les garanties nécessaires de sécurité.

Immobile sur le sentier à flanc de colline, des traînées de brume passant devant son visage, Grant ne pouvait détacher son regard des longs cous gris tendus au-dessus des palmiers. Il était pris de vertige, comme si le sol plongeait à pic devant lui, et il avait de la peine à respirer. Il contemplait quelque chose qu'il avait cru ne jamais voir de son vivant. Et pourtant ce n'était pas une hallucination.

Les animaux sortant de la brume étaient indiscutablement des apatosaures, des sauropodes de taille moyenne. Son cerveau engourdi par l'émotion passait machinalement ses connaissances en revue : herbivore d'Amérique du Nord, fin du jurassique. Communément appelé « brontosaure ». Découvert en 1876 par Edward Cope, dans le Montana. Spécimens en association avec strates de Morrison dans le Colorado, Utah, Oklahoma. Récemment reclassé par Berman et McIntosh comme un diplodocus, d'après l'aspect du crâne. On considérait en général que *Brontosaurus* passait la majeure partie de son temps dans des eaux peu profondes, ce qui l'aurait aidé à soutenir son poids énorme. L'animal qui se dressait devant lui ne se trouvait manifestement pas dans l'eau, mais ses mouvements étaient très prompts ; la tête et le cou se déplaçaient au-dessus du feuillage des palmiers avec une grande vivacité... une étonnante vivacité.

Grant éclata de rire.

– Que se passe-t-il ? demanda Hammond d'une voix inquiète. Il y a quelque chose qui ne va pas ?

Grant se contenta de secouer la tête et continua de rire. Il ne pouvait pas leur dire que ce qui l'amusait tant, c'est qu'il lui avait suffi de quelques secondes pour accepter l'existence de l'animal et qu'il commençait à utiliser ses facultés d'observation pour répondre à certaines questions que se posaient depuis longtemps les spécialistes.

Il riait encore quand il vit apparaître une cinquième, puis une sixième tête au-dessus des palmiers. Les sauropodes qui gardaient les yeux fixés sur le petit groupe évoquaient à Grant des girafes d'une taille démesurée... Ils avaient le même regard doux et un peu stupide.

– J'imagine que ce ne sont pas des animaux artificiels animés, fit Grant. Ils ont l'air tellement vivants.

– Bien sûr qu'ils sont vivants, dit Hammond. Pourquoi voudriez-vous qu'ils ne le soient pas ?

Des barrissements se firent de nouveau entendre. D'abord le cri d'un seul animal, repris par ses congénères.

– C'est leur manière de nous souhaiter la bienvenue sur l'île, déclara Regis.

Grant s'immobilisa et écouta, le visage extasié.

– Vous avez probablement envie de savoir ce que nous allons faire maintenant, reprit Hammond en se remettant en route. Eh bien, nous avons prévu une visite complète de nos installations et, dans le courant de l'après-midi, nous ferons le tour du parc pour admirer les dinosaures. Je vous retrouverai pour le dîner et je répondrai à toutes les questions que vous pourriez encore vous poser. Et maintenant, si vous voulez bien suivre M. Regis...

Le petit groupe emboîta le pas à Ed Regis qui se dirigeait vers le bâtiment le plus proche. Au bord du chemin, un écriteau peint à la main indiquait : BIENVENUE AU PARC JURASSIQUE.

TROISIÈME ITÉRATION

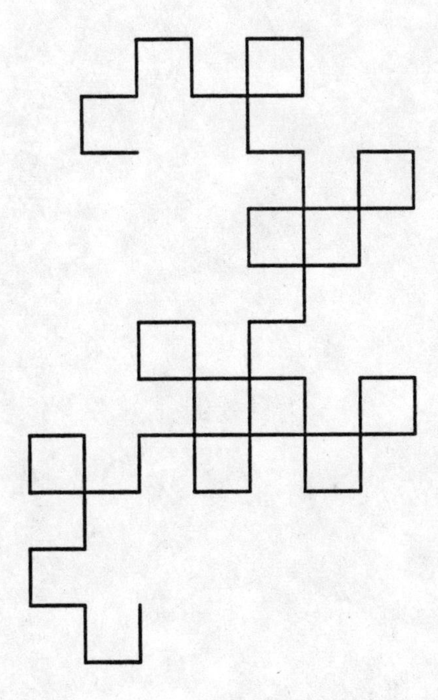

Des détails apparaissent plus distinctement à chaque tracé de la courbe fractale.

IAN MALCOLM

LE PARC JURASSIQUE

Ils s'engagèrent dans un tunnel de verdure formé de feuilles de palmier en voûte qui menait au bâtiment principal. Partout, des plantations foisonnantes et soigneusement choisies accentuaient l'impression qu'avait le visiteur de pénétrer dans un autre monde, un univers préhistorique à la végétation tropicale.

– Ils ont l'air très bien, dit Ellie à Grant.

– Oui, fit-il, mais je veux les voir de près. Je veux soulever leurs pattes pour inspecter les griffes et toucher leur peau. Je veux ouvrir leur mâchoire et regarder les dents. Tant que je n'aurai pas fait tout cela, je n'aurai aucune certitude. Mais c'est vrai, ils ont l'air très bien.

– Je suppose que cela apportera des changements dans votre spécialité, lança Malcolm.

– Oui, fit Grant en remuant la tête. C'est une révolution.

Pendant cent cinquante ans, depuis la découverte des premiers ossements d'animaux géants en Europe, l'étude des dinosaures avait été un exercice de déduction scientifique. La paléontologie consistait essentiellement en un travail de détective, la recherche d'indices dans les ossements fossilisés et les empreintes des géants du passé. Les meilleurs spécialistes étaient ceux qui arrivaient aux déductions les plus ingénieuses.

Toutes les grandes controverses paléontologiques se déroulaient de cette façon, y compris l'âpre débat dans lequel Grant était un des personnages clés : comment déterminer si les dinosaures étaient ou non des animaux à sang chaud ?

Les scientifiques avaient toujours classifié les dinosaures comme des reptiles, des animaux à sang froid tirant du milieu ambiant la chaleur dont ils ont besoin. Un mammifère utilise sa nourriture pour conserver la chaleur de son corps, ce que ne peut faire le reptile. Une poignée de chercheurs, sous l'impulsion de John Ostrom et Robert Bakker, de Yale, avait commencé à soupçonner que l'idée selon laquelle les dinosaures étaient des animaux indolents, à sang froid, n'apportait pas des explications totalement satisfaisantes aux découvertes de fossiles. En suivant la méthode déductive traditionnelle, ils avaient été amenés à cette conclusion par un faisceau d'indices.

Tout d'abord, l'attitude : les lézards et les reptiles sont des animaux rampants aux pattes tournées vers l'extérieur et qui collent leur ventre au sol pour profiter de la chaleur. Les lézards n'ont pas la force de se soulever sur leurs membres postérieurs pendant plus de quelques secondes alors que les dinosaures se tenaient debout, les membres à l'aplomb du corps, et qu'un grand nombre d'entre eux marchaient sur leurs pattes de derrière. Parmi les animaux contemporains, la station debout ne s'observe que chez les mammifères et les oiseaux qui sont capables de réguler la température de leur corps. L'attitude des dinosaures suggère donc qu'il s'agissait d'animaux à sang chaud.

Les chercheurs étudièrent ensuite le métabolisme, calculèrent la pression nécessaire pour faire monter le sang le long des cinq mètres cinquante du cou d'un brachiosaure et en déduisirent que ce n'était possible qu'avec un cœur à quatre ventricules et un sang chaud.

Ils étudièrent les traces, les empreintes fossilisées laissées dans la boue et en conclurent que certains dinosaures couraient aussi vite qu'un humain, ce qui impliquait qu'il s'agissait d'animaux à sang chaud. Ils découvrirent des restes de dinosaures au-delà du cercle arctique, un environnement inimaginable pour un reptile. Les études les plus récentes de comportement de groupe, reposant largement sur les propres travaux de Grant, laissaient supposer que les dinosaures avaient une vie sociale complexe et, contrairement aux reptiles, prenaient soin de leurs petits. Les tortues abandonnent leurs œufs, mais les dinosaures ne le faisaient probablement pas.

La controverse sur la thermorégulation avait fait rage pendant quinze ans, avant que tout le monde se rallie à l'idée que les dinosaures étaient des animaux rapides et actifs, et il subsistait des rancœurs si profondes que certains spécialistes participant au même colloque ne s'adressaient toujours pas la parole.

Mais, s'il était devenu possible de cloner des dinosaures, la spécialité de Grant allait instantanément changer du tout au tout. C'en était fini de l'étude paléontologique des dinosaures. Toute la structure existante – les salles de musée exposant des squelettes géants et résonnant d'exclamations étouffées de troupes d'écoliers, les laboratoires universitaires avec leurs plateaux remplis d'os, les thèses de recherche, les revues spécialisées –, tout cela allait disparaître.

– Vous ne semblez pas vraiment bouleversé, reprit Malcolm.

– Nous en parlons depuis un certain temps, répondit Grant en secouant la tête. Un grand nombre d'entre nous imaginaient que cela finirait par arriver... Mais pas si vite.

– C'est l'histoire de l'humanité, poursuivit Malcolm avec un petit rire. Tout le monde sait que cela arrivera, mais pas aussi vite qu'on l'imagine.

Ils continuèrent à descendre le sentier et perdirent de vue les dinosaures. Mais Alan entendait encore leurs barrissements étouffés par la distance.

– J'ai une seule question à poser, dit-il. Où se sont-ils procuré l'A.D.N. ?

Il n'ignorait pas que dans certains laboratoires, à Berkeley, à Tokyo ou à Londres, des chercheurs envisageaient sérieusement la possibilité de cloner un animal d'une race éteinte tel que le dinosaure. A condition de pouvoir se procurer l'A.D.N. indispensable, sachant que tous les dinosaures connus étaient fossilisés et que la fossilisation détruisait la plus grande partie de l'A.D.N. et la remplaçait par des matières minérales. Mais, si un dinosaure était congelé, conservé dans une tourbière ou momifié dans un milieu désertique, l'A.D.N. pouvait naturellement être récupérable.

Mais personne n'avait jamais découvert un dinosaure congelé ni momifié. Il n'existait donc pas de matériel pouvant servir au clonage et la technologie génétique la plus sophistiquée était parfaitement inutile. C'était comme si l'on disposait d'une photocopieuse sans rien avoir à reproduire.

– On ne peut reproduire un vrai dinosaure si l'on ne dispose pas d'A.D.N., fit observer Ellie.

– A moins qu'il n'existe un moyen auquel nous n'avons pas pensé, dit Grant.

– Quel moyen ? demanda-t-elle.

– Je ne sais pas, répondit Grant.

Après avoir franchi une clôture, ils arrivèrent à la piscine dont le trop-plein alimentait une cascade en gradins et une succession de petits bassins rocheux environnés de hautes fougères.

– C'est extraordinaire, n'est-ce pas ? fit Ed Regis. Ces plantes contribuent à créer une atmosphère préhistorique, surtout dans la brume. Ce sont, bien entendu, d'authentiques variétés de fougères du jurassique.

Ellie s'arrêta pour observer les plantes de plus près. Regis n'avait pas menti ; il s'agissait bien de *Serenna veriformans*, une plante trouvée en abondance dans les couches fossilifères remontant à plus de deux cents millions d'années et qui n'était plus répandue que dans certains terrains marécageux du Brésil et de Colombie. Mais ceux qui avaient décidé de planter cette variété de fougère à proximité de la piscine ignoraient à l'évidence que ses spores contenaient un alcaloïde mortel, la bêtacarboline. Le simple contact des frondes d'un vert attirant avait des effets toxiques et, si un enfant en avalait une bouchée, il n'avait que très peu de chances de survivre. La toxine était cinquante fois plus puissante que celle du laurier-rose.

Ellie trouvait invraisemblable l'ignorance des gens en matière de plantes. Ils les choisissaient uniquement pour leur apparence, comme on choisit un tableau pour l'accrocher au mur. Jamais il ne leur venait à l'esprit que les végétaux étaient vivants et qu'ils accomplissaient toutes les fonctions vitales de respiration, d'ingestion, d'excrétion, de reproduction... et de défense.

Ellie savait que, dans l'histoire de l'humanité, les végétaux avaient évolué avec autant d'obstination que les animaux et, d'une certaine manière, avec plus de cruauté. La toxine de *Serenna veriformans* n'était qu'un exemple de l'arsenal chimique très sophistiqué dont les végétaux s'étaient dotés. Il y avait des terpènes que certaines espèces répandaient autour d'elles pour empoisonner le sol et repousser les autres végétaux; des alcaloïdes qui leur donnaient un mauvais goût et les protégeaient des insectes, des prédateurs... et des enfants; des phérormones servant à transmettre des messages. Quand un pin de Douglas était attaqué par des coléoptères, il sécrétait une substance chimique et était imité par d'autres pins de Douglas disséminés dans la forêt. Un corps chimique sécrété en signal par les arbres attaqués transmettait le message.

Ceux qui s'imaginaient que la vie sur terre se réduisait à des animaux se déplaçant sur une toile de fond verte se fourvoyaient grandement. Ce fond vert grouillait de vie. Les végétaux croissaient, se tordaient, se retournaient pour bénéficier de la lumière du soleil, dans une interdépendance continuelle avec les animaux, se protégeant d'eux avec leur écorce ou leurs épines, en empoisonnant d'autres ou bien en nourrissant certains afin d'assurer leur propre reproduction en dispersant leur pollen et leurs graines. C'était un processus complexe et dynamique qu'Ellie avait toujours trouvé fascinant, mais elle n'ignorait pas que la plupart des gens n'y entendaient goutte.

Si le fait d'avoir planté des fougères toxiques tout près de la piscine constituait une indication, il semblait évident que les créateurs du parc Jurassique n'avaient pas pris toutes les précautions nécessaires.

– N'est-ce pas merveilleux? poursuivit Ed Regis avec enthousiasme. Le bâtiment que vous voyez devant vous est notre Pavillon safari.

Ellie leva les yeux et découvrit une construction basse, au toit orné d'une succession de pyramides de verre.

– C'est là que vous dormirez tous pendant votre séjour dans le parc Jurassique.

La suite de Grant était dans les tons beiges, avec un mobilier de rotin à grands motifs vert jungle. Le séjour n'était pas tout à fait terminé; il y avait du bois empilé dans la penderie et des morceaux de tube électrique par terre. Dans un angle se trouvait un téléviseur sur lequel était posé un carton :

Canal 2 : Mont des hypsilophodons
Canal 3 : Territoire des tricératops
Canal 4 : Marais des sauropodes
Canal 5 : Domaine des carnosaures
Canal 6 : Pays des stégosaures
Canal 7 : Vallée des velociraptors
Canal 8 : Pic des ptérosaures

Grant fut à la fois agacé et séduit par ces noms. Il alluma le téléviseur, mais n'obtint qu'un écran rempli de parasites. Il éteignit le récepteur, entra dans la chambre et lança sa valise sur le lit. Juste au-dessus s'ouvrait une grande lucarne pyramidale qui donnait l'étrange impression au visiteur d'être sous une tente ou de dormir à la belle étoile. Le verre était malheureusement soutenu par d'épais barreaux dont l'ombre zébrait le lit.

Grant fronça les sourcils. Il avait vu les plans du pavillon et ne se souvenait pas de ces barreaux. En fait, les barres de métal semblaient avoir été ajoutées à la construction. A l'extérieur des parois de verre, on avait fixé un châssis d'acier noir auquel étaient soudés les barreaux.

Perplexe, Grant repassa dans l'autre pièce dont la fenêtre donnait sur la piscine.

– Au fait, Alan, lança Ellie en pénétrant dans la suite, sais-tu que ces fougères sont vénéneuses ? Et as-tu remarqué quelque chose dans nos chambres ?

– Ils ont modifié les plans.

– Oui, je crois, fit Ellie en marchant dans la pièce. Les fenêtres sont petites, ajouta-t-elle après un silence, et le verre trempé est monté dans un châssis d'acier. Les portes sont renforcées par une plaque d'acier... Tout cela ne devrait pas être nécessaire. As-tu vu la clôture quand nous sommes arrivés ?

Grant acquiesça d'un mouvement de la tête. Toute la construction était entourée par une clôture aux barreaux d'acier de deux à trois centimètres d'épaisseur. L'enceinte, peinte en noir mat pour imiter le fer forgé, était bien intégrée dans le paysage, mais aucun camouflage ne pouvait dissimuler l'épaisseur des barreaux ni la hauteur de trois mètres cinquante.

– Je ne crois pas non plus que cette clôture figurait sur les plans, poursuivit Ellie. Tout cela me donne l'impression qu'ils ont fait de cet endroit une véritable forteresse.

– Nous ne manquerons pas de soulever la question, dit Grant en regardant sa montre. La visite commence dans vingt minutes.

QUAND LES DINOSAURES RÉGNAIENT SUR LA TERRE

Ils se retrouvèrent dans le centre des visiteurs, un bâtiment de deux étages, tout en verre. Avec ses poutrelles et ses supports de charpente anodisés, Grant lui trouvait un aspect résolument high-tech.

Il y avait un petit auditorium dominé par un *Tyrannosaurus rex*, un robot à l'aspect menaçant dressé près de l'entrée d'une galerie d'exposition portant un écriteau : QUAND LES DINOSAURES RÉGNAIENT SUR LA TERRE. Un peu plus loin, d'autres panneaux indiquaient : QU'EST-CE QU'UN DINOSAURE ? et LA TERRE AU MÉSOZOÏQUE. Mais les travaux n'étaient pas terminés et, sur le sol, courait un enchevêtrement de fils et de câbles. Gennaro grimpa sur l'estrade et s'adressa à Grant, Ellie et Malcolm d'une voix qui résonnait légèrement dans la salle vide.

Hammond s'installa au fond, les mains croisées sur la poitrine.

– Nous allons commencer la visite des installations, annonça Gennaro, et je suis sûr que M. Hammond et son équipe auront à cœur de tout nous montrer dans les meilleures conditions. Avant de commencer, je désirais simplement vous rappeler la raison de notre présence et la décision qu'il me faudra prendre à la fin de notre séjour. Vous avez tous compris maintenant que nous nous trouvons sur une île dans laquelle des dinosaures, produits du génie génétique, ont la possibilité de vivre dans un environnement naturel formant un parc zoologique à vocation touristique. Les installations ne sont pas encore ouvertes au public, mais elles doivent l'être dans un an. La question à laquelle je vous demanderai de répondre est très simple. Cette île offre-t-elle toutes les garanties de sécurité ? Est-elle sans danger pour les visiteurs et n'y a-t-il pas de risques que les dinosaures s'en échappent ? Il y a d'abord deux points que je tiens à examiner avec vous, reprit l'avocat après avoir baissé les lumières de la salle. En premier lieu, une identification faite par le Dr Grant d'un dinosaure découvert sur la côte du Costa Rica. Ce dinosaure, jusqu'alors inconnu, n'a été identifié que par un fragment. Il a été découvert au mois de juillet de cette année, après que l'animal eut, selon toute vraisemblance, attaqué et mordu une fillette américaine sur une plage. Le Dr Grant pourra ultérieurement vous fournir tous les détails dont il dispose. J'ai demandé que le fragment du corps de l'animal, actuellement dans un laboratoire de New York, nous soit expédié afin de pouvoir l'étudier directement. Mais il y a un autre élément auquel je vous demande de prêter attention. Le Costa Rica dispose d'un excellent service de santé qui réunit et analyse des données de toutes sortes. Depuis le mois de mars de cette année, des lézards auraient mordu un certain nombre de bébés dans leur berceau ; j'ajoute qu'ils auraient également mordu des personnes âgées, profondément endormies. Des attaques sporadiques ont été signalées dans plusieurs villages du littoral, d'Ismaloya à Puntarenas. Après le mois de mars, plus aucune morsure de lézard n'a été signalée. Mais je me suis procuré un diagramme établi par le Service de santé publique de San José et présentant la mortalité infantile dans les agglomérations de la côte ouest, pour les six premiers mois de l'année.

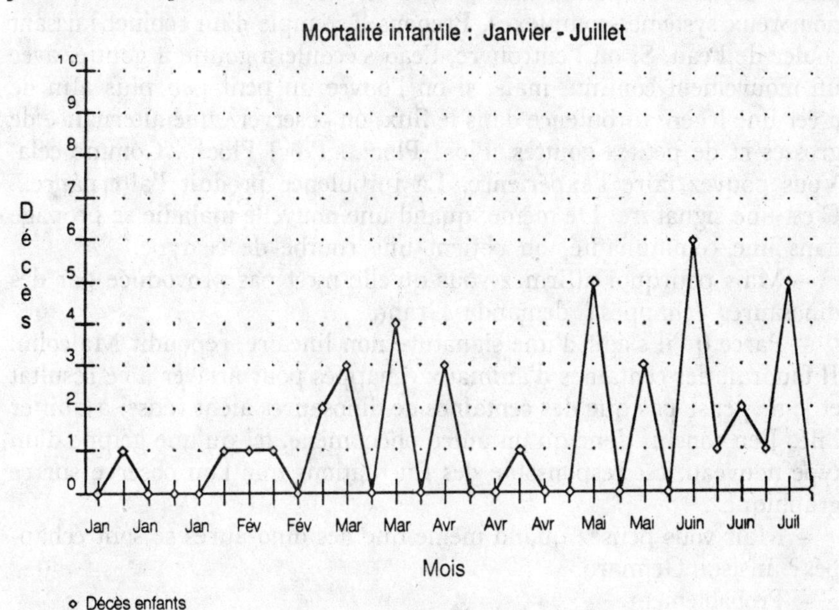

« J'attire votre attention sur deux points, poursuivit Gennaro. D'abord, la mortalité infantile, faible pendant les mois de janvier et de février, augmente brusquement en mars, puis baisse de nouveau en avril. Mais, à partir du mois de mai, elle demeure élevée jusqu'en juillet, à l'époque où la fillette américaine a été mordue. Le Service de la santé publique a l'impression que quelque chose agit sur la mortalité infantile, mais que les habitants des villages côtiers gardent le silence.

Le second point, ce sont ces pointes bimensuelles qui semblent suggérer l'existence d'un phénomène présentant une alternance.

« Voilà, conclut Gennaro tandis que les lumières revenaient. C'est sur ces différents points que j'aimerais avoir des explications. Et maintenant, y a-t-il des... ?

– Nous pouvons gagner du temps, lança Malcolm sans le laisser achever sa phrase. Je vais vous expliquer tout de suite.

– Vraiment ? fit Gennaro.

– Oui, répondit le mathématicien. Tout d'abord, il est très vraisemblable que des animaux aient réussi à s'échapper de l'île.

– Arrêtez vos conneries ! gronda Hammond du fond de la salle.

– Deuxièmement, le diagramme du Service de la santé publique n'a presque certainement aucun rapport avec des animaux qui se seraient échappés.

– Comment pouvez-vous savoir cela ? demanda Grant.

– Vous remarquerez que ce graphique présente une alternance de pics et de creux, répondit Malcolm. C'est une courbe caractéristique de nombreux systèmes complexes. Prenons l'exemple d'un robinet laissant couler de l'eau. Si on l'entrouvre, l'eau s'écoulera goutte à goutte, avec un mouvement continu, mais, si on l'ouvre un petit peu plus afin de créer une légère turbulence dans le flux, on observera une alternance de grosses et de petites gouttes. Ploc ! Ploc !... Ploc ! Ploc !... Comme cela. Vous pouvez faire l'expérience. La turbulence produit l'alternance... C'est une signature. De même, quand une nouvelle maladie se propage dans une communauté, on obtient une courbe de ce type.

– Mais pourquoi affirmez-vous qu'elle n'est pas provoquée par des dinosaures échappés ? demanda Grant.

– Parce qu'il s'agit d'une signature non linéaire, répondit Malcolm. Il faudrait des centaines d'animaux échappés pour arriver à ce résultat et je ne pense pas que des centaines de dinosaures aient réussi à quitter l'île. J'en conclus donc qu'un autre phénomène, tel qu'une grippe d'un type nouveau, est responsable des fluctuations que l'on observe sur ce graphique.

– Mais vous pensez quand même que des dinosaures se sont échappés ? insista Gennaro.

– Probablement.

– Pourquoi ?

– A cause de ce que l'on est en train de faire ici. On essaie de recréer sur cette île un environnement naturel du passé, un monde isolé où des animaux appartenant à des espèces disparues vivront en liberté. Exact ?

– Oui.

– A mon avis, une telle entreprise est vouée à l'échec. Les probabilités sont si élevées qu'il n'est même pas utile de les calculer... C'est comme si vous me demandiez si vous êtes imposable avec des revenus annuels d'un milliard de dollars. Vous n'avez même pas à prendre votre calculatrice. De la même façon, je suis absolument convaincu que l'on ne peut réussir à reproduire la nature comme vous tentez de le faire ou espérer en isoler une parcelle.

– Pourquoi pas ? Après tout, il y a des parcs zoologiques qui...

– Les parcs zoologiques ne recréent pas la nature, rétorqua Malcolm. Soyons précis : les zoos prennent la nature telle qu'elle existe déjà et la modifient *très* légèrement afin de créer des enclos pour les animaux. Aussi minimes soient-elles, ces modifications sont souvent un échec et les animaux s'échappent régulièrement. Mais votre parc n'a pas été bâti sur le modèle d'un zoo. Il est beaucoup plus ambitieux dans sa conception, qui s'apparente à la création d'une station spatiale sur la terre.

– Je ne comprends pas, fit Gennaro en secouant la tête.

– C'est pourtant très simple. A part l'air qui, dans tous les cas, circule librement, tout dans ce parc vise à l'isolement. Rien ne peut entrer ni sortir. Les animaux qui y vivent ne pourront jamais se mêler aux grands écosystèmes de la planète. Il leur est interdit de s'échapper.

– Et cela ne s'est jamais produit, lança Hammond.

– Un tel isolement est impossible, poursuivit Malcolm d'un ton péremptoire. C'est tout simplement irréalisable.

– Mais si, c'est réalisable ! Cela se fait partout !

– Pardonnez-moi, répliqua Malcolm, mais je pense que vous ne savez pas ce dont vous parlez.

– Votre arrogance est insupportable ! s'écria Hammond en se dressant d'un bond et en quittant précipitamment la salle.

– Messieurs ! implora Gennaro. Messieurs, je vous en prie !

– Je regrette cet incident, reprit Malcolm, mais je maintiens ma position. Ce que nous appelons « nature » est en réalité un système complexe beaucoup plus fragile que nous ne voulons le reconnaître. Nous fabriquons une image simplifiée de la nature, puis nous la dégradons. Je ne suis pas un environnementaliste, mais il y a des choses qu'il faut bien comprendre. Combien de fois faudra-t-il revenir là-dessus ? Combien de fois faudra-t-il nous fourrer les preuves sous le nez ? Nous avons construit le barrage d'Assouan en proclamant que cet ouvrage allait apporter une nouvelle vitalité à la région. Résultat : le barrage réduit la fertilité du delta du Nil, il est responsable d'une infestation de parasites et ruine l'économie égyptienne. Nous avons construit...

– Pardonnez-moi de vous interrompre, dit Gennaro, mais je crois entendre le bruit d'un hélicoptère. C'est probablement l'échantillon que je voudrais faire examiner par le Dr Grant.

Il sortit de l'auditorium et tous les autres le suivirent.

Au pied de la colline, les veines du cou gonflées, Gennaro hurlait pour couvrir le bruit des rotors d'un hélicoptère.

– Qu'est-ce que vous avez fait ? Vous avez invité *qui* ?
– Calmez-vous, fit Hammond.
– Vous êtes complètement cinglé ! s'écria Gennaro.
– Écoutez, répliqua Hammond en se redressant, je pense que le moment est venu d'avoir une explication...
– C'est cela, ayons une explication ! Vous n'avez donc pas compris qu'il ne s'agit pas d'une visite organisée ni d'une excursion de week-end !
– Cette île m'appartient et je peux inviter qui bon me semble !
– Je suis ici pour mener une enquête approfondie sur cette île, à la demande des investisseurs qui redoutent que la situation ne vous échappe. Nous considérons que cet endroit est extrêmement dangereux et...
– Vous ne me contraindrez pas à fermer le parc, Donald...
– S'il le faut, je le ferai...
– Contrairement à ce que prétend ce foutu mathématicien, il offre toutes les garanties de sécurité.
– Absolument pas !
– Et je vais le prouver en...
– J'exige que vous les fassiez immédiatement remonter dans cet hélicoptère ! lança Gennaro.
– Impossible ! répliqua Hammond en levant un doigt vers le ciel. Il est déjà reparti.
De fait, le bruit des rotors commençait à diminuer.
– Bon dieu ! grogna l'avocat. Vous ne vous rendez donc pas compte que vous risquez inutilement...
– Allons, allons, fit Hammond d'un ton apaisant. Nous reprendrons cette discussion plus tard. Je ne veux pas perturber les enfants.
Grant se retourna et vit deux enfants descendre le sentier en compagnie d'Ed Regis. Il y avait un garçon à lunettes, âgé d'une douzaine d'années, et une fillette plus jeune, d'environ sept ou huit ans, les cheveux blonds ramassés sous une casquette de base-ball des Mets, un gant de cuir sur l'épaule. Les deux gamins qui descendaient avec agilité s'arrêtèrent à quelques mètres de Gennaro et de Hammond.
– Bon dieu ! souffla l'avocat entre ses dents.
– Doucement, fit Hammond. Leurs parents sont en instance de divorce et je tiens à ce qu'ils passent un excellent week-end.
– Bonjour, grand-père, dit la fillette en levant une main hésitante. Nous voilà.

LA VISITE

Tim Murphy comprit tout de suite que quelque chose ne tournait pas rond. Son grand-père était en train de se disputer avec l'homme au visage très rouge qui se tenait en face de lui et les autres adultes, légèrement en retrait, avaient l'air bien embarrassés. Alexis devait, elle aussi, ressentir la tension, car elle s'arrêta et lança sa balle en l'air. Tim fut obligé de la pousser en avant.

– Avance, Lex!

– Avance, toi-même!

– Ce que tu peux être nouille!

Alexis le fusilla du regard, mais Ed Regis s'approcha d'eux.

– Je vais vous présenter à tout le monde, lança-t-il d'une voix enjouée, puis nous commencerons la visite.

– Il faut que j'y aille, dit Lex.

– Il y en a pour une minute, dit Ed Regis.

– Non, il faut que j'y aille.

Mais Regis avait déjà commencé les présentations. D'abord grand-père, qui les embrassa tous les deux, puis l'homme avec qui il venait de se disputer, un costaud qui répondait au nom de Gennaro. Tim écouta distraitement la suite. Il y avait une jeune femme blonde en short et un barbu vêtu d'un jean et d'une chemise hawaïenne, le genre de type qui aimait vivre au grand air. Il y avait aussi une sorte d'étudiant attardé, grassouillet, qui travaillait dans l'informatique, et enfin un homme très maigre, habillé tout en noir, qui ne lui tendit pas la main, se contentant d'un petit signe de la tête. Tim essayait de mettre de l'ordre dans ses idées et il avait le regard fixé sur les jambes de la blonde quand, brusquement, il se rendit compte qu'il savait qui était le barbu.

– Tu as la bouche ouverte, fit remarquer Lex.

– Je le connais, murmura Tim.

– Bien sûr, gros malin! On vient de te le présenter!

– Non, répliqua le garçon. J'ai son livre.

– Quel livre, Tim ? demanda le barbu.

– *Le monde perdu des dinosaures.*

– Papa dit toujours que Tim est obsédé par les dinosaures, ricana Alexis.

Tim entendit à peine sa sœur. Il réfléchissait à ce qu'il savait sur Alan Grant, l'un des principaux défenseurs de la thèse selon laquelle les dinosaures étaient des animaux à sang chaud. Il avait fait de nombreuses découvertes sur un site du Montana baptisé la « Colline des œufs » à cause de tous les œufs de dinosaures qui y avaient été mis au jour. A lui seul, le Dr Grant avait découvert une grande partie de tous les œufs exhumés dans le monde. C'était aussi un excellent illustrateur et il avait fait la plupart des dessins de son livre.

– Alors, tu es obsédé par les dinosaures, fit Grant. Eh bien, il se trouve que j'ai le même problème.

– Papa dit que les dinosaures sont des animaux vraiment stupides, déclara Lex. Il dit aussi que Tim devrait sortir un peu plus et faire du sport.

– Je croyais que tu devais y aller, marmonna Tim, l'air gêné.

– Ça peut attendre cinq minutes, répliqua sa sœur.

– Je croyais que c'était très pressé.

– Si quelqu'un doit le savoir, Timothy, je pense que c'est moi, déclara la fillette en se campant devant lui, les mains sur les hanches, pour imiter l'attitude la plus irritante de sa mère.

– J'ai quelque chose à vous proposer, glissa Ed Regis. Pourquoi ne pas nous rendre maintenant au centre des visiteurs et commencer cette visite ?

Tout le monde se mit en route et Tim entendit Gennaro murmurer quelque chose à l'oreille de son grand-père.

– Jamais je ne vous pardonnerai d'avoir fait ça !

Quand Tim leva la tête, il vit que le Dr Grant était arrivé à sa hauteur et marchait à côté de lui.

– Quel âge as-tu, Tim ?

– Onze ans.

– Et depuis combien de temps t'intéresses-tu aux dinosaures ?

– Cela fait déjà un bon bout de temps, répondit le garçon en déglutissant.

Il se sentait très nerveux d'être en présence du célèbre Dr Grant.

– De temps en temps, nous allons au musée, reprit-il, quand je réussis à y traîner ma famille... surtout mon père.

– Ton père n'est pas vraiment intéressé ?

Tim secoua la tête et raconta à Grant sa dernière visite en famille au Muséum d'histoire naturelle.

– C'est un gros, avait déclaré son père en regardant le squelette d'un dinosaure.

– Non, papa, il est de taille moyenne. C'est un camptosaurus.
– Ah, bon ? Il me paraît très gros.
– Il n'a même pas atteint sa taille adulte, papa !
– A quelle époque vivait-il ? avait demandé son père en regardant le squelette du coin de l'œil. Au jurassique ?
– Mais non ! Au crétacé !
– Au crétacé ? Quelle est la différence entre le jurassique et le crétacé ?
– Oh ! Pas plus d'une centaine de millions d'années.
– C'est le crétacé le plus ancien ?
– Non, papa ! C'est le jurassique !
– Ah, bon ? avait dit son père en reculant. Mais il est quand même bigrement gros.

Il s'était tourné vers Tim pour quêter son approbation. Sachant qu'il n'avait pas intérêt à se mettre son père à dos, le garçon avait marmonné quelque chose d'inintelligible et ils étaient passés dans la salle suivante.

Tim s'était longuement arrêté devant un autre squelette, celui de *Tyrannosaurus rex,* le plus grand prédateur qui eût jamais foulé le sol de la planète.

– Qu'est-ce que tu regardes ? avait fini par demander son père.
– Je compte les vertèbres.
– Les vertèbres ?
– Celles qui forment la colonne vertébrale.
– Je sais ce que c'est qu'une vertèbre ! avait répliqué son père avec agacement. Pourquoi est-ce que tu les comptes ?
– Je crois qu'ils se sont trompés. La queue d'un tyrannosaure ne devrait avoir que trente-sept vertèbres et celle-ci en a plus.
– Tu veux dire que le Muséum d'histoire naturelle aurait commis une erreur en reconstituant le squelette de ce dinosaure ? Tu voudrais me faire avaler ça ?
– Ils se sont trompés, avait soutenu Tim.

Son père s'était dirigé à grands pas vers le fond de la salle où se tenait un gardien.

– Qu'est-ce que tu as encore fait ? avait demandé sa mère à Tim.
– Je n'ai rien fait... J'ai juste dit qu'il y avait une erreur dans le squelette du dinosaure.

Puis son père était revenu avec une drôle d'expression sur le visage, car le gardien lui avait naturellement confirmé qu'il y avait trop de vertèbres dans la queue du tyrannosaure.

– Comment le savais-tu ? lui avait demandé son père.
– Je l'ai lu.
– Je suis très impressionné, avait dit le père en tapotant l'épaule de son rejeton. Tu sais combien il y a de vertèbres dans la queue de cet animal... Je n'en reviens pas ! Tu es vraiment un fana de ces animaux !

Puis son père, soutenu par Lex, avait annoncé qu'il tenait à voir la fin du match des Mets à la télé et ils étaient sortis du musée. Tim n'avait pas eu le temps de voir d'autres dinosaures et c'est surtout pour cette raison qu'ils étaient venus dans l'île. C'est comme cela que les choses se passaient dans sa famille.

Comme elles se passaient *avant,* rectifia intérieurement Tim. Maintenant que ses parents avaient décidé de divorcer, les choses allaient probablement changer. Son père avait déjà quitté la maison et, même si cela lui avait fait un drôle d'effet au début, il s'y était rapidement habitué. Il savait que sa mère avait un petit ami, mais n'en avait pas encore parlé à Lex. Sa petite sœur avait un immense chagrin d'être séparée de son père et, ces derniers temps, elle était devenue si insupportable que...

– Était-ce le 5027 ? demanda Grant.

– Pardon ?

– Le tyrannosaure du Muséum ? Était-ce le 5027 ?

– Oui, répondit Tim. Mais comment le savez-vous ?

– Cela fait plusieurs années qu'ils envisagent de réparer l'erreur, répondit Grant en souriant. Mais maintenant, cela ne se fera peut-être plus.

– Pourquoi ?

– A cause de ce qui se passe ici, sur l'île de ton grand-père.

Tim secoua la tête ; il ne comprenait pas ce que Grant voulait dire.

– D'après ma mère, fit-il, c'est juste un parc de loisirs, vous voyez, avec piscine et tennis...

– Pas exactement, dit Grant. Je t'expliquerai en marchant.

Et, maintenant, me voilà devenu baby-sitter ! songea Ed Regis en tapant du pied dans le hall du centre des visiteurs. C'est ce que le vieux lui avait ordonné : « Ne perdez pas les enfants de vue ; ils sont sous votre responsabilité pendant le week-end. »

Ed Regis n'avait pas du tout apprécié ; cela avait quelque chose de dégradant. Il ne voulait pas servir de baby-sitter, pas plus que de guide, même pour des huiles ! Il était chef des relations publiques du parc Jurassique et il lui restait encore beaucoup à faire pendant les douze mois précédant l'ouverture officielle. Les discussions avec les sociétés de relations publiques de San Francisco et de Londres ainsi que les agences de New York et de Tokyo lui prenaient déjà tout son temps, et l'affaire était d'autant plus délicate qu'il n'était pas encore possible de révéler aux agences la véritable nature des attractions du parc. Elles préparaient toutes une campagne d'accrochage, mais manquaient trop de détails pour être satisfaites. Les créatifs avaient besoin d'éléments plus substantiels ; il fallait les encourager pour qu'ils donnent le meilleur d'eux-mêmes. Ed Regis n'avait pas de temps à perdre à servir de guide pour une poignée de scientifiques.

Mais le problème des relations publiques était que personne ne considérait cela comme une véritable profession. Regis avait passé sur l'île la majeure partie des sept derniers mois et on continuait de lui refiler toutes sortes de corvées. Comme l'accident qui avait eu lieu au mois de janvier... Harding aurait dû s'en occuper, ou bien Owens, l'entrepreneur. Mais c'est Regis qui s'était tapé le sale boulot. C'est lui qui avait été obligé de se débrouiller avec l'ouvrier blessé... Et maintenant, il fallait se coltiner une visite guidée avec deux mioches ! Il se retourna et compta les têtes : il en manquait encore une.

Il vit le Dr Sattler sortir des toilettes, au fond du hall d'entrée.

– Maintenant que tout le monde est là, dit-il, nous allons commencer la visite par le deuxième étage.

Tim se mit en mouvement avec les autres et ils suivirent M. Regis qui montait l'escalier suspendu menant aux étages. Ils passèrent devant un panneau qui indiquait :

ZONE INTERDITE
Accès réservé au personnel autorisé

En lisant le panneau, Tim sentit un frisson d'excitation le parcourir. Puis ils s'engagèrent dans le couloir bordé d'un côté par une paroi de verre donnant sur un balcon où des palmiers étaient visibles dans la brume, de l'autre par un mur où s'ouvraient les portes d'une enfilade de bureaux marqués GARDIEN DU PARC... SERVICE CLIENTÈLE... DIRECTEUR GÉNÉRAL...

Au milieu du couloir, ils arrivèrent devant une cloison vitrée portant un autre panneau :

Au-dessous, il y avait deux autres pancartes annonçant :

ATTENTION
Substances tératogènes
Accès interdit aux femmes enceintes

DANGER
Utilisation d'isotopes radioactifs
Risques carcinogènes

Tim sentait l'excitation monter en lui. Des substances tératogènes! Qui pouvaient produire des monstres! Il était aux anges et fut très déçu d'entendre Ed Regis annoncer au petit groupe de visiteurs :

– Ne tenez pas compte de ces pancartes. Elles ne sont là que pour respecter la réglementation. Je peux vous assurer qu'il n'y a absolument aucun danger.

Il ouvrit la porte derrière laquelle était posté un gardien.

– Vous avez peut-être remarqué que le personnel était restreint, expliqua Ed Regis en se retournant vers le petit groupe. Nous pouvons faire fonctionner l'ensemble des installations avec un maximum de vingt personnes. Il va sans dire que les employés seront plus nombreux quand nous commencerons à recevoir des visiteurs, mais, pour l'instant, nous ne sommes que vingt. Voici maintenant la salle de contrôle d'où l'ensemble du parc peut être surveillé.

Ils s'arrêtèrent devant de larges baies et découvrirent la salle de contrôle chichement éclairée. Il y avait une paroi de verre montrant un plan transparent du parc et, en face, une batterie de consoles d'ordinateurs flambant neuves. Quelques écrans affichaient des informations, mais la plupart montraient des images vidéo provenant de différents endroits du parc. Il n'y avait à l'intérieur de la vaste salle que deux personnes qui, debout, devisaient tranquillement.

– L'homme de gauche est John Arnold, notre ingénieur en chef, expliqua Regis en montrant un homme fluet, en chemisette et cravate, qui fumait une cigarette. A côté de lui se trouve le gardien du parc, Robert Muldoon, le célèbre chasseur blanc de Nairobi.

Muldoon était un costaud en uniforme kaki. Des lunettes de soleil dépassaient de sa poche de poitrine. Il tourna les yeux vers le groupe de visiteurs, fit un petit salut de la tête et se retourna vers les consoles.

– Je suis sûr que vous avez envie de visiter cette salle, reprit Ed Regis, mais voyons d'abord comment nous obtenons l'A.D.N. de dinosaure.

La pancarte sur la porte annonçait : EXTRACTIONS. Comme toutes les autres portes, celle-ci s'ouvrait à l'aide d'une carte magnétique.

Ed Regis glissa la sienne dans une fente, la lumière clignota et la porte s'ouvrit.

Tim entra dans une petite pièce baignée par une lumière verte. Quatre techniciens en blouse blanche étaient penchés sur des microscopes binoculaires stéréoscopiques ou regardaient des images sur des écrans vidéo à haute résolution. La pièce était bourrée de pierres jaunes. Il y en avait partout, dans des vitrines, des boîtes en carton, sur de grands plateaux. Chaque pierre était étiquetée et numérotée à l'encre noire.

Regis leur présenta Henry Wu, un homme sec d'une bonne trentaine d'années.

– Le Dr Wu est le responsable de notre programme génétique. Je le laisse vous expliquer ce que nous faisons ici.

– Du moins, je vais essayer, dit Henry Wu en souriant, car la génétique est un domaine assez compliqué. Mais vous vous demandez probablement d'où provient notre A.D.N. de dinosaure.

– C'est en effet une question qui m'est venue à l'esprit, fit Grant.

– En réalité, commença Wu, il y a deux sources possibles. En utilisant la technique d'extraction par anticorps de Loy, il est parfois possible d'obtenir l'A.D.N. directement des os de dinosaure.

– Quelle quantité ? demanda Grant.

– Eh bien, la majeure partie des protéines solubles sont éliminées au cours de la fossilisation, mais il en reste vingt pour cent qui sont récupérables en broyant les os et en utilisant la méthode de Loy. Le Dr Loy l'a lui-même employée pour obtenir des protéines de marsupiaux d'Australie éteints, ainsi que des globules sanguins, à partir de très vieux restes humains. Sa méthode est si perfectionnée qu'elle fonctionne avec cinquante nanogrammes de matériel, c'est-à-dire cinquante milliardièmes de gramme.

– Et vous l'avez adaptée à vos besoins ? interrogea Grant.

– Seulement comme solution de rechange, répondit Wu. Comme vous pouvez l'imaginer, une production de vingt pour cent est insuffisante pour nos travaux. Pour réussir le clonage, nous avons besoin de la totalité de la molécule d'A.D.N. Et nous l'obtenons grâce à cela, ajouta-t-il en prenant une des pierres jaunes. C'est de l'ambre, la résine fossilisée d'arbres préhistoriques.

Grant se tourna vers Ellie, puis vers Malcolm.

– C'est vraiment très habile, murmura le mathématicien en hochant lentement la tête.

– Je ne comprends toujours pas, avoua Grant.

– Des insectes, expliqua Wu, se laissent souvent engluer dans la sève dont ils n'arrivent pas à se libérer. Ils sont ensuite parfaitement conservés à l'intérieur de la résine fossilisée. On trouve toutes sortes d'insectes dans l'ambre, y compris des insectes piqueurs qui ont sucé le sang d'animaux beaucoup plus gros qu'eux.

– Sucé le sang..., répéta Grant.

Puis il ouvrit brusquement la bouche.

– Vous voulez dire sucé le sang de dinosaures...

– Quand nous avons de la chance, oui.

– Et ces insectes sont conservés dans le bloc d'ambre..., poursuivit Grant à mi-voix en secouant la tête. Bon Dieu! Mais oui, cela peut marcher!

– Je vous assure que cela marche, dit Henry Wu.

Il se dirigea vers l'un des microscopes sous lequel un technicien plaça un morceau d'ambre contenant une mouche. Tout le monde le regarda sur le moniteur vidéo enfoncer une longue aiguille dans la résine fossilisée et l'introduire dans le thorax de la mouche préhistorique.

– S'il y a dans cet insecte des globules sanguins d'une espèce étrangère, nous réussirons peut-être à les prélever et à obtenir l'A.D.N. d'un animal disparu. Nous ne serons fixés qu'après avoir extrait, reproduit et analysé ce que nous avons prélevé. C'est ce que nous avons fait pendant cinq ans... Un procédé lent et fastidieux, mais notre patience a été récompensée. En fait, poursuivit Wu, l'A.D.N. de dinosaure est bien plus facile à extraire par cette méthode que celui des mammifères. La raison en est que les globules rouges des mammifères n'ont pas de noyau et donc pas d'A.D.N. Pour cloner un mammifère, il faut trouver un globule blanc, et ceux-là sont beaucoup moins nombreux que les rouges. Mais les dinosaures, eux, ont des globules rouges nucléés, tout comme les oiseaux d'aujourd'hui. C'est l'une des nombreuses indications tendant à prouver que les dinosaures ne sont pas du tout des reptiles, mais de gros oiseaux à la peau dure.

Tim vit que le Dr Grant paraissait sceptique et remarqua que Dennis Nedry, le gros bonhomme négligé, ne manifestait aucun intérêt, comme s'il connaissait déjà tout cela sur le bout du doigt. Il lançait sans arrêt des regards impatients vers la salle voisine.

– Je vois que M. Nedry sait à quoi s'en tenir sur la phase suivante de notre travail, reprit Wu. Elle consiste à identifier l'A.D.N. que nous avons extrait et, pour cette tâche, nous utilisons des ordinateurs très puissants.

Ils franchirent une porte coulissante et pénétrèrent dans une pièce réfrigérée où un bourdonnement puissant se faisait entendre. Deux énormes appareils cylindriques de près de deux mètres de haut se dressaient au centre de la pièce et, tout le long des murs, étaient alignées d'autres machines en acier inoxydable, s'élevant à hauteur de la taille.

– Et voici notre laverie automatique dernier cri, déclara Wu. Ces boîtes que vous voyez le long des murs sont des séquenceurs automatiques. Ils sont contrôlés, à très grande vitesse, par les superordinateurs Cray XMP, les deux tours que vous voyez au centre de la pièce. On peut dire que vous vous trouvez actuellement au cœur d'une fabrique génétique d'une incroyable puissance.

Il y avait également plusieurs moniteurs sur lesquels le texte défilait si vite qu'il était presque illisible. Wu appuya sur une touche et la vitesse de défilement diminua sur l'un des écrans.

```
   1 GCGTTGCTGG CGTTTTTCCA TAGGCTCCGC CCCCCTGACG AGCATCACAA AAATCGACGC
  61 GGTGGCGAAA CCCGACAGGA CTATAAAGAT ACCAGGCGTT TCCCCCTGGA AGCTCCCTCG
 121 TGTTCCGACC CTGCCGCTTA CCGGATACCT GTCCGCCTTT CTCCCTTCGG GAAGCGTGGC
 181 TGCTCACGCT GTAGGTATCT CAGTTCGGTG TAGGTCGTTC GCTCCAAGCT GGGCTGTGTG
 241 CCGTTCAGCC CGACCGCTGC GCCTTATCCG GTAACTATCG TCTTGAGTCC AACCCGGTAA
 301 AGTAGGACAG GTGCCGGCAG CGCTCTGGGT CATTTTCGGC GAGGACCGCT TTCGCTGGAG
 361 ATCGGCCTGT CGCTTGCGGT ATTCGGAATC TTGCACGCCC TCGCTCAAGC CTTCGTCACT
 421 CCAAACGTTT CGGCGAGAAG CAGGCCATTA TCGCCGGCAT GGCGGCCGAC GCGCTGGGCT
 481 GGCGTTCGCG ACGCGAGGCT GGATGGCCTT CCCCATTATG ATTCTTCTCG CTTCCGGCGG
 541 CCCGCGTTGC AGGCCATGCT GTCCAGGCAG GTAGATGACG ACCATCAGGG ACAGCTTCAA
 601 CGGCTCTTAC CAGCCTAACT TCGATCACTG GACCGCTGAT CGTCACGGCG ATTTATGCCG
 661 CACATGGACG CGTTGCTGGC GTTTTTCCAT AGGCTCCGCC CCCCTGACGA GCATCACAAA
 721 CAAGTCAGAG GTGGCGAAAC CCGACAGGAC TATAAAGATA CCAGGCGTTT CCCCCTGGAA
 781 GCGCTCTCCT GTTCCGACCC TGCCGCTTAC CGGATACCTG TCCGCCTTTC TCCCTTCGGG
 841 CTTTCTCAAT GCTCACGCTG TAGGTATCTC AGTTCGGTGT AGGTCGTTCG CTCCAAGCTG
 901 ACGAACCCCC CGTTCAGCCC GACCGCTGCG CCTTATCCGG TAACTATCGT CTTGAGTCCA
 961 ACACGACTTA ACGGGTTGGC ATGGATTGTA GGCGCCGCCC TATACCTTGT CTGCCTCCCC
1021 GCGGTGCATG GAGCCGGGCC ACCTCGACCT GAATGGAAGC CGGCGGCACC TCGCTAACGG
1081 CCAAGAATTG GAGCCAATCA ATTCTTGCGG AGAACTGTGA ATGCGCAAAC CAACCCTTGG
1141 CCATCGCGTC CGCCATCTCC AGCAGCCGCA CGCGGCGCAT CTCGGGCAGC GTTGGGTCCT
1201 GCGCATGATC GTGCT [illegible] CCTGTCGTTG AGGACCCGGC TAGGCTGGCG GGGTTGCCTT
1281 AGAATGAATC ACCGATACGC GAGCGAACGT GAAGCGACTG CTGCTGCAAA ACGTCTGCGA
1341 AACATGAATG GTCTTCGGTT TCCGTGTTTC GTAAAGTCTG GAAACGCGGA AGTCAGCGCC
```

– Ce que avez devant les yeux, expliqua Wu, est la structure d'un petit fragment d'A.D.N. de dinosaure. On remarque que cette portion d'A.D.N. est composée de quatre bases : l'adénine (A), la cytosine (C), la guanine (G) et la thymine (T). Elle contient probablement les instructions nécessaires à la fabrication d'une seule protéine... disons une hormone ou une enzyme. La molécule complète d'A.D.N. contient *trois milliards* de ces bases. Si nous regardions, une fois toutes les secondes et huit heures par jour, un écran comme celui-ci, il faudrait plus de deux ans pour voir défiler la totalité de cette molécule d'A.D.N. Nous avons ici un exemple caractéristique, poursuivit Wu en tendant le doigt vers l'écran, car vous constatez en regardant la ligne 1201 qu'il y a une erreur. Une grande partie de l'A.D.N. que nous réussissons à extraire est fragmentaire ou incomplet. Notre première tâche, ou plutôt celle de l'ordinateur, consiste donc à le compléter. Il fragmente l'A.D.N. en utilisant ce que nous appelons des enzymes de restriction. C'est à lui de sélectionner un certain nombres d'enzymes susceptibles de faire l'affaire.

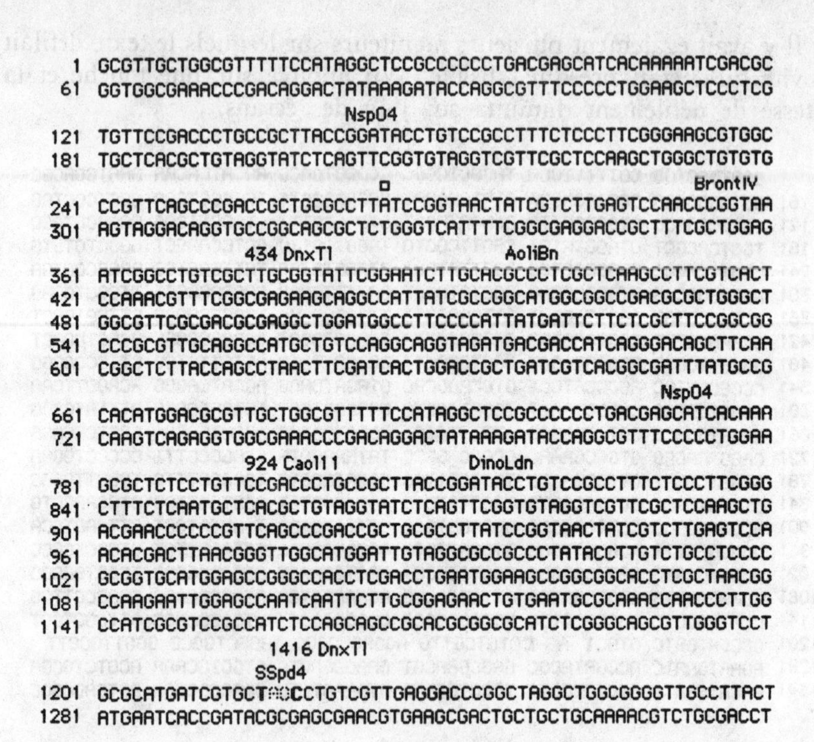

– Voici la même portion d’A.D.N. où figurent maintenant les endroits où elle a été découpée par les enzymes de restriction. Comme vous le voyez sur la ligne 1201, deux enzymes découperont le fragment d’A.D.N. de chaque côté de l’endroit endommagé. Nous laissons en général le choix à l’ordinateur, mais nous avons également besoin de savoir quelles paires de bases il faut introduire pour réparer la lésion. Pour cela, nous devons aligner différents fragments isolés, comme ceci :

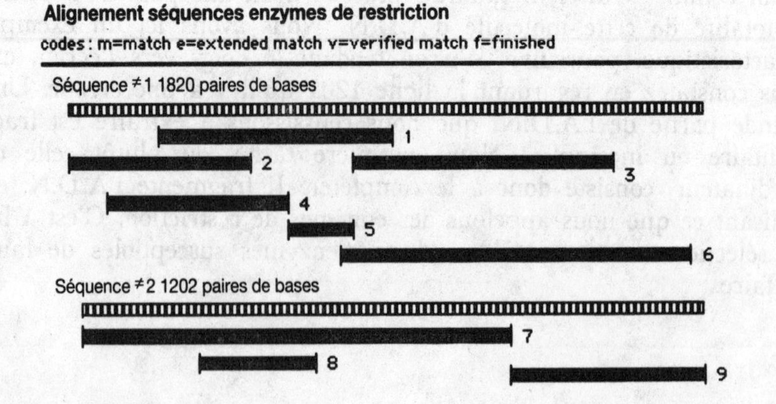

– Nous allons maintenant trouver un fragment d'A.D.N. qui coïncide avec la zone endommagée et qui nous indiquera ce qui manquait. Vous voyez que nous l'avons trouvé et que nous allons maintenant pouvoir effectuer la réparation. Les barres noires que vous distinguez sont des fragments de restriction, de petites portions d'A.D.N. de dinosaure, sectionnées par des enzymes, puis analysées. L'ordinateur est maintenant en train de les recombiner en recherchant les portions codées qui coïncident. C'est un peu comme l'assemblage des pièces d'un puzzle, mais l'ordinateur est capable de le faire très rapidement.

```
   1 GCGTTGCTGGCGTTTTTCCATAGGCTCCGCCCCCCTGACGAGCATCACAAAAATCGACGC
  61 GGTGGCGAAACCCGACAGGACTATAAAGATACCAGGCGTTTCCCCCTGGAAGCTCCCTCG
 121 TGTTCCGACCCTGCCGCTTACCGGATACCTGTCCGCCTTTCTCCCTTCGGGAAGCGTGGC
 181 TGCTCACGCTGTAGGTATCTCAGTTCGGTGTAGGTCGTTCGCTCCAAGCTGGGCTGTGTG
 241 CCGTTCAGCCCGACCGCTGCGCCTTATCCGGTAACTATCGTCTTGAGTCCAACCCGGTAA
 301 AGTAGGACAGGTGCCGGCAGCGCTCTGGGTCATTTTCGGCGAGGACCGCTTTCGCTGGAG
 361 ATCGGCCTGTCGCTTGCGGTATTCGGAATCTTGCACGCCCTCGCTCAAGCCTTCGTCACT
 421 CCAAACGTTTCGGCGAGAAGCAGGCCATTATCGCCGGCATGGCGGCCGACGCGCTGGGCT
 481 GGCGTTCGCGACGCGAGGCTGGATGGCCTTCCCCATTATGATTCTTCTCGCTTCCGGCGG
 541 CCCGCGTTGCAGGCCATGCTGTCCAGGCAGGTAGATGACGACCATCAGGGACAGCTTCAA
 601 CGGCTCTTACCAGCCTAACTTCGATCACTGGACCGCTGATCGTCACGGCGATTTATGCCG
 661 CACATGGACGCGTTGCTGGCGTTTTTCCATAGGCTCCGCCCCCCTGACGAGCATCACAAA
 721 CAAGTCAGAGGTGGCGAAACCCGACAGGACTATAAAGATACCAGGCGTTTCCCCCTGGAA
 781 GCGCTCTCCTGTTCCGACCCTGCCGCTTACCGGATACCTGTCCGCCTTTCTCCCTTCGGG
 841 CTTTCTCAATGCTCACGCTGTAGGTATCTCAGTTCGGTGTAGGTCGTTCGCTCCAAGCTG
 901 ACGAACCCCCCGTTCAGCCCGACCGCTGCGCCTTATCCGGTAACTATCGTCTTGAGTCCA
 961 ACACGACTTAACGGGTTGGCATGGATTGTAGGCGCCGCCCTATACCTTGTCTGCCTCCCC
1021 GCGGTGCATGGAGCCGGGCCACCTCGACCTGAATGGAAGCCGGCGGCACCTCGCTAACGG
1081 CCAAGAATTGGAGCCAATCAATTCTTGCGGAGAACTGTGAATGCGCAAACCAACCCTTGG
1141 CCATCGCGTCCGCCATCTCCAGCAGCCGCACGCGGCGCATCTCGGGCAGCGTTGGGTCCT
1201 GCGCATGATCGTGCTAGCCTGTCGTTGAGGACCCGGCTAGGCTGGCGGGGTTGCCTTACT
1281 ATGAATCACCGATACGCGAGCGAACGTGAAGCGACTGCTGCTGCAAAACGTCTGCGACCT
1341 ATGAATGGTCTTCGGTTTCCGTGTTTCGTAAAGTCTGGAAACGCGGAAGTCAGCGCCCTG
```

– Et voici maintenant le fragment d'A.D.N. réparé par l'ordinateur. Il aurait fallu plusieurs mois dans un laboratoire équipé d'un matériel traditionnel pour mener à bien l'opération à laquelle vous venez d'assister, mais nous pouvons le faire en quelques secondes.

– Vous travaillez donc sur la molécule d'A.D.N. entière ? demanda Grant.

– Oh non ! répondit Henry Wu. C'est impossible ! Les progrès ont été considérables depuis les années soixante où il aurait fallu à un laboratoire entier quatre *ans* pour décoder le contenu de cet écran, mais la molécule d'A.D.N. est encore trop longue. Nous ne travaillons que sur des portions de la molécule qui diffèrent d'un animal à l'autre ou de l'A.D.N. contemporain. Seul un faible pourcentage des nucléotides varie d'une espèce à l'autre. Ce sont ceux que nous analysons et ce n'est pas une mince affaire.

Dennis Nedry étouffa un bâillement. Il subodorait depuis longtemps qu'InGen devait faire quelque chose de ce genre. Deux ans auparavant, quand il avait été engagé par InGen pour élaborer le programme des systèmes de contrôle du parc, l'un des paramètres imposés au départ était un enregistrement de données de $3x10^9$ de champs. Supposant qu'il s'agissait d'une erreur, il avait téléphoné à Palo Alto pour s'en assurer. Mais on lui avait confirmé le chiffre de trois milliards!

Nedry avait travaillé sur de nombreux systèmes d'exploitation de grande taille et il s'était fait un nom en programmant des systèmes de communications téléphoniques planétaires pour des multinationales et il avait l'habitude de ce genre de travail. Mais ce qu'InGen lui demandait était à une tout autre échelle...

Perplexe, Nedry était allé voir Barney Fellows qui travaillait à Symbolics, près du campus du M.I.T., à Cambridge, Massachusetts.

– As-tu déjà entendu parler d'une base de données de trois milliards d'octets, Barney?

– C'est une erreur! avait répondu Barney en riant. Ils ont dû ajouter un ou deux zéros!

– J'ai vérifié, il n'y a pas d'erreur. C'est ce qu'ils me demandent.

– Mais c'est complètement dingue! Ça ne marchera jamais! Même en disposant des processeurs les plus efficaces et d'algorithmes prodigieusement rapides, une recherche prendrait encore plusieurs jours, voire plusieurs semaines.

– Ouais, fit Nedry, je sais. Grâce au ciel, on ne me demande pas de m'occuper des algorithmes, mais seulement de préparer des unités de stockage et des mémoires pour l'ensemble du système. Mais je me demande quand même à quoi peut servir une telle base de données.

– Tu ne peux rien me dire, je suppose?

– Non, répondit Nedry qui, comme pour la plupart de ses contrats, était tenu au secret professionnel.

– Rien me dire du tout?

– C'est une société de biotechnologie.

– De biotechnologie, répéta Barney. Eh bien, il y a une idée qui me vient tout de suite à l'esprit...

– Laquelle?

– Une molécule d'A.D.N.

– Allons! lança Nedry. Il est impossible d'analyser une molécule d'A.D.N.!

Il savait que certains biologistes parlaient d'un projet de génome humain consistant à analyser une molécule complète d'A.D.N. Mais cela prendrait dix ans en coordonnant les recherches et en utilisant des laboratoires dans le monde entier. C'était une tâche écrasante, une entreprise aussi vaste que le projet Manhattan qui avait donné naissance à la bombe atomique.

– C'est une société privée, ajouta Nedry.

– Avec une telle base de données, fit Barney, je ne vois pas ce que cela pourrait être d'autre. Mais peut-être ont-ils vu trop grand pour leur système.

– Vraiment trop grand, acquiesça Nedry.

– Il est encore possible qu'ils n'analysent que des fragments d'A.D.N., mais que leurs algorithmes exigent une énorme capacité de stockage.

C'était en effet plausible. Certaines techniques de recherche de base de données nécessitaient des mémoires de très grande capacité.

– Sais-tu qui a programmé leurs algorithmes ? demanda Barney.

– Non, répondit Nedry. Ils sont extrêmement discrets.

– Eh bien, à mon avis, ce qu'ils veulent faire a un rapport avec l'A.D.N., poursuivit Barney. Quel est le système ?

– Multi XMP.

– Quoi ? Tu veux dire qu'ils utilisent plusieurs Cray ? Incroyable ! Peux-tu m'en dire un peu plus ? ajouta-t-il après un instant de réflexion.

– Désolé, fit Nedry, c'est impossible.

Il était reparti et avait programmé les systèmes de contrôle. Il leur avait fallu, à lui et à son équipe, plus d'un an pour achever le travail et la tâche avait été d'autant plus ardue qu'InGen n'avait jamais voulu lui révéler à quoi serviraient les sous-systèmes. Les instructions étaient très simples ; on lui demandait de préparer un module de classement ou bien un module de visualisation sur écran. On lui fournissait tous les paramètres nécessaires, mais aucun détail sur l'utilisation. Ils l'avaient laissé jusqu'au bout dans l'ignorance et, maintenant que le système était terminé et en service, il ne s'étonnait pas d'apprendre qu'il y avait des problèmes. Qu'espéraient-ils donc ? Ils étaient évidemment dans tous leurs états et lui avaient ordonné de revenir précipitamment pour réparer « ses » erreurs de programmation. Nedry trouvait tout cela extrêmement contrariant.

Il reporta son attention sur le groupe au moment où Grant posait une question.

– Et quand l'ordinateur a analysé l'A.D.N., comment savez-vous quel animal est encodé ?

– Nous disposons de deux méthodes, répondit Wu. La première consiste à établir une carte philogénétique. L'A.D.N. évolue avec le temps, comme tout le reste d'un organisme... les mains, les pieds ou n'importe quel attribut physique. Nous pouvons donc prendre un fragment d'A.D.N. inconnu et déterminer grossièrement, avec l'aide d'un ordinateur, à quel endroit il se situe dans le cours de l'évolution. Cela prend beaucoup de temps, mais c'est possible.

– Et l'autre méthode ?

– Nous le laissons se développer et nous voyons bien ce que nous obtenons, répondit Wu avec un haussement d'épaules. C'est en général ce que nous faisons. Je vais vous montrer comment nous procédons.

L'impatience gagnait Tim à mesure que la visite se prolongeait. Il aimait les sujets techniques, mais son intérêt commençait à s'émousser. Ils arrivèrent devant la porte suivante sur laquelle était indiqué : FERTILISATION. Le Dr Wu l'ouvrit avec sa carte magnétique et le petit groupe entra.

Tim découvrit une nouvelle pièce où des techniciens étaient penchés sur des microscopes et dont le fond était éclairé par des ultraviolets. Le Dr Wu expliqua que leur travail exigeait l'interruption du processus de la mitose à des moments précis et qu'ils disposaient à cet effet de quelques-uns des poisons les plus virulents.

– Hélotoxines, colchicinoïdes, bêta-alcaloïdes, énuméra-t-il en montrant une rangée de seringues disposées sous la lumière ultraviolette. Ils sont capables de tuer n'importe quel animal en une ou deux secondes.

Tim aurait aimé en savoir plus sur les poisons, mais le Dr Wu s'était lancé dans une interminable explication sur l'utilisation d'ovules de crocodile non fécondés et le remplacement de l'A.D.N.; puis le Pr Grant posa une série de questions compliquées. Contre un mur de la pièce étaient alignées de grandes cuves sur les parois desquelles était indiqué : AZOTE LIQUIDE, et il y avait de hauts congélateurs aux tablettes chargées d'embryons enveloppés dans du papier alu.

Lex s'ennuyait; Nedry bâillait; l'attention du Dr Sattler commençait à se relâcher. Tim en avait assez de ces laboratoires et de tout leur équipement. Il voulait voir les dinosaures.

Sur la porte suivante était inscrit : SALLE D'INCUBATION.

– Il fait chaud et humide dans cette pièce, dit le Dr Wu. Nous la maintenons à une température de 37 °C et l'humidité relative est de cent pour cent. La concentration en oxygène est élevée, puisqu'elle atteint trente-trois pour cent.

– L'atmosphère du jurassique, fit Grant.

– Oui. Du moins, c'est ce que nous supposons. Si quelqu'un se trouve mal, qu'il le dise tout de suite.

Il glissa sa carte magnétique dans la fente et la porte extérieure d'un sas s'ouvrit en coulissant.

– Encore une chose, ajouta Henry Wu : surtout ne touchez à rien. Certains œufs sont perméables aux sécrétions de la peau. Et faites attention à votre tête, car les capteurs sont toujours en mouvement.

Il ouvrit l'autre porte et le petit groupe pénétra dans la salle d'incubation. Tim se trouva dans une vaste pièce éclairée par infrarouge. Les œufs auxquels était imprimé un lent mouvement de balancement reposaient sur de longues tables enveloppées dans une épaisse vapeur qui en masquait les contours.

– Les œufs de reptile contiennent beaucoup de jaune, mais absolument pas d'eau, indiqua Wu. C'est à l'embryon de tirer de l'eau de son environnement. Cela explique la présence de cette vapeur.

Le Dr Wu expliqua ensuite que chaque table contenait cent cinquante œufs et représentait un lot d'extraction d'A.D.N. Les différents lots étaient identifiés par des codes : STEG-458/2 ou TRIC-390/4. Plongés dans la vapeur jusqu'à la ceinture, les techniciens de la salle d'incubation passaient d'un œuf à l'autre, les tournaient d'heure en heure et vérifiaient les températures à l'aide de capteurs thermiques. La pièce était surveillée par des caméras fixées au plafond et des détecteurs de mouvement. Un capteur thermique suspendu se déplaçait d'un œuf à l'autre, le touchait avec un bras flexible, émettait un signal sonore et passait au suivant.

– Dans cette salle d'incubation, expliqua Wu, nous avons produit plus d'une douzaine de couvées, pour un total de deux cent trente-huit animaux vivants. Notre taux de survie est de l'ordre de 0,4 p. 100 et il va sans dire que nous cherchons à l'améliorer. Mais nous travaillons avec près de cinq cents variables : cent vingt dépendant du milieu, deux cents de l'œuf et le reste du matériel génétique proprement dit. Nos œufs sont en plastique ; les embryons sont introduits mécaniquement et ils éclosent ici.

– Combien de temps leur faut-il pour devenir adultes ?

– Le développement des dinosaures est rapide et ils arrivent au terme de leur croissance en deux à quatre ans. Nous avons déjà un certain nombre de spécimens adultes dans le parc.

– Et ces chiffres, que signifient-ils ?

– Les codes, répondit Wu, servent à identifier les lots d'extraction d'A.D.N. Les quatre lettres donnent l'espèce de l'animal en incubation. TRIC, par exemple, indique qu'il s'agit d'un tricératops, STEG d'un stégosaure, et ainsi de suite.

– Qu'y a-t-il sur cette table-là ? poursuivit Grant.

Sous le code XXXX-0001/1 étaient griffonnés deux mots : *Cœlu présumé*.

– C'est un nouveau lot d'A.D.N., répondit Wu, et nous ne savons pas exactement ce qui va en sortir. A la première extraction, on ne peut avoir aucune certitude. Comme l'indique l'inscription, il s'agit probablement d'un cœlurosaurien, un petit carnivore, si je ne me trompe. J'ai du mal à me souvenir de tous les noms... Vous savez que l'on a déjà répertorié trois cents genres de dinosaures.

– Trois cent quarante-sept, précisa Tim.

– Y a-t-il des œufs sur le point d'éclore ? demanda Grant avec un petit sourire.

– Pas en ce moment. La période d'incubation varie avec chaque animal, mais elle est en général de l'ordre de deux mois. Nous essayons d'échelonner les éclosions afin de réduire le travail du personnel. Vous pouvez imaginer ce que cela représente quand nous avons cent cinquante animaux qui naissent en quelques jours, même si la majorité d'entre eux ne survit pas. Pour en revenir à ces cœlurosauriens, l'éclosion est attendue d'un jour à l'autre. Y a-t-il d'autres questions ? Non... Eh bien, allons voir les nouveau-nés dans la nursery.

C'était une salle circulaire et toute blanche. Elle contenait plusieurs incubateurs du même type que les couveuses utilisées dans les hôpitaux, mais ils étaient vides. Des chiffons et des jouets étaient éparpillés sur le sol. Une jeune femme en blouse blanche, assise par terre, leur tournait le dos.

– Quoi de neuf aujourd'hui, Kathy ? demanda Henry Wu.

– Pas grand-chose, répondit-elle. Juste un bébé raptor.

– Voyons cela.

La jeune femme se releva et s'écarta.

– On dirait un lézard, dit Nedry.

L'animal mesurait à peu près quarante-cinq centimètres, la taille d'un petit singe. Il était jaune foncé, rayé de bandes brunes, comme un tigre. Il avait du lézard la tête et le museau aplati, mais se tenait sur ses robustes pattes de derrière en utilisant sa longue queue droite comme un balancier. Ses membres antérieurs plus courts s'agitaient devant lui et il inclinait la tête sur le côté pour regarder les visiteurs penchés sur lui.

– *Velociraptor*, murmura Alan Grant.

– *Velociraptor mongoliensis*, confirma Wu en hochant la tête. Un prédateur. Celui-ci n'a que six semaines.

– Je viens juste de mettre un raptor au jour, poursuivit Grant en se penchant pour observer l'animal de plus près.

Immédiatement, le lézard bondit par-dessus la tête du paléontologiste pour sauter dans les bras de Tim.

– Hé !

– Ils sont capables de sauter, dit Henry Wu. Les bébés savent sauter... et les adultes aussi.

Tim serra le velociraptor contre lui. Le petit animal était très léger, il ne pesait pas plus d'un kilo. Sa peau était chaude et complètement sèche. Ses petits yeux noirs et ronds fixaient Tim, à quelques centimètres de son visage. Une petite langue fourchue allait et venait dans sa bouche.

– Il va me faire du mal ?

– Non, elle est très gentille.

– Vous en êtes certain ? demanda Gennaro avec une pointe d'inquiétude dans la voix.

– Absolument, répondit Wu. Au moins pendant encore un certain temps. De toute manière, les bébés n'ont pas de dents d'œuf.

– Qu'est-ce que c'est que ça ? demanda Nedry.

– La plupart des dinosaures viennent au monde avec des dents d'œuf... des sortes de petites cornes sur le nez, comme les rhinocéros, qui leur servent à briser la coquille de l'œuf à l'éclosion. Mais ce n'est pas le cas des raptors. Ils creusent un trou dans la coquille avec leur museau pointu, mais le personnel de la nursery doit les aider à sortir.

– Il faut les aider à sortir ? dit Grant, l'air étonné. Et comment cela se passe-t-il quand ils sont à l'état sauvage ?

– A l'état sauvage ?

– Quand ils se reproduisent en liberté, dit Grant. Quand ils font un nid.

– Oh ! Ils ne font pas cela ! répondit Wu. Aucun de nos animaux ne peut se reproduire ; c'est pour cela que nous avons cette nursery. C'est le seul moyen de renouveler les animaux du parc Jurassique.

– Pourquoi ne peuvent-ils pas se reproduire ? insista Grant.

– Il est facile d'imaginer pourquoi il importe qu'ils ne le fassent pas, répondit Wu. Chaque fois que nous nous sommes trouvés devant un problème aussi crucial que celui-ci, nous avons conçu un double système de contrôle. Dans le cas qui nous intéresse, il y a deux raisons distinctes qui expliquent pourquoi les animaux ne peuvent se reproduire. D'une part, ils sont stériles, car nous les avons irradiés aux rayons X.

– Et la seconde raison ?

– La seconde raison, répondit Wu avec un sourire satisfait, c'est que tous les animaux du parc Jurassique sont des femelles.

– J'aimerais avoir quelques précisions, glissa Malcolm. Il me semble qu'une irradiation n'offre pas de garanties absolues ; elle peut être dirigée sur une partie du corps de l'animal autre que celle que l'on cherche à traiter ou bien la dose peut être trop forte...

– C'est exact, reconnut Wu. Mais nous sommes sûrs de détruire le tissu gonadique.

– Vous êtes-vous réellement assurés que tous vos animaux sont des femelles ? poursuivit Malcolm. Avez-vous envoyé quelqu'un soulever – si j'ose dire – la jupe des dinosaures pour vérifier ? D'ailleurs, comment détermine-t-on le sexe d'un dinosaure ?

– Les organes sexuels diffèrent suivant les espèces. C'est très facile à voir chez certaines espèces, beaucoup moins évident chez d'autres. Mais, pour répondre à votre première question, la raison pour laquelle nous savons que tous nos animaux sont des femelles, c'est que nous les fabriquons littéralement ainsi. Nous contrôlons les chromosomes et le développement de l'embryon à l'intérieur de l'œuf. Du point de vue de la biotechnologie, il est plus facile de produire des femelles ; comme vous le savez certainement, tous les embryons des vertébrés sont de sexe féminin, tous commencent leur vie en tant que femelles. Il faut une action spécifique, une hormone sécrétée au moment voulu de son développement, pour transformer l'embryon en mâle. Livré à lui-même, il est automatiquement de sexe femelle. Voilà pourquoi tous nos animaux sont des femelles. Nous avons tendance à considérer certains d'entre eux comme des mâles – c'est le cas du *Tyrannosaurus rex* et nous disons « il » en parlant de lui –, mais, en réalité, ce sont tous des femelles. Faites-moi confiance, elles ne peuvent se reproduire.

Le bébé velociraptor flaira Tim, puis il frotta la tête contre le cou du garçon qui se mit à glousser.

– Elle voudrait que tu lui donnes à manger, expliqua Wu.

– Qu'est-ce qu'elle mange ?

– Des souris. Mais elle vient de prendre son repas et nous ne lui donnerons rien d'autre pendant un certain temps.

Le petit animal s'écarta, fixa les yeux sur le visage de Tim et commença à battre l'air de ses petits bras. Tim distingua les griffes minuscules sur les trois doigts de chaque main. Puis le raptor enfouit derechef la tête dans son cou.

Grant s'avança et considéra l'animal d'un œil critique. Il posa le doigt sur la toute petite main griffue.

– Tu permets ? demanda-t-il à Tim, qui le laissa aussitôt prendre le velociraptor.

Grant retourna sur le dos pour l'examiner le petit lézard qui se tortillait et se débattait. Quand il le souleva pour regarder son profil, le lézard se mit à pousser des cris aigus.

– Elle n'aime pas cela, dit Regis. Elle n'aime pas être arrachée à un contact physique...

Sans tenir compte des piaillements du velociraptor, Alan Grant commença à lui appuyer sur la queue et à tâter les os.

– Docteur... S'il vous plaît...

– Je ne lui fais pas de mal.

– Ces animaux n'appartiennent pas à notre monde, docteur. Ils viennent d'une époque où il n'y avait pas d'êtres humains pour les tripoter et les palper...

– Je ne la tripote pas...

– Docteur, *posez-la* !

– Mais...

– Tout de suite ! lança Ed Regis, manifestement excédé.

Grant rendit l'animal à Tim. Le velociraptor cessa de crier, mais le garçon sentit le battement précipité du petit cœur contre sa poitrine.

– Je suis désolé, reprit Regis, mais ces animaux sont fragiles quand ils sont petits. Nous en avons perdu plusieurs qui ont succombé à un syndrome de stress postnatal, provoqué selon toute vraisemblance par un afflux d'hormones corticosurrénales. Ils peuvent mourir en cinq minutes.

– Là, c'est fini, dit Tim en caressant le bébé raptor dont le cœur battait encore rapidement. Tout va bien maintenant.

– Nous attachons la plus grande importance au fait que les animaux soient traités aussi humainement que possible, reprit Ed Regis. Je vous promets que vous aurez plus tard le temps de les examiner.

Mais Grant était incapable de maîtriser sa curiosité. Il se pencha de nouveau vers l'animal blotti dans les bras de Tim.

Le petit velociraptor écarta les mâchoires et émit un sifflement menaçant en prenant une attitude de violente colère.

– Fascinant, souffla Grant.

– Je peux rester jouer avec elle ? demanda Tim.

– Pas pour l'instant, répondit Ed Regis en regardant sa montre. Il est trois heures et c'est le moment de commencer la visite du parc proprement dit, et de vous montrer tous les dinosaures dans l'habitat que nous avons recréé pour eux.

Tim lâcha le velociraptor qui fila à l'autre bout de la pièce et saisit un chiffon. Il prit le morceau d'étoffe dans sa bouche et commença à tirer dessus en s'aidant de ses petites griffes.

CONTRÔLE

– J'ai encore une question, docteur, dit Malcolm en s'adressant au généticien tandis que le petit groupe repartait vers la salle de contrôle. Combien d'espèces avez-vous réussi à créer jusqu'à présent ?

– Je ne puis vous répondre avec exactitude, mais je crois que nous en sommes à quinze. Quinze espèces... Le savez-vous, Ed ?

– Oui, c'est bien quinze, acquiesça Regis avec un hochement de tête.

– Vous ne pouvez pas me répondre avec exactitude ? lança Malcolm en feignant l'étonnement.

– J'ai cessé de compter, fit Henry Wu avec un petit sourire, quand nous avons atteint la première douzaine. Vous savez, il nous arrive de croire que nous avons correctement fabriqué un animal – pour ce qui concerne l'A.D.N. qui est la base de notre travail – puis, au bout de six mois, nous constatons quelque chose de fâcheux. Et nous comprenons qu'il y a une erreur : l'altération d'un gène ou bien une hormone qui n'est pas sécrétée. Ou un autre problème survenu dans le processus du développement. Il nous faut donc, si j'ose dire, repartir de zéro avec cet animal. Je pense qu'à une certaine époque j'ai eu plus de vingt espèces, mais aujourd'hui il n'en reste que quinze.

– L'une de ces quinze espèces, interrogea Malcolm, est-elle le... Comment dites-vous, déjà ? fit-il en se tournant vers Grant.

– *Procompsognathus.*

– Avez-vous fabriqué des procompsognathus ? poursuivit le mathématicien.

– Bien sûr, répondit Wu sans hésiter. Les compys sont des animaux très caractéristiques et nous en avons fabriqué un nombre exceptionnellement élevé.

– Pour quelle raison ?

– Eh bien, parce que nous souhaitons que l'habitat du parc soit aussi authentique que possible et les compys étaient en quelque sorte les chacals du jurassique. Nous tenions donc à en avoir beaucoup pour faire le ménage.

– Vous voulez dire pour nettoyer les carcasses ?

– Oui, répondit Wu, quand il y en a. Mais il est évident qu'avec une population totale d'environ deux cent trente animaux il n'y a pas beaucoup de carcasses. Ce n'était pourtant pas notre objectif premier. En fait, nous tenions à en avoir pour une autre sorte de nettoyage.

– A savoir ?

– Eh bien, expliqua Wu, il se trouve que nous avons sur cette île des herbivores de très grande taille. Nous nous sommes efforcés de ne pas fabriquer les plus grands sauropodes, mais il y a quand même dans le parc plusieurs animaux pesant plus de trente tonnes et un certain nombre dont le poids est compris entre cinq et dix tonnes. Cela pose deux problèmes distincts. D'une part, comment les nourrir ? Nous sommes obligés d'importer deux fois par mois de la nourriture, car l'île est trop petite pour subvenir longtemps aux besoins d'animaux de cette taille. Le second problème est celui des excréments. Je ne sais pas si vous avez déjà vu des déjections d'éléphant, mais c'est imposant. On dirait des ballons de football. Imaginez maintenant ce que peuvent être les excréments d'un brontosaure, un animal dix fois plus gros, et la masse que représentent ceux d'un troupeau de ces animaux. Or, les plus gros de ces herbivores qui ne digèrent pas très bien leur nourriture ont des déjections très abondantes. De plus, il semble qu'au cours des soixante millions d'années qui se sont écoulées depuis la disparition des dinosaures les bactéries qui se chargeaient de désagréger leurs excréments ont, elles aussi, disparu. Quoi qu'il en soit, les déjections des sauropodes ne se décomposent pas facilement.

– C'est un problème, dit Malcolm.

– Je ne plaisante pas, répliqua Wu, dont le sourire s'était effacé. Nous nous sommes donné beaucoup de mal pour tenter de le résoudre. Vous savez peut-être qu'il existe en Afrique un scarabée coprophage qui se nourrit exclusivement des excréments des éléphants. De nombreuses espèces de grande taille se font accompagner d'animaux qui ont évolué pour continuer à manger leurs déjections. Eh bien, il se trouve que les compys mangent les excréments des gros herbivores et les redigèrent. Et ceux des compys sont facilement décomposés par des bactéries contemporaines. A condition de disposer de compys en nombre suffisant, notre problème était résolu.

– Combien en avez-vous fabriqué ?

– Je n'ai pas le chiffre exact en tête, mais je pense que la population que nous cherchions à atteindre était de l'ordre de cinquante individus. Et nous avons réussi, ou presque, en trois lots successifs. Un tous les six mois, jusqu'à ce que nous arrivions au chiffre voulu.

– Cinquante, dit pensivement Malcolm. Cela fait beaucoup d'animaux à surveiller.

– La salle de contrôle est précisément faite pour cela. Nous vous montrerons de quels moyens nous disposons.

– Je ne mets pas en doute la qualité de votre équipement, insista Malcolm, mais imaginons que l'un de ces compys réussisse à s'échapper, à s'enfuir de l'île...

– Ils ne peuvent pas s'échapper.

– Je sais, mais imaginons simplement que cela se produise...

– Vous pensez peut-être à l'animal découvert sur la plage ? fit Wu en haussant les sourcils. Celui qui a mordu la petite Américaine ?

– Oui, par exemple.

– J'ignore quelle explication on peut donner à la présence de cet animal à cet endroit, mais je sais qu'il est impossible que ce soit l'un des nôtres et, ce, pour deux raisons. D'abord, les méthodes de contrôle : le compte des animaux est effectué toutes les cinq minutes par ordinateur. Si l'un d'entre eux venait à manquer, nous le saurions immédiatement.

– Et la seconde raison ?

– Le continent se trouve à plus de cent soixante kilomètres, répondit Wu. Il faut presque une journée de bateau pour l'atteindre. Et, si jamais un animal s'échappait de l'île, il mourrait en moins de douze heures.

– Comment le savez-vous ?

– Parce que je me suis assuré que cela se produirait, répondit Wu d'une voix qui trahissait enfin une légère irritation. Ne nous prenez pas pour des imbéciles ; nous avons conscience qu'il s'agit d'animaux préhistoriques appartenant à un milieu vivant disparu depuis des millions d'années. Peut-être n'auraient-ils pas de prédateurs dans le monde d'aujourd'hui, peut-être serait-il impossible de les empêcher de se multiplier. Comme nous ne voulons pas qu'ils puissent survivre en liberté, je les ai rendus dépendants à la lysine. J'ai introduit un gène qui produit une enzyme perturbatrice dans le métabolisme protidique. En conséquence, les animaux ne fabriquent plus la lysine, un acide aminé. Elle doit provenir de l'extérieur de leur organisme. S'ils ne disposent pas d'une abondante source exogène de lysine – que nous leur fournissons sous forme de pastilles –, ils entrent dans le coma en douze heures et en meurent. Ces animaux sont génétiquement conçus pour être incapables de survivre dans le monde réel ; ils ne peuvent vivre que dans le parc Jurassique. Ils ne sont pas libres, tant s'en faut. Nous les retenons prisonniers.

– Et voici la salle de contrôle, annonça Ed Regis. Maintenant que vous savez comment les animaux sont fabriqués, vous devez avoir envie de voir la salle de contrôle du parc avant de commencer la visite...

Il s'interrompit brusquement. La pièce qu'il voyait à travers l'épaisse paroi de verre était plongée dans l'obscurité. Tous les écrans étaient éteints, sauf trois qui montraient une rapide succession de chiffres et un gros bateau.

– Que se passe-t-il ? demanda Regis. Zut ! il arrive à quai !

– Qu'est-ce qui arrive à quai ?

– Tous les quinze jours, le bateau de ravitaillement vient du continent. L'une des choses qui manquent dans cette île, c'est un bon port et même un bassin correct. Quand la mer est agitée, il n'est pas facile de faire entrer le navire et cela peut prendre un certain temps.

Il frappa sur le panneau de verre, mais il n'y eut aucune réaction des hommes qui se trouvaient à l'intérieur.

– Je suppose qu'il va falloir attendre, soupira-t-il.

– Vous avez dit tout à l'heure, fit Ellie en se tournant vers le Dr Wu, qu'il vous arrivait de fabriquer un animal qui vous paraissait satisfaisant, mais qui, en grandissant, se révélait défectueux...

– En effet, mais je ne pense pas qu'il soit possible d'éviter cela. Nous réussissons à « polycopier » l'A.D.N., mais certaines opérations du développement se font à des moments très précis et nous ne pouvons pas savoir si tout se passe comme prévu avant de voir l'animal se développer correctement.

– Et comment savez-vous s'il se développe correctement ? demanda Grant. Personne n'a jamais vu ces animaux avant vous.

– C'est une question que je me suis souvent posée, répondit Wu avec un petit sourire, et je suppose qu'il y a en effet une sorte de paradoxe. Mais j'espère qu'un jour des paléontologistes aussi éclairés que vous-même seront en mesure de comparer nos animaux avec le matériel fossile afin de vérifier les différentes phases du développement.

– Mais l'animal que nous venons de voir, reprit Ellie, le velociraptor, vous avez dit qu'il était de l'espèce *mongoliensis* ?

– C'est d'après la provenance de l'ambre, répondit Wu. Elle vient de Chine.

– Intéressant, fit Grant. J'étais justement en train de mettre au jour un *antirrhopus*. Avez-vous des velociraptors adultes ?

– Oui, répondit Ed Regis sans hésitation. Il y a huit femelles adultes. Ce sont les femelles qui chassent et, comme vous le savez, elles chassent en groupe.

– Les verrons-nous pendant la visite ?

– Non, répondit Wu, l'air gêné.

Il y eut un silence embarrassé tandis qu'il échangeait un regard furtif avec Ed Regis.

– Il faut attendre un peu, répondit Regis avec une feinte jovialité. Les velociraptors n'ont pas encore été intégrés à la faune du parc et nous les gardons dans un enclos.

– Pourrai-je aller les voir ? demanda Grant.

– Mais bien sûr, dit Regis. En fait, poursuivit-il, au lieu d'attendre ici, vous pourriez aller jeter un coup d'œil tout de suite.

– Ce serait avec grand plaisir, dit Grant.

– Absolument, ajouta Ellie.
– Je veux y aller aussi ! lança Tim.
– Il vous suffit de faire le tour du bâtiment et vous verrez l'enclos derrière le bâtiment de maintenance. Mais ne vous approchez pas trop de la clôture. Tu veux les accompagner ? ajouta-t-il à l'adresse de la fillette.
– Non, répondit Lex en plongeant les yeux dans ceux d'Ed Regis comme pour le jauger. Tu ne veux pas qu'on lance quelques balles ?
– Bonne idée, répondit-il. Nous pouvons descendre tous les deux et jouer un peu en attendant que la salle de contrôle soit ouverte.

Accompagné d'Ellie et de Malcolm, Grant longea l'arrière du bâtiment tandis que Tim les suivait à quelques mètres. Alan aimait les enfants. Comment aurait-il pu ne pas aimer ceux qui manifestaient un tel enthousiasme devant les dinosaures ? Il aimait les regarder dans les musées, bouche bée devant les gigantesques squelettes qui les dominaient de leur taille énorme. Il s'était interrogé sur la signification profonde de cette fascination et avait conclu que les enfants aimaient les dinosaures parce que les géants disparus personnifiaient les forces de l'autorité devant lesquelles ils étaient impuissants. Les dinosaures représentaient symboliquement les parents. Ils étaient à la fois fascinants et effrayants, comme les parents. Et les enfants les aimaient comme ils aimaient leurs parents.

Grant soupçonnait également que c'était pour cette raison que des enfants, même très jeunes, étaient capables de retenir les noms des dinosaures. Il était stupéfait chaque fois qu'il entendait un gamin de trois ans lancer d'une voix aiguë : *Stégosaure !* Réussir à prononcer ces noms difficiles était une manière d'exercer un pouvoir sur les géants, de maîtriser les choses.
– Que sais-tu sur *Velociraptor* ? demanda Grant à Tim qui venait d'arriver à sa hauteur.
– C'est un petit carnivore qui chassait en bande, comme *Deinonychus*, répondit Tim.
– Exact, fit Grant. *Deinonychus* est maintenant identifié comme étant de la famille des velociraptors. Même s'il n'a pas été prouvé qu'il chassait en bande, on le suppose, en partie à cause de l'aspect de l'animal, rapide et puissant, mais petit pour un dinosaure, puisqu'il ne pesait que de soixante-dix à cent trente kilos. Nous présumons donc qu'ils chassaient en groupe pour tuer des proies plus grosses qu'eux. Tu sais que nous avons découvert des fossiles où le squelette d'une proie de grande taille est entouré des ossements de plusieurs velociraptors. Et il faut aussi savoir qu'ils avaient un cerveau développé et qu'ils étaient plus intelligents que la plupart des dinosaures.
– Très intelligents ? demanda Tim.
– Tout le monde n'est pas d'accord là-dessus. De même que la plu-

part des paléontologistes ont accepté l'idée que les dinosaures étaient probablement des animaux à sang chaud, nous sommes nombreux à penser qu'ils étaient doués d'une assez grande intelligence. Mais personne ne peut en être sûr.

Ils s'éloignèrent du centre des visiteurs et perçurent très rapidement le bourdonnement d'un générateur et une légère odeur d'essence. Après avoir longé un bouquet de palmiers, ils découvrirent une grande construction basse, au toit métallique, d'où semblait provenir le bruit.

– Ce doit être un générateur, dit Ellie.

– C'est très grand, fit Grant en regardant à l'intérieur.

Le bâtiment abritant l'installation électrique, des turbines aux sifflements stridents et un gigantesque réseau de câbles et de canalisations éclairés par des ampoules nues, s'étendait sur deux niveaux sous la surface du sol.

– Ils n'ont pas besoin de tout cela pour le parc, fit remarquer Malcolm. Il y a là de quoi assurer l'alimentation électrique d'une petite ville.

– Peut-être est-ce pour les ordinateurs ?

– Peut-être.

Grant entendit des bêlements. Il fit quelques mètres vers le nord et découvrit un enclos enfermant des chèvres. Il évalua rapidement le nombre des animaux à cinquante ou soixante.

– A quoi servent-elles ? demanda Ellie.

– Je n'en sais rien.

– Probablement à nourrir les dinosaures, dit Malcolm.

Le petit groupe se remit en marche en suivant un chemin de terre qui traversait un bouquet touffu de bambous. De l'autre côté, ils débouchèrent devant une double clôture à mailles métalliques, haute de trois mètres cinquante et surmontée de rouleaux de fil de fer barbelé. Ils perçurent un léger bourdonnement électrique le long de la clôture.

Derrière le double réseau de mailles métalliques, Grant vit des groupes serrés de fougères s'élevant presque à hauteur d'homme. Il entendit une sorte de grognement nasillard, puis le crissement de pas qui se rapprochaient.

Il y eut ensuite un long silence.

– Je ne vois rien, murmura enfin Tim.

– Chut !

Ils attendirent. Quelques secondes s'écoulèrent. Des mouches bourdonnaient autour d'eux. Grant ne voyait toujours rien.

Ellie lui donna une tape sur l'épaule et montra quelque chose du doigt.

Au milieu des fougères, Grant vit la tête d'un animal. Il était immobile, partiellement caché par les frondes. Ses grands yeux noirs et froids étaient fixés sur les intrus.

La tête de l'animal mesurait une soixantaine de centimètres. Partant du museau allongé, une longue rangée de dents courait jusqu'à l'orifice du méat auditif qui lui servait d'oreille. La tête évoquait celle d'un lézard de grande taille, ou encore d'un crocodile. Les yeux ne cillaient pas et l'animal demeurait rigoureusement immobile. Sa peau était épaisse, d'aspect granuleux et d'une coloration très voisine de celle du bébé qu'ils avaient vu : jaune-roux, avec des marques plus sombres, tirant sur le rouge, qui rappelaient les bandes de la robe du tigre.

Grant, qui ne le quittait pas des yeux, vit un bras s'élever lentement pour écarter les frondes qui se trouvaient devant la tête. Grant remarqua que le membre était très musclé et que la main à trois doigts était armée de griffes. Lentement, délicatement, la main écarta les frondes.

Nous sommes le gibier, songea Grant en frissonnant.

Pour un mammifère tel que l'homme, il y avait dans la manière dont les reptiles traquaient leurs proies quelque chose de presque incompréhensible. Rien d'étonnant à ce que l'homme déteste les reptiles. L'immobilité, l'impassibilité, le rythme, tout était tellement différent. Au milieu d'alligators ou autres grands reptiles, l'homme se trouvait plongé dans une vie différente, un univers différent qui avaient disparu de la surface de la terre. Bien sûr, cet animal ne se rendait pas compte qu'il avait été repéré et qu'il...

L'attaque fut foudroyante, lancée de droite et de gauche. Les deux raptors couvrirent les dix mètres les séparant de la clôture à une vitesse stupéfiante. Grant eut une impression floue de corps vigoureux, de queues puissantes, de membres aux griffes recourbées, de mâchoires ouvertes découvrant des rangées de dents acérées.

Les animaux chargèrent en grondant, puis ils bondirent en prenant appui sur leurs longues jambes terminées par d'énormes griffes. Ils heurtèrent la clôture électrifiée en projetant simultanément en l'air deux gerbes d'étincelles.

Les velociraptors retombèrent sur le sol avec des sifflements furieux. Les visiteurs s'avancèrent, fascinés. C'est le moment que choisit le troisième velociraptor pour attaquer en bondissant si haut qu'il toucha la clôture à la hauteur de sa poitrine. Tim poussa un hurlement terrifié en voyant des gerbes d'étincelles s'élever tout autour de lui. Les trois prédateurs reculèrent en émettant leurs sifflements de reptiles et s'enfoncèrent dans les fougères. En quelques secondes, ils eurent disparu, ne laissant derrière eux qu'une légère odeur de pourriture et une fumée âcre.

– Merde, alors ! s'écria Tim.

– Tout s'est passé si vite, souffla Ellie.

– Ils chassent en groupe, dit Grant en secouant la tête. Et l'instinct les pousse à s'embusquer pour attaquer... Fascinant.

– Je ne les trouve pas extrêmement intelligents, glissa Malcolm.

Ils entendirent des grognements dans les palmiers, de l'autre côté de la clôture, et plusieurs têtes sortirent lentement du feuillage. Grant en compta trois... quatre... cinq... Les velociraptors les regardaient fixement.

Un Noir en combinaison de travail accourut vers eux.

– Tout va bien ? demanda-t-il.

– Pas de problème, répondit Grant.

– Les alarmes étaient coupées, dit le Noir en regardant la clôture bossuée et noircie. Ils vous ont attaqués ?

– Oui. Ils étaient trois.

– Ils font tout le temps ça, poursuivit le Noir en hochant la tête. Ils sautent sur la clôture et reçoivent une décharge électrique, mais ça ne les empêche pas de recommencer.

– Pas très futés, hein ? fit Malcolm.

Le Noir ne répondit pas tout de suite. Les yeux plissés, il considéra Malcolm en silence.

– Heureusement pour vous qu'il y avait cette clôture, *señor*, dit-il avant de tourner les talons.

En tout, l'attaque n'avait pas duré plus de six secondes et Grant essayait encore de mettre de l'ordre dans ses idées. Il avait surtout été impressionné par la vitesse stupéfiante des velociraptors... Les dinosaures s'étaient déplacés si vite qu'il les avait à peine vus bouger.

– Ils sont étonnamment rapides, dit Malcolm en s'approchant de lui.

– Oui, fit Grant, beaucoup plus que n'importe quel reptile vivant. Un alligator mâle est capable de se déplacer très rapidement, mais seulement sur une courte distance, pas plus de deux mètres. Des gros lézards, comme le varan géant de Komodo, en Indonésie, qui atteint un mètre cinquante de long, ont été chronométrés à près de cinquante kilomètres à l'heure, assez vite pour renverser un homme. Et ils tuent des êtres humains. Mais, à mon avis, les animaux que nous avons vus derrière cette clôture couraient au moins deux fois plus vite.

– A la vitesse du guépard, dit Malcolm. Plus de cent kilomètres à l'heure.

– Exactement.

– Mais j'ai plutôt eu l'impression qu'ils fondaient sur nous, poursuivit Malcolm. Un peu comme des oiseaux.

– En effet.

Parmi les animaux contemporains, seuls de tout petits mammifères comme la mangouste avaient un temps de réaction aussi rapide. Des petits mammifères et, bien entendu, des oiseaux. Le secrétaire d'Afrique, un chasseur de serpents, ou bien le casoar. En fait, par sa rapidité et son aspect terrifiant, le velociraptor avait fait sur Grant une impression aussi forte que le casoar, ce grand oiseau coureur de Nouvelle-Guinée, voisin de l'autruche, aux pattes armées de griffes.

– On peut donc dire que les velociraptors ressemblent à des reptiles, reprit Malcolm, qu'ils ont la peau et l'aspect général des reptiles, mais qu'ils se déplacent comme des oiseaux dont ils ont la rapidité et l'intelligence du prédateur. C'est à peu près cela, non ?

– En effet, acquiesça Grant. Je dirais qu'ils présentent un mélange de traits.

– Est-ce que cela vous étonne ?

– Pas vraiment, répondit Grant. En réalité, cela rejoint ce que les paléontologistes croyaient il y a bien longtemps.

Quand les premiers ossements géants furent exhumés dans les années 1820 et 1830, les scientifiques se sentirent obligés d'expliquer qu'ils provenaient de quelque variante d'une espèce existante. On tenait en effet pour acquis à l'époque qu'aucune espèce ne pouvait disparaître complètement, car Dieu n'aurait jamais laissé mourir une de ses créatures.

Il devint évident à la longue que cette conception était erronée et que les os appartenaient à des animaux d'espèces éteintes. Mais quel genre d'animaux ?

En 1842, Richard Owen, le plus grand anatomiste anglais de l'époque, les baptisa *Dinosauria*, c'est-à-dire « terribles lézards ». Owen établit que les dinosaures réunissaient des caractéristiques des lézards, des crocodiles et des oiseaux. Les hanches en particulier étaient des hanches d'oiseau et non de lézard et, contrairement aux lézards, un grand nombre de dinosaures semblaient se tenir debout. Owen imagina qu'il s'agissait d'animaux actifs, aux mouvements vifs, et ses vues ne furent pas mises en doute pendant quatre décennies.

Mais, quand des ossements véritablement gigantesques furent mis au jour, ceux d'animaux pesant de leur vivant une centaine de tonnes, les scientifiques commencèrent à considérer les dinosaures comme des géants aux mouvements et à l'esprit lents, voués à disparaître de la surface du globe. L'image du lourd reptile indolent commença progressivement à l'emporter sur celle de l'oiseau plein de vivacité. Depuis quelques années, certains spécialistes, au nombre desquels se trouvait Grant, faisaient machine arrière et reconnaissaient une plus grande vivacité aux dinosaures. Les collègues de Grant considéraient comme très avancée la conception qu'il avait de leur comportement. Et pourtant, après avoir vu à l'œuvre ces chasseurs d'une incroyable vélocité, il lui fallait maintenant reconnaître qu'il était bien loin de la réalité.

– En fait, reprit Malcolm, la question que je voulais vous poser est celle-ci : êtes-vous convaincu par ce que vous avez vu ? Est-ce que ce sont de vrais dinosaures ?

– Je répondrais oui, dit Grant.

– Et la coordination de leur attaque...

– Cela n'a rien d'étonnant.

D'après les ossements fossilisés, des bandes de velociraptors étaient capables de tuer un animal pesant une demi-tonne, comme *Tenontosaurus*, qui courait aussi vite qu'un cheval. A l'évidence, la coordination était indispensable pour y parvenir.

– Comment font-ils cela, sans langage ?

– Un langage n'est pas nécessaire pour chasser en groupe, glissa Ellie. Les chimpanzés chassent toujours de cette manière ; ils traquent un singe en bande et ils le tuent. Ils communiquent uniquement par le regard.

– Diriez-vous que ces dinosaures nous ont réellement attaqués ?

– Assurément.

– Et, s'ils en avaient la possibilité, ils nous tueraient et nous dévoreraient ? insista Malcolm.

– Je le pense.

– Si je pose cette question, poursuivit le mathématicien, c'est parce qu'il paraît que de grands prédateurs tels que le lion ou le tigre ne sont pas naturellement des mangeurs d'hommes. Ces animaux doivent apprendre à un moment ou à un autre que les humains sont faciles à tuer et ce n'est qu'à la longue qu'ils prennent goût à la chair humaine.

– Oui, fit Grant, je crois que c'est vrai.

– Dans ce cas, ces dinosaures devraient être encore plus circonspects que les grands félins. A l'époque où ils vivaient, les humains n'existaient pas encore et il n'y avait pas d'autres mammifères de grande taille. Voilà pourquoi je me demande si, à un moment ou à un autre, ils n'ont pas appris que l'être humain était facile à tuer.

Le petit groupe continua d'avancer en silence.

– Quoi qu'il en soit, reprit Malcolm au bout d'un moment, je suis maintenant très curieux de voir la salle de contrôle.

VERSION 4.4

– Avez-vous eu des problèmes avec eux ? demanda Hammond.

– Non, répondit Henry Wu. Aucun problème.

– Ils ont accepté votre explication ?

– Pourquoi auraient-ils refusé de me croire ? Dans les grandes lignes, tout est très clair. Seuls les détails sont délicats. Et c'est justement de ces détails que je voudrais m'entretenir avec vous. Considérez cela, si vous voulez, comme une question d'esthétique.

– D'esthétique ? répéta Hammond en pinçant les narines comme s'il venait de sentir une odeur désagréable.

Les deux hommes se tenaient dans le séjour de l'élégant bungalow de John Hammond, niché au milieu des palmiers, dans le secteur septentrional du parc. La pièce était vaste et confortable, équipée d'une demi-douzaine d'écrans vidéo montrant les animaux en liberté. Le dossier intitulé DÉVELOPPEMENT ANIMAUX : VERSION 4.4 que Wu avait apporté se trouvait sur une table basse.

Hammond posa sur lui le regard calme, paternel qu'il lui réservait ordinairement. Wu, qui n'était âgé que de trente-trois ans, avait pleinement conscience de n'avoir travaillé dans sa vie professionnelle que pour Hammond, qui l'avait engagé au sortir de l'université.

– Il va sans dire qu'il y a également des conséquences pratiques, reprit le généticien. Je pense sincèrement que vous devriez tenir compte de mes recommandations de passer à la deuxième phase. Nous devrions démarrer la version 4.4.

– Vous voulez remplacer l'ensemble de nos animaux ? demanda Hammond.

– Oui, c'est ce que je voudrais.

– Pourquoi ? Que reprochez-vous à ceux que nous avons ?

– Rien, répondit Wu, sinon que ce sont de vrais dinosaures.

– C'est exactement ce que je vous avais demandé, Henry, fit Hammond en souriant. Et c'est ce que vous m'avez donné.

– Je sais bien, mais, vous comprenez...

Il n'acheva pas sa phrase. Comment pouvait-il expliquer cela à Hammond qui n'était venu dans l'île qu'en de très rares occasions ? Et ce qu'il voulait lui faire comprendre était très particulier.

– A ce jour, reprit-il, personne ou presque n'a vu de dinosaures vivants. Personne ne sait à quoi ils ressemblent.

– Bien sûr.

– Les dinosaures que nous avons ici sont réels, poursuivit Wu en montrant les écrans, mais, dans un certain sens, ils ne sont pas satisfaisants. Ils ne sont pas convaincants. Et je peux les améliorer.

– De quelle manière ?

– Pour commencer, répondit Henry Wu, ils sont trop vifs. Les gens n'ont pas l'habitude de voir des animaux de cette taille se déplacer aussi rapidement. Je crains que nos visiteurs n'aient l'impression que les mouvements des dinosaures sont trop rapides, comme un film passant en accéléré.

– Mais, Henry, ce sont de vrais dinosaures. Vous venez de le dire vous-même.

– Je sais, fit Wu. Mais il nous serait facile de produire des dinosaures plus lents, mieux domestiqués.

– Des dinosaures *domestiqués* ? lança Hammond avec un petit ricanement. Mais personne n'a envie de voir cela, Henry. Ce que les gens veulent, ce sont de vrais dinosaures !

– C'est là où je voulais en venir, répliqua Wu. Je ne crois pas que ce soit ce qu'ils veulent. Ils souhaitent trouver ici ce qu'ils ont imaginé, et ce n'est pas du tout la même chose.

Il regarda Hammond dont le visage exprimait la perplexité.

– Comme vous l'avez toujours dit, John, poursuivit le généticien, ce parc sera un divertissement. Et le divertissement n'a rien à voir avec la réalité, il en est l'antithèse.

– Allons, Henry, soupira Hammond, nous n'allons pas encore avoir une de ces conversations abstraites. Vous savez que je tiens à ce que les choses restent simples. Les dinosaures que nous avons sont réels et...

– Pas exactement, rétorqua Wu en commençant à marcher de long en large et en indiquant les écrans du doigt. Je pense que nous ne devons pas nous leurrer sur ce que nous avons fait. Nous n'avons pas *recréé* le passé. Le passé est révolu, il ne pourra jamais être recréé. Ce que nous avons fait, c'est *reconstruire* le passé, tout au moins une de ses versions. Et je pense que nous pouvons réaliser une meilleure version.

– Meilleure que la réalité ?

– Pourquoi pas ? Après tout, ces animaux ont déjà été modifiés. Nous avons introduit des gènes pour les rendre brevetables et créer chez eux une dépendance à la lysine. Nous avons fait tout ce qui était en notre pouvoir pour favoriser leur croissance et accélérer leur développement jusqu'à l'âge adulte.

– C'était inévitable, fit Hammond en haussant les épaules. Nous ne pouvions pas attendre; il fallait tenir compte des exigences des investisseurs.

– Bien entendu, mais, ce que je veux simplement dire, c'est pourquoi nous arrêter en si bon chemin? Pourquoi ne pas aller jusqu'au bout et fabriquer le genre de dinosaure que nous aimerions voir? Un dinosaure plus facile à accepter pour le public et à surveiller pour nous? Une version plus lente, plus docile, pour peupler notre parc?

– Mais ce ne seraient plus de vrais dinosaures, objecta Hammond en se renfrognant.

– Ce ne sont pas de vrais dinosaures que nous avons, insista Wu. C'est ce que je m'efforce de vous expliquer. Il n'y a aucune réalité ici.

Il eut un haussement d'épaules fataliste. Il voyait bien qu'il n'arriverait à rien. Hammond ne s'était jamais intéressé aux détails techniques et la conversation était essentiellement d'ordre technique. Comment pouvait-il lui faire comprendre ce qu'étaient les blancs existant dans l'A.D.N., les coupures dans l'enchaînement, les séquences interrompues qu'il avait été obligé de reconstituer de son mieux, mais parfois au juger. L'A.D.N. des dinosaures était comparable à de vieilles photos retouchées, semblables aux originaux, mais réparées à certains endroits et, en conséquence...

– Écoutez, Henry, dit Hammond en le prenant par les épaules. J'espère que cela ne vous choquera pas, mais je pense que vous avez la trouille. Vous avez travaillé très dur, pendant très longtemps, vous avez fait un boulot fantastique – je dis bien fantastique! – et le moment est enfin venu de dévoiler ce que vous avez accompli. Il est tout à fait naturel que vous soyez anxieux, que vous ayez des doutes. Mais j'ai la conviction, Henry, que le monde sera pleinement satisfait. Pleinement satisfait.

Tout en pérorant, Hammond l'avait insensiblement entraîné vers la porte.

– Mais, John, protesta le généticien, souvenez-vous de ce qui s'est passé en 87, quand nous avons commencé à fabriquer le matériel de protection. Nous n'avions pas encore d'adultes et il nous fallait prévoir ce dont nous aurions besoin. Nous avons commandé des voitures équipées d'aiguillons, des pistolets projetant des filets électrifiés, tout un matériel spécialement fabriqué pour nous. Nous disposons maintenant d'une panoplie d'engins... mais ils ne sont pas assez rapides! Il faut tout adapter. Vous savez que Muldoon demande du matériel militaire, des missiles Tow et des engins à guidage laser?

– Ne mêlons pas Muldoon à notre affaire, dit Hammond. Je ne suis pas inquiet, Henry, ce n'est qu'un zoo.

Le téléphone sonna et Hammond alla répondre. Wu essaya de trouver une autre manière de présenter ses arguments, mais il fallait regarder les choses en face. Au bout de cinq longues années de labeur acharné, le parc Jurassique était presque achevé et il n'avait plus l'oreille de John Hammond.

A une certaine époque, Hammond écoutait très attentivement ce que Wu avait à dire. Surtout au début, lorsqu'il avait recruté l'étudiant de vingt-huit ans qui passait son doctorat à Stanford, dans le laboratoire de Norman Atherton.

La mort d'Atherton avait plongé le laboratoire dans l'affliction et la confusion. Nul ne savait ce qui allait advenir des subventions et des recherches en cours. Tout le monde s'interrogeait et craignait pour sa carrière.

Quinze jours après les obsèques, John Hammond était venu voir Henry Wu. Tout le monde savait au laboratoire qu'Atherton avait travaillé avec Hammond, sans connaître la nature exacte de leur collaboration. Hammond avait fait montre avec Wu d'une franchise que le jeune scientifique n'oublierait jamais.

– Norman m'a affirmé à plusieurs reprises que vous étiez le meilleur généticien de son labo. Que comptez-vous faire maintenant qu'il a disparu ?

– Je ne sais pas. De la recherche...

– Vous voulez obtenir un poste universitaire ?

– Oui.

– Vous commettriez une erreur, répliqua Hammond sans ambages. Ce serait gâcher votre talent.

– Pourquoi ? demanda Wu sans cacher son étonnement.

– Regardons les choses en face, voulez-vous ? Les universités ne sont plus les centres intellectuels de la nation... L'idée même est ridicule. Elles sont devenues une voie sans issue. Ne prenez pas cet air étonné, je ne vous apprends rien que vous ne sachiez déjà. Depuis la Seconde Guerre mondiale, toutes les découvertes véritablement importantes ont été faites dans des laboratoires privés. Le laser, le transistor, le vaccin contre la poliomyélite, la puce, l'hologramme, l'ordinateur personnel, l'image par résonance magnétique, le radar... La liste est interminable. C'est très simple, il ne se passe plus rien dans les universités. Celui qui veut faire quelque chose d'important dans l'informatique ou la génétique ne va pas à l'université. Certainement pas !

Wu en resta comme deux ronds de flan.

– Bon Dieu, poursuivit Hammond, songez à tout ce qu'il faut faire pour lancer un nouveau projet ! Combien de demandes de subventions, combien de formulaires, combien d'approbations ? Le comité de gestion et le responsable du département, la commission financière de l'université... Comment obtenir des locaux plus vastes et des assistants plus nombreux ? Combien de temps tout cela prend-il ? Un homme de votre intelligence n'a pas à gaspiller un temps précieux à remplir des formulaires et convaincre des commissions. La vie est trop courte et la molécule d'A.D.N. trop longue. Si vous voulez que les choses avancent, si vous voulez vous imposer, tenez-vous à l'écart de l'université !

A l'époque, Henry Wu avait désespérément envie de s'imposer et il buvait les paroles de John Hammond.

– Ce que je vous propose, poursuivit Hammond, c'est de vous donner les moyens de mener un projet à terme. De quoi un scientifique a-t-il besoin pour travailler ? Il a besoin de temps et d'argent. Je vous propose un contrat de cinq ans et dix millions de dollars par an. Cinquante millions de dollars et personne pour vous dire comment les dépenser. A vous de décider. Tout le monde vous foutra la paix.

Cela paraissait trop beau pour être vrai. Wu garda le silence pendant un long moment.

– Que me demandez-vous de faire ? articula-t-il enfin.

– De décrocher la lune, répondit Hammond. De tenter quelque chose qui est probablement impossible.

– Qu'est-ce que cela implique ?

– Je ne puis vous fournir de détails, mais il s'agit en gros de cloner des reptiles.

– Je ne pense pas que ce soit impossible, dit Wu. Les reptiles sont plus faciles à cloner que les mammifères et ce n'est probablement l'affaire que de dix ou quinze ans. A condition que quelques progrès fondamentaux soient accomplis.

– Je ne dispose que de cinq ans, répliqua Hammond. Et de beaucoup d'argent pour celui qui acceptera de tenter l'impossible sans délai.

– Mes travaux seront-ils publiables ?

– Quand tout sera terminé.

– Pas tout de suite ?

– Non.

– Mais ils le seront à la fin ? insista Henry Wu.

– N'ayez aucune inquiétude, lança Hammond en riant. Si vous réussissez, je vous assure que le monde entier saura ce que vous avez fait.

Il semblait en effet que le monde entier allait maintenant être mis au courant. Après cinq années d'efforts soutenus, il ne leur restait plus qu'un an avant l'ouverture du parc au public. Certes, tout ne s'était pas passé exactement comme Hammond l'avait promis. Certaines personnes avaient indiqué à Wu ce qu'il fallait faire et, à plusieurs reprises, de terribles pressions avaient été exercées contre lui. Et la nature même du travail avait été modifiée ; il n'avait plus été question de procéder au clonage de reptiles quand ils avaient commencé à comprendre que les dinosaures étaient si proches des oiseaux. Cloner des oiseaux était infiniment plus difficile. En outre, les deux dernières années, Wu avait essentiellement été chargé de tâches d'administration, supervisant des équipes de chercheurs et des batteries de robots séquenceurs. Ce n'était pas le genre de travail qu'il appréciait et il ne s'attendait pas à cela.

Et pourtant, il avait réussi. Il avait accompli ce que personne ne croyait véritablement possible, du moins en si peu de temps. Et il estimait posséder certains droits, avoir voix au chapitre en vertu de ses compétences et de son travail acharné. Mais, tout au contraire, il avait conscience que son influence diminuait de jour en jour. Les dinosaures existaient, les méthodes permettant de les fabriquer étaient tellement bien rodées qu'elles étaient devenues une espèce de routine, la technologie était parfaitement au point. John Hammond n'avait donc plus besoin d'Henry Wu.

– C'est parfait, déclara Hammond au téléphone.

Il écouta pendant quelques instants et se tourna vers Wu en souriant.

– Très bien, dit Hammond. Oui, parfait. Où en étions-nous, Henry ? ajouta-t-il après avoir raccroché.

– Nous parlions de la phase deux.

– Ah oui ! C'est un sujet que nous avons déjà abordé, Henry...

– Je sais, mais vous ne semblez pas comprendre...

– Pardonnez-moi, Henry, le coupa Hammond avec une pointe d'agacement, mais je comprends parfaitement. Et je vous dirai franchement que je ne vois aucune raison d'apporter de nouvelles améliorations. Tous les changements effectués dans le génome l'ont été par nécessité ou nous ont été imposés par la législation. Il se peut que nous en fassions d'autres à l'avenir, pour prévenir une maladie ou pour toute autre raison. Mais je ne pense pas qu'il faille apporter de nouvelles améliorations uniquement parce qu'elles nous paraissent souhaitables. Nous avons de vrais dinosaures qui peuplent le parc et c'est ce que les gens veulent voir. C'est ce qu'il *faut* leur montrer. Nous avons cette obligation morale, Henry. C'est une question d'honnêteté.

Hammond ouvrit la porte et l'invita à sortir en souriant.

CONTRÔLE

Grant regardait avec irritation tous les écrans de la salle de contrôle plongée dans la pénombre. Il n'aimait pas les ordinateurs. Il savait bien que cette aversion faisait de lui un chercheur démodé, vieux jeu, mais il s'en contrefichait. Certains des étudiants qui travaillaient avec lui étaient férus d'informatique, mais Grant ne s'était jamais intéressé aux ordinateurs qui demeuraient pour lui de mystérieuses et déroutantes machines. Même la distinction fondamentale entre un programme et une application le laissait désorienté et découragé, littéralement perdu dans un univers inconnu auquel il ne comprenait absolument rien. Mais il remarqua que Gennaro semblait tout à fait à l'aise et que Malcolm, qui reniflait rapidement, comme un limier flairant une piste, avait l'air parfaitement dans son élément.

– Vous voulez découvrir nos systèmes de contrôle ? demanda John Arnold en faisant pivoter son fauteuil.

Agé de quarante-cinq ans, l'ingénieur en chef, un homme maigre et nerveux, fumeur invétéré, plissa les yeux pour distinguer les visages des visiteurs qui venaient de pénétrer dans son domaine.

– Nous avons des moyens extraordinaires, ajouta-t-il en allumant une cigarette.

– Par exemple ? demanda Gennaro.

– Par exemple, le pistage des animaux, répondit Arnold en appuyant sur une touche de son clavier.

Le panneau de verre vertical représentant un plan du parc s'alluma, montrant un entrecroisement de lignes bleues.

– Voilà notre jeune T-rex, expliqua Arnold. Le petit tyrannosaure dont vous voyez tous les déplacements pendant les dernières vingt-quatre heures. Voici maintenant ceux d'hier, poursuivit l'ingénieur en enfonçant de nouveau la même touche. Et ceux d'avant-hier.

Les lignes bleues s'entrecroisaient et se chevauchaient sur le plan comme un gribouillage d'enfant. Mais le dessin informe demeurait localisé dans le même secteur, autour de la rive sud-est de la lagune.

– Il nous est donc possible à la longue de tracer les limites de son territoire, poursuivit Arnold. Comme il est encore jeune, il ne s'éloigne pas de l'eau. Et il se tient à l'écart du tyrannosaure adulte. Si l'on juxtapose les tracés des déplacements du grand et du petit, on remarque que leurs chemins ne se croisent jamais.

– Où se trouve l'adulte en ce moment ? demanda Gennaro.

– Arnold appuya sur une autre touche. Le réseau de lignes bleues disparut et un point brillant accompagné d'un numéro de code apparut au nord-ouest de la lagune, au milieu des champs.

– Il est là, déclara Arnold.

– Et le petit ?

– Écoutez, fit l'ingénieur, je vais vous montrer tous les animaux du parc.

Le plan commença à briller comme un sapin de Noël illuminé et des dizaines de points lumineux portant un numéro de code apparurent.

– Il y a, à la minute présente, deux cent trente-huit animaux.

– Avec quelle précision ?

– Un mètre cinquante, répondit Arnold en tirant sur sa cigarette. Si vous partez maintenant en voiture, vous trouverez tous les animaux à l'endroit précis où ils figurent sur le plan.

– Quelle est la fréquence de mise à jour ?

– Trente secondes.

– Je dois avouer que c'est impressionnant, reconnut Gennaro. Comment arrivez-vous à ce résultat ?

– Des capteurs de mouvement sont disséminés dans le parc, expliqua Arnold. Ils sont pour la plupart électriques, mais certains sont équipés d'un radiotélémètre. Il va de soi qu'un capteur ne nous indique pas l'espèce de l'animal, mais la vidéo nous fournit une identification immédiate. Même si nous ne regardons pas constamment les moniteurs vidéo, rien n'échappe à l'ordinateur qui vérifie en permanence où se trouvent tous les animaux.

– L'ordinateur peut-il se tromper ?

– Cela peut arriver avec les bébés. Il les confond parfois, car leur image est très petite. Mais cela ne nous inquiète pas, car les bébés sont presque toujours à proximité des groupes d'adultes. Et nous avons aussi le dénombrement par catégories.

– Qu'est-ce que c'est ?

– Tous les quarts d'heure, l'ordinateur dénombre les animaux de chaque espèce, expliqua Arnold. Regardez.

TOTAL ANIMAUX 238

ESPÈCES	RECHERCHÉS	TROUVÉS	VERSION
Tyrannosaure	2	2	4,1
Maiasaura	21	21	3.3
Stégosaure	4	4	3.9
Tricératops	8	8	3.1
Procompsognathus	49	49	3.9
Othnielia	16	16	3.1
Velociraptor	8	8	3.0
Apatosaure	17	17	3.1
Hadrosaure	11	11	3.1
Dilophosaure	7	7	4.3
Ptérosaure	6	6	4.3
Hypsilophodon	33	33	2.9
Euoplocéphale	16	16	4.0
Styracosaure	18	18	3.9
Microcératops	22	22	4.1
TOTAL	238	238	

– Ce tableau représente une méthode de comptage entièrement distincte des données fournies par les capteurs, dit Arnold. Une approche totalement différente. Le but recherché est d'interdire à l'ordinateur toute possibilité d'erreur en lui fournissant différents moyens de traitement des informations. Si un animal manquait, nous le saurions en cinq minutes.

– Je vois, fit Malcolm. Mais l'avez-vous expérimenté ?

– D'une certaine manière, répondit Arnold. Quelques-uns de nos animaux sont morts. Un othnielia s'est pris dans les branches d'un arbre et a été étranglé ; l'un des stégosaures a succombé à la maladie intestinale qui les frappe tous ; un hypsilophodon s'est brisé le cou en tombant. Dans chacun de ces cas, dès que l'animal est resté immobile, les chiffres ne correspondaient plus et l'ordinateur a émis un signal d'alarme.

– Dans les cinq minutes qui ont suivi ?

– Oui.

– Que représente la colonne de droite ? demanda Grant.

– La version de création des animaux. Les plus récentes sont les versions 4.1 et 4.3. Nous envisageons maintenant une version 4.4.

– Des numéros de version ? Comme pour les logiciels ?

– Eh bien, oui, répondit Arnold, on peut dire cela. A mesure que nous découvrons des défauts dans l'A.D.N., les laboratoires travaillant sous les ordres du Dr Wu créent une nouvelle version.

L'idée que des êtres vivants pussent être numérotés comme des logiciels, soumis à des révisions et des mises à jour perturbait profondément

Grant. Il n'aurait su dire précisément pourquoi – il n'avait pas eu le temps d'y réfléchir –, mais il éprouvait une gêne instinctive.

Arnold dut remarquer son expression embarrassée, car il s'empressa de développer ses explications.

– Écoutez, docteur, il ne sert à rien de poser sur ces animaux un regard trop ingénu. Il faut garder à l'esprit qu'ils ont été *créés*. Créés par l'homme. Il arrive parfois qu'il y ait des imperfections et, quand cela se produit, les labos produisent une nouvelle version. Et il nous faut savoir laquelle se trouve dans le parc.

– Oui, bien sûr, je comprends, fit Malcolm avec impatience, mais j'aimerais en revenir à la question du comptage. Si je vous ai bien suivi, tous les comptages sont effectués grâce aux capteurs de mouvement ?

– En effet.

– Et ces capteurs sont dispersés dans tout le parc ?

– Ils couvrent quatre-vingt-douze pour cent de la superficie totale, répondit Arnold. Ils ne sont inutilisables qu'en de rares endroits. C'est en particulier le cas de la rivière, car le mouvement de l'eau et la convection qui se produit à la surface les détraquent. Mais nous avons disposé des capteurs presque partout ailleurs. Si l'ordinateur suit la piste d'un animal pénétrant dans une zone sans surveillance, il s'en souviendra et attendra que l'animal en ressorte. S'il ne ressort pas, l'ordinateur nous alertera...

– Une autre question, reprit Malcolm. Le tableau indique qu'il y a quarante-neuf procompsognathus. Imaginons que j'émette des doutes sur l'appartenance de certains d'entre eux à cette espèce ; comment allez-vous me prouver que j'ai tort ?

– De deux manières, répondit Arnold. D'abord, je suis en mesure de comparer les déplacements de chaque individu avec ceux de ses congénères. Les compsognathus sont des animaux sociaux et ils vivent en groupe. Nous avons deux troupeaux de compys dans le parc et chaque individu doit appartenir soit au groupe A, soit au groupe B...

– J'entends bien, mais...

– L'autre moyen est une visualisation directe, poursuivit Arnold sans attendre l'objection.

Il appuya sur quelques touches et l'un des moniteurs afficha en succession rapide des images de compys numérotées de 1 à 49.

– Ce sont des...

– Des images d'identification dont aucune n'a plus de cinq minutes.

– Il vous est donc possible de voir tous les animaux si vous le désirez ?

– Oui, je peux passer visuellement en revue tous les animaux quand j'en ai envie.

– Et les enclos ? demanda Gennaro. Peuvent-ils en sortir ?

– Absolument impossible. Ces animaux sont précieux, monsieur

Gennaro, et nous prenons le plus grand soin d'eux. Il y a plusieurs enceintes successives. D'abord, les fossés.

Il enfonça une touche et un réseau de barres orange apparut sur le panneau de verre.

– Les fossés ont tous une profondeur de plus de trois mètres cinquante et ils sont remplis d'eau. Pour les plus gros animaux, la profondeur peut atteindre neuf mètres. Ensuite, il y a les clôtures électrifiées.

Des lignes d'un rouge vif se mirent à briller sur le panneau transparent.

– Nous avons installé quatre-vingts kilomètres de clôture de trois mètres cinquante de haut, dont trente-cinq kilomètres pour le périmètre de l'île. Toutes les clôtures ont une tension de dix mille volts et les animaux apprennent vite à ne pas trop s'en approcher.

– Mais si l'un d'eux réussissait quand même à s'échapper ? demanda Gennaro.

Arnold écrasa son mégot et émit pour toute réponse un petit ricanement.

– Examinons cette hypothèse, insista Gennaro. Imaginons que cela se produise.

– Nous irions chercher l'animal, répondit Muldoon après s'être raclé la gorge. Nous avons différents moyens à notre disposition : fusils à décharge électrique, filets électrifiés, tranquillisants. Mais aucune de ces armes n'est mortelle, car les animaux sont trop précieux, comme l'a dit M. Arnold.

– Et si l'un d'eux réussissait à quitter l'île, demanda Gennaro.

– Il mourrait en moins de vingt-quatre heures, répondit Arnold. Ces animaux sont des produits de la biotechnologie et ils ne pourraient survivre en liberté.

– Parlons maintenant de votre système de contrôle, poursuivit Gennaro. Serait-il possible de le saboter ?

– Notre système est à toute épreuve, répondit Arnold en secouant vigoureusement la tête. L'ordinateur est totalement indépendant. L'alimentation électrique et l'alimentation auxiliaire sont indépendantes. Comme ce système n'est pas relié à l'extérieur, il ne peut subir l'influence à distance d'un modem. Notre système informatique est inviolable.

Il y eut un silence pendant lequel Arnold tira goulûment sur sa cigarette.

– Un programme fabuleux, marmonna-t-il. Fabuleux !

– Je peux donc en conclure, lança Malcolm, qu'il fonctionne si bien que vous n'avez aucun problème.

– Ce ne sont pas les problèmes qui manquent, répliqua Arnold en haussant les sourcils. Mais pas ceux qui vous préoccupent. Je suppose que vous redoutez que des animaux ne s'échappent, n'atteignent le continent et n'y sèment la panique. Nous n'avons aucune inquiétude à ce sujet. Pour nous, ces animaux sont des créatures fragiles ramenées à la vie après soixante-cinq millions d'années dans un monde très différent de celui qui était le leur et auquel ils s'étaient adaptés. Le plus difficile pour nous est de prendre soin d'eux. Depuis le temps que les hommes gardent des mammifères et des reptiles dans leurs jardins zoologiques, nous savons précisément comment nourrir et soigner un éléphant ou un crocodile. Mais jamais personne ne s'est occupé d'un dinosaure. C'est un animal nouveau sur lequel nous ne savons rien et ce que nous redoutons avant tout, ce sont les maladies.

– Les maladies ? lança Gennaro d'un ton inquiet. Serait-il possible qu'un visiteur tombe malade ?

– Un alligator vous a déjà refilé son rhume, monsieur Gennaro ? ricana Arnold. Les zoos ne se préoccupent pas de cela et nous non plus. En revanche, ce que nous craignons, c'est que les animaux malades ne succombent ou qu'ils n'infectent leurs congénères. Mais nous avons des programmes qui nous permettent également de surveiller leur santé. Voulez-vous voir le dossier médical du tyrannosaure adulte ? Son carnet de vaccination ? Sa fiche dentaire ? C'est impressionnant... Il faut voir les vétérinaires frotter ses énormes crocs pour éviter les caries...

– Pas maintenant, dit Gennaro. Parlons plutôt de vos systèmes mécaniques.

– Vous voulez dire les circuits ?

Grant dressa brusquement l'oreille : des circuits ?

– Aucun des deux circuits n'est en service à l'heure actuelle, dit Arnold. Nous avons le circuit de la Rivière de la jungle, où les bateaux suivent des rails immergés, et celui du Pavillon des oiseaux, mais ils ne sont opérationnels ni l'un ni l'autre. Pour l'ouverture du parc, il n'y aura que la tournée des dinosaures, la visite que vous allez entreprendre dans quelques minutes. Les autres seront mises en service six mois ou un an plus tard.

– Attendez une seconde, lança Grant. Vous allez organiser des circuits ?

– Nous sommes dans un parc zoologique, répondit Arnold. Nous organisons des visites de certains secteurs et nous les avons baptisées « circuits ». C'est tout.

Le visage de Grant se rembrunit. Là encore, il y avait quelque chose qui le gênait. L'idée que l'on se serve des dinosaures comme d'une attraction dans une foire lui déplaisait profondément.

– Vous pouvez contrôler de cette salle la bonne marche de l'ensemble du parc ? poursuivit Malcolm.

– Oui, répondit Arnold, et sans l'aide de personne, s'il le faut. L'automatisation est très poussée ; l'ordinateur peut se charger pendant quarante-huit heures et sans assistance de localiser les animaux, de les nourrir et de remplir les abreuvoirs.

– C'est le programme élaboré par M. Nedry ? demanda Malcolm en se tournant vers l'informaticien qui, assis au fond de la salle devant un terminal, tapotait sur le clavier en grignotant une confiserie.

– Oui, oui, c'est ça, marmonna Nedry sans lever les yeux du clavier.

– Un programme fabuleux, lança Arnold d'une voix vibrante de fierté.

– Oui, oui, répéta distraitement Nedry. Il ne reste plus que deux ou trois bugs sans importance à supprimer.

– Je vois que la visite va commencer, reprit Arnold. Alors, si vous n'avez pas d'autres questions...

– Justement, dit Malcolm, j'en ai encore une. Vous nous avez montré que vous étiez en mesure de suivre tous les procompsognathus et que vous pouviez les faire apparaître individuellement sur l'écran. Pouvez-vous également les étudier en tant que groupe ? Les mesurer, par exemple ? Imaginons que je veuille connaître la taille ou le poids...

Arnold appuyait déjà sur les touches de son clavier. Un nouvel écran apparut.

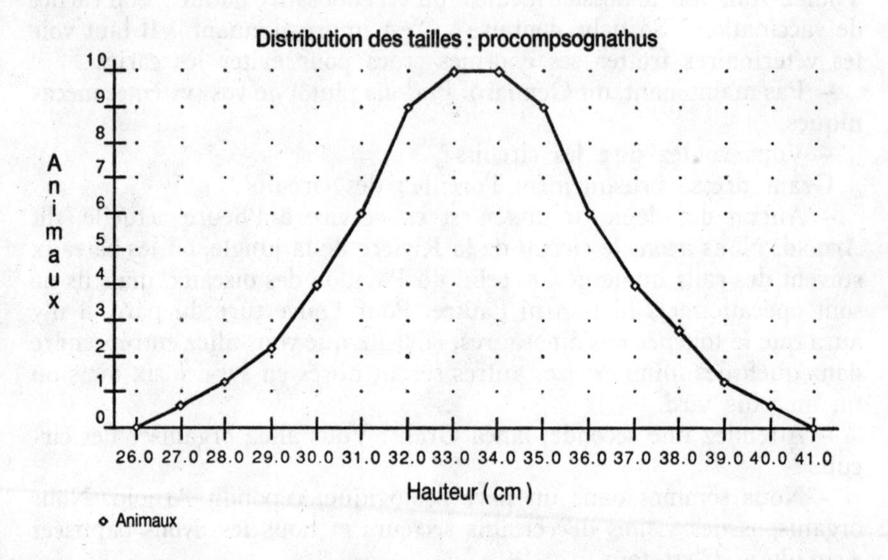

– Nous pouvons faire tout cela, reprit Arnold, et très rapidement. L'ordinateur détermine toutes les mensurations en passant en revue les écrans vidéo et elles sont donc immédiatement utilisables. Nous avons ici une distribution de Poisson normale pour la population animale. Elle nous montre que la plupart des animaux sont regroupés autour d'une valeur centrale et que quelques-uns seulement, qui apparaissent aux extrémités de la courbe, sont plus petits ou plus grands que la moyenne.

– C'est le genre de courbe qu'il fallait attendre, glissa Malcolm.

– En effet, dit Arnold en allumant une nouvelle cigarette. C'est le type de distribution que montre toute population biologique en bonne santé. Et maintenant, y a-t-il d'autres questions ?

– Non, répondit Malcolm. J'ai appris tout ce que je voulais savoir.

– Ce système me paraît vraiment excellent, déclara Gennaro en franchissant la porte de la salle de contrôle. Je ne vois pas comment des animaux pourraient s'échapper de l'île.

– Vous ne voyez pas ? s'étonna Malcolm. Je croyais que c'était absolument évident.

– Attendez un peu ! lança Gennaro. Vous pensez que des animaux se sont échappés ?

– Je le sais.

– Mais comment ? demanda l'avocat. Vous avez vu la même chose que moi. Ils peuvent compter les animaux, ils peuvent les voir, ils savent où chacun d'entre eux se trouve à chaque instant. Comment pourraient-ils s'échapper ?

– Cela crève les yeux, répondit Malcolm en souriant. C'est une simple question d'hypothèse.

– D'hypothèse ? répéta Gennaro.

– Oui, fit Malcolm. Écoutez-moi bien. La particularité marquante du parc Jurassique est que les scientifiques et les techniciens se sont efforcés de créer un univers biologique nouveau et fermé. Et les scientifiques de la salle de contrôle s'attendent à voir un monde naturel, comme sur le graphique que l'on vient de nous montrer. Mais un instant de réflexion suffit à comprendre qu'une distribution normale et harmonieuse sur cette île est extrêmement inquiétante.

– Vous croyez ?

– Bien sûr. Si l'on se réfère à ce que nous a dit le Dr Wu, on ne devrait pas voir une courbe de population comme celle qu'on nous a montrée.

– Pourquoi ? demanda Gennaro.

– Parce que c'est la courbe d'une population biologique normale. Et c'est précisément ce que le parc Jurassique ne peut pas abriter, car il n'est pas le monde réel. Le parc Jurassique est conçu pour être un monde soumis à un contrôle permanent, qui ne fait qu'imiter le monde réel. Dans ce sens, c'est un véritable parc, un peu comme un jardin japonais. La nature trafiquée pour devenir plus naturelle que la réalité, si vous voulez.

– J'ai peur de ne pas vous suivre, fit Gennaro, l'air très ennuyé.

– Je suis sûr que la visite du parc vous ouvrira les yeux, dit Malcolm.

LA TOURNÉE DES DINOSAURES

– Par ici, tout le monde, cria Ed Regis. Par ici, s'il vous plaît.

A ses côtés, une femme distribuait des casques de mineur portant l'inscription « Parc Jurassique » sur le devant et un logo bleu représentant un petit dinosaure.

Une file de Toyota Land Cruiser sortit d'un garage souterrain, construit sous le centre des visiteurs. Les voitures s'arrêtèrent l'une derrière l'autre, sans bruit, sans conducteur. Deux Noirs en tenue de safari ouvrirent les portières aux visiteurs.

– *Deux à quatre passagers par véhicule, s'il vous plaît,* annonça une voix enregistrée. *Deux à quatre passagers par véhicule. Les enfants de moins de dix ans doivent impérativement être accompagnés par un adulte. Deux à quatre passagers par véhicule, s'il vous plaît...*

Tim regarda Grant, Ellie Sattler et Malcolm monter dans le premier Land Cruiser, suivis par l'avocat, M. Gennaro. Puis il se tourna vers Lex qui attendait en tapant du poing sur son gant de base-ball.

– Je peux monter avec eux ? demanda Tim en montrant la première voiture.

– Je crains qu'ils n'aient à discuter d'un certain nombre de choses, répondit Ed Regis. Des questions techniques.

– Les questions techniques me passionnent, rétorqua Tim. Je préférerais monter avec eux.

– Eh bien, tu pourras entendre ce qu'ils disent, poursuivit Regis. Nous serons en communication radio entre les deux voitures.

Le deuxième véhicule s'arrêta ; Tim et Alexis montèrent, aussitôt suivis par Ed Regis.

– Ce sont des voitures électriques, expliqua-t-il aux enfants. Elles sont guidées par un câble enfoui dans la chaussée.

Tim était ravi d'être assis à l'avant, car, montés sur le tableau de bord, il y avait deux consoles d'ordinateur et un boîtier qui devait être un lecteur de disques compacts; un lecteur de disques à laser commandé par ordinateur. Il y avait également un talkie-walkie et un poste émetteur-récepteur. Sur le toit se dressaient deux antennes et la boîte à gants contenait de vieilles lunettes.

Les Noirs fermèrent les portières du Land Cruiser et la voiture se mit en marche avec un bourdonnement électrique. Juste devant, Gennaro et les trois scientifiques, manifestement excités, parlaient entre eux en tendant le doigt dans différentes directions.

– Écoutons ce qu'ils disent, fit Ed Regis.

Tim entendit le déclic d'un interphone.

– Je ne sais pas ce que vous vous imaginez être venu faire ici! lança la voix furieuse de Gennaro.

– Je sais très bien ce que je suis venu faire ici, rétorqua Malcolm.

– Vous êtes venu pour me conseiller, pas pour jouer à vos foutus jeux intellectuels. Je contrôle cinq pour cent de cette société et je dois m'assurer que Hammond a fait son boulot de façon responsable. Depuis votre arrivée, vous...

– En conformité avec la politique de non-pollution du parc Jurassique, commença Ed Regis en appuyant sur la touche de l'interphone, ces Land Cruiser à propulsion électrique ont été construits spécialement pour nous par Toyota, à Osaka. Nous espérons dans un proche avenir parvenir à circuler au milieu des animaux, comme on le fait dans les réserves d'Afrique, mais, pour l'instant, installez-vous confortablement, la visite guidée commence... A propos, reprit-il après un silence, je vous signale que nous vous entendons dans l'autre véhicule.

– Bon Dieu! s'écria Gennaro. Je veux pouvoir parler librement! Ce n'est pas moi qui ai demandé à ces morveux de venir!

Ed Regis eut un petit sourire narquois et enfonça une touche.

– Et maintenant, dit-il, que le spectacle commence!

Une sonnerie de trompettes retentit et, sur les écrans du tableau de bord, s'afficha : **Bienvenue au parc Jurassique.**

– Bienvenue au parc Jurassique, claironna une voix métallique. Vous pénétrez maintenant dans le monde lointain de la préhistoire, un monde peuplé d'imposantes créatures depuis longtemps disparues de la surface de notre planète et que vous aurez le privilège de voir pour la première fois.

– C'est Richard Kiley, annonça Regis. Vous voyez, nous employons les grands moyens.

Le Land Cruiser traversa un bouquet de petits palmiers au tronc trapu, accompagné par la voix de Richard Kiley :

– Vous remarquerez tout d'abord l'étonnante végétation qui vous entoure. Les arbres que vous voyez à gauche et à droite sont des cycas, les ancêtres préhistoriques des palmiers. Le feuillage des cycas était particulièrement apprécié par les dinosaures. Vous voyez également des ginkgos. On trouvait à l'époque des dinosaures d'autres plantes plus modernes, telles que des pins, des cyprès des marais et autres conifères que vous verrez plus tard.

Le Land Cruiser avançait lentement à travers la végétation. Tim remarqua que les clôtures et les murs étaient masqués par des rideaux de verdure pour accentuer l'impression de traverser une véritable jungle.

– Le monde des dinosaures, tel que nous l'imaginons, reprit la voix de Richard Kiley, était constitué de gigantesques herbivores qui se nourrissaient dans les immenses forêts marécageuses du jurassique et du crétacé, il y a cent millions d'années de cela. Mais la plupart des dinosaures n'étaient pas aussi grands qu'on le croit. Les plus petits n'étaient pas plus gros qu'un chat domestique et leur taille moyenne était celle d'un poney. C'est le cas des premiers de ces animaux que nous allons voir. Ils s'appellent hypsilophodons et, si vous regardez sur votre gauche, vous pouvez les apercevoir en ce moment.

Toutes les têtes se tournèrent vers la gauche.

Le Land Cruiser s'arrêta au sommet d'une petite bosse où une trouée dans le feuillage offrait une vue étendue vers l'est. Les visiteurs découvrirent une zone boisée descendant en pente douce vers une prairie dont l'herbe jaune était haute de près de un mètre. Mais il n'y avait aucun dinosaure en vue.

– Où sont-ils ? demanda Lex.

Tim regarda le tableau de bord. Les lumières de l'émetteur clignotèrent et le lecteur de disques compacts se mit en marche avec un bruit assourdi. L'appareil était à l'évidence commandé par un système automatique. Il supposa que les capteurs suivant les déplacements des animaux contrôlaient également les écrans du Land Cruiser sur lesquels apparaissaient maintenant des images des hypsilophodons et une suite d'informations.

– Les hypsilophodons sont les gazelles du monde des dinosaures, reprit la voix métallique. Des animaux de petite taille, rapides, qui vivaient sur toute la planète, de l'Angleterre à l'Asie centrale et l'Amérique du Nord. Nous pensons qu'ils étaient si nombreux parce qu'ils étaient munis d'une forte mâchoire et de dents leur permettant de broyer les plantes plus facilement que leurs contemporains. Leur denture caractéristique leur a valu ce nom d'hypsilophodon, qui signifie « dent à hautes crêtes ». Vous pouvez les voir dans la prairie qui s'étend juste devant vous et peut-être dans les branches des arbres.

– Dans les arbres ? s'écria Lex. Des dinosaures dans les arbres ?

Tim scrutait le feuillage à l'aide de jumelles.

– A droite, dit-il. A mi-hauteur du gros tronc vert...

Dans l'ombre diaprée du grand arbre, un animal d'un vert sombre, de la taille d'un babouin, se tenait immobile sur une branche. Il ressemblait à un lézard dressé sur ses pattes postérieures et utilisait sa longue queue pour conserver son équilibre.

– C'est un othnielia, annonça Tim.

– Les petits animaux que vous voyez sont des othnielias, reprit la voix, ainsi nommés en l'honneur d'Othniel Marsh, un paléontologiste du XIXe siècle.

Tim découvrit deux autres animaux, sur des branches plus élevées du même arbre. Ils avaient tous à peu près la même taille et demeuraient rigoureusement immobiles.

– On s'embête, fit Lex. Ils ne font rien du tout.

– Le gros du troupeau se trouve dans la prairie qui est devant vous, poursuivit la voix. Nous pouvons attirer leur attention en imitant l'appel du mâle.

Un haut-parleur installé près de la clôture émit un long cri nasillard rappelant celui de l'oie. L'une après l'autre, six têtes de lézards se dressèrent au milieu des herbes de la prairie, juste sur leur gauche. L'effet était comique et Tim éclata de rire.

Les têtes disparurent. Le haut-parleur lança le même cri et les têtes se dressèrent derechef, exactement de la même manière, l'une après l'autre. La réaction répétitive était très étonnante.

– L'hypsilophodon n'a pas une intelligence particulièrement développée, reprit la voix. On peut la comparer à celle d'une vache.

Les têtes étaient d'un vert terne, avec des mouchetures noires et brun foncé descendant jusqu'à la base du cou gracieux. A en juger par la grosseur des têtes, Tim estima que les corps devaient mesurer environ un mètre vingt, à peu près la taille d'un daim.

Certains des hypsilophodons étaient en train de broyer de l'herbe avec force mouvements des mâchoires. L'un d'eux se redressa et se gratta la tête avec sa main à cinq doigts et ce mouvement donna à l'animal un air étrangement pensif.

– Si vous les voyez se gratter, c'est parce qu'ils ont des problèmes de peau. Les vétérinaires du parc Jurassique pensent que cela pourrait être dû à un champignon, à moins qu'il ne s'agisse d'un phénomène allergique, mais ils n'ont pas encore réussi à le déterminer avec certitude. N'oubliez pas que ce sont les premiers dinosaures de l'histoire jamais étudiés de leur vivant.

Le moteur électrique du Land Cruiser se mit en marche et une vitesse passa en grinçant. Ce bruit insolite alerta les hypsilophodons qui s'enfuirent en bondissant comme une troupe de kangourous, ne montrant plus en un instant, à la lumière éclatante du soleil, que leurs puissantes pattes postérieures et leur longue queue. En quelques sauts, ils furent hors de vue.

– Après ces herbivores fascinants, nous allons maintenant passer à des dinosaures un peu plus grands. Je devrais même dire beaucoup plus grands.

Les Land Cruiser continuèrent de rouler vers le sud, en s'enfonçant dans le parc Jurassique.

CONTRÔLE

– Les vitesses grincent, dit John Arnold dans la salle de contrôle faiblement éclairée. Demandez au service d'entretien de vérifier les boîtes électriques des véhicules BB4 et BB5 à leur retour.

– Bien, monsieur, répondit une voix à l'interphone.

– Un détail sans importance, dit Hammond en s'avançant.

Il vit par la fenêtre les deux Land Cruiser s'éloigner vers le sud tandis que Muldoon, debout dans le fond de la pièce, regardait en silence. Arnold repoussa son fauteuil placé devant la console centrale du tableau de contrôle.

– Il n'y a pas de détails sans importance, monsieur, dit-il en allumant une cigarette.

De tempérament nerveux, Arnold était véritablement à cran, tourmenté par l'idée que c'était la première fois que des visiteurs faisaient la tournée du parc. En fait, Arnold et les techniciens travaillant sous ses ordres ne sortaient pas souvent. Harding, le vétérinaire, allait parfois donner des soins aux animaux et les employés se rendaient directement dans les bâtiments où étaient stockés les aliments. Pour le reste, ils surveillaient le parc depuis la salle de contrôle. Mais, maintenant que des visiteurs étaient en route, Arnold s'inquiétait de mille détails.

John Arnold était un ingénieur systémicien qui avait participé à la mise au point du missile Polaris à la fin des années soixante. Puis il avait eu son premier enfant et l'idée de continuer à travailler dans l'armement lui était devenue insupportable. Entre-temps Walt Disney avait commencé à construire des parcs d'attractions en utilisant une technologie très sophistiquée et en faisant massivement appel à des spécialistes de l'industrie aérospatiale. Arnold avait participé à la construction de Disneyworld, à Orlando, puis il avait contribué à la réalisation d'autres parcs importants : Magic Mountain, en Californie, Old Country, en Virginie, et Astroworld, à Houston.

Cette longue période passée à travailler dans les parcs d'attractions avait fini par lui donner une vision quelque peu déformée de la réalité. Il soutenait, et il était à demi sérieux, que l'on pouvait de plus en plus décrire le monde métaphoriquement comme un parc thématique.

– Paris est un parc thématique, annonça-t-il un jour, à un retour de vacances. Mais tout y est trop cher et les employés sont tristes et grincheux.

Arnold se consacrait depuis deux ans au parc Jurassique et, en sa qualité d'ingénieur, il avait l'habitude de travailler sur des projets de longue haleine. Ainsi, quand il parlait de l'ouverture de septembre, il s'agissait du mois de septembre de l'année suivante. Mais, à mesure que l'échéance approchait, il était de moins en moins satisfait de la manière dont les choses avançaient. L'expérience lui avait appris qu'il fallait parfois plusieurs années pour venir à bout des défauts d'une seule attraction... Alors, lorsqu'il s'agissait de faire fonctionner correctement un parc tout entier...

– Vous êtes un éternel inquiet, dit Hammond.

– Je ne le pense pas, répliqua Arnold. Vous devez bien comprendre que, de mon point de vue d'ingénieur, le parc Jurassique est de loin le parc thématique le plus ambitieux qui ait jamais été conçu. Les visiteurs n'y penseront pas, mais, moi, si. D'abord, commença-t-il en énumérant les différents points sur ses doigts, il y a tous les problèmes qui se posent dans n'importe quel parc d'attractions : entretien des installations, canalisation des visiteurs, transports, gestion des repas, hébergement, enlèvement des ordures, sécurité. Ensuite, nous avons tous les problèmes d'un grand zoo : soins des animaux, suivi médical, nourriture et hygiène, protection contre les insectes, les parasites, les allergies et les maladies, entretien des clôtures et tout le reste. Enfin, nous nous trouvons face à un problème sans précédent : comment prendre soin d'une population d'animaux dont personne n'a jamais eu l'occasion de s'occuper ?

– Oh ! ce n'est quand même pas la mer à boire ! s'exclama Hammond.

– Mais si ! protesta Arnold. Vous n'êtes pas là pour le voir, c'est tout. A propos de boire, justement, les tyrannosaures boivent l'eau de la lagune et parfois elle les rend malades, même si nous ne savons pas très bien pourquoi. Les tricératops s'entre-tuent pour établir leur domination sur le reste du troupeau et il faut les séparer en groupes de moins de six individus. Là encore, nous ne savons pas pourquoi. Les stégosaures ont la langue couverte de pustules et sont atteints de diarrhée pour des raisons que tout le monde ignore ; nous en avons déjà perdu deux. Les hypsilophodons ont des lésions cutanées et les velociraptors...

– Ne me parlez pas des velociraptors ! lança Hammond. J'en ai pardessus la tête d'entendre tout le monde dire que ce sont les animaux les plus cruels de la création.

– C'est pourtant vrai, riposta Muldoon à voix basse. Il faudrait les exterminer.

– Vous avez demandé qu'on leur mette des colliers munis d'un émetteur radio et je vous ai donné mon accord.

– C'est vrai, fit Arnold, mais ils ont bouffé les colliers en quelques jours. Même en admettant que les raptors ne réussissent jamais à s'échapper, il faut reconnaître que le parc est un endroit intrinsèquement dangereux.

– Et merde! s'écria Hammond. De quel côté êtes-vous donc?

– Nous avons maintenant quinze espèces d'animaux disparus et la plupart sont dangereux, insista Arnold. Nous avons été obligés de retarder la mise en service du circuit de la Rivière de la jungle à cause des dilophosaures et l'ouverture du pavillon des ptérosaures dans la volière, à cause du comportement imprévisible des ptérodactyles. Ces retards ne sont pas dus à l'ingénierie, monsieur Hammond, mais aux difficultés que nous avons à contrôler les animaux.

– L'ingénierie a déjà provoqué pas mal de retards, il me semble, répliqua Hammond. Ne mettez pas tout sur le dos des animaux.

– C'est vrai, reconnut Arnold. En fait, tout ce que nous avons réussi, c'est à faire fonctionner correctement l'attraction principale, le Circuit du Parc, et à installer dans les voitures les lecteurs de disques compacts commandés par les capteurs de mouvement. Il a fallu des semaines de travail pour obtenir un résultat satisfaisant... Et, maintenant, ce sont les boîtes de vitesses des voitures qui se mettent à faire des leurs! Les boîtes de vitesses!

– Ramenons les choses à leur proportion véritable, dit Hammond. Si vous faites en sorte que l'ingénierie fonctionne correctement, les animaux se tiendront tranquilles. Après tout, il est possible de les dresser.

Depuis le début, cela avait été un des credos du vieux Hammond. Aussi nouveaux et mal connus fussent-ils, les animaux ne se comporteraient pas différemment des pensionnaires de n'importe quel parc zoologique. Ils comprendraient qu'on leur dispensait régulièrement soins et nourriture et ils réagiraient en conséquence.

– A propos, comment va l'ordinateur? reprit Hammond en tournant la tête vers Dennis Nedry qui s'affairait devant un terminal, au fond de la salle. Cette foutue bécane n'a pas arrêté de nous poser des problèmes!

– Tout va s'arranger, répondit Nedry.

– Si vous aviez fait ce qu'il fallait dès le début...

Hammond laissa sa phrase en suspens, car Arnold avait posé la main sur son bras pour l'inviter à se taire. L'ingénieur savait qu'il valait mieux éviter d'indisposer Nedry pendant qu'il travaillait.

– C'est un programme très ambitieux, dit Arnold. Il est normal qu'il y ait quelques petits problèmes.

En fait, le total des bugs s'élevait à plus de cent trente dont certains étaient pour le moins curieux.

Le programme d'alimentation des animaux se remettait à zéro toutes les douze heures au lieu de vingt-quatre et n'enregistrait pas les repas du dimanche. En conséquence, le personnel était dans l'impossibilité d'évaluer avec précision la consommation des animaux.

Le système de sécurité commandant toutes les portes actionnées par une carte magnétique était mis hors service à chaque coupure d'électricité et ne se rétablissait pas avec l'alimentation auxiliaire.

Le programme de conservation de l'énergie, conçu pour diminuer l'éclairage après 22 heures, ne fonctionnait qu'un jour sur deux.

L'analyse fécale automatisée, conçue pour détecter la présence de parasites dans les excréments des animaux, signalait invariablement et à tort chez tous les spécimens la présence de *Phagostomum venulosum*. Le programme ajoutait automatiquement les médicaments appropriés à la nourriture des animaux. Si les employés renversaient l'auget contenant les médicaments afin d'éviter qu'ils soient mélangés à la nourriture, une sonnerie d'alarme se déclenchait et il était impossible de l'arrêter.

La liste des erreurs se poursuivait ainsi, page après page.

A son arrivée, Dennis Nedry croyait pouvoir remédier à tout cela pendant le week-end, mais, en prenant connaissance de la liste, il était devenu blême. Il venait donc d'appeler son bureau, à Cambridge, pour dire que les programmeurs devaient annuler tous leurs projets pour le week-end et faire des heures supplémentaires jusqu'au lundi. Il avait également annoncé à John Arnold qu'il réquisitionnerait toutes les lignes téléphoniques entre Isla Nublar et le continent pour transmettre les informations des programmes à ses collaborateurs.

Tandis que Nedry travaillait, John Arnold ouvrit sur son propre écran une fenêtre lui permettant de suivre ce que Nedry faisait sur sa console, non par défiance envers l'analyste, mais parce qu'il aimait savoir ce qui se passait.

Il tourna la tête vers l'écran placé à sa droite qui affichait la progression des Land Cruiser. Les deux véhicules électriques suivaient la rivière, juste au nord de la volière et de l'enclos des ornithischiens.

– En regardant sur la gauche, annonça la voix enregistrée, vous verrez le dôme de la volière du parc Jurassique dont l'accès est encore interdit aux visiteurs.

Tim distingua au loin des reflets de soleil sur des poutrelles d'aluminium.

– En contrebas de la route, poursuivit la voix, coule notre rivière de la jungle du mésozoïque. Avec un peu de chance, vous apercevrez un dinosaure carnivore très rare. Gardez les yeux grands ouverts!

Les écrans du Land Cruiser montraient une tête ressemblant à celle d'un oiseau et surmontée d'une crête rouge vif, mais, dans la voiture de Tim, tout le monde regardait par les vitres. Le véhicule suivait une haute corniche dominant une rivière au courant impétueux, enserrée entre deux rives couvertes d'une dense végétation.

– Les voilà ! poursuivit la voix. Les animaux que vous voyez s'appellent des dilophosaures.

Contrairement à ce que disait l'enregistrement, Tim n'en voyait qu'un seul. Accroupi au bord de la rivière, l'animal buvait. Il était bâti sur le modèle de tous les carnivores, avec une grande queue, des jambes puissantes et un long cou. Haut de trois mètres, son corps était jaune tacheté de noir, comme celui d'un léopard.

Mais c'est la tête de l'animal qui retint l'attention de Tim. Deux grosses crêtes arrondies couraient du nez aux yeux et se réunissaient pour former un V au sommet de la tête. Elles avaient des bandes noir et rouge évoquant un perroquet ou un toucan. L'animal émit un cri qui s'apparentait au hululement de la chouette.

– Il est joli, dit Lex.

– Le dilophosaure, reprit la bande enregistrée, est l'un des premiers dinosaures carnivores. Croyant que les muscles de ses mâchoires étaient trop faibles pour tuer une proie, les scientifiques ont d'abord pensé qu'il était nécrophage. Mais nous savons maintenant que cet animal est venimeux.

– Allons, fit Tim en souriant.

Dans l'air chaud de l'après-midi, le cri caractéristique du dilophosaure s'éleva de nouveau.

– C'est vrai qu'ils sont venimeux, monsieur Regis ? demanda Lex en se tortillant nerveusement sur son siège.

– Ne t'inquiète pas pour cela, Lex, répondit Ed Regis.

– Mais c'est vrai ?

– Euh, oui, c'est vrai !

– Comme certains reptiles vivants tels que le monstre de Gila et le crotale, le dilophosaure sécrète une hématoxine par des glandes situées dans sa bouche. Une minute après la morsure, la victime perd connaissance et le dinosaure peut ensuite l'achever à loisir, ce qui fait de *Dilophosaurus* un des plus beaux, mais des plus dangereux des animaux que vous pouvez voir dans le parc Jurassique.

Le Land Cruiser suivit un coude de la route et la rivière disparut. Tim se retourna, espérant voir une dernière fois le dilophosaure. Quelle surprise ! Des dinosaures venimeux ! Il aurait voulu arrêter la voiture, mais tout était automatique. Il était sûr que le Dr Grant, lui aussi, aurait aimé s'arrêter.

– Sur l'escarpement qui s'élève à votre droite, reprit la voix enregistrée, vous voyez *Les Gigantes*, notre magnifique salle de restaurant trois étoiles dont le chef, Alain Richard, a été formé dans l'un des plus célèbres établissements du monde, Le Beaumanière. Vous pouvez réserver en composant le quatre sur le téléphone de votre chambre.

Tim leva la tête vers l'escarpement, mais il ne vit absolument rien.

– Le restaurant est loin d'être prêt, expliqua Ed Regis. Les travaux ne commenceront pas avant le mois de novembre.

– En poursuivant notre safari préhistorique, nous allons maintenant découvrir les herbivores de l'ordre des ornithischiens. Vous pouvez probablement les apercevoir en regardant sur votre droite.

Tim tourna la tête et vit deux animaux immobiles, à l'ombre d'un grand arbre. Des tricératops : taille et peau grisâtre d'un éléphant, posture agressive d'un rhinocéros. Les cornes recourbées surplombant les yeux, longues d'un mètre cinquante, ressemblaient à des défenses d'éléphant dressées en l'air. Une troisième corne sur le nez évoquait le rhinocéros dont ils avaient le mufle recourbé.

– Contrairement aux autres dinosaures, reprit la voix, *Triceratops serratus* a une mauvaise vue. Il est myope, comme le rhinocéros d'aujourd'hui, et il est surpris par un objet mobile. S'ils étaient assez près pour la voir, ces tricératops chargeraient notre voiture. Mais détendez-vous... vous ne risquez rien ! Le tricératops dispose pour protéger l'arrière de sa tête d'un couvre-nuque formé d'une plaque osseuse extrêmement résistante. Chaque animal pèse environ sept tonnes et, malgré son apparence effrayante, il est fort docile. Il connaît ses gardiens et se laisse caresser. Ce qu'il aime tout particulièrement, c'est qu'on lui gratte l'arrière-train.

– Pourquoi est-ce qu'ils ne bougent pas ? demanda Lex en baissant sa vitre. Hé ! Dinosaures stupides ! Remuez-vous !

– Il ne faut pas déranger les animaux, Lex, dit Ed Regis.

– Pourquoi ? C'est idiot... Ils sont aussi immobiles qu'une image dans un livre.

– ... Ces monstres placides d'un passé révolu offrent un contraste saisissant avec ce que nous allons voir ensuite. Le plus célèbre prédateur de l'histoire du monde, le terrifiant reptile-tyran, *Tyrannosaurus rex*.

– Ça alors ! souffla Tim. Il y a un *Tyrannosaurus rex*.

– J'espère que ce sera plus intéressant que ces deux gros patapoufs, lança Lex en se détournant des tricératops.

Le Land Cruiser poursuivit sa route.

LE GRAND REX

– Les tyrannosaures ne sont apparus que tardivement, récita la voix métallique. Les dinosaures ont régné sur la terre pendant cent vingt millions d'années, mais les tyrannosaures n'ont vécu que pendant les quinze derniers millions d'années de cette période.

Les Land Cruiser s'étaient arrêtés au sommet d'une petite colline d'où la vue s'étendait sur une vaste zone boisée descendant en pente douce vers la lagune. Le soleil commençait à s'incliner à l'occident, vers l'horizon chargé de brume. Tout le paysage du parc Jurassique était baigné par une lumière très douce et les ombres commençaient à s'allonger. Au sud, ils distinguaient au bord de l'eau les apatosaures au long cou gracieux, se mirant dans la lagune à la surface parcourue d'ondulations irisées. Seul le chant des cigales troublait le silence. En contemplant cette scène paisible, il leur était possible d'imaginer qu'ils avaient réellement remonté le temps et été transportés des millions d'années en arrière.

– L'impression est saisissante, non ? dit la voix d'Ed Regis à l'interphone. J'aime bien venir ici de temps en temps, à la tombée du soir. Je m'assieds quelque part et je regarde.

Mais Grant ne semblait pas sensible à la poésie du lieu.

– Où est le T-rex ? demanda-t-il.

– Excellente question. On voit souvent le petit dans la lagune. Nous l'avons empoissonnée et le petit a appris à attraper les poissons. C'est intéressant de voir comment il s'y prend. Il ne se sert pas de ses mains, mais plonge la tête tout entière sous l'eau, comme un oiseau.

– Quel petit ?

– Le petit *Tyrannosaurus rex.* C'est un jeune de deux ans qui a atteint le tiers de sa taille définitive. Il mesure près de deux mètres cinquante et pèse une tonne et demie. L'autre est un adulte, mais je ne le vois pas pour l'instant.

– Peut-être est-il en train de chasser les apatosaures, suggéra Grant.

– S'il le pouvait, il ne s'en priverait pas, répliqua Regis d'une voix métallique et avec un petit rire. Il reste parfois au bord de la lagune, les yeux fixés sur les herbivores, en agitant vainement ses petits bras. Mais le territoire du T-rex est entièrement entouré de fossés et de clôtures. Ils sont masqués à la vue, mais, croyez-moi, le tyrannosaure ne peut pas en sortir.

– Alors, où est-il ?

– Il se cache, répondit Regis. Il est un peu timide.

– Timide ? répéta Malcolm. *Tyrannosaurus rex* est timide ?

– Disons qu'en règle générale il se dissimule. On ne le voit presque jamais à découvert, surtout en plein jour.

– Comment expliquez-vous cela ?

– Nous pensons que c'est parce qu'il a la peau sensible et qu'il craint la brûlure du soleil.

Malcolm éclata de rire.

– Vous dissipez bien des illusions, fit Grant.

– Je ne pense pas que vous soyez déçu, poursuivit Regis. Ayez juste un peu de patience.

Ils perçurent un bêlement étranglé. Au milieu d'une prairie, une petite cage s'éleva lentement du sol, mue par un dispositif hydraulique. Les barreaux de la cage s'abaissèrent et la chèvre qui y était enfermée demeura attachée au milieu du champ en bêlant plaintivement.

– C'est l'affaire de quelques minutes, annonça Regis.

Tous les regards se fixèrent sur la chèvre.

– Regardez-les, lança Hammond devant le moniteur de la salle de contrôle. La tête penchée par la portière, brûlants d'impatience, avides d'assister à la scène... C'est le danger qui les attire !

– C'est bien ce que je crains, grommela Muldoon.

Il faisait tourner un trousseau de clés autour de son doigt en surveillant nerveusement les Land Cruiser sur sa console. C'était la première fois que des visiteurs faisaient la tournée du parc Jurassique et Muldoon partageait l'appréhension de John Arnold.

Robert Muldoon était un robuste quinquagénaire à la moustache poivre et sel et aux yeux d'un bleu sombre. Né et élevé au Kenya, il avait pris la succession de son père et travaillé pendant la majeure partie de sa vie comme guide pour la chasse au gros gibier africain. Mais, depuis 1980, il était essentiellement employé comme consultant par des groupes de défense de l'environnement et des constructeurs de parcs zoologiques. Il était devenu assez connu pour que l'on dise de lui dans un article du *Sunday Times* : « Robert Muldoon est au parc zoologique ce que Robert Trent Jones est au parcours de golf, un créateur à la compétence et au talent incomparables. »

En 1986, Muldoon avait travaillé pour une société de San Francisco qui construisait une réserve naturelle privée sur une île d'Amérique du Nord. Muldoon avait tracé les frontières des territoires attribués aux différentes espèces, défini l'espace et l'habitat propres aux lions, éléphants, zèbres et autres hippopotames, identifié ceux qui pouvaient vivre ensemble et ceux qui devaient être séparés. A l'époque, c'était pour lui un travail de routine et il s'était beaucoup plus passionné pour un parc du sud du Cachemire baptisé Tiger World.

L'année précédente, on lui avait proposé le poste de gardien du parc Jurassique. Comme cela coïncidait avec un désir de s'éloigner de l'Afrique et que le salaire était élevé, Muldoon avait accepté. C'est avec stupéfaction qu'il avait découvert que la faune du parc était composée d'animaux préhistoriques produits par des manipulations génétiques.

– Bien entendu, le travail était intéressant, mais, au cours de sa longue carrière de guide en Afrique, Muldoon avait appris à poser sur les animaux un regard détaché, dépourvu de tout romantisme, qui l'amenait fréquemment à s'opposer à la direction californienne, et plus particulièrement au petit bonhomme cassant qui se tenait près de lui dans la salle de contrôle. Pour Muldoon, cloner des dinosaures dans un laboratoire était une chose, les entretenir en liberté était tout autre chose.

Muldoon estimait que certains dinosaures étaient trop dangereux pour vivre dans le cadre d'un parc zoologique. Ce danger était dû en partie au manque d'informations sur les animaux. Par exemple, personne n'avait jamais imaginé que les dilophosaures étaient venimeux avant qu'on les observe en train de chasser des rats. Après avoir mordu les rongeurs, ils reculaient et attendaient la mort de leur proie. Personne n'avait non plus soupçonné que les dilophosaures crachaient jusqu'au jour où un employé avait failli être aveuglé par un jet de venin.

Ce n'est qu'à la suite de cet incident que Hammond avait accepté d'étudier le venin du dilophosaure dans lequel on découvrit la présence de sept enzymes toxiques. Des expériences montrèrent également que l'animal pouvait projeter son venin jusqu'à une distance de quinze mètres. Comme le risque existait qu'un visiteur en voiture fût aveuglé, la direction du parc prit la décision de pratiquer l'ablation des sacs à venin. Les vétérinaires avaient fait deux tentatives, sur deux animaux, mais sans succès ; nul ne savait où le venin était sécrété. Et nul ne pourrait le savoir avant qu'une autopsie soit pratiquée sur un des dilophosaures... Mais Hammond refusait de sacrifier un animal.

Muldoon était encore plus préoccupé par les velociraptors, des chasseurs instinctifs qui ne négligeaient jamais une proie et tuaient même sans avoir faim, uniquement pour le plaisir. Ils étaient vifs, excellents coureurs et capables de sauts étonnants. Leurs quatre membres étaient armés de griffes si redoutables qu'un seul coup suffisait à éventrer un homme. Ces carnivores de taille moyenne étaient également dotés de puissantes mâchoires qu'ils utilisaient pour arracher la chair au lieu de mordre. Ils étaient beaucoup plus intelligents que les autres dinosaures et semblaient particulièrement difficiles à tenir en cage.

Tous les spécialistes des zoos savaient que certaines espèces animales risquaient plus que les autres de s'échapper de leur cage. Les singes et les éléphants étaient capables d'ouvrir la porte ; les sangliers, exceptionnellement intelligents, réussissaient à soulever un loquet à l'aide de leur groin. Mais qui pouvait imaginer qu'il en allait de même du tatou géant ? Et de l'élan ? Et pourtant un élan était presque aussi habile avec son mufle qu'un éléphant avec sa trompe et il s'échappait sans arrêt.

Tout comme les velociraptors.

Ces carnivores étaient au moins aussi intelligents que les chimpanzés et, comme eux, ils étaient munis de doigts agiles qui leur permettaient d'ouvrir des portes et de manipuler des objets. Il leur était donc facile de sortir de leur cage. Le jour où, comme Muldoon le redoutait, l'un d'eux avait réussi à s'échapper, il avait tué deux ouvriers et blessé un troisième avant d'être capturé. Après l'accident, les portes du pavillon des visiteurs avaient été munies de barreaux de fer, les fenêtres de verre trempé et une haute clôture avait été élevée tout autour du bâtiment. L'enclos des velociraptors avait été reconstruit et des capteurs électroniques installés pour signaler toute nouvelle tentative d'évasion.

Muldoon avait exigé des fusils ainsi que des lance-missiles Law portatifs. Tous les chasseurs savaient à quel point il était difficile d'abattre un éléphant d'Afrique de quatre tonnes... et certains dinosaures pesaient dix fois plus. La direction avait refusé avec indignation en affirmant qu'il n'y aurait jamais d'armes de ce type dans l'île. Muldoon ayant menacé de démissionner et de raconter ce qu'il savait à la presse, un compromis avait été trouvé et finalement deux lance-missiles à guidage laser, spécialement fabriqués pour le parc Jurassique, avaient été entreposés dans une pièce du sous-sol dont Muldoon était le seul à détenir les clés.

Ces clés qu'il était précisément en train de faire tourner autour de son doigt.

– Je descends, dit-il.

Sans quitter ses écrans du regard, Arnold acquiesça de la tête. Les deux Land Cruiser, toujours arrêtés au sommet de la colline, attendaient l'apparition du tyrannosaure.

– Hé ! lança Dennis Nedry devant sa console. Puisque vous sortez, rapportez-moi donc un coca !

Grant attendait tranquillement dans la voiture. Le bêlement de la chèvre se faisait plus intense, plus implorant. L'animal tirait frénétiquement sur sa corde en courant en tous sens. Le paléontologiste entendit à la radio la voix inquiète de Lex.

– Qu'est-ce qu'il va faire à la chèvre ? Il va la manger ?
– Probablement, répondit une voix d'homme.
Ellie éteignit la radio au moment où leur parvenait une odeur fétide, putride, qui remontait la colline dans leur direction.
– Il arrive, murmura Grant.
– Elle, rectifia Malcolm.
La chèvre était attachée au milieu du champ, à trente mètres des premiers palmiers. Le dinosaure devait se cacher quelque part dans les arbres, mais Grant ne voyait rien. Puis il se rendit compte qu'il cherchait trop bas : la tête de l'animal se trouvait à six mètres au-dessus du sol, à moitié dissimulée par les branches supérieures des palmiers.
– Oh ! mon Dieu ! souffla Malcolm... Elle est plus haute qu'une maison !
Grant ne pouvait détacher son regard de l'énorme tête carrée, longue d'un mètre cinquante, d'un brun roux, avec des mâchoires puissantes et des crocs acérés. Le tyrannosaure ouvrit et referma ses mâchoires gigantesques, mais l'animal ne sortit pas de sa cachette.
– Combien de temps va-t-elle attendre ? demanda Malcolm dans un murmure.
– Peut-être trois ou quatre minutes. Peut-être...
Le tyrannosaure bondit silencieusement, dévoilant son corps colossal. En quatre foulées, il couvrit la distance qui le séparait de la chèvre. Il baissa la tête et referma les mâchoires sur le cou de sa proie. Les bêlements cessèrent d'un coup et le silence se fit.
Immobile au-dessus de sa proie inerte, le tyrannosaure devint soudain hésitant. Sa tête massive tourna sur son cou puissant pour regarder dans toutes les directions. Puis son regard se fixa sur les Land Cruiser arrêtés à flanc de colline.
– Elle peut nous voir ? murmura Malcolm.
– Bien sûr, répondit Ed Regis à l'interphone. Voyons maintenant si elle va manger devant nous ou bien si elle va traîner sa proie pour la cacher.
Le tyrannosaure se pencha de nouveau pour flairer la carcasse de la chèvre. En entendant un pépiement d'oiseau, il se redressa brusquement, instantanément sur ses gardes, promenant son regard dans toutes les directions avec de petits mouvements saccadés de la tête.
– Comme un oiseau, dit Ellie.
– De quoi a-t-elle peur ? demanda Malcolm en voyant que l'animal continuait à hésiter.
– Probablement d'un autre tyrannosaure, répondit Grant dans un souffle.
De grands carnivores tels que le lion ou le tigre demeuraient souvent sur leurs gardes après avoir tué une proie, se conduisant comme s'ils étaient menacés. Les zoologistes du XIXe siècle imaginaient que les félins

éprouvaient un sentiment de culpabilité, mais les scientifiques contemporains expliquaient cette attitude par l'effort exigé par la chasse – plusieurs heures passées à l'affût avant de bondir sur l'animal choisi – et par la fréquence des échecs, la proie échappant le plus souvent au prédateur. Quand un carnivore réussissait enfin à tuer un animal, il redoutait l'attaque d'un autre prédateur venant lui dérober son repas. Le tyrannosaure qu'ils avaient devant les yeux craignait sans doute la présence d'un de ses congénères.

L'animal gigantesque se pencha encore une fois sur la chèvre. Il immobilisa la carcasse à l'aide d'une de ses énormes pattes postérieures tandis que ses mâchoires se refermaient sur sa victime et commençaient à la déchiqueter.

– Elle va rester, murmura Regis. Parfait!

Le tyrannosaure releva la tête, des lambeaux sanglants de viande dépassant de sa gueule, le regard fixé sur les Land Cruiser. Quand l'animal commença à mastiquer, ils perçurent le bruit répugnant des os broyés.

– Berk! lança Lex. C'est dégoûtant!

Puis, comme si la prudence l'avait finalement emporté, le tyrannosaure saisit la carcasse de la chèvre dans sa gueule et la transporta à l'abri des palmiers.

– Mesdames et messieurs, reprit la bande enregistrée, vous avez vu *Tyrannosaurus rex.*

Les Land Cruiser se remirent en marche et s'éloignèrent silencieusement au milieu des arbres.

– Fantastique! souffla Malcolm en renversant sa tête contre le dossier.

Gennaro s'essuya le front sans rien dire. Il était livide.

CONTRÔLE

En entrant dans la salle de contrôle, Henry Wu trouva tout le monde assis dans la pénombre, écoutant les commentaires des visiteurs.

– ... Bon Dieu! Si un animal de cette taille s'échappait, il n'y aurait rien à faire pour l'arrêter!

C'était la voix déformée de Gennaro, sortant d'un haut-parleur.

– Non, rien à faire...

– Il est si grand qu'il n'a aucun ennemi naturel...

– Je préfère ne pas y penser...

– Bande d'abrutis! gronda Hammond dans la salle de contrôle. Totalement négatifs!

– Ils sont encore en train d'envisager la possibilité qu'un animal s'échappe, dit Wu. Je ne comprends pas pourquoi; ils ont eu le temps de voir que nous avons la situation en main. Tout a été soigneusement pensé, aussi bien pour les animaux que pour les installations...

Il s'interrompit avec un haussement d'épaules.

Henry Wu avait la conviction profonde que le parc était fondamentalement bien conçu, tout comme son paléo-A.D.N. Les difficultés qu'il pouvait rencontrer étaient essentiellement dues à des problèmes ponctuels dans le code qui créaient un problème précis dans le phénotype: une enzyme qui ne s'activait pas ou une protéine mal programmée. Quelle que fût la difficulté, elle était toujours résolue dans la version suivante, moyennant une légère modification.

De la même façon, il savait que les problèmes du parc Jurassique n'avaient rien de fondamental. Il ne s'agissait pas de quelque chose de foncièrement aussi grave que la possibilité qu'un animal s'échappe. Wu trouvait offensant que l'on pût le croire capable de contribuer à un système où une telle possibilité existait.

– C'est ce Malcolm, bougonna Hammond. C'est lui qui est derrière tout ça... Dès le début, il était contre nous. A cause de cette foutue théorie d'après laquelle il serait impossible de contrôler les systèmes complexes et d'imiter la nature. Je me demande quel est son problème. Après tout, ce n'est qu'un zoo que nous allons ouvrir ici... Le monde en est rempli et ils fonctionnent tous comme il faut. Mais, lui, il s'accrochera jusqu'au bout à sa foutue théorie. J'espère seulement qu'il ne va pas flanquer la trouille à Gennaro et l'inciter à fermer le parc!

– Il a assez d'influence? demanda Wu.

– Non, répondit Hammond, mais il peut essayer. Il peut tenter d'effrayer les investisseurs japonais et les convaincre de reprendre leurs billes. Ou bien faire un esclandre auprès du gouvernement de San José. Il peut nous causer de gros ennuis.

– Attendons de voir ce qui se passe, dit Arnold en écrasant sa cigarette. Nous avons confiance dans le parc; voyons si cette confiance est méritée.

Muldoon sortit de l'ascenseur, salua le garde d'un petit signe de la tête et descendit au sous-sol. Il alluma les lumières et vit les deux douzaines de Land Cruiser alignés au cordeau. C'étaient les voitures électriques destinées à faire le circuit du parc et à revenir à leur point de départ, le centre des visiteurs.

Dans un coin était garée une jeep aux flancs barrés d'une bande rouge, l'un des deux véhicules fonctionnant à l'essence – Harding, le vétérinaire, avait pris l'autre dans la matinée – qui pouvait circuler partout dans le parc, même au milieu des animaux. Une bande rouge avait été peinte en diagonale sur les jeeps, car, pour une raison inconnue, elle empêchait les tricératops de foncer sur les véhicules.

Muldoon dépassa la jeep et continua d'avancer. La porte blindée donnant accès à la pièce où étaient entreposées les armes ne portait aucune indication. Il glissa sa clé dans la serrure et fit pivoter la lourde porte sur ses gonds. Les murs de la pièce étaient garnis de râteliers d'armes. Il prit un lance-roquettes Randler et une boîte de fusées, puis il glissa deux projectiles gris sous son autre bras.

Après avoir refermé la porte blindée, Muldoon posa l'engin sur la banquette arrière de la jeep. Au moment où il sortait du garage, il entendit le grondement lointain d'un orage.

– On dirait qu'il va pleuvoir, fit Ed Regis en levant les yeux vers le ciel.

Les deux Land Cruiser s'étaient encore arrêtés, cette fois près du marais des sauropodes. Un troupeau d'apatosaures paissait au bord de la lagune et broutait les feuilles des plus hautes branches des palmiers. A proximité se trouvaient quelques hadrosaures, des herbivores au museau épaté en bec de canard, qui, en comparaison, paraissaient beaucoup plus petits.

Tim savait très bien que les hadrosaures n'étaient petits qu'auprès des apatosaures, ces géants dont la tête minuscule était perchée à quinze mètres de haut, à l'extrémité d'un cou interminable.

– Les gros dinosaures que vous voyez, expliqua la voix enregistrée, sont couramment appelés *Brontosaurus*, mais leur véritable nom est *Apatosaurus*. Ils pèsent plus de trente tonnes, ce qui signifie qu'un seul de ces animaux est aussi lourd qu'un troupeau entier d'éléphants. Vous remarquerez que la zone où ils se tiennent de préférence, en bordure de la lagune, n'est pas marécageuse. Contrairement à ce que prétendent les livres, les brontosaures évitent les terrains marécageux et vivent sur un sol sec.

– *Brontosaurus* est le plus gros de tous les dinosaures, Lex, déclara Ed Regis.

Tim ne se donna pas la peine de le contredire. En réalité, *Brachiosaurus* était trois fois plus grand et certains experts avançaient que *Ultrasaurus* et *Seismosaurus*, encore mal connus, l'étaient bien plus encore. Ce dernier aurait pesé une centaines de tonnes !

Les hadrosaures se dressaient sur leurs membres postérieurs pour atteindre le feuillage. Pour des animaux de cette taille, leurs mouvements n'étaient pas dépourvus d'une certaine grâce. Quelques jeunes gambadaient autour des adultes et se précipitaient sur les feuilles tombées de la bouche de leurs parents.

– Les dinosaures du parc Jurassique ne se reproduisent pas, reprit la voix enregistrée. Les jeunes animaux que vous voyez ont été mis en liberté il y a quelques mois, peu après leur éclosion. Mais, dans tous les cas, les adultes prennent soin d'eux.

Ils entendirent un roulement de tonnerre. Le ciel était devenu plus sombre, plus bas, très menaçant.

– J'ai bien l'impression qu'il va pleuvoir, grommela Ed Regis.

La voiture se remit en marche et Tim se retourna pour voir les hadrosaures. Soudain, il aperçut du coin de l'œil une silhouette jaune pâle au dos rayé de brun qui se déplaçait rapidement. Il reconnut aussitôt l'animal.

– Hé ! s'écria-t-il. Arrêtez la voiture !

– Que se passe-t-il ? demanda Regis.

– Vite ! *Arrêtez la voiture !*

– Nous allons maintenant contempler les derniers de nos grands animaux préhistoriques, annonça la voix enregistrée : les stégosaures.

– Qu'y a-t-il, Tim ?

– J'en ai vu un ! J'en ai vu un dans la prairie !

– Qu'est-ce que tu as vu ?

– Un raptor ! Là, dans la prairie !

– Le stégosaure est un dinosaure de la fin du jurassique, poursuivit l'enregistrement, qui vivait il y a environ cent soixante-dix millions d'années. Le parc Jurassique abrite plusieurs de ces étonnants herbivores.

– Je ne crois pas que ce soit possible, Tim, fit Ed Regis. Pas un raptor...

– Mais si! Allez-vous arrêter cette voiture?

Regis utilisa l'interphone pour transmettre la nouvelle à Grant et à Malcolm.

– Tim prétend avoir vu un velociraptor.

– Où?

– Dans la prairie que nous venons de quitter.

– Retournons y jeter un coup d'œil.

– C'est impossible, fit Regis. Nous ne pouvons rouler qu'en marche avant; les véhicules sont programmés.

– Nous ne pouvons pas faire marche arrière? s'étonna Grant.

– Non, je suis désolé. C'est un circuit, vous comprenez...

– Tim, c'est le professeur Malcolm, lança une voix forte à l'interphone. J'ai une seule question à te poser sur ce velociraptor. A ton avis, quel âge pouvait-il avoir?

– Il était plus vieux que le bébé que nous avons vu, répondit le garçon. Et plus jeune que les adultes dans leur enclos. Les adultes mesuraient un mètre quatre-vingts et celui-ci faisait à peu près la moitié de leur taille.

– Je te remercie, dit Malcolm.

– Je l'ai juste entraperçu.

– Je suis sûr que ce n'était pas un raptor, affirma Ed Regis. C'est absolument impossible. Ce devait être un othnielia... Ils passent leur temps à sauter par-dessus les clôtures et nous donnent beaucoup de mal.

– Je sais que j'ai vu un raptor, affirma Tim.

– J'ai faim, dit Lex en commençant à pleurnicher.

Dans la salle de contrôle, Arnold se tourna vers Henry Wu.

– A votre avis, qu'est-ce que le gamin a pu voir?

– Je pense que ce devait être un othy.

– Nous avons tellement de difficultés à les localiser, acquiesça Arnold en hochant la tête

Les othnielias échappaient à la surveillance constante exercée sur les animaux. Les ordinateurs ne cessaient de les perdre et de les retrouver chaque fois qu'ils grimpaient dans les arbres et en redescendaient.

– Ce qui me rend fou, fit Hammond, c'est que nous avons créé un parc merveilleux, un lieu *fantastique*, et que nos tous premiers visiteurs le découvrent avec un regard de comptable, en ne s'attachant qu'à déceler des problèmes. Ils refusent d'en voir l'aspect merveilleux.

– C'est leur problème, répliqua sèchement Arnold. Nous ne pouvons leur faire ressentir le merveilleux.

L'interphone bourdonna et Arnold entendit une voix aux intonations traînantes.

– Salut, John. C'est *Anne B* qui appelle du quai. Nous n'avons pas fini de décharger, mais je vois une perturbation venant du sud qui ne me dit rien qui vaille. Je préférerais ne pas être coincé ici, si le clapot devient plus méchant.

Arnold se tourna vers le moniteur montrant le cargo amarré au quai, sur la côte est de l'île. Puis il enfonça la touche de la radio.

– Qu'est-ce qu'il vous reste à décharger, Jim ?

– Juste les trois derniers conteneurs de matériel. Je n'ai pas vérifié sur le manifeste, mais je suppose que vous n'en aurez pas besoin avant quinze jours. Le mouillage n'est pas bon, vous savez, et il y a cent cinquante kilomètres jusqu'au continent.

– Vous demandez la permission de lever l'ancre ?

– Oui, John.

– Je veux ces conteneurs, protesta Hammond. C'est du matériel pour les labos et nous en avons besoin.

– Je comprends, dit Arnold. Mais vous n'avez pas voulu faire construire un brise-lames pour protéger la jetée. Si la tempête se lève, le cargo se fracassera contre le quai. J'ai vu des navires couler dans ces circonstances... Et après, ce sont des frais à n'en plus finir : remplacement du navire, sauvetage pour dégager le quai... Sans compter qu'il est inutilisable tant que...

– Dites-leur qu'ils peuvent partir, soupira Hammond en le faisant taire d'un geste de la main.

– Vous avez l'autorisation de lever l'ancre, *Anne B*, dit Arnold.

– Rendez-vous dans quinze jours, répondit la voix.

Ils virent sur le moniteur vidéo l'équipage commencer à larguer les amarres. Puis Arnold se retourna vers la batterie de consoles et il vit les Land Cruiser rouler au milieu de nappes de vapeur.

– Où sont-ils maintenant ? demanda Hammond.

– Ils doivent traverser les prairies du sud, répondit Arnold.

L'activité volcanique était plus importante au sud de l'île qu'au nord.

– Ils vont donc bientôt arriver chez les stégos, ajouta l'ingénieur. Je suis sûr qu'ils vont s'arrêter pour voir ce que fait Harding.

STÉGOSAURE

Quand le Land Cruiser s'arrêta, Ellie Sattler découvrit à travers les traînées de vapeur le stégosaure parfaitement immobile. A côté de l'animal était garée une jeep à la carrosserie barrée d'une bande rouge.

– Je dois reconnaître que celui-ci a une drôle d'allure, fit Malcolm.

Long de six mètres, le stégosaure avait un corps massif, le dos protégé par de grosses plaques verticales et la queue armée de quatre épines de quatre-vingt-dix centimètres de long. Mais son crâne était ridiculement petit et son regard sans expression évoquait celui d'un cheval particulièrement stupide.

Ils virent soudain apparaître un homme venant de derrière l'animal.

– C'est notre vétérinaire, le Dr Harding, dit Regis. Le stégo est malade et il l'a anesthésié, ce qui explique pourquoi l'animal ne bouge pas.

Grant était déjà descendu de voiture et se dirigeait vers l'énorme dinosaure. Ellie descendit à son tour et se retourna quand le second Land Cruiser s'arrêta. Les deux enfants sautèrent aussitôt du véhicule.

– Qu'est-ce qu'il a comme maladie ? demanda Tim.

– Ils ne savent pas très bien, répondit Ellie.

Les hautes plaques disposées le long du dos du stégosaure étaient légèrement inclinées sur le côté ; l'animal respirait lentement, péniblement, avec un petit bruit de succion.

– C'est contagieux ? demanda Lex.

Ils s'avancèrent vers Grant et le vétérinaire qui, à genoux, étaient en train d'examiner l'intérieur de la bouche du stégosaure.

– C'est vraiment une grosse bête, dit Lex. Et, en plus, elle pue, ajouta-t-elle en fronçant le nez.

– Tu as raison, dit Ellie.

Elle avait déjà remarqué l'odeur particulière du stégosaure, ressemblant à celle du poisson avarié et qui lui rappelait quelque chose qu'elle n'arrivait pas à retrouver. Elle n'avait jamais eu l'occasion de sentir un stégosaure et c'était peut-être son odeur distinctive, mais elle en doutait, car la plupart des herbivores ne sentaient pas mauvais. Il en allait de même de leurs excréments. Seuls les animaux carnassiers pouvaient avoir une odeur aussi désagréable.

– Il sent mauvais parcc qu'il est malade ? demanda Lex.

– Peut-être. Et n'oublie pas que le vétérinaire lui a injecté un tranquillisant.

– Ellie ? fit Grant. Veux-tu venir voir sa langue ?

La grosse langue d'un rouge sombre pendait de la bouche de l'animal. Le vétérinaire dirigea sur elle le faisceau d'une torche afin qu'Ellie puisse distinger les toutes petites cloques argentées.

– Intéressant, murmura la jeune femme.

– Les stégos nous donnent bien des soucis, expliqua Harding. Ils sont toujours malades.

– Quels sont les symptômes ? demanda Ellie en grattant la langue de la pointe de son ongle.

– Berk ! fit Lex en voyant un liquide clair s'écouler des cloques.

– Trouble de l'équilibre, désorientation, respiration difficile et diarrhée abondante, répondit Harding. Cela semble se reproduire à peu près toutes les six semaines.

– Ils mangent toute la journée ?

– Et comment ! fit Harding. Un animal de cette taille doit ingérer en moyenne deux cent cinquante kilos de fourrage par jour pour survivre.

– Il ne s'agit donc vraisemblablement pas d'un empoisonnement dû à une plante, déclara Ellie. Un animal broutant en permanence serait tout le temps malade s'il mangeait une plante toxique. Pas une fois toutes les six semaines.

– Je suis d'accord, dit le vétérinaire.

– Vous permettez ? demanda Ellie en prenant la torche. Le tranquillisant provoque-t-il un réflexe pupillaire ?

– Oui, il y a une contraction de la pupille.

– Mais elles sont dilatées ! s'exclama Ellie.

Harding se pencha en avant. La pupille du stégosaure était indiscutablement dilatée et elle ne se contractait pas en recevant la lumière.

– Ça alors ! s'écria le vétérinaire. C'est un réflexe pharmacologique.

– En effet, dit Ellie en se redressant. Quelle est la superficie du territoire des stégosaures ?

– Environ treize kilomètres carrés.

– Dans la zone où nous sommes ? demanda-t-elle en regardant autour d'elle.

Ils se trouvaient dans une vaste prairie où n'apparaissaient que de rares affleurements rocheux et quelques écharpes de vapeur s'élevant du sol. L'après-midi était bien avancé et le ciel prenait des reflets roses sous les nuages gris menaçants.

– Leur territoire se trouve un peu plus au nord-est, dit Harding, mais, quand ils tombent malades, c'est souvent par ici.

Voilà un problème intéressant, songea Ellie. Et comment expliquer la périodicité de l'intoxication ?

– Vous voyez ces arbustes à l'aspect fragile ? demanda-t-elle en tendant le doigt. Là-bas ?

– Des arbres à chapelet, répondit Harding. Nous savons que les baies sont toxiques et les animaux n'en mangent pas.

– Vous en êtes sûr ?

– Absolument. Nous les surveillons sur nos écrans vidéo et, pour m'en assurer, j'ai observé leurs excréments. Les stégos n'en mangent jamais.

Melia azedarach, communément appelé arbre à chapelet, contenait plusieurs alcaloïdes toxiques et les Chinois s'en servaient pour empoisonner les poissons.

– Ils n'en mangent pas, répéta le vétérinaire.

– Intéressant, fit Ellie. Sinon, j'aurais dit que cet animal présente tous les symptômes d'une intoxication par les baies de cet arbre : stupeur, formation de cloques sur la muqueuse buccale et dilatation pupillaire.

Elle s'avança dans la prairie pour aller examiner les arbustes de plus près.

– Vous avez raison, lança-t-elle à Harding en se redressant. Les feuilles sont intactes, elles n'ont jamais été broutées.

– Et il y a cet intervalle de six semaines, lui rappela le vétérinaire.

– Quel est l'intervalle entre les passages des stégosaures à cet endroit ?

– Ils passent à peu près une fois par semaine. Ils ont un trajet bien défini à l'intérieur de leur territoire et bouclent le circuit en une semaine.

– Mais ils ne sont malades qu'une fois toutes les six semaines ?

– Exactement, dit Harding.

– Je m'ennuie, gémit Lex.

– Chut ! fit Tim. Le Dr Sattler essaie de réfléchir.

– Sans succès, dit-elle avant de s'engager plus avant dans la prairie.

– Quelqu'un a envie de lancer quelques balles ? entendit-elle Lex demander à la cantonade.

Ellie se pencha pour scruter le sol parsemé de cailloux. Elle entendait le bruit du ressac, quelque part sur sa gauche. Par terre, au milieu des pierres, il y avait des baies. Peut-être les animaux en mangeaient-ils... Non, cela ne tenait pas debout ; ces baies étaient beaucoup trop amères.

– As-tu découvert quelque chose ? demanda Grant en arrivant à sa hauteur.

– Rien que des cailloux, soupira-t-elle. Et nous devons être tout près du rivage, car ils sont polis. Et ils sont disposés en drôles de petits tas.

– En drôles de petits tas ? répéta Grant.

– Il y en a partout. Tiens, regarde.

Au moment où elle montrait du doigt un des tas de cailloux, elle comprit de quoi il s'agissait. Les cailloux étaient bien polis, mais ce n'était pas l'œuvre de l'océan.

Il s'agissait de gastrolithes.

De nombreux oiseaux ainsi que des crocodiles avalent du gravier qui s'accumule dans le gésier, une de leurs poches digestives. Ces petites pierres les aident à broyer les aliments résistants avant qu'ils atteignent l'estomac et facilitent la digestion. Certains scientifiques pensent que les dinosaures avaient également des pierres stomacales. D'une part, les dents des dinosaures exhumés étaient trop petites et trop peu usées pour avoir mâché leur nourriture et l'on supposait qu'ils l'avalaient directement et laissaient les pierres stomacales broyer les fibres végétales. D'autre part, on avait découvert dans plusieurs squelettes des petits cailloux polis dans la région stomacale. Mais jamais cela n'avait pu être vérifié et...

– Des gastrolithes, dit Grant.

– Oui, je crois. Ils avalent ces pierres et, au bout de quelques semaines, quand les cailloux sont devenus lisses, ils les régurgitent en laissant ces petits tas. Puis ils en avalent d'autres. Et, ce faisant, ils ingèrent des baies qui les rendent malades.

– Bon Dieu ! s'écria Grant. Je suis sûr que tu as raison !

Il se pencha sur le petit tas de cailloux qu'il commença à remuer en suivant son instinct de paléontologiste.

Brusquement, il cessa tout mouvement.

– Ellie ! souffla-t-il. Viens voir !

– Allez, vas-y ! cria Lex tandis que Gennaro lui lançait la balle. Dans mon gant ! Dans mon gant !

Elle la renvoya avec une telle force que l'avocat ressentit une brûlure en l'attrapant.

– Hé ! Doucement ! Je n'ai pas de gant, moi !

– Lavette ! lâcha-t-elle d'un ton dédaigneux.

Agacé, Gennaro lança la balle de toutes ses forces et il l'entendit frapper le cuir du gant avec un bruit sec.

– Ça, c'est bien joué, dit Lex.

Debout près du dinosaure anesthésié, Gennaro continua de lancer la balle à la fillette tout en discutant avec Malcolm.

– Comment ce dinosaure malade s'intègre-t-il à votre théorie ?

– C'était prévu, répondit le mathématicien.

– Y a-t-il quelque chose qui ne soit *pas* prévu par votre théorie ? poursuivit Gennaro en secouant la tête.

– Écoutez, dit Malcolm, je n'y suis pour rien ; c'est la théorie du chaos. Mais je constate que personne n'est disposé à prêter attention aux conséquences des lois mathématiques. Car les conséquences pour la vie humaine ont une tout autre ampleur que le principe de Heisenberg ou le théorème de Gödel dont on nous rebat les oreilles et qui sont plutôt des considérations théoriques, ou bien philosophiques, alors que la théorie du chaos s'applique à la vie de tous les jours. Savez-vous pourquoi on a commencé à construire des ordinateurs ?

– Non, répondit Gennaro.

– Allez ! Dans mon gant ! hurla Lex.

– Les premiers ordinateurs ont été construits à la fin des années quarante, parce que des mathématiciens comme John von Neumann pensaient que celui qui disposerait d'un ordinateur – une machine capable de traiter simultanément un grand nombre de variables – serait en mesure de faire des prévisions météorologiques. Réussir enfin à faire entrer le temps dans le champ de la connaissance humaine. Et, pendant quarante ans, des hommes ont poursuivi ce rêve. Ils ont cru que, pour faire des prévisions, il suffisait d'emmagasiner les informations, que, si l'on avait des connaissances suffisantes, on pouvait tout prévoir. Depuis Newton, c'est une croyance chère aux scientifiques.

– Et alors ?

– La théorie du chaos démontre que ce n'est qu'un mirage. Elle nous apprend qu'il est absolument impossible de prédire certains phénomènes. Le temps qu'il fera ne peut pas être prédit plus de quelques jours à l'avance. Tout l'argent dépensé pour les prévisions à long terme, un demi-milliard de dollars en quelques décennies, est de l'argent gaspillé, dépensé en pure perte. Une entreprise aussi illusoire que de vouloir transformer le plomb en or. Nous nous moquons de ce que les alchimistes essayaient de faire, mais les générations futures se moqueront de nous de la même manière. Nous avons tenté l'impossible... et nous y avons englouti en vain des sommes considérables. Il existe en fait de grandes catégories de phénomènes qui, par essence, sont imprévisibles.

– C'est ce que dit votre théorie ?

– Oui, et il est stupéfiant de voir si peu de gens l'accepter. J'ai fourni tous les éléments à Hammond bien avant qu'il vienne s'installer ici. Vous voulez fabriquer des animaux préhistoriques et les faire vivre sur une île ? Parfait... C'est un beau rêve, une idée séduisante. Mais cela ne se passera pas comme prévu. C'est un projet dont l'évolution est imprévisible, comme celle des conditions atmosphériques.

– Vous lui avez dit ça ? demanda Gennaro.

– Oui, et je lui ai également dit que des perturbations étaient inéluctables et qu'il fallait à l'évidence redouter des problèmes d'adaptation des animaux à leur environnement. Ce stégosaure vivait il y a cent millions d'années et il n'est pas adapté au monde d'aujourd'hui. L'air, le rayonnement solaire, le sol, les insectes, les sons, la végétation sont différents... tout est différent. La teneur en oxygène a diminué. Ce pauvre animal est dans la situation d'un être humain à trois mille mètres d'altitude. Écoutez-le respirer.

– Et les autres risques ?

– En gros, la capacité du parc à contrôler le développement d'êtres vivants. Dans l'histoire de l'évolution, la vie renverse toutes les barrières. La vie prend le large, la vie conquiert de nouveaux territoires. C'est parfois ardu, parfois dangereux, mais la vie trouve toujours un moyen. Je ne voudrais pas philosopher, acheva Malcolm en secouant la tête, mais c'est ainsi que vont les choses.

Le regard de Gennaro se porta dans la direction d'Alan et Ellie. Les deux scientifiques les appelaient en agitant les bras.

– Vous avez trouvé mon coca ? demanda Nedry en voyant Muldoon revenir dans la salle de contrôle.

Muldoon ne se donna pas la peine de répondre. Il se dirigea directement vers le moniteur pour voir s'il y avait du nouveau et il entendit la voix de Harding.

– ... le stégo... enfin... nous en occupons... de suite...

– Que se passe-t-il ? demanda Muldoon.

– Ils sont tout au sud, à la pointe de l'île, répondit Arnold. C'est pourquoi la communication est mauvaise. Je vais les prendre sur une autre fréquence. Mais ils ont découvert pourquoi les stégos sont malades... C'est à cause de certaines baies qu'ils avalent.

– J'étais sûr que ce problème serait résolu un jour ou l'autre, fit Hammond.

– Je ne trouve pas cela impressionnant, dit Gennaro en regardant le petit fragment blanc, pas plus gros qu'un timbre-poste, posé sur le bout de son doigt. Vous en êtes absolument sûr, Alan ?

– Sûr et certain, répondit Grant. Ce qui me permet d'être aussi affirmatif, ce sont les dessins sur la courbure de la surface intérieure. Retournez-le et vous remarquerez un réseau de petites lignes en saillie, formant des triangles grossiers.

– Oui, je les vois.

– Eh bien, nous avons mis au jour dans le Montana deux œufs présentant les mêmes dessins à l'intérieur de la coquille.

– Et vous affirmez que ce que je tiens est un fragment de coquille d'œuf de dinosaure ?

– Je suis formel, dit Grant.

– Nos dinosaures ne peuvent pas se reproduire, objecta Harding.

– Il est manifeste que si, rétorqua Gennaro.

– Ce doit être un œuf d'oiseau, poursuivit le vétérinaire. Il y a des dizaines d'espèces qui nichent dans l'île.

– Regardez bien la courbure, fit Grant en secouant la tête. La coquille presque plate est celle d'un œuf de grande taille. Et remarquez l'épaisseur de cette coquille; à moins qu'il n'y ait des autruches dans l'île, il s'agit d'un œuf de dinosaure.

– Mais je vous assure qu'ils ne peuvent pas se reproduire, insista Harding. Tous nos animaux sont des femelles.

– Tout ce que je sais, répliqua Grant, c'est qu'il s'agit d'un œuf de dinosaure.

– Pouvez-vous déterminer de quelle espèce? demanda Malcolm.

– Oui, répondit Grant. C'est un œuf de velociraptor.

CONTRÔLE

– Absolument ridicule ! s'écria Hammond. C'est nécessairement un œuf d'oiseau ! Je ne vois pas ce que cela pourrait être d'autre !

La radio émit quelques craquements, puis il entendit la voix de Malcolm.

– Nous pouvons nous livrer à une petite expérience, si vous êtes d'accord. Voulez-vous demander à M. Arnold d'afficher sur l'écran d'un ordinateur un de ses tableaux de comptage.

– Tout de suite ?

– Oui, tout de suite. Si j'ai bien compris, nous pouvons le recevoir sur la console de la voiture de M. Harding. Voulez-vous le lui demander, je vous prie ?

– Pas de problème, dit Arnold.

Quelques instants plus tard, dans la salle de contrôle, un tableau s'afficha sur un écran.

TOTAL ANIMAUX	238		
ESPÈCES	RECHERCHÉS	TROUVÉS	VERSION
Tyrannosaure	2	2	4.1
Maiasaura	21	21	3.3
Stégosaure	4	4	3.9
Tricératops	8	8	3.1
Procompsognathus	49	49	3.9
Othnielia	16	16	3.1
Velociraptor	8	8	3.0
Apatosaure	17	17	3.1
Hadrosaure	11	11	3.1
Dilophosaure	7	7	4.3
Ptérosaure	6	6	4.3
Hypsilophodon	33	33	2.9
Euoplocéphale	16	16	4.0
Styracosaure	18	18	3.9
Microcératops	22	22	4.1
TOTAL	238	238	

– J'espère que vous êtes satisfait, grommela Hammond. Est-ce que vous le recevez sur votre écran ?

– Oui, dit Malcolm, nous l'avons.

– Tout a été prévu, comme toujours, poursuivit Hammond sans dissimuler sa satisfaction.

– Et maintenant, reprit Malcolm, pouvez-vous demander à l'ordinateur de rechercher un nombre différent d'animaux ?

– Quel nombre ? demanda Arnold.

– Deux cent trente-neuf.

– Une minute, fit Arnold, l'air perplexe.

Quelques instants plus tard, l'écran afficha :

TOTAL ANIMAUX 239

ESPÈCES	RECHERCHÉS	TROUVÉS	VERSION
Tyrannosaure	2	2	4.1
Maiasaura	21	21	3.3
Stégosaure	4	4	3.9
Tricératops	8	8	3.1
Procompsognathus	49	50	??
Othnielia	16	16	3.1
Velociraptor	8	8	3.0
Apatosaure	17	17	3.1
Hadrosaure	11	11	3.1
Dilophosaure	7	7	4.3
Ptérosaure	6	6	4.3
Hypsilophodon	33	33	2.9
Euoplocéphale	16	16	4.0
Styracosaure	18	18	3.9
Microcératops	22	22	4.1
TOTAL	238	239	

– Qu'est-ce que ça veut dire ? s'écria Hammond en se raidissant sur son siège.

– Nous avons trouvé un nouveau compy.

– D'où sort-il ?

– Je n'en sais rien.

– Et maintenant, dit la voix de Malcolm après quelques grésillements de la radio, pouvez-vous demander à l'ordinateur de chercher, disons trois cents animaux ?

– Mais qu'est-ce qu'il raconte ? demanda Hammond d'une voix vibrante. Trois cents animaux ? Mais qu'est-ce qu'il raconte ?

– Attendez un peu, dit Arnold. Cela va prendre quelques minutes.

Il appuya sur plusieurs touches et la première ligne s'afficha sur l'écran.

TOTAL ANIMAUX	239

– Je ne comprends pas où il veut en venir, lança Hammond.

– Moi, je crains de comprendre, murmura Arnold sans quitter des yeux l'écran sur lequel le nombre d'animaux de la première ligne commençait à augmenter régulièrement.

TOTAL ANIMAUX	244

– Deux cent quarante-quatre! s'exclama Hammond. Mais que se passe-t-il ?

– L'ordinateur est en train de procéder au comptage des animaux du parc, répondit Wu. De *tous* les animaux.

– C'est ce que j'ai toujours cru qu'il faisait! Nedry! Vous avez fait une autre connerie?

– Non, répondit le programmeur en levant les yeux de sa console. L'ordinateur permet à l'opérateur d'entrer le nombre attendu d'animaux afin d'accélérer le processus de comptage. C'est par souci de commodité; il n'y a pas d'erreur de programmation.

– Il a raison, dit Arnold. Nous avons toujours utilisé ce nombre de deux cent trente-huit parce que nous n'avons jamais imaginé qu'il pourrait y en avoir plus.

TOTAL ANIMAUX	262

– Qu'est-ce que c'est que cette histoire? s'écria Hammond. Ces animaux ne peuvent pas se reproduire! L'ordinateur doit compter des mulots ou autre chose!

– C'est aussi mon avis, dit Arnold. Il s'agit très probablement d'une erreur dans la recherche visuelle. Mais nous allons bientôt le savoir.

– Ils ne peuvent pas se reproduire, hein? lança Hammond en se tournant vers Henry Wu.

– Non, répondit le généticien.

TOTAL ANIMAUX	270

– Mais d'où viennent-ils ? demanda Arnold.
– Pas la moindre idée, répondit Wu.
Et ils regardèrent en silence le nombre qui continuait d'augmenter.

TOTAL ANIMAUX	283

– Bordel de merde, jusqu'où cela va-t-il aller ? entendirent-ils Gennaro demander.
Puis ce fut la voix de la fillette qui leur parvint.
– Je commence à avoir faim. Quand est-ce qu'on rentre ?
– Bientôt, Lex, bientôt.
Un message d'erreur s'afficha soudain sur l'écran.

ERREUR : **Recherche param : 300 Animaux Non Trouvés**

– Une erreur, murmura Hammond en hochant la tête. C'est bien ce qu'il me semblait. Dès le début, je me suis dit qu'il devait y avoir une erreur.
Mais, quelques instants plus tard, un nouveau tableau s'afficha sur l'écran.

TOTAL ANIMAUX 292

ESPÈCES	RECHERCHÉS	TROUVÉS	VERSION
Tyrannosaure	2	2	4.1
Maiasaura	21	22	??
Stégosaure	4	4	3.9
Tricératops	8	8	3.1
Procompsognathus	49	65	??
Othnielia	16	23	??
Velociraptor	8	37	??
Apatosaure	17	17	3.1
Hadrosaure	11	11	3.1
Dilophosaure	7	7	4.3
Ptérosaure	6	6	4.3
Hypsilophodon	33	34	??
Euoplocéphale	16	16	4.0
Styracosaure	18	18	3.9
Microcératops	22	22	4.1
TOTAL	238	292	

– Vous voyez maintenant l'inconvénient de votre système, déclara Malcolm. Vous ne cherchiez que le nombre de dinosaures que vous vous attendiez à trouver. Vous redoutiez de perdre des animaux et votre système de surveillance était conçu pour vous avertir immédiatement si certains manquaient à l'appel. Mais le problème n'était pas là ; le problème, c'est qu'il y avait *plus* d'animaux que prévu.

– Bon Dieu ! souffla Arnold.

– C'est impossible, affirma Wu. Nous savons combien nous en avons lâché dans le parc et il ne peut pas y en avoir plus.

– Je crains que si, Henry, répliqua Malcolm. Vos dinosaures se reproduisent.

– Non.

– Même si vous refusez de considérer comme une pièce probante la coquille d'œuf de Grant, vos propres observations en apporteront la preuve. Regardez la courbe de répartition des tailles pour les compys. Arnold va vous la montrer.

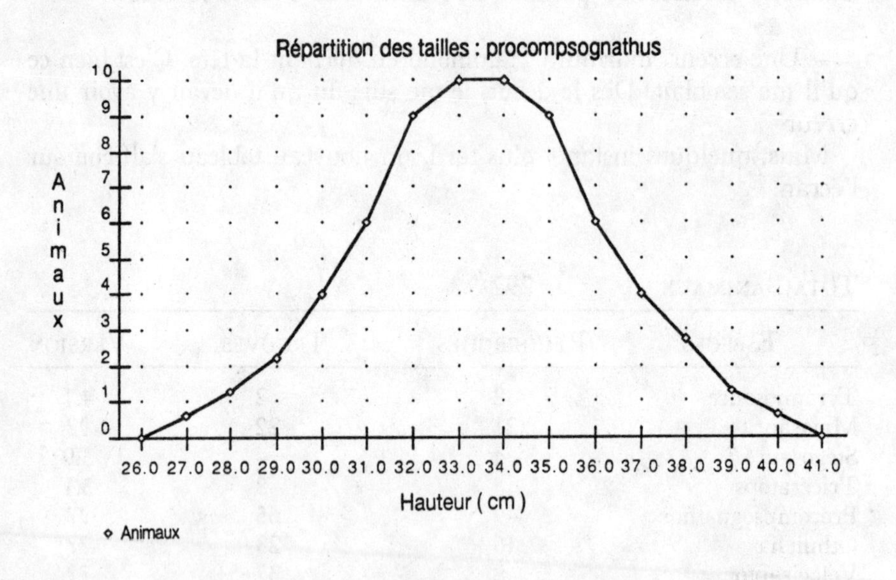

– Avez-vous remarqué quelque chose ? demanda Malcolm.

– C'est une distribution de Poisson, répondit Wu. La courbe est normale.

– Mais ne m'avez-vous pas dit que les compys avaient été fabriqués en trois lots ? A six mois d'intervalle ?

– Si, mais...

– Dans ce cas, vous devriez avoir dans votre graphique des pics pour chacun des trois lots, expliqua Malcolm en tapotant le clavier. Comme ceci :

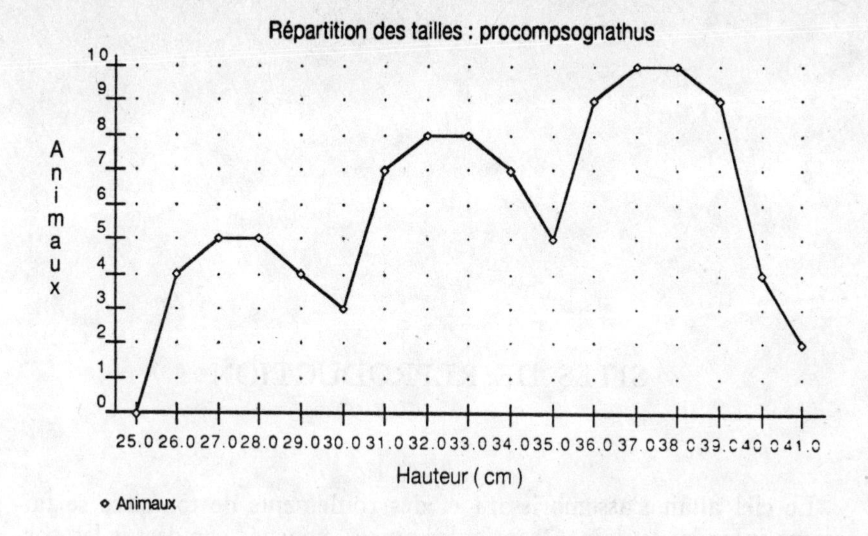

Mais ce n'est pas la courbe que vous avez obtenue, reprit le mathématicien. La vôtre est celle d'une population qui se multiplie. Vos compys se reproduisent.

– Je ne vois pas comment ce serait possible, fit Wu en secouant vivement la tête.

– Ils se reproduisent tout comme les othnielias, les maiasauras, les hypsys... et les velociraptors.

– Seigneur ! murmura Muldoon. Il y a des raptors en liberté dans le parc !

– Allons, ce n'est pas si grave, fit Hammond, le regard rivé sur l'écran. L'augmentation de la population est limitée à trois espèces... disons cinq. Pour deux d'entre elles, cette augmentation est minime...

– Qu'est-ce que vous racontez ? dit Wu en haussant la voix. Vous ne comprenez donc pas ce que cela implique ?

– Bien sûr que si, Henry. Cela implique que vous avez tout foiré.

– Absolument pas !

– Vos dinosaures sont féconds, Henry !

– Mais c'est impossible ! rétorqua Wu. Je vous répète que ce sont tous des femelles ! Il doit y avoir une erreur... Et regardez ces chiffres ! L'accroissement est réduit chez les animaux de grande taille, maiasauras et hypsilophodons, mais il est important chez les petits. Cela ne tient pas debout... Il doit y avoir une erreur.

– Il n'y a pas d'erreur, dit la voix de Grant à la radio. Je pense que ces chiffres confirment qu'il y a bel et bien reproduction. Dans sept sites disséminés dans l'île.

SITES DE REPRODUCTION

Le ciel allait s'assombrissant et des roulements de tonnerre se faisaient entendre au loin. Grant et les autres, penchés par-dessus les portières de la jeep, regardaient l'écran du tableau de bord.

– Des sites de reproduction ? demanda Wu.

– Des nids, si vous préférez, fit Grant. En admettant que chaque couvée comprenne de huit à douze œufs, les chiffres indiqueraient que les compys ont deux nids. Les raptors en ont également deux. Les othys ont un seul nid, de même que les hypsys et les maias.

– Et où sont-ils, ces nids ?

– A nous de les découvrir, répondit Grant. Les dinosaures choisissent des endroits retirés pour faire leur nid.

– Mais pourquoi y a-t-il si peu de gros animaux ? poursuivit Wu. S'il y a entre huit et douze œufs dans une couvée de maias, il devrait y avoir entre huit et douze nouveaux maias, et non un seul.

– Exact, fit Grant. Mais les raptors et les compys qui se baladent dans le parc mangent probablement les œufs des gros animaux... et peut-être même les petits à peine sortis de l'œuf.

– Mais nous n'avons jamais rien remarqué, protesta Arnold de la salle de contrôle.

– Les raptors sont des animaux nocturnes, expliqua Grant. Le parc est-il surveillé la nuit ?

Il y eut un long silence.

– Cela ne tient toujours pas debout, insista Henry Wu. Les cinquante animaux supplémentaires ne peuvent se nourrir exclusivement d'œufs.

– Non, dit Grant, je suppose qu'ils mangent autre chose. Peut-être de petits rongeurs, des souris et des rats.

Il y eut un nouveau silence.

– Permettez-moi d'émettre une hypothèse, reprit Grant. J'imagine qu'à votre arrivée dans cette île les rats représentaient un véritable fléau, mais que, à mesure que le temps passait, le problème a progressivement disparu.

– C'est vrai, mais...

– Et vous n'avez jamais cherché à savoir pourquoi ?

– Eh bien, nous avons supposé..., répondit Arnold sans achever sa phrase.

– Écoutez, dit Wu, je maintiens que tous les animaux sont des femelles et qu'ils ne peuvent pas se reproduire.

Grant avait déjà réfléchi à la question. Il avait récemment pris connaissance d'une fascinante étude publiée en Allemagne qui pouvait apporter la réponse à cette question.

– Quand vous avez reconstitué votre A.D.N. de dinosaure, dit-il en s'adressant à Wu, vous avez bien travaillé sur des fragments ?

– Oui, répondit le généticien.

– Pour obtenir une molécule complète, avez-vous été amené à utiliser des fragments d'A.D.N. d'une origine différente ?

– De temps en temps, répondit Wu. C'était le seul moyen d'arriver à nos fins. Nous avons utilisé de l'A.D.N. d'oiseau, de différentes espèces, et, en quelques occasions, de l'A.D.N de reptile.

– Et de l'A.D.N. de batracien ? Plus particulièrement de grenouille ?

– C'est possible. Il faudrait vérifier.

– Faites-le, déclara Grant. Je pense que vous obtiendrez votre réponse.

– De l'A.D.N. de grenouille ? demanda Malcolm. Pourquoi posez-vous cette question ?

– Écoutez, lança Gennaro avec agacement, tout cela est passionnant, mais il ne faut pas oublier la question essentielle : des animaux ont-ils pu s'échapper de l'île ?

– Ces chiffres ne nous donnent aucune indication, répondit Grant.

– Alors, comment allons-nous le savoir ?

– A ma connaissance, dit Grant, il existe un autre moyen et un seul. Il va nous falloir découvrir tous les nids de dinosaures du parc, les examiner attentivement et compter les fragments de coquille qui subsistent. De cette manière, nous réussirons peut-être à déterminer combien d'animaux sont nés et nous pourrons commencer à calculer s'il en manque.

– Certes, objecta Malcolm, mais cela ne vous apprendra pas si les animaux manquants ont été tués, s'ils sont morts de causes naturelles ou bien s'ils ont quitté l'île.

– Vous avez raison, concéda Grant, mais c'est un début. Je pense également qu'une étude plus approfondie des courbes de population nous fournira d'autres renseignements.

– Et comment allons-nous trouver ces nids ?

– Eh bien, répondit Grant, je pense que l'ordinateur pourra nous donner un coup de main.

– On peut rentrer maintenant ? lança Lex d'une voix plaintive. Je meurs de faim !

– Oui, fit Grant en adressant un sourire à la fillette, allons-y. Tu as été très patiente.

– Et tu pourras manger dans une vingtaine de minutes, ajouta Regis en se dirigeant vers les Land Cruiser.

– Je vais rester un peu, déclara Ellie, pour prendre quelques photos du stégosaure avec l'appareil du Dr Harding. Les cloques qu'il a sur la langue se seront résorbées demain.

– Moi, je veux rentrer, dit Grant. Je pars avec les enfants.

– Moi aussi, fit Malcolm.

– Je crois que je vais rester, dit Gennaro. Je rentrerai dans la jeep avec Harding et le Dr Sattler.

– Bon, en route.

– Pour quelle raison précise notre avocat a-t-il choisi de rester ? demanda Malcolm tandis qu'ils repartaient vers les voitures.

– Cela a peut-être un rapport avec le Dr Sattler, répondit Grant en haussant les épaules.

– Vous croyez ? A cause du short ?

– Ce ne serait pas la première fois, répondit Grant.

– Cette fois, je veux monter dans la première voiture, avec le Dr Grant, déclara Tim en s'arrêtant devant les Land Cruiser.

– Malheureusement, fit Malcolm, le Dr Grant et moi avons beaucoup de choses à nous dire.

– Je resterai bien tranquille et je n'ouvrirai pas la bouche, insista le garçon.

– C'est une conversation privée que nous devons avoir.

– J'ai une idée, Tim, proposa Ed Regis. Laissons-les seuls dans la seconde voiture ; nous, nous allons prendre la voiture de tête et tu pourras essayer les lunettes de vision nocturne. Qu'est-ce que tu en dis, Tim ? Des lunettes qui permettent de voir la nuit.

– Super ! s'écria Tim en s'avançant vers la voiture de tête.

– Hé ! attends-moi ! cria Lex. Moi aussi, je veux les essayer !

– Non ! répliqua sèchement son frère.

– C'est pas juste ! Pas juste ! C'est toujours toi qui fais tout !

Ed Regis les regarda s'éloigner, puis il se tourna vers Grant.

– J'imagine ce que va être le trajet de retour, soupira-t-il.

Grant et Malcolm montèrent dans le second Land Cruiser au moment où les premières gouttes de pluie s'écrasaient sur le pare-brise.

– Allons-y, dit Ed Regis. Moi aussi, je commence à avoir faim. Et je n'aurais rien contre un petit daiquiri à la banane. Qu'en dites-vous, messieurs ?

Il frappa du poing la carrosserie de la voiture.

– Rendez-vous au camp de base ! lança-t-il avant de se mettre à courir vers le Land Cruiser de tête.

Dès qu'il fut monté, une lumière rouge clignota sur le tableau de bord et, avec un doux ronronnement électrique, les deux véhicules se mirent en marche.

La lumière commençait à baisser et Malcolm semblait étrangement calme.

– Vous devez vous sentir conforté dans votre théorie, dit Grant.

– En fait, répondit le mathématicien, je ressens une certaine appréhension. Je crains que nous ne soyons arrivés à un point très dangereux.

– Pourquoi ?

– Une intuition.

– Les mathématiciens croient à l'intuition ?

– Absolument. C'est très important, l'intuition. En réalité, je songeais aux fractales. Vous savez ce que c'est ?

– Pas vraiment, fit Grant en secouant la tête.

– C'est une sorte de géométrie. Contrairement à la géométrie euclidienne, celle que tout le monde étudie à l'école – les carrés, les cubes, les sphères –, la géométrie fractale semble décrire de véritables objets du monde réel. Les montagnes et les nuages sont des figures fractales. Ainsi, d'une certaine manière, les fractales sont probablement liées à la réalité. Vous savez que Mandelbrot a découvert quelque chose de tout à fait extraordinaire avec sa panoplie géométrique. Il a découvert que les choses étaient presque identiques à des échelles différentes.

– Des échelles différentes ? répéta Grant.

– Prenons un exemple, dit Malcolm. Une grande montagne, vue de loin, a une certaine forme accidentée de montagne. Quand on se rapproche et qu'on examine un pic particulier de cette grande montagne, on constate qu'il a la même forme que la montagne. Et si on continue, jusqu'à un tout petit fragment de rocher, on observe au microscope qu'il a fondamentalement la même forme fractale que la grande montagne.

– Je ne vois pas ce qui est de nature à vous inquiéter là-dedans, fit Grant.

Il étouffa un bâillement. Il avait dans les narines l'odeur âcre et sulfureuse des vapeurs volcaniques. Le Land Cruiser atteignait la portion de route qui longeait la côte, dominant la grève et l'océan.

– C'est une façon de voir les choses, reprit Malcolm après un silence. Mandelbrot a découvert une similitude allant du plus grand au plus petit. Et cette similitude se retrouve dans les événements.

– Quels événements ?

– Prenons l'exemple du prix du coton. Il y a d'excellentes archives qui remontent à plus d'un siècle. Quand on étudie les fluctuations des cours du coton, on se rend compte que la courbe des prix sur une journée est fondamentalement semblable à celle des prix sur une semaine, qui elle-même ne diffère pas sensiblement d'une courbe établie sur un an ou sur une décennie. Ainsi vont les choses; une journée ressemble à une vie entière. On entreprend quelque chose, puis on finit par faire autre chose; on projette de faire des achats, mais on ne les fait pas... Et, quand vient l'heure du bilan, on se rend compte que l'existence tout entière a été faite d'une suite d'événements fortuits. La vie a le même aspect général que celui d'une journée.

– Je suppose que l'on peut voir les choses de cette manière, concéda Grant.

– Non, répliqua Malcolm, c'est la *seule* manière de voir les choses. Du moins la seule qui soit fidèle à la réalité. Vous comprenez, ce concept fractal de similitude implique l'idée de récurrence, de retour cyclique, ce qui signifie que les événements sont imprévisibles, qu'ils peuvent être sujets à des changements imprévus et soudains.

– Je vois...

– Mais, pour nous rassurer, nous nous sommes imaginé qu'un changement brusque est quelque chose qui se produit en dehors de l'ordre normal des choses. Un accident, comme une collision entre deux voitures, ou bien une fatalité, comme une maladie incurable. Nous sommes incapables de concevoir que le changement brusque, radical, irrationnel fait partie intégrante de l'existence. Et pourtant, c'est la vérité. La théorie du chaos nous enseigne que la linéarité que nous avons fini par considérer comme allant de soi dans tous les domaines, de la physique à la fiction, la linéarité n'existe pas. Ce n'est qu'une manière artificielle de considérer le monde. La vie réelle n'est jamais une suite d'événements intimement liés, qui se succèdent comme les perles d'un collier. La vie est en fait une suite de rencontres dans lesquelles chaque événement peut modifier ceux qui le suivent d'une manière totalement imprévisible et radicale.

Malcolm s'enfonça dans son siège, le regard fixé sur l'autre Land Cruiser qui les précédait de quelques dizaines de mètres.

– C'est une vérité profonde de la structure de notre univers, reprit-il, mais, pour des raisons que je m'explique mal, nous tenons à faire comme si elle n'avait pas de réalité.

A cet instant précis, les deux voitures s'arrêtèrent avec une secousse.

– Que se passe-t-il ? demanda Grant.

Devant eux, dans la voiture de tête, ils virent les enfants qui montraient l'océan du doigt. A quelque distance de la côte, sous une couche de nuages menaçants, Grant distingua la sihouette sombre du navire de ravitaillement qui repartait vers Puntarenas.

– Pourquoi nous sommes-nous arrêtés ? demanda Malcolm.

Grant alluma la radio et entendit la voix excitée de la fillette.

– Regarde, Timmy ! Tu le vois, là-bas ?

Malcolm plissa les yeux pour suivre le navire.

– Ils parlent du cargo ? demanda-t-il.

– Apparemment.

Ed Regis descendit de son Land Cruiser et s'approcha au pas de course du second véhicule.

– Je suis désolé, dit-il, mais les gamins sont tout excités. Avez-vous des jumelles dans la voiture ?

– Pour quoi faire ?

– La petite affirme qu'elle a vu quelque chose sur le navire, répondit Regis. Elle dit qu'il y a un animal.

Grant saisit les jumelles, posa les coudes sur le rebord de la portière et scruta lentement les contours du navire. Il faisait déjà si sombre qu'il avait l'impression de le voir se découper sur l'océan en ombre chinoise. Soudain, les feux du bâtiment s'allumèrent, points brillants dans le crépuscule aux reflets pourpres.

– Voyez-vous quelque chose ? demanda Ed Regis.

– Non, répondit Grant.

– Ils sont vers le bas, dit la voix de Lex à la radio. Regardez vers le bas.

Grant baissa les jumelles et examina la coque juste au-dessus de la ligne de flottaison. C'était un navire ventru, à larges baux, mais il faisait trop sombre pour qu'il pût distinguer les détails.

– Non, je ne vois rien...

– Moi, je les vois ! reprit Lex avec impatience. Vers l'arrière... Regardez vers l'arrière !

– Comment peut-elle voir quoi que ce soit avec cette lumière ? demanda Malcolm.

– Les enfants ont une excellente vue, répondit Grant. Ils ont une acuité visuelle dont nous avons perdu jusqu'au souvenir.

Il orienta les jumelles vers la poupe en les déplaçant très lentement et, soudain, il vit les animaux. Ils jouaient en se faufilant au milieu des superstructures de la poupe. Grant ne discerna fugitivement que leurs silhouettes dans la lumière indécise, mais il eut le temps de voir qu'ils mesuraient une soixantaine de centimètres de haut et qu'ils se tenaient debout en se servant de leur queue comme d'un balancier.

– Vous les voyez ? demanda Lex.

– Oui, je les vois.

– Qu'est-ce que c'est ?

– Des velociraptors, répondit Grant. Il y en a au moins deux, peut-être plus. Des jeunes.

– Bon Dieu ! souffla Regis. Ce navire regagne le continent.

– Ne nous énervons pas, fit Malcolm avec un petit haussement d'épaules. Il suffit d'appeler la salle de contrôle et de leur demander de faire revenir le navire.

Ed Regis tendit la main et prit la radio. Ils entendirent des sifflements de parasites et des bourdonnements tandis qu'il changeait rapidement de fréquence.

– Il y a quelque chose qui cloche, grommela-t-il. Cette radio ne marche pas.

Il descendit et se précipita vers l'autre véhicule. Ils le virent se pencher, puis se redresser et tourner la tête vers eux.

– Aucune des deux radios ne marche, dit-il lentement. Je ne peux pas joindre la salle de contrôle.

– Alors, mettons-nous en route, fit Grant.

Muldoon se tenait devant les deux grandes fenêtres de la salle de contrôle qui donnaient sur le parc. A 19 heures, les projecteurs à quartz s'allumaient d'un bout à l'autre de l'île comme une rivière de diamants étincelants. C'était son heure préférée... Il entendit les parasites sur les deux radios.

– Les Land Cruiser sont repartis, annonça Arnold. Ils vont rentrer maintenant.

– Je me demande bien pourquoi ils se sont arrêtés, fit Hammond. Et pourquoi ne pouvons-nous plus leur parler ?

– Je l'ignore, répondit Arnold. Peut-être ont-ils coupé la radio dans les deux voitures.

– C'est probablement dû à l'orage, suggéra Muldoon. Il y a des interférences.

– Ils seront là dans vingt minutes, poursuivit Hammond. Vous devriez appeler pour vous assurer que tout sera prêt à la cuisine. Les enfants vont être affamés.

Arnold prit le téléphone, mais il ne perçut qu'un sifflement aigu et continu.

– Qu'est-ce que c'est que ça ? Que se passe-t-il ?

– Raccrochez, bon Dieu ! grogna Nedry. Vous allez interrompre la transmission des données.

– Vous avez pris *toutes* les lignes téléphoniques ? Même les lignes intérieures ?

– J'ai pris toutes les lignes assurant les communications avec l'extérieur, répliqua Nedry. Mais vos lignes intérieures devraient fonctionner normalement.

Arnold enfonça l'une après l'autre toutes les touches de la console téléphonique, mais, chaque fois, il perçut le même sifflement continu.

– On dirait bien que vous les avez toutes prises.

– Dans ce cas, excusez-moi, fit Nedry. Je vais vous en libérer deux à la fin de la transmission, dans un quart d'heure. J'ai l'impression que le week-end va être long pour moi, poursuivit-il en bâillant. Je pense que je vais aller me chercher ce coca.

Il prit sa sacoche et se dirigea vers la porte.

– Vous ne touchez pas à ma console, hein ? lança-t-il avant de sortir.
– Quel plouc! murmura Hammond quand la porte se fut refermée.
– Oui, fit Arnold, mais je pense qu'il sait ce qu'il fait.

Tout le long de la route, les vapeurs volcaniques prenaient des reflets irisés à la lumière éclatante des projecteurs à quartz.
– Combien de temps faut-il au cargo pour atteindre le continent ? demanda Grant à la radio.
– Dix-huit heures, répondit Ed Regis. La durée de la traversée ne varie guère. Il devrait arriver demain matin, vers 11 heures, ajouta-t-il en regardant sa montre.
– Vous ne pouvez toujours pas joindre la salle de contrôle ? demanda Grant, le front barré par un pli d'inquiétude.
– Non, toujours pas.
– Et Harding ? Vous pouvez le joindre ?
– Non. J'ai essayé, mais il a dû couper sa radio.
– Nous sommes donc les seuls à savoir que ces animaux sont sur le navire, fit pensivement Malcolm.
– J'essaie de prévenir quelqu'un, répliqua Regis. On ne peut pas laisser ces raptors débarquer sur le continent!
– Dans combien de temps serons-nous arrivés ?
– Il nous reste à peu près seize ou dix-sept minutes de trajet, répondit Regis.
Sur la route illuminée par les puissants projecteurs, Grant avait l'impression de rouler dans un éclatant tunnel de verdure. Quelques grosses gouttes s'écrasèrent sur le pare-brise.
Grant sentit le Land Cruiser ralentir, puis le véhicule s'arrêta.
– Que se passe-t-il encore ?
– Je ne veux pas m'arrêter, gémit Lex. Pourquoi est-ce qu'on s'arrête ?
D'un seul coup, tous les projecteurs s'éteignirent et la route fut plongée dans l'obscurité.
– Hé! s'écria Lex.
– Sans doute une coupure de courant, dit Ed Regis. Je suis sûr que la lumière va revenir dans une minute.

– Bon Dieu de merde! s'exclama Arnold, le regard rivé sur ses moniteurs.
– Que se passe-t-il ? demanda Muldoon. Une coupure de courant ?
– Oui, mais seulement sur le périmètre. Tout est normal dans notre bâtiment, mais dehors, dans le parc, le courant est coupé. La lumière, les caméras vidéo, tout.
Les écrans de ses moniteurs vidéo s'étaient éteints.
– Et les Land Cruiser ?

– Ils sont arrêtés quelque part vers l'enclos des tyrannosaures.

– Bon, fit Muldoon, appelez l'entretien et demandez-leur de rétablir l'électricité.

Arnold prit un de ses téléphones, mais, cette fois encore, il n'obtint qu'un sifflement : les ordinateurs de Nedry étaient en train de dialoguer.

– Le téléphone ne marche pas ! Ce con de Nedry ! Nedry ? Où est passé cet abruti ?

Dennis Nedry poussa la porte de la salle portant l'inscription : FERTILISATION. L'alimentation électrique du périmètre n'étant plus assurée, les serrures commandées par carte magnétique étaient désamorcées. Une simple poussée suffisait à ouvrir toutes les portes du bâtiment.

Les problèmes du système de sécurité constituaient le bug le plus préoccupant pour le parc Jurassique. Nedry se demandait si quelqu'un soupçonnait qu'il ne s'agissait pas d'un bug, que l'informaticien lui-même l'avait programmé ainsi. Il avait inclus une trappe classique ; rares étaient les programmeurs de grands systèmes informatiques capables de résister à la tentation de se ménager une entrée secrète. C'était en partie une question de bon sens : si un utilisateur inepte bloquait le système et venait ensuite implorer son aide, il existait ainsi un moyen d'y accéder pour réparer les dégâts. Et c'était également une manière de signature.

Mais cela représentait en plus une assurance sur l'avenir. Le projet du parc Jurassique avait laissé à Nedry des souvenirs pleins d'amertume. Quand son travail sur le système était déjà bien avancé, InGen avait exigé d'importantes modifications, mais refusé de payer les coûts supplémentaires en prétextant qu'elles auraient dû êtres incluses dans le contrat original. Il y avait eu des menaces de poursuites judiciaires et d'autres clients de Nedry avaient reçu des lettres laissant entendre qu'il n'était pas digne de confiance. C'était du chantage, ni plus ni moins, et Nedry s'était vu contraint d'effectuer gratuitement les changements exigés par Hammond.

Mais quand, un peu plus tard, il avait été contacté par Lewis Dodgson, le représentant de Biosyn, Nedry avait prêté une oreille attentive à ses propositions. Il avait été en mesure d'affirmer qu'il pouvait déjouer le système de sécurité du parc Jurassique. Il pouvait avoir accès à n'importe quelle pièce, à n'importe quel système du parc, car il l'avait voulu ainsi, pour le cas où...

Il pénétra dans la salle de fertilisation ; le laboratoire était désert. Comme il l'avait prévu, tout le personnel était en train de dîner. Nedry ouvrit la fermeture éclair de sa sacoche et en sortit la bombe de mousse à raser Gillette. Il dévissa la base et vit que l'intérieur était divisé en petits compartiments circulaires.

Il prit une paire de gants isolants et ouvrit le congélateur sur la porte duquel était écrit : PRODUITS BIOLOGIQUES VIABLES / CONSERVATION – 10 °C MINIMUM. Le congélateur, qui avait les dimensions d'une petite penderie, était rempli du sol au plafond de tablettes contenant des réactifs et des liquides dans des sacs en plastique. Nedry vit sur le côté une petite glacière avec une lourde porte de céramique. Il l'ouvrit et un plateau portant des tubes apparut dans un nuage blanc d'azote liquide.

Les embryons étaient classés par espèces : stégosaure, apatosaure, hadrosaure, tyrannosaure... Chacun était contenu dans un mince tube de verre enveloppé dans du papier alu et fermé par un bouchon. Nedry saisit prestement deux tubes de chaque espèce et les glissa dans la bombe de crème à raser.

Puis il revissa la base du bidon et en fit tourner la partie supérieure. Il entendit un sifflement à l'intérieur quand le gaz s'échappa et sentit le métal se refroidir entre ses mains. Dodgson lui avait affirmé qu'il y avait assez de gaz réfrigérant pour trente-six heures. Largement de quoi arriver à San José.

Nedry s'éloigna du congélateur et plaça la bombe de mousse à raser dans sa sacoche, qu'il referma.

Il sortit du laboratoire et retourna dans le couloir : l'ensemble de l'opération avait pris moins de deux minutes. Il imaginait la consternation qui devait gagner tout le monde dans la salle de contrôle à mesure qu'ils prenaient conscience de la situation. Tous les codes de sécurité étaient neutralisés et toutes les lignes téléphoniques occupées. Sans son aide, plusieurs heures auraient été nécessaires pour remédier à la pagaille... Mais, dans quelques minutes, Nedry serait de retour dans la salle de contrôle et tout rentrerait dans l'ordre.

Et personne ne soupçonnerait jamais ce qu'il avait fait.

Un sourire aux lèvres, Dennis Nedry descendit au rez-de-chaussée, salua le garde d'un signe de tête et continua jusqu'au sous-sol. Il passa devant les Land Cruiser impeccablement alignés et s'arrêta devant la jeep garée près du mur. En montant dans la voiture, Nedry remarqua un curieux tube gris sur le siège arrière. Cela ressemble à un lance-roquettes, songea-t-il en mettant le contact.

Nedry regarda sa montre. S'engager dans le parc et trois minutes de route pour atteindre le quai est. Puis trois autres minutes pour regagner la salle de contrôle.

C'était du gâteau !

– Bordel de merde ! rugit Arnold en tapant sur les touches de son clavier. Tout est bousillé !

Debout à la fenêtre, Muldoon regardait le parc plongé dans l'obscurité. Toutes les lumières étaient éteintes, à l'exception de celles qui éclairaient les abords immédiats des bâtiments principaux. Il vit quelques employés qui couraient pour aller s'abriter de la pluie, mais personne ne semblait avoir remarqué qu'il y avait quelque chose d'anormal. Muldoon tourna la tête vers le pavillon où toutes les lumières brillaient.

– Cette fois, marmonna Arnold, nous sommes dans de beaux draps!

– Pourquoi ? demanda Muldoon.

Il se détourna de la fenêtre juste au moment où la jeep sortait du garage souterrain pour s'engager dans le parc en suivant la route réservée au service d'entretien.

– Cet abruti de Nedry a coupé les systèmes de sécurité, expliqua Arnold. Tout le bâtiment est ouvert... Il n'y a plus une seule porte fermée.

– Je vais le signaler aux gardes, dit Muldoon.

– Ce n'est pas le plus grave, poursuivit Arnold. Quand on coupe les systèmes de sécurité, on coupe également toutes les clôtures périphériques.

– Quelles clôtures ? demanda Muldoon.

– Les clôtures électrifiées de toute l'île, répondit Arnold. Il n'y a plus de courant.

– Vous voulez dire que...

– Exactement, le coupa Arnold en prenant une cigarette. Les animaux peuvent sortir de leur enclos. Il ne se passera probablement rien, mais on ne sait jamais...

– Je ferais mieux d'aller rejoindre les passagers des deux Land Cruiser pour les ramener ici, lança Muldoon en se dirigeant vers la porte.

Il descendit rapidement dans le garage. Le fait que les clôtures ne soient plus électrifiées ne l'inquiétait pas vraiment. La plupart des dinosaures vivaient dans leur enclos depuis au moins neuf mois et ils s'étaient approchés à maintes reprises assez près des clôtures pour en ressentir des effets immédiats. Muldoon savait que les animaux apprenaient rapidement à éviter de recevoir une décharge électrique. Il suffisait à un pigeon de laboratoire de deux ou trois expériences pour comprendre et il lui paraissait peu probable que les dinosaures s'approchent de leurs clôtures.

Ce qui préoccupait beaucoup plus Muldoon, c'était la réaction des passagers des deux Land Cruiser. Il espérait qu'ils n'auraient pas l'idée de descendre de voiture, car, dès que l'électricité reviendrait, les Land Cruiser se remettraient en marche avec ou sans leurs passagers. Ils risquaient de rester sur la route. Certes, avec la pluie, il était peu probable qu'ils quittent les véhicules, mais, enfin... on ne savait jamais.

Il pénétra dans le garage et se dirigea aussitôt vers la jeep. Heureusement qu'il avait eu la prévoyance de mettre le lance-roquettes dans la voiture. Il pouvait partir tout de suite et il arriverait là-bas en...

Où était la voiture ?

Stupéfait, Muldoon regardait l'endroit où il avait laissé la voiture en stationnement.

La jeep avait disparu !

Que diable se passait-il ?

QUATRIÈME ITÉRATION

Inévitablement, des instabilités sous-jacentes commencent à se faire jour.

IAN MALCOLM

SUR LA ROUTE

La pluie tambourinait sur le toit du Land Cruiser. Tim sentait sur son front la pression des lunettes de vision nocturne. Il leva la main vers le bouton situé près de son oreille et régla l'intensité. Il y eut un bref éclat phosphorescent, puis, dans les tons noirs et verts produits par l'électronique, il vit le second Land Cruiser à l'arrêt et distingua les silhouettes du Dr Grant et du Dr Malcolm. Super!

Le Dr Grant regardait droit devant lui, dans sa direction. Tim le vit prendre la radio, puis il entendit un grésillement de parasites et reconnut la voix du paléontologiste.

– Est-ce que tu nous vois, Tim?

Le garçon prit la radio entre les mains d'Ed Regis.

– Oui, je vous vois.

– Tout va bien?

– Oui, tout va bien.

– Restez dans la voiture.

– Ne vous inquiétez pas, dit Tim en coupant la communication.

– Il pleut à verse, marmonna Regis. Bien sûr que nous allons rester dans la voiture!

Tim tourna la tête pour regarder la végétation bordant la route. Avec les lunettes, le feuillage était d'un vert brillant et, à l'arrière-plan, il distinguait dans une autre nuance de vert des portions de la clôture. Les Land Cruiser étaient arrêtés sur le versant d'une colline, ce qui devait signifier qu'ils se trouvaient à proximité du territoire des tyrannosaures. Ce serait merveilleux de voir un tyrannosaure avec les lunettes de vision nocturne! Un frisson d'excitation parcourut le garçon. Peut-être l'énorme animal s'approcherait-il de la clôture pour les observer. Tim se demanda si les yeux du tyrannosaure brilleraient dans l'obscurité pendant qu'ils seraient fixés sur eux. Ce serait génial!

Mais, comme il ne voyait rien de particulier autour de la voiture, il finit par se lasser. Plus personne ne parlait dans les véhicules. La pluie continuait de marteler les toits et l'eau ruisselait sur les vitres. Même avec les lunettes, Tim avait du mal à distinguer quoi que ce fût à l'extérieur.

– Depuis combien de temps sommes-nous immobilisés ? demanda Malcolm.

– Je ne sais pas... Quatre ou cinq minutes.

– Je me demande ce qui peut bien se passer.

– Peut-être un court-circuit provoqué par la pluie.

– Mais nous nous sommes arrêtés avant que la pluie commence vraiment à tomber.

Un nouveau silence s'établit, que Lex rompit d'une voix inquiète.

– Il n'y aura pas d'éclairs, hein ?

La fillette, qui avait toujours été terrifiée par les éclairs, tripotait nerveusement son gant de cuir.

– Qu'avez-vous dit ? demanda le Dr Grant. Nous n'avons pas bien entendu.

– C'était juste ma sœur qui parlait.

– Ah bon !

Tim recommença à scruter la végétation, mais il ne vit rien. Le tyrannosaure était un animal si gros qu'il l'aurait nécessairement vu. Il se demanda si les tyrannosaures se déplaçaient la nuit, s'ils étaient des animaux nocturnes. Il n'avait pas l'impression d'avoir lu quoi que ce soit là-dessus. A son avis, les tyrannosaures sortaient aussi bien le jour que la nuit. Il n'y avait pas d'heure pour les tyrannosaures.

La pluie continuait de tomber avec la même violence.

– Saleté de pluie ! grogna Regis. Il tombe des cordes !

– J'ai faim, dit Lex d'une petite voix.

– Je sais, répondit Regis, mais, pour l'instant, nous sommes bloqués ici. Les voitures électriques fonctionnent avec des câbles enfouis sous la route.

– Combien de temps allons-nous rester bloqués ?

– Jusqu'à ce que le courant soit rétabli.

Bercé par le bruit régulier de la pluie, Tim sentait une somnolence le gagner. Il bâilla longuement et se tourna pour regarder la végétation bordant la gauche de la route. Brusquement, il perçut un bruit sourd et sentit le sol vibrer. Il eut juste le temps de tourner la tête pour apercevoir une forme sombre qui finissait de traverser la route entre les deux voitures.

– Bon sang !

– Qu'est-ce que c'était ?

– C'était énorme, aussi gros que la voiture...

– Tim ? Tu m'entends ?

L'enfant saisit la radio et répondit aussitôt.

– Oui, je vous entends.
– As-tu vu ce que c'était, Tim ?
– Non, je n'ai pas eu le temps.
– Qu'est-ce que ça pouvait bien être ? lança Malcolm.
– As-tu toujours les lunettes de vision nocturne, Tim ?
– Oui, je les ai. Je vais ouvrir l'œil.
– Était-ce le tyrannosaure ? demanda Ed Regis.
– Je ne crois pas... Il était sur la route.
– Mais tu ne l'as pas vu ? insista Regis.
– Non.

Tim s'en voulait d'avoir raté l'animal et de n'avoir pu l'identifier. Un éclair déchira brusquement le ciel et ses lunettes brillèrent d'un vert éblouissant. Il cligna des yeux en commençant à compter : un... deux... Il entendit le fracas du tonnerre, assourdissant et très proche.

Lex se mit à pleurnicher.

– Oh non !...
– Calme-toi, ma petite, murmura Ed Regis. Ce n'était qu'un éclair.

Tim scruta les arbres du bas-côté. La pluie, qui avait redoublé de violence, faisait trembler le feuillage. Tout était mouvant, tout semblait vivant.

Tim se figea. Il y avait quelque chose derrière le feuillage.

Il leva les yeux.

Derrière les arbres, derrière la clôture, il distinguait un corps massif à la surface grenue, rugueuse, semblable à l'écorce d'un arbre. Mais ce n'était pas un arbre... Tim leva les yeux, encore plus haut...

Il découvrit la tête énorme du tyrannosaure. L'animal immobile regardait les deux Land Cruiser par-dessus la clôture. Un nouvel éclair déchira le ciel et le tyrannosaure renversa la tête en arrière et poussa un long rugissement dans la lumière aveuglante. Puis, dans l'obscurité et le silence revenus, il n'y eut plus que le bruit sourd et continu de la pluie.

– Tim ?
– Oui, docteur Grant.
– Tu as vu ce que c'était ?
– Oui.

Tim avait compris que le paléontologiste s'efforçait de ne pas alarmer sa petite sœur.

– Et maintenant, que se passe-t-il ?
– Rien, répondit Tim en surveillant le tyrannosaure. Il attend derrière la clôture.
– D'où je suis, je ne vois pas grand-chose, Tim.
– Moi, je le vois très bien, docteur Grant. Il reste immobile.
– Très bien.

Lex continuait de pleurnicher en reniflant.

Il y eut un silence qui se prolongea. Tim ne quittait pas des yeux le tyrannosaure. Sa tête était énorme, colossale! Son regard se portait alternativement sur les deux voitures et Tim avait l'impression que c'était sur lui que l'animal posait ses yeux que les lunettes rendaient d'un vert intense!

Il réprima un frisson. Son regard commença à descendre le long du corps du grand carnivore, s'éloignant de la grosse tête aux mâchoires puissantes pour s'arrêter sur un bras plus petit mais musclé qu'il vit battre l'air avant de se refermer sur la clôture.

– Bon Dieu! murmura Ed Regis, qui regardait par la vitre.

Le plus grand prédateur que la terre eût jamais porté. La créature la plus redoutable dans l'histoire de la planète. Tout au fond de son cerveau de publicitaire, Regis rédigeait encore des slogans. Mais il ne parvenait pas à maîtriser le tremblement de ses genoux et son pantalon battait comme un drapeau autour de ses jambes. Il était terrifié et eût donné n'importe quoi pour se trouver ailleurs. De tous les passagers des deux véhicules, Ed Regis était le seul à avoir une idée de la férocité d'un tyrannosaure. Il savait quel était le sort promis à ses victimes. Il avait vu les corps mutilés des ouvriers attaqués par les velociraptors, une image gravée dans son cerveau d'une manière indélébile. Et là, c'était un *rex!* Un animal tellement plus gros que les raptors! Le plus grand carnivore qui eût jamais existé!

– *Bon Dieu!*

Le rugissement du tyrannosaure fut terrifiant, comme un hurlement venant d'une autre planète. Ed Regis sentit quelque chose de chaud sur ses jambes... Il venait de pisser dans son pantalon. Il était partagé entre la gêne et la terreur. Tout ce qu'il savait, c'est qu'il devait faire quelque chose. Il ne pouvait pas rester là... Il devait faire *quelque chose.* Ses mains appuyées contre le tableau de bord étaient agitées de violents tremblements.

– *Bon Dieu*! répéta-t-il d'une voix étouffée.

– C'est pas bien de dire des gros mots, fit Lex en agitant le doigt pour le réprimander.

Tim entendit une portière s'ouvrir. Il tourna vivement la tête – les lunettes laissant dans ce mouvement une longue traînée verte – et eut juste le temps de voir Ed Regis descendre du Land Cruiser en rentrant la tête dans les épaules pour se protéger de la pluie.

– Où allez-vous? cria Lex.

Sans répondre, Regis s'éloigna dans la direction opposée de celle où se trouvait le tyrannosaure et disparut dans les bois. La portière du Land Cruiser était restée ouverte et la pluie commençait à pénétrer à l'intérieur.

– Il est parti! s'écria Lex. Où est-il parti? Il nous a laissés tout seuls!

– Ferme cette portière, lança Tim à sa sœur, qui s'était mise à hurler.

– Il nous a laissés tout seuls !

– Tim ? dit la voix de Grant à la radio. Que se passe-t-il, Tim ?

Le garçon se pencha pour essayer de refermer la portière, mais, de la banquette arrière, il ne parvenait pas à atteindre la poignée. Il se retourna vers le tyrannosaure au moment précis où un nouvel éclair découpait fugitivement la gigantesque silhouette de l'animal sur le fond éblouissant du ciel.

– Que se passe-t-il, Tim ?

– Il nous a laissés tout seuls ! Il nous a laissés tout seuls !

Ébloui par l'éclair, Tim ferma les yeux. Quand il les rouvrit, le tyrannosaure était toujours là, au même endroit, immobile et gigantesque. La pluie ruisselait le long de sa gueule. Sa patte avant était refermée sur la clôture...

C'est alors que Tim comprit que, si le tyrannosaure était accroché à la clôture, c'est parce qu'elle n'était plus électrifiée !

– Lex ! Referme la portière !

– Tim ? demanda une voix pressante au milieu des grésillements de la radio.

– Je vous entends, docteur Grant.

– Que se passe-t-il ?

– Regis a fichu le camp.

– Quoi ?

– Il s'est enfui en courant. Je pense qu'il s'est rendu compte que la clôture n'était plus électrifiée.

– La clôture n'est plus électrifiée ! s'écria Malcolm. C'est bien ce qu'il a dit ?

– Lex, vas-tu fermer cette portière !

– Il nous a laissés tout seuls !

La fillette continuait à répéter inlassablement la même phrase d'une voix gémissante et Tim n'eut d'autre solution que de descendre par l'arrière et de claquer la portière avant sous la pluie battante. Un coup de tonnerre retentit, immédiatement suivi d'un nouvel éclair. Tim leva la tête et il vit le tyrannosaure lever sa jambe colossale et l'abattre sur la haute clôture qui s'affaissa.

– Timmy !

Il bondit précipitamment dans la voiture et referma la portière dont le claquement fut couvert par le tonnerre.

– Tim ! Tu m'entends ?

– Oui, je vous entends, répondit-il en saisissant le poste émetteur-récepteur. Verrouille les portières, ajouta-t-il en se tournant vers sa sœur. Mets-toi au milieu de la voiture et cesse de pleurnicher !

Le tyrannosaure secoua la tête et s'avança prudemment, mais ses griffes se prirent dans le treillis métallique de la clôture. Lex demeura pétrifiée sur son siège et regarda l'animal en silence, les yeux écarquillés.

Des grésillements de radio, puis la voix du Dr Grant.

– Tim ?

– Oui.

– Restez dans la voiture et baissez-vous. Ne bougez pas et ne faites aucun bruit.

– D'accord.

– Vous ne risquez probablement rien. Je ne pense pas qu'il puisse ouvrir les portières.

– Bon, d'accord.

– Surtout ne bougez pas, pour ne pas attirer son attention plus qu'il n'est nécessaire.

– Très bien, dit Tim en coupant la communication. Tu as entendu, Lex ?

La fillette hocha la tête en silence, sans quitter des yeux le dinosaure. L'énorme animal lança un nouveau rugissement. A la lumière éblouissante d'un éclair, les deux enfants le virent se dégager de la clôture et bondir vers eux.

L'animal se tenait maintenant entre les deux Land Cruiser. Tim ne voyait plus la voiture du Dr Grant, complètement masquée par l'énorme corps du dinosaure. La pluie dégoulinait sur la peau grenue de la cuisse gigantesque. Tim ne pouvait pas voir la tête de l'animal qui se dressait très haut au-dessus du toit.

Le tyrannosaure commença à contourner la voiture, vers l'endroit où Tim était sorti, où Ed Regis était parti en courant. L'animal s'arrêta et la grosse tête descendit vers le sol boueux.

Tim se retourna vers la voiture du Dr Grant et du Dr Malcolm. Ils regardaient droit devant eux, à travers le pare-brise.

L'énorme tête commença à se relever, les mâchoires ouvertes, et s'arrêta à la hauteur des vitres. Les enfants virent les gros yeux ronds, sans expression, des yeux de reptile, tourner dans leur orbite.

Le tyrannosaure regardait à l'intérieur de la voiture.

Tim entendait la respiration haletante et terrifiée de sa sœur. Il tendit la main vers elle et lui serra le bras en priant pour qu'elle reste immobile. Le dinosaure continua pendant un long moment de regarder par la vitre de la portière. Peut-être ne nous voit-il pas vraiment, songea Tim. La tête se releva enfin et disparut.

– Timmy..., murmura Lex.

– Tout va bien, souffla-t-il. Je pense qu'il ne nous a pas vus.

Il se retournait vers la voiture du Dr Grant quand un choc terrible ébranla le Land Cruiser et étoila le pare-brise. Le tyrannosaure venait de donner un coup de tête sur le capot du véhicule. Tim fut projeté sur le siège et les lunettes glissèrent de son front.

Il se redressa rapidement, clignant des yeux dans l'obscurité, le goût du sang dans la bouche.

– Lex ?

Il ne voyait plus sa sœur.

Le tyrannosaure se tenait vers l'avant du véhicule, la poitrine se soulevant au rythme de sa respiration, battant l'air de ses pattes avant.

– Lex!... chuchota Tim.

Il l'entendit gémir. Elle était étendue sur le plancher, sous le siège avant.

Et la tête gigantesque s'abaissa de nouveau, bouchant complètement le pare-brise fêlé. Le tyrannosaure frappa derechef sur le capot du Land Cruiser. Tim s'accrocha au siège quand la voiture commença à se balancer d'avant en arrière. Le dinosaure assena deux autre coups sur le capot bosselé.

Puis l'animal se déplaça le long de la voiture et sa queue gigantesque boucha les deux vitres latérales. Un grondement sourd et prolongé se mêla à celui du tonnerre. Le dinosaure referma les mâchoires sur la roue de secours fixée sur le coffre du Land Cruiser et l'arracha d'un seul coup. L'arrière du véhicule se souleva, resta suspendu en l'air pendant quelques instants, puis retomba lourdement dans une gerbe d'eau boueuse.

– Tim! appela le Dr Grant. Est-ce que tu me reçois?

– Tout va bien, répondit le garçon.

Les griffes du tyrannosaure raclèrent le toit de la voiture avec un crissement aigu. Tim sentait son cœur lui marteler la poitrine. Par les vitres de droite, il ne voyait rien que cette peau rugueuse de reptile. Le tyrannosaure s'était appuyé sur la voiture qui, à chaque inspiration, se balançait violemment avec des grincements d'amortisseurs.

Lex poussa un gémissement. Tim posa la radio et commença à ramper vers le siège avant. Le tyrannosaure rugit et le toit s'enfonça. Tim éprouva une violente douleur sur le crâne et roula au pied de la banquette en heurtant le levier de vitesse. Il se retrouva allongé tout près de Lex et constata avec horreur qu'elle avait tout le côté de la tête couvert de sang. Elle semblait avoir perdu connaissance.

Il y eut une nouvelle secousse et des morceaux de verre tombèrent tout autour de Tim qui sentit des gouttes de pluie. Il souleva la tête et vit que le pare-brise avait volé en éclats. Il ne restait plus que quelques fragments de verre accrochés aux bords et, derrière, la grosse tête du dinosaure.

L'animal avait les yeux fixés sur lui.

Tim fut saisi d'un frisson et il vit la tête s'approcher vivement, la gueule ouverte. Il entendit le frottement des dents sur le métal et sentit l'haleine chaude et fétide de l'animal tandis qu'une énorme langue pénétrait dans la voiture par le pare-brise éclaté. Tim entendit des claquements de langue humide, il sentit la salive chaude du tyrannosaure et l'animal poussa un rugissement assourdissant dans l'espace clos du Land Cruiser...

Puis la tête se retira brusquement.

Tim se redressa péniblement en évitant la bosse qui déformait le toit. Il y avait encore de la place pour s'asseoir à l'avant, près de la portière du passager. Le tyrannosaure se tenait près du pare-chocs, sous la pluie. Il semblait dérouté par ce qui venait de lui arriver et du sang coulait de sa gueule.

L'animal regarda Tim en inclinant la tête pour fixer sur lui un gros œil rond. Sa tête se rapprocha obliquement de la voiture pour voir ce qu'il y avait à l'intérieur. Du sang coulait sur le toit cabossé et se mêlait à la pluie.

Il ne peut pas m'atteindre, songea Tim. Il est trop gros.

Puis la tête s'écarta et, sur le fond du ciel illuminé par un éclair, Tim vit l'énorme patte de derrière se lever. Et tout se mit à tourner follement tandis que le Land Cruiser basculait sur le côté, les vitres s'écrasant dans la boue. Lex alla dinguer contre la portière et Tim roula près d'elle en heurtant violemment de la tête quelque chose de dur. Le choc l'étourdit. Puis le tyrannosaure referma les mâchoires sur le châssis de la vitre et souleva le Land Cruiser en le secouant.

– Timmy! hurla Lex, si près de son oreille qu'il crut avoir le tympan déchiré.

Il referma les bras sur elle au moment où le tyrannosaure lâchait la voiture qui s'écrasa lourdement. Il éprouva une douleur lancinante dans les côtes tandis que sa sœur retombait sur lui. La voiture s'éleva derechef en se balançant furieusement.

– *Timmy!...*

Tim vit la portière s'ouvrir sous la petite fille qui tomba dans une flaque de boue. Il n'eut même pas le temps de répondre à son cri de détresse, car le Land Cruiser se mit à tournoyer en tous sens... Il vit les troncs des palmiers descendre en glissant devant lui et se déplacer obliquement à toute allure... Il aperçut le sol en contrebas, loin, très loin... Le rugissement furieux du tyrannosaure... les yeux flamboyants... la cime des palmiers...

Avec un affreux crissement de métal, la voiture retomba de la gueule du tyrannosaure. Tim sentit son estomac se soulever, puis les ténèbres et le silence l'enveloppèrent.

– Bon Dieu! murmura Malcolm dans l'autre véhicule. Mais où est passée la voiture?

Les yeux plissés, Grant fouilla la pénombre du regard.

L'autre voiture avait disparu.

Grant n'en croyait pas ses yeux. Il se pencha en avant pour essayer de voir à travers le pare-brise dégoulinant de pluie. Le corps du dinosaure était si gros qu'il devait cacher...

Non ! Un nouvel éclair illumina la scène et il dut se rendre à l'évidence : la voiture avait disparu.

– Que s'est-il passé ? demanda Malcolm.

– Je n'en sais rien !

Grant perçut les cris de la fillette, assourdis par le fracas de la pluie. Le dinosaure demeurait immobile sur la route, mais la clarté était suffisante pour leur permettre de voir que l'animal avait baissé la tête et qu'il flairait le sol.

Ou qu'il mangeait quelque chose par terre.

– Qu'est-ce que vous voyez ? demanda Malcolm en s'efforçant de percer l'obscurité.

– Pas grand-chose.

La pluie se mit à tambouriner de plus belle sur le toit. Grant tendit l'oreille, mais il n'entendait plus les cris de la fillette. Les deux hommes restèrent silencieux pendant quelques instants.

– C'était la petite ? demanda enfin Malcolm. On aurait dit des cris d'enfant.

– Oui, on aurait dit...

– C'était elle ?

– Je n'en sais rien, répondit Grant.

Il sentait la fatigue le gagner. A travers le pare-brise couvert de pluie, il vit la silhouette massive et terrifiante du tyrannosaure s'avancer vers eux à pas lents.

– Vous voyez, fit Malcolm, il y a des moments où l'on se demande si des animaux éteints ne devraient pas le rester. Vous n'avez pas ce sentiment, vous aussi ?

– Assurément, répondit Grant, qui sentait son cœur cogner à grands coups dans sa poitrine.

– Et avez-vous une suggestion sur ce qu'il conviendrait de faire maintenant ?

– J'avoue que pas une seule idée ne me vient à l'esprit.

Malcolm tourna la poignée, poussa la portière du pied et s'enfuit à toutes jambes. Mais Grant comprit tout de suite qu'il s'y était pris trop tard, que le tyrannosaure était trop près. Un éclair embrasa le ciel et, dans la lumière d'un blanc aveuglant, Grant regarda avec horreur l'animal bondir en poussant un rugissement.

Il ne vit pas distinctement ce qui se passa ensuite. Malcolm courait dans les flaques boueuses. En quelques secondes, le dinosaure fut à sa hauteur ; il baissa sa tête énorme et le mathématicien fut projeté en l'air comme une poupée de chiffon.

Grant sortit à son tour, le visage et le corps fouettés par la pluie glacée. Le tyrannosaure lui tournait le dos en balançant sa queue interminable. Grant s'apprêtait à gagner le couvert du feuillage quand le dinosaure se retourna en rugissant.

Grant s'immobilisa, pétrifié de terreur.

Il se tenait près de la portière du Land Cruiser, sous la pluie battante, totalement à découvert, à deux mètres cinquante du tyrannosaure. L'énorme animal poussa un nouveau rugissement ; à cette distance, le cri était d'une force terrifiante et Grant se mit à trembler comme une feuille. Il posa les mains sur le métal de la portière pour calmer les mouvements convulsifs de son corps.

Le tyrannosaure rugit une nouvelle fois, mais sans attaquer. Il inclina seulement la tête et regarda alternativement le Land Cruiser d'un œil, puis de l'autre. Mais il ne bougea pas.

Pourquoi ne faisait-il rien ?

Les puissantes mâchoires s'ouvrirent et se refermèrent. L'animal lança un rugissement furieux, puis leva son énorme patte postérieure qui s'écrasa sur le toit de la voiture. Les griffes crissèrent sur le métal et passèrent tout près de Grant qui restait cloué sur place.

L'animal reposa son pied colossal en faisant gicler la boue, puis il baissa lentement la tête en lui faisant décrire un arc et inspecta le véhicule en grognant. Il regarda à travers le pare-brise, puis contourna le Land Cruiser en claquant au passage la portière ouverte près de laquelle se tenait Grant, incapable de faire un geste. Il était pétrifié de terreur et son cœur faisait de grands bonds dans sa poitrine. Il était si près de la gueule du tyrannosaure qu'il percevait la puanteur de la viande en décomposition, l'odeur douceâtre du sang, l'haleine écœurante du carnivore.

Il se raidit, attendant l'inéluctable.

La tête colossale le frôla et s'avança vers l'arrière de la voiture. Grant ferma les yeux et les rouvrit.

Que s'était-il passé ?

Était-il possible que le tyrannosaure ne l'ait pas vu ? C'est ce qu'il semblait, mais comment l'expliquer ? Grant tourna la tête et vit l'animal flairer la roue de secours et pousser le pneu du mufle. Puis la tête revint en arrière et passa derechef tout près de Grant.

Cette fois, elle s'immobilisa à quelques centimètres de son visage ; il vit les narines noires dilatées, il sentit l'haleine brûlante sur sa peau. Mais le tyrannosaure ne flairait pas comme un chien. Il respirait simplement et paraissait très perplexe.

Ainsi, s'il restait parfaitement immobile, le tyrannosaure ne le voyait pas. Dans un recoin de son cerveau de scientifique, il trouva une explication, une raison à...

Les mâchoires s'ouvrirent juste devant lui, la tête massive se releva. Grant serra les poings de toutes ses forces et se mordit les lèvres en s'efforçant de ne pas faire le moindre mouvement, le moindre bruit...

Le tyrannosaure lança un terrible rugissement dans la nuit.

Mais Grant commençait à comprendre. L'animal, qui ne le voyait pas, devinait sa présence et essayait en rugissant de lui faire peur et de le contraindre à se découvrir. Mais, tant qu'il demeurait immobile, il était invisible.

Dans un dernier geste de dépit, la monstrueuse patte postérieure se leva et renversa le Land Cruiser. Grant ressentit une douleur déchirante et il eut la sensation étonnante de décoller du sol et de s'envoler. Tout sembla se dérouler très lentement. Il eut le temps de sentir le froid le gagner et de voir le sol se rapprocher et le frapper violemment au visage.

RETOUR

– Et merde! s'écria Harding. Regardez-moi ça!

Les yeux fixés sur le pare-brise balayé par les essuie-glace, le vétérinaire venait de découvrir dans le faisceau jaune des phares un gros arbre couché en travers de la route.

– Ce doit être la foudre, dit Gennaro. Il est énorme.

– Nous ne passerons pas, fit Harding. Je ferais mieux d'appeler Arnold.

Il prit son émetteur-récepteur et le régla sur la fréquence de la salle de contrôle.

– John? Vous m'entendez, John?

Pour toute réponse, il y eut un grésillement continu de parasites.

– Je ne comprends pas, dit-il, l'air perplexe. On dirait que la radio ne marche pas.

– Ce doit être l'orage, fit Gennaro.

– Probablement.

– Essayez de joindre les Land Cruiser, suggéra Ellie.

Harding essaya les autres fréquences, mais sans obtenir aucune réponse.

– Rien, dit-il. Ils sont probablement rentrés maintenant et la portée de notre poste n'est pas suffisante. Quoi qu'il en soit, je pense que nous n'avons pas intérêt à rester ici. Il faudra plusieurs heures avant qu'une équipe d'entretien arrive et réussisse à déplacer cet arbre.

Il coupa la radio et passa la marche arrière.

– Qu'allez-vous faire? demanda Ellie.

– Retourner à l'embranchement et prendre la route de service, expliqua Harding. Nous avons un réseau routier parallèle; il y a la route principale, réservée aux visiteurs, et une autre qui est utilisée par les gardiens, les camions transportant la nourriture et les véhicules d'entretien. C'est celle-là que nous allons prendre. Le trajet est un peu plus long, le paysage moins beau, mais cela peut être intéressant. Si la pluie voulait bien cesser, nous pourrions apercevoir quelques animaux dans leurs activités nocturnes. Le trajet ne devrait pas prendre plus de trente ou quarante minutes, ajouta-t-il, à condition que je ne me perde pas.

La jeep fit demi-tour et reprit la direction du sud.

L'éclair illumina le ciel et tous les écrans de la salle de contrôle s'éteignirent. Arnold se raidit et se pencha fébrilement en avant. Pas maintenant! Seigneur! Pas maintenant! Il ne manquait plus que cela... que tout saute pendant l'orage! Tous les circuits électriques étaient naturellement protégés contre une surtension, mais Arnold ne savait pas s'il en allait de même des modems que Nedry utilisait pour transmettre ses informations. La plupart des gens ignoraient qu'il était possible de bousiller tout un système par l'intermédiaire d'un modem... La décharge électrique remontait dans l'ordinateur par la ligne téléphonique et bang!... Plus de mémoire, plus de serveur de fichiers, plus d'ordinateur.

Les écrans se mirent à clignoter, puis, l'un après l'autre, ils se rallumèrent.

Arnold poussa un soupir de soulagement et se renversa dans son fauteuil.

Il se demanda encore une fois où Nedry pouvait bien être passé. Cinq minutes auparavant, il avait envoyé des gardes à sa recherche. Le gros plein de soupe devait être aux toilettes, en train de lire une bande dessinée. Mais les gardes n'étaient pas revenus et il n'avait pas de nouvelles.

Cinq minutes... Si Nedry était encore dans le bâtiment, ils auraient déjà dû le trouver.

– Quelqu'un a pris la jeep, annonça Muldoon en pénétrant dans la salle de contrôle. Êtes-vous entré en communication avec les Land Cruiser ?

– Je n'arrive pas à les joindre, répondit Arnold. J'ai essayé les six fréquences. Je sais qu'ils ont des radios dans les voitures, mais je n'ai pas eu de réponse.

– Ça ne me plaît pas beaucoup, grommela Muldoon.

– Si vous voulez aller les rejoindre, prenez une des voitures de service.

– C'est ce que je comptais faire, mais elles sont toutes dans l'autre garage et il y a plus d'un kilomètre et demi à faire à pied. Où est Harding ?

– Je suppose qu'il est sur le trajet du retour.

– Dans ce cas, il prendra les passagers des Land Cruiser sur la route.

– Je suppose.

– Hammond est-il au courant que les enfants ne sont pas rentrés ?

– Certainement pas! répondit Arnold. Je ne veux pas qu'il vienne me gueuler dans les oreilles et qu'il mette la pagaïe partout. Pour l'instant, tout est en ordre. Les Land Cruiser sont juste bloqués par la pluie. Les passagers peuvent attendre un peu, jusqu'à ce que Harding les ramène. Ou bien jusqu'à ce que nous mettions la main sur ce porc de Nedry pour l'obliger à remettre les systèmes en marche.

– Vous n'y arrivez pas ? s'étonna Muldoon.

– J'ai essayé, répondit Arnold en secouant la tête. Mais Nedry les a traficotés... Je n'arrive pas à découvrir ce qu'il a fait, mais, s'il faut remonter jusqu'aux codes, il y en a pour plusieurs heures de boulot. Nous avons besoin de ce gros plein de soupe. Il faut le trouver, et vite !

NEDRY

La pancarte indiquait : DANGER – CLÔTURE ÉLECTRIFIÉE – 10 000 VOLTS, mais Nedry ouvrit la grille à mains nues. Il poussa le battant, remonta dans la jeep, franchit la grille et arrêta la voiture pour aller la refermer.

Il se trouvait maintenant dans l'enceinte du parc, à environ quinze cents mètres du quai est. Il enfonça la pédale d'accélérateur et se pencha sur le volant pour mieux distinguer la route étroite à travers le pare-brise fouetté par la pluie. Il conduisait vite, trop vite, mais il était tenu de respecter l'horaire qu'il s'était fixé. La voiture était encore entourée par la jungle obscure, mais il n'allait pas tarder à apercevoir sur sa gauche la plage et l'océan.

Saleté d'orage, songea Nedry. Il risque de tout foutre en l'air. Si le bateau de Dodgson ne l'attendait pas au quai est, c'est tout leur plan qui tombait à l'eau. Il ne pouvait se permettre d'attendre très longtemps, car on allait remarquer son absence dans la salle de contrôle. L'idée de base consistait à se rendre au quai est, à y déposer les embryons et à revenir, le tout en quelques minutes, sans éveiller l'attention. C'était un excellent plan, un plan très ingénieux que Nedry avait soigneusement mis au point en fignolant tous les détails. Un plan qui allait lui rapporter la bagatelle d'un million et demi de dollars. Cela représentait en un seul coup dix années de salaire, net d'impôt, et toute sa vie allait en être changée. Nedry avait pris toutes les précautions et il était allé jusqu'à demander à Dodgson de le retrouver au dernier moment à l'aéroport de San Francisco en prétextant qu'il voulait voir l'argent. En réalité, il voulait enregistrer sa conversation avec Dodgson et faire en sorte que son nom se trouve sur la bande. Pour que Dodgson n'oublie pas de lui verser le reste de l'argent, il allait joindre une copie de la bande au récipient contenant les embryons. Bref, il avait pensé à tout.

Sauf à cette saloperie d'orage.

Quelque chose traversa la route à toute allure, un éclair blanc dans le faisceau des phares. L'animal ressemblait à une sorte de gros rat, avec une longue queue épaisse; il disparut dans les broussailles bordant la route. Un opossum? Comment un opossum pourrait-il survivre dans cette île? Un animal comme cela ne devrait pas échapper aux dinosaures.

Où était donc ce foutu quai?

Il conduisait vite, mais cinq minutes s'étaient déjà écoulées depuis son départ. Il aurait déjà dû être arrivé au quai. S'était-il trompé à un embranchement? Probablement pas, puisqu'il n'avait pas vu un seul carrefour.

Mais où diable était donc ce quai?

Il découvrit avec stupéfaction en sortant d'un virage que la route se terminait devant un mur de béton de deux mètres de haut, que la pluie avait zébré de traînées sombres. Il écrasa la pédale de frein, la jeep partit en dérapage et fit un tête-à-queue. Nedry crut pendant un instant d'horreur qu'il allait s'écraser contre le mur. Il tourna frénétiquement le volant et la jeep finit par s'arrêter, achevant sa course à trente centimètres du mur de béton.

Nedry attendit quelques instants, écoutant le bruit cadencé des essuie-glace, puis il inspira profondément et exhala longuement. Il se retourna pour regarder la route : à l'évidence, il s'était trompé à un embranchement. Il pouvait naturellement rebrousser chemin, mais cela prendrait trop de temps.

Il valait mieux essayer de savoir où il se trouvait par rapport au quai.

Nedry descendit de la jeep et il sentit les grosses gouttes qui s'écrasaient sur son crâne. C'était un orage tropical, un vrai, et la pluie était si violente qu'elle lui faisait mal. Il regarda sa montre et appuya sur un poussoir pour éclairer le cadran numérique. Six minutes s'étaient déjà écoulées. Mais où diable était-il? Il contourna le mur de béton et, de l'autre côté, il perçut une sorte de clapotis. Était-ce l'océan? Nedry s'élança dans la direction du bruit, ses yeux s'accoutumant progressivement à l'obscurité. Il était cerné par la végétation tropicale et la pluie cinglait le feuillage.

Le clapotis se fit de plus en plus fort et il accéléra l'allure. En débouchant brusquement de la forêt, il sentit ses pieds s'enfoncer dans le sol spongieux et vit les eaux sombres de la rivière. La rivière! Il était devant la rivière de la jungle!

Il jura entre ses dents. A quel endroit de la rivière? Elle serpentait à travers l'île sur plusieurs kilomètres! Il consulta derechef sa montre : sept minutes.

– Les choses se compliquent, Dennis, dit-il à voix haute.

Comme en réponse à sa phrase, une sorte de hululement s'éleva dans la forêt.

Nedry y prêta à peine attention, car son esprit était entièrement occupé par la réalisation de son plan. N'ayant plus le temps de mener à bien le plan original, il allait devoir changer de batteries. Tout ce qu'il pouvait faire, c'était regagner la salle de contrôle, remettre l'ordinateur en état de marche et essayer de joindre Dodgson pour lui annoncer qu'il livrerait le colis le lendemain soir. Ce ne serait certainement pas du gâteau, mais il pensait pouvoir y arriver. L'ordinateur mémorisait automatiquement tous les appels téléphoniques et, après avoir contacté Dodgson, il lui faudrait effacer l'enregistrement de l'appel. Mais une chose était certaine : il ne pouvait pas rester plus longtemps dans le parc, sinon son absence éveillerait les soupçons.

Nedry fit demi-tour et repartit en se guidant sur les phares de la voiture. Il était trempé et démoralisé. Il entendit de nouveau le hululement et, cette fois, il s'immobilisa. Cela ne ressemblait pas tout à fait au cri d'un oiseau de nuit. Et l'animal semblait être tout près, dans les arbres, juste sur sa droite.

Il tendit l'oreille et perçut un grand bruit dans les fourrés. Puis plus rien. Il attendit en silence et entendit de nouveau le bruit. C'était indiscutablement quelque chose de gros qui se déplaçait lentement dans la végétation et venait dans sa direction.

Quelque chose de gros, tout près de lui. Un gros dinosaure!

Fiche le camp en vitesse.

Nedry prit ses jambes à son cou et s'enfuit. Il faisait beaucoup de bruit en courant, mais, derrière lui, il entendait l'animal se frayer pesamment un chemin à travers la végétation. Et il hululait.

Le dinosaure gagnait du terrain.

Trébuchant dans l'obscurité sur des racines, tendant les bras pour écarter des branches dégouttant de pluie, il distingua la jeep devant lui et se sentit rassuré en voyant la lumière des phares dépassant de chaque côté du mur de béton. Dans quelques instants, il sauterait dans la voiture et foutrait le camp au plus vite. Nedry fit le tour du mur et il demeura cloué sur place.

Le dinosaure était déjà là.

Mais il n'était pas trop près. L'animal se tenait à une douzaine de mètres de la voiture, en bordure de la zone éclairée par les phares. Comme Nedry n'avait pas participé à la visite du parc, il n'avait pas vu les différentes espèces de dinosaures, mais celui-ci avait un aspect curieux. Le corps, haut de trois mètres, était jaune avec des taches noires et il avait la tête surmontée d'une double crête rouge en V. Le dinosaure ne fit pas un mouvement, mais il lança une nouvelle fois son cri.

Nedry attendit de voir si l'animal allait attaquer. Mais il ne bougea pas. Peut-être était-il effrayé et tenu à distance par les phares de la jeep, comme par un feu.

Le dinosaure, qui ne le quittait pas des yeux, lança brusquement la tête d'arrière en avant et Nedry sentit quelque chose d'humide s'écraser sur sa poitrine. Il baissa les yeux et découvrit une boule de liquide mousseux qui coulait sur sa chemise trempée. Par curiosité, il y porta la main...

C'était un crachat.

Le dinosaure avait craché sur lui.

Il en eut la chair de poule. Puis il se retourna vers le dinosaure, vit de nouveau la tête effectuer ce mouvement preste d'arrière en avant et sentit immédiatement quelque chose de mouillé s'écraser sur son cou, juste au-dessus du col de la chemise. Il s'essuya d'un revers de main.

C'était dégoûtant! Mais la peau de son cou commençait déjà à le picoter et à le brûler. Sa main aussi lui démangeait... C'était comme s'il avait reçu de l'acide.

Nedry ouvrit la portière de la jeep en se retournant vers le dinosaure pour s'assurer qu'il n'attaquait pas, quand il éprouva brusquement une douleur atroce aux yeux. Il eut l'impression que des pointes de feu s'enfonçaient dans son crâne et il ferma les paupières en grimaçant. La douleur lui arracha un cri, il porta les mains à ses yeux et sentit une substance visqueuse couler le long des ailes de son nez.

Le dinosaure lui avait craché dans les yeux.

Au moment même où il formulait sa pensée, la douleur devint insupportable et il se laissa tomber à genoux en ahanant. Il s'affaissa sur le côté, la joue pressée contre le sol détrempé, la respiration sifflante, le crâne transpercé par la douleur térébrante qui faisait inlassablement tournoyer des points lumineux derrière ses paupières hermétiquement closes.

Le sol se mit à trembler et Nedry comprit que le dinosaure avançait. Il entendit le hululement de l'animal et, malgré la douleur, il se força à garder les yeux ouverts. Mais il ne voyait que des points brillants sur un fond noir et lentement la vérité s'imposa à lui.

Il était aveugle.

Le cri du dinosaure se fit plus fort. Nedry se releva à grand-peine et il partit en titubant vers la jeep. Il dut s'appuyer à la portière quand une violente nausée accompagnée de vertige le prit. Le dinosaure était tout près maintenant et il sentait qu'il continuait à se rapprocher; il percevait vaguement le souffle rauque de l'animal.

Mais il ne le voyait pas.

Il ne voyait rien et en éprouvait une terreur sans bornes.

Il avança les mains et les agita frénétiquement pour repousser l'attaque qu'il savait imminente.

La douleur fut fulgurante, aussi intense que s'il avait reçu un coup de couteau dans le ventre. Nedry faillit perdre l'équilibre et baissa les mains à tâtons. Il sentit le bord déchiré de sa chemise, puis une masse dense et glissante, étonnamment chaude, et il se rendit compte avec horreur qu'il retenait ses propres intestins à l'aide de ses deux mains. Le dinosaure venait de lui ouvrir le ventre.

Nedry se laissa glisser par terre et il sentit quelque chose de froid et de squameux : c'était le pied de l'animal. Il éprouva une nouvelle douleur, des deux côtés de la tête. La douleur devint insupportable et, quand il se sentit soulevé du sol, il comprit que le dinosaure le tenait entre ses mâchoires. Il eut le temps d'émettre un dernier souhait, que tout se termine au plus vite.

BUNGALOW

– Encore un peu de café ? demanda courtoisement Hammond.

– Non, merci, répondit Henry Wu en se calant dans son fauteuil. Je ne peux plus rien avaler.

Les deux hommes étaient dans la salle à manger du bungalow de Hammond, bâti dans un coin retiré du parc, à proximité des laboratoires. Wu devait reconnaître que le bungalow ne manquait pas d'élégance, avec ses lignes très sobres, d'inspiration japonaise. Et le dîner avait été excellent, compte tenu du fait que le restaurant ne disposait encore que d'un personnel réduit.

Mais il y avait chez Hammond quelque chose que Wu trouvait assez troublant. Le vieil homme était différent... subtilement différent. Pendant tout le dîner, le généticien s'était efforcé de déterminer la nature de ce changement. Hammond avait toujours une tendance à radoter, à se répéter, à raconter les mêmes vieilles histoires ; il y avait également chez lui une sorte d'instabilité émotionnelle qui le faisait passer en un instant de l'emportement à un sentimentalisme larmoyant. Mais tout cela pouvait être interprété comme une manifestation naturelle de l'âge, car John Hammond avait quand même soixante-dix-sept ans.

Mais il y avait autre chose : un entêtement évasif, une obstination à n'en faire qu'à sa tête qui, en fin de compte, révélaient son refus absolu de regarder en face la situation du parc.

Sans encore tenir la chose pour assurée, Wu avait été bouleversé par la probabilité que les dinosaures se reproduisaient. Après que Grant l'eut interrogé sur l'A.D.N. de batraciens, sa première idée avait été de se rendre directement au laboratoire pour interroger l'ordinateur et vérifier la composition des divers assemblages d'A.D.N. Si les dinosaures se reproduisaient réellement, c'est l'ensemble du fonctionnement du parc Jurassique qui était remis en question, leurs méthodes de développement et de contrôle génétiques, tout son travail. Même la dépendance à la lysine devenait sujette à caution. Si ces animaux pouvaient se reproduire, s'ils étaient capables de survivre en liberté...

Henry Wu voulait opérer sur-le-champ ces vérifications, mais Hammond avait vivement insisté pour l'inviter à dîner.

– Vous savez, Henry, dit John Hammond, il faut garder un peu de place pour le dessert. Maria nous a fait une succulente glace au gingembre.

– Merveilleux, dit Wu en tournant la tête vers la belle jeune femme qui les servait en silence.

Il la suivit des yeux jusqu'à la porte, puis reporta son regard sur le moniteur vidéo encastré dans le mur. L'écran était vide.

– Votre moniteur ne fonctionne pas, dit-il.

– Vraiment ? fit Hammond en lançant un coup d'œil vers le mur. Ce doit être l'orage... Je vais appeler John, ajouta-t-il en prenant le téléphone.

Wu perçut les grésillements sur la ligne et Hammond raccrocha avec un haussement d'épaules.

– Les lignes doivent être en dérangement, dit-il, à moins que Nedry n'ait pas encore fini ses transmissions de données. Il aura du boulot pendant le week-end. Ce type peut avoir du génie, mais, vers la fin, il a fallu beaucoup le bousculer pour obtenir ce que nous voulions.

– Je ferais peut-être mieux d'aller jeter un coup d'œil dans la salle de contrôle, suggéra Wu.

– Mais non, protesta vivement Hammond. Il n'y a aucune raison de s'inquiéter. S'il y avait un problème, on nous aurait avertis... Ah !

Maria revenait avec deux coupes de glace.

– Il faut absolument en prendre un peu, Henry, dit Hammond. Elle est faite avec du gingembre frais qui vient de la partie orientale de l'île. A mon âge, vous savez, la glace est un vice...

Henry Wu plongea docilement sa cuiller dans la crème glacée au moment où un éclair zébrait le ciel, aussitôt suivi d'un roulement de tonnerre.

– Il n'est pas tombé loin, fit-il. J'espère que les enfants n'ont pas peur de l'orage.

– Je ne pense pas, dit Hammond en goûtant sa glace. Mais, vous savez, Henry, je nourris quelques inquiétudes à propos du parc.

Wu se sentit intérieurement soulagé. Le vieil homme allait peut-être enfin accepter de regarder les choses en face.

– Quelles inquiétudes ? demanda-t-il.

– Le parc Jurassique est essentiellement fait pour les enfants. Tous les enfants du monde aiment les dinosaures et ils feront leurs délices de notre parc. J'imagine leur petit visage rayonnant de joie quand ils contempleront enfin ces animaux merveilleux. Mais j'ai peur... j'ai peur de ne jamais voir ce jour, Henry. J'ai peur de ne jamais voir leur joie rayonnante.

– Je pense qu'il y a d'autres problèmes, lança Wu, l'air renfrogné.

– Mais, pour moi, aucun n'est aussi important que cette crainte de ne pas voir ces petits visages éclatants de joie. Ce parc est notre triomphe, Henry... Nous avons réussi dans notre entreprise. Vous n'avez pas oublié notre idée de départ : utiliser la technologie du génie génétique qui n'en était encore qu'aux balbutiements pour gagner de l'argent, beaucoup d'argent...

Sachant que Hammond s'apprêtait à enfourcher l'un de ses dadas favoris, Wu leva la main pour l'arrêter.

– Je sais tout cela, John...

– Si vous deviez lancer une société de bio-industrie, Henry, quelle voie choisiriez-vous ? Fabriqueriez-vous des produits destinés à améliorer le bien-être de l'humanité, à combattre les maladies ? Certainement pas ! Ce serait une très mauvaise idée, une utilisation bien peu judicieuse de cette nouvelle technologie. Et pourtant, poursuivit Hammond en secouant tristement la tête, vous n'ignorez pas que les premières compagnies de génie génétique, telles que Genentech et Cetus, fabriquaient à l'origine des produits pharmaceutiques, de nouveaux remèdes pour l'humanité... Noble objectif, mais il y a malheureusement toutes sortes d'obstacles à franchir. Il faut déjà, avec beaucoup de chance, de cinq à huit ans pour obtenir l'autorisation des fonctionnaires de la Federal Drug Administration. Mais il faut également compter avec les pressions qui se font sentir sur le marché. Imaginons que l'on découvre un remède miracle pour guérir le cancer ou les maladies de cœur, comme ce fut le cas de Genentech. Imaginons que l'on veuille lancer ce produit sur le marché au prix de mille ou deux mille dollars la dose. On pourrait croire que l'on est en droit de le faire ; après avoir découvert ce remède et investi des sommes considérables pour le développement et l'expérimentation, on devrait être en mesure d'en fixer librement le prix. Mais croyez-vous que le gouvernement le permettra ? Eh bien, non, Henry. Jamais les malades n'accepteront de débourser mille dollars pour se procurer une dose d'un médicament indispensable. Non seulement ils n'auront aucune gratitude, mais ils seront révoltés. Et la Sécurité sociale ne remboursera pas ; elle criera au scandale. Ce qui se passera donc, c'est que l'administration refusera l'exploitation du brevet, que les autorisations seront repoussées. On sera contraint de vendre le remède à un prix moins élevé, plus raisonnable. D'un point de vue purement commercial, soulager l'humanité souffrante est une entreprise extrêmement hasardeuse dans laquelle, personnellement, je ne me risquerai jamais.

C'était un discours que Wu avait déjà entendu et il savait que Hammond était dans le vrai : certains produits pharmaceutiques récents de la bio-industrie avaient effectivement subi des retards inexplicables et connu bien des difficultés pour obtenir les autorisations d'exploitation.

– Songez maintenant à quel point tout est différent quand on travaille dans les loisirs. Personne n'en a besoin et il n'y a pas d'intervention de l'administration. Si je décide de faire payer cinq mille dollars par jour pour la visite de mon parc, qui m'en empêchera ? Après tout, personne n'est obligé de venir et, loin d'être dissuasif, un prix d'entrée élevé sera un atout supplémentaire. Une visite du parc Jurassique deviendra une marque de standing, ce dont les Américains raffolent. Les Japonais aussi, et ils ont beaucoup plus d'argent.

Hammond termina sa glace et Maria enleva discrètement sa coupe.

– Elle n'est pas d'ici, vous savez, glissa-t-il à Wu. Elle vient de Haïti et sa mère est française. Vous vous souvenez, Henry, que l'objectif premier que je poursuivais en lançant ma société dans cette voie était de me mettre à l'abri de toute intervention gouvernementale, venant de quelque pays que ce soit.

– Puisque nous parlons du monde extérieur...

– Nous avons déjà loué aux Açores un vaste terrain pour y créer le parc Jurassique pour l'Europe, reprit Hammond en souriant. Et vous savez que nous disposons depuis longtemps d'une île proche de Guam où sera construit le parc Jurassique pour le Japon. Les travaux de ces deux nouveaux parcs commenceront au début de l'année prochaine et l'ouverture aura lieu dans les quatre ans. A ce moment-là, les recettes dépasseront dix milliards de dollars par an et les droits – de télévision et annexes – devraient permettre de doubler cette somme. Je ne vois aucune raison de perdre mon temps avec des animaux familiers pour enfants, ce que Lew Dodgson, à ce que l'on m'a dit, s'imagine que nous faisons.

– Vingt milliards de dollars par an, murmura Henry Wu en secouant la tête.

– Au bas mot, fit Hammond en souriant. Il n'y a pas lieu de faire une évaluation trop forte. Encore un peu de glace, Henry ?

– L'avez-vous trouvé ? demanda vivement Arnold dès que le garde franchit la porte de la salle de contrôle.

– Non, monsieur.

– Trouvez-le, bon Dieu !

– Je ne pense pas qu'il soit dans le bâtiment, monsieur.

– Alors, allez voir dans le pavillon ! lança Arnold. Allez voir dans le bâtiment de l'entretien et dans le local de service, allez voir où vous voulez, mais trouvez-le !

– Le problème, c'est que..., commença le garde d'une voix hésitante. Ce M. Nedry est bien un homme assez corpulent, n'est-ce pas ?

– Oui, fit sèchement Arnold. Corpulent, si vous voulez. C'est un gros plouc !

– Eh bien, le problème, c'est que Jimmy, qui est de service dans le hall, m'a dit qu'il avait vu un monsieur corpulent descendre dans le garage.

– Dans le garage ? demanda Muldoon en se retournant tout d'un bloc. Il y a combien de temps ?

– Dix minutes, un quart d'heure.

– Bon Dieu ! souffla Muldoon.

La jeep s'arrêta dans un grand crissement de freins.

– Désolé, dit Harding.

A la lumière des phares, Ellie vit une troupe d'apatosaures traverser pesamment la route. Il y avait six animaux, chacun de la taille d'une maison, et un bébé haut comme un cheval adulte. Les apatosaures se déplaçaient tranquillement, sans tourner la tête vers la voiture aux phares allumés. Le bébé s'arrêta pour boire dans une flaque au beau milieu de la route, puis il se remit en marche.

Un troupeau d'éléphants d'une taille comparable aurait vivement réagi à l'arrivée d'une voiture et ils auraient entouré le petit en barrissant pour le protéger. Mais les dinosaures ne manifestaient pas la moindre crainte.

– Ils ne nous voient donc pas ? demanda Ellie.

– Non, pas vraiment, répondit le vétérinaire. Ils nous voient au sens littéral, mais nous n'avons aucune signification pour eux. Comme nous n'utilisons presque jamais les voitures de nuit, ils ne peuvent pas savoir ce que c'est. Nous ne sommes pour eux qu'un drôle d'objet dégageant une mauvaise odeur, qui ne présente aucune menace et donc aucun intérêt. Il m'est arrivé de temps en temps de venir la nuit pour soigner un animal et de trouver au retour la route bloquée par ces bestiaux.

– Que faites-vous dans ce cas-là ?

– Je leur passe une cassette contenant l'enregistrement d'un rugissement de tyrannosaure, répondit Harding en souriant. Et je peux vous affirmer qu'ils dégagent rapidement la route... Mais ces apatosaures sont si gros qu'ils n'ont pas de prédateurs et qu'ils ne craignent pas les tyrannosaures dont ils pourraient briser le cou d'un seul coup de queue. Ils le savent, et les tyrannosaures aussi.

– Mais ils nous voient, poursuivit Ellie. Imaginons que nous descendions de la voiture...

– Ils ne réagiraient probablement pas, fit Harding avec un petit haussement d'épaules. Les dinosaures sont dotés d'une excellente acuité visuelle, mais leurs organes visuels s'apparentent à ceux des batraciens et ils réagissent au mouvement. Les dinosaures distinguent très mal les objets immobiles.

Les gigantesques animaux s'éloignaient, la peau luisante de pluie.

– Je crois que nous pouvons repartir, dit le vétérinaire en passant la première.

– Je crains que vous ne vous rendiez pas compte que des pressions seront exercées sur votre parc de la même manière que d'autres sont exercées sur les remèdes de Genentech, déclara Henry Wu.

Il avait suivi Hammond dans la salle de séjour du bungalow et les deux hommes regardaient la pluie s'écraser sur les vitres des grandes fenêtres.

– Je ne vois pas comment ce serait possible, rétorqua Hammond.

– La communauté scientifique risque de s'opposer à vous et même de faire tomber votre projet à l'eau.

– Les scientifiques n'ont pas ce pouvoir, répliqua vivement Hammond. Mais vous savez pourquoi ils seraient capables d'essayer ? poursuivit-il, le doigt pointé vers le généticien. Tout simplement parce qu'ils veulent faire de la recherche ! C'est la seule chose qui compte pour eux. Ils ne veulent rien accomplir, ils n'aspirent pas au progrès... Tout ce qui les intéresse, c'est la recherche. Eh bien, je vous garantis qu'ils vont avoir une surprise !

– Ce n'est pas à cela que je pensais, objecta Wu.

– Je suis sûr, soupira Hammond, que ce serait passionnant pour les scientifiques, mais nous en arrivons au stade où ces animaux sont devenus beaucoup trop coûteux pour qu'ils soient utilisés pour la recherche. C'est une technologie extraordinaire, Henry, mais horriblement dispendieuse. Le seul moyen de la financer, c'est un parc de loisirs. C'est comme ça, ajouta-t-il avec un haussement d'épaules.

– Mais, s'il y a des pressions pour nous obliger à fermer le parc...

– Allons, Henry, le coupa Hammond avec agacement, regardez les choses en face ! Nous ne sommes pas aux États-Unis ici ! Ce n'est même pas le Costa Rica... C'est mon île, elle m'appartient. Et rien ne m'empêchera d'ouvrir le parc Jurassique à tous les enfants du monde ! A tous les enfants riches, ajouta-t-il avec un petit gloussement. Et, croyez-moi, ils seront aux anges !

Ellie Sattler regardait par la vitre de la jeep. Cela faisait maintenant vingt minutes qu'ils roulaient sous la pluie, à travers la jungle, et ils n'avaient rien vu depuis que les apatosaures avaient traversé la route.

– Nous approchons de la rivière de la jungle, annonça Harding. Elle est là, quelque part sur notre gauche.

D'un seul coup, il écrasa la pédale de frein et la voiture s'arrêta en dérapant juste devant un troupeau de petits dinosaures verts.

– Eh bien, dit le vétérinaire, vous avez de la chance, ce soir. Voici des compys.

Des procompsognathus, songea Ellie en regrettant que Grant ne soit pas là pour les voir. C'était l'animal dont ils avaient vu le cliché sur le fax reçu dans le Montana. Les petits dinosaures d'un vert sombre traversèrent la route à toute allure, puis ils s'accroupirent sur leurs membres postérieurs pour regarder la voiture, échangèrent quelques petits cris et disparurent dans la nuit.

– Curieux, fit Harding, l'air perplexe. Je me demande bien où ils vont. En général, les compys ne se baladent pas la nuit ; ils grimpent dans un arbre et attendent que le jour se lève.

– Alors, pourquoi sont-ils là ? demanda Ellie.

– Aucune idée. Vous savez que les compys sont nécrophages, comme les vautours. Ils sont attirés par un animal mourant et leur odorat est stupéfiant. Ils sentent leur proie à plusieurs kilomètres.

– C'est donc un animal mourant qui les attire ?

– Oui, ou déjà mort.

– Et si nous les suivions ? suggéra Ellie.

– Pourquoi pas, fit Harding. Je serais curieux de savoir où ils vont.

Il fit demi-tour et suivit la direction prise par les compys.

TIM

La joue pressée contre la poignée de la portière, allongé dans le Land Cruiser, Tim Murphy revenait lentement à lui. Il n'avait pourtant qu'une envie, dormir. Il changea de position et éprouva une douleur lancinante à la pommette, à l'endroit où elle était restée appuyée contre le métal de la portière. Tout son corps le faisait souffrir, les bras, les jambes et aussi la tête... Une douleur lui martelait le crâne. Oui, il aurait voulu replonger dans le sommeil pour ne plus ressentir tout cela.

Tim se dressa sur un coude, ouvrit les yeux et un violent haut-le-cœur le fit vomir sur le devant de sa chemise. Il sentit dans sa bouche le goût amer de la bile et s'essuya les lèvres du dos de la main. La tête lui élançait; il avait l'impression que tout tournait autour de lui, qu'il était sur un bateau dont le roulis lui donnait le mal de mer.

Tim poussa un gémissement et roula sur le dos en écartant la tête de son vomi. Sa respiration était courte et haletante, à cause de cette douleur qui lui taraudait le crâne, et il fut pris d'une nouvelle nausée. Il regarda autour de lui et essaya de s'orienter.

Il était encore dans le Land Cruiser. Mais la voiture avait dû se renverser sur le côté, car il était allongé sur le dos contre la portière avant, le visage tourné vers le volant derrière lequel s'agitaient les branches d'un arbre. La pluie s'était presque arrêtée, mais quelques gouttes tombaient encore sur lui à travers le pare-brise fracassé.

Tim regarda les fragments de verre avec étonnement. Il n'avait pas le moindre souvenir de la manière dont le pare-brise s'était brisé. Tout ce dont il se souvenait, c'est que la voiture était arrêtée sur la route et qu'il parlait au Dr Grant quand le tyrannosaure s'était approché. Il ne se rappelait plus rien de ce qui s'était passé après.

Il eut un nouveau haut-le-cœur et ferma les yeux jusqu'à ce que la nausée soit passée. Il perçut un bruit régulier, un bruit évoquant les craquements du gréement d'un navire. Il avait réellement l'impression que toute la voiture remuait sous lui. Mais, quand il rouvrit les yeux, il se rendit compte que c'était vrai... Couché sur le côté, le Land Cruiser se balançait mollement.

La voiture se balançait.

Tim se redressa avec difficulté. Il prit appui sur la portière et regarda par-dessus le tableau de bord, à travers l'ouverture du pare-brise. Il ne vit tout d'abord que le feuillage touffu agité par le vent, mais, dans une trouée, il aperçut soudain le sol...

Le sol était à six mètres en contrebas.

Les yeux écarquillés, Tim essayait de comprendre. Le Land Cruiser était couché sur le flanc, balancé par le vent dans le branchage d'un grand arbre, à six mètres du sol.

– Oh! merde! souffla-t-il.

Que faire? Il se dressa sur la pointe des pieds et s'agrippa au volant en se penchant en avant pour essayer de mieux voir à l'extérieur. Le volant se mit à tourner à vide et, avec un grand craquement, le Land Cruiser changea de position et descendit brutalement de cinquante centimètres. Tim regarda par la vitre brisée de la portière avant gauche.

– Oh! merde! répéta-t-il. Oh! merde!

Il y eut un autre craquement prolongé et la voiture descendit encore de trente centimètres.

Il devait absolument sortir de là.

Tim baissa les yeux et vit qu'il avait posé les pieds sur la poignée de la portière. Il fléchit les jambes et prit appui sur les mains pour observer la poignée de plus près. Il ne distinguait pas grand-chose dans l'obscurité, mais il vit que la portière était enfoncée, ce qui empêchait la poignée de fonctionner. Jamais il ne réussirait à ouvrir la portière! Il essaya de baisser la vitre, mais elle était bloquée, elle aussi. Puis il pensa au hayon... Peut-être réussirait-il à l'ouvrir. Il se pencha sur le dossier du siège et le Land Cruiser s'inclina brusquement.

Tim tendit très lentement le bras et tourna la poignée du hayon. Elle était bloquée.

Comment allait-il faire pour sortir?

Il entendit une sorte de grognement et regarda au pied de l'arbre. Il vit passer une forme sombre, mais ce n'était pas le tyrannosaure. La silhouette était plus massive et l'animal avançait pesamment en se dandinant. Tim vit sa queue se balancer et il distingua les longues épines qui la protégeaient.

C'était le stégosaure, qui avait apparemment recouvré la santé. Tim se demanda où étaient les autres: Gennaro, le Dr Sattler et le vétérinaire. La dernière fois qu'il les avait vus, ils étaient auprès du stégosaure. Combien de temps cela faisait-il ? Il regarda sa montre, mais le verre était fêlé et il ne distinguait pas les chiffres. Il enleva la montre et la jeta.

Le stégosaure s'ébroua et s'éloigna lentement. Les seuls bruits étaient maintenant le souffle du vent dans le feuillage et les craquements du Land Cruiser qui oscillait au milieu des branches.

Il devait sortir de cette voiture.

Tim saisit solidement la poignée et essaya de toutes ses forces de la faire tourner. Elle était complètement bloquée et ne bougeait absolument pas. La lumière se fit d'un seul coup dans son esprit : le hayon était fermé à clé. Le garçon souleva le taquet et actionna la poignée. Le panneau s'ouvrit et commença à descendre... puis il s'immobilisa, coincé par une branche.

L'ouverture était étroite, mais Tim pensait pouvoir passer en se tortillant. Retenant son souffle, il rampa lentement sur la banquette arrière. Il entendit quelques craquements, mais le Land Cruiser resta en place. S'agrippant aux montants des deux portières, Tim se laissa doucement glisser à travers l'ouverture inclinée. Il se trouva bientôt allongé sur le ventre, les jambes dépassant de la voiture. Il commença à pédaler dans le vide et ses pieds rencontrèrent quelque chose de solide... une branche sur laquelle il fit porter tout son poids.

La branche fléchit et l'ouverture du hayon s'agrandit. Le garçon glissa hors de la voiture et se laissa tomber, le visage éraflé par les feuilles, rebondissant de branche en branche... Une violente secousse, une douleur déchirante, une lumière aveuglante dans le crâne.

L'arrêt fut si brusque qu'il en eut le souffle coupé. Il se trouvait sur une grosse branche, plié en deux de douleur.

Il perçut un nouveau craquement et leva les yeux vers la grande forme sombre du Land Cruiser, un mètre cinquante au-dessus de lui.

Encore un craquement... La voiture s'inclina.

Tim se força à bouger, à poursuivre la descente. Il aimait grimper aux arbres et il se débrouillait bien. L'arbre sur lequel il se trouvait était parfait; ses branches, régulièrement espacées, formaient une sorte d'escalier...

Crac!!!

La voiture allait tomber.

Tim se laissa dégringoler, glissant sur les branches mouillées, la sève collant sur ses mains. Il n'était pas descendu de plus d'un mètre quand, avec un dernier craquement retentissant, le Land Cruiser, lentement, très lentement, commença à basculer. Tim vit la grosse calandre verte et les phares s'incliner vers lui, puis toute la masse du véhicule bascula, prenant rapidement de la vitesse, fracassant la branche qu'il venait juste d'abandonner...

Et la voiture s'immobilisa.

Le visage de Tim n'était qu'à quelques centimètres de la calandre enfoncée comme une bouche vorace et surmontée des deux gros yeux de verre des phares. De l'huile coulait sur son front.

Il était encore à trois mètres cinquante du sol. Il baissa la main, trouva à tâtons une autre branche et descendit d'un cran. Il vit en levant les yeux la grosse branche ployer dangereusement sous le poids du Land Cruiser. Puis elle se brisa net et la voiture fonça droit sur lui. Comprenant qu'il ne pourrait pas l'éviter, qu'il n'aurait jamais le temps de descendre, Tim lâcha prise et se laissa tomber dans le vide.

Heurtant violemment des branches qui le déséquilibraient, tout le corps meurtri, Tim entendait la voiture qui écrasait tout dans sa chute et le serrait de près, comme un animal s'apprêtant à bondir sur sa proie. Il toucha le sol meuble de l'épaule, fit un roulé-boulé et se plaqua contre le tronc tandis que le Land Cruiser s'écrasait par terre dans un grand fracas de métal. De la carcasse jaillirent des gerbes d'étincelles qui crépitaient tout autour de lui, lui picotaient la peau et retombaient sur le sol mouillé en grésillant.

Tim se mit lentement debout. Il entendit souffler dans l'obscurité et vit le stégosaure qui revenait, attiré à l'évidence par le fracas de la chute de la voiture. Le dinosaure avançait pesamment. Avec son petit crâne pointé en avant et les grosses plaques cartilagineuses disposées sur deux rangées au sommet de son dos, on eût dit une sorte de tortue gigantesque. Aussi bête qu'une tortue et aussi lent.

Tim ramassa une pierre et la lança sur l'animal.

– Fiche le camp!

La pierre rebondit avec un son mat sur les plaques et le stégosaure continua d'avancer.

– Allez! Va-t'en!

Il lança une autre pierre qui atteignit le stégosaure à la tête. L'animal poussa un grognement, se retourna lentement et repartit pesamment dans la direction d'où il était venu.

Tim s'adossa au Land Cruiser cabossé et fouilla l'obscurité du regard. Il lui fallait trouver les autres, mais il ne voulait pas courir le risque de se perdre. Il savait qu'il ne devait pas être très loin de la route principale. Si seulement il pouvait s'orienter. On ne distinguait vraiment pas grand-chose, mais...

C'est alors qu'il se souvint des lunettes de vision nocturne.

Il grimpa sur le capot et se glissa par le pare-brise fracassé à l'intérieur du Land Cruiser. Il trouva les lunettes et la radio. Le poste émetteur-récepteur étant cassé, il le laissa dans la voiture, mais les lunettes fonctionnaient encore. Il les mit et retrouva avec satisfaction les images familières d'un vert phosphorescent.

Grâce aux lunettes, il distingua sur sa gauche la clôture défoncée et partit dans cette direction. La clôture était haute de trois mètres cinquante, mais le tyrannosaure l'avait aisément abattue. Tim la franchit rapidement, traversa une zone de végétation touffue et déboucha sur la route.

Il vit aussitôt le second Land Cruiser, renversé sur le côté. Il courut jusqu'à la voiture, inspira profondément et regarda à l'intérieur. Il n'y avait personne, aucun signe du Dr Grant ni du Dr Malcolm.

Où étaient-ils partis ?

Où étaient-ils donc tous partis ?

Seul au bord de la route devant la voiture vide, en pleine nuit, Tim sentit la panique le gagner. Il lança autour de lui des regards circulaires, le paysage phosphorescent tournoyant à travers ses lunettes, et son attention fut attirée par quelque chose de clair au bord de la route. C'était la balle de Lex, à moitié enfoncée dans la boue.

– Lex !

Tim cria à pleine gorge, sans se préoccuper de savoir si les animaux l'entendaient. Puis il tendit l'oreille, mais ne perçut que le souffle du vent et le bruit des gouttes de pluie tombant des arbres.

– Lex !

Il se rappelait vaguement qu'elle était dans le Land Cruiser quand le tyrannosaure les avait attaqués. Était-elle restée dans la voiture ou s'était-elle enfuie ? Les circonstances de l'attaque demeuraient très floues dans son souvenir ; il n'aurait su dire avec précision ce qui s'était passé et éprouvait un malaise à cette seule pensée.

– *Lex !*

Haletant, oppressé, il demeurait planté au bord de la route et la nuit semblait se refermer sur lui. S'attendrissant sur lui-même, il s'assit dans une flaque d'eau froide et se mit à pleurnicher. Il s'arrêta au bout d'un moment, mais il entendit encore un sanglotement. Le bruit était faible et il venait d'un peu plus loin sur la route.

– Cela fait combien de temps maintenant ? demanda Muldoon en entrant dans la salle de contrôle, une mallette noire à la main.

– Une demi-heure.

– Harding devrait être de retour avec sa jeep.

– Je suis sûr qu'ils vont arriver d'une minute à l'autre, dit Arnold en écrasant sa cigarette.

– Toujours aucune trace de Nedry ? demanda Muldoon.

– Non, rien.

Muldoon ouvrit la mallette qui contenait six radios portables.

– Je vais les distribuer à ceux qui sont dans le bâtiment, déclara Muldoon en en tendant une à Arnold. Prenez aussi le chargeur. Ce sont nos radios de secours, mais il est évident que personne ne les a chargées. Attendez une vingtaine de minutes, puis vous essaierez d'entrer en contact avec les voitures.

Henry Wu poussa la porte marquée FERTILISATION et pénétra dans le laboratoire obscur. Il n'y avait personne; selon toute apparence, les techniciens n'avaient pas encore fini de dîner. Il alla droit au terminal et appela le répertoire de l'A.D.N. Toutes les données devaient être informatisées, car la molécule d'A.D.N. était si grosse que, pour chaque espèce, dix gigabytes de mémoire de disque optique étaient nécessaires pour stocker les détails de toutes les itérations. Il allait devoir procéder à une vérification pour les quinze espèces, ce qui représentait une somme colossale d'informations à passer au crible.

Wu ne comprenait pas encore très bien pourquoi Grant semblait attacher une telle importance à l'A.D.N. de grenouille. Il avait lui-même du mal à distinguer les différentes sortes d'A.D.N. Cette substance qui remontait à la nuit des temps était similaire chez la plupart des êtres vivants. Les humains, qui parcouraient les rues du monde moderne et faisaient sauter en l'air leurs bébés au teint rose, ne prenaient pas le temps de songer que la substance qui était au cœur de tout, qui ordonnait les premiers pas de la danse de la vie, était presque aussi vieille que leur planète elle-même. La molécule d'A.D.N. était si vieille que son évolution s'était pratiquement arrêtée plus de deux milliards d'années auparavant. Seules quelques modifications mineures avaient eu lieu depuis cette époque, juste quelques recombinaisons de gènes, mais en petit nombre.

En comparant l'A.D.N. humain et celui d'une bactérie, on se rend compte que les différences entre les deux molécules ne sont que de l'ordre de dix pour cent. Cet immobilisme fondamental de l'A.D.N. avait permis à Wu d'utiliser indifféremment n'importe quelle molécule. Pour fabriquer ses dinosaures, le généticien avait manipulé l'A.D.N. comme un sculpteur travaille l'argile ou le marbre, sans contrainte.

Henry Wu lança le programme de recherches de l'ordinateur et, sachant qu'il disposait de deux ou trois minutes avant d'avoir sa réponse, il se releva pour faire le tour du labo et, selon sa vieille habitude, vérifier le matériel. Il remarqua en passant devant l'enregistreur placé sur la porte du congélateur qu'une pointe apparaissait sur la courbe de la température. Curieux, songea-t-il. Cela signifiait que quelqu'un avait ouvert le congélateur. Et c'était récent, pendant la dernière demi-heure. Qui pouvait bien avoir fait cela en pleine nuit ?

Un signal sonore l'avertit que l'ordinateur avait terminé ses premières recherches. Wu alla voir ce qu'il avait trouvé et, dès que son regard se posa sur l'écran, il oublia le congélateur et la courbe de température.

LEITZKE A.D.N. RECHERCHE ALGORITHME

A.D.N. Version Critère de recherche : RANA (TOUT, FRAGMENTS > 0)

A.D.N. : INCORPORATION FRAGMENTS RANA	VERSION
Maiasaura	2.1-2.9
Procompsognathus	3.0-3.7
Othnielia	3.1-3.3
Velociraptor	1.0-3.0
Hypsilophodon	2.4-2.7

Le résultat était très clair : des fragments d'A.D.N. de *rana,* c'est-à-dire de grenouille, avaient été incorporés à tous les dinosaures qui se reproduisaient. Mais pas aux autres animaux. Wu ne comprenait toujours pas pourquoi cela leur avait permis de se reproduire, mais il ne pouvait plus nier que Grant avait vu juste. Les dinosaures se reproduisaient.

Il sortit du labo et se précipita vers la salle de contrôle.

LEX

Elle était recroquevillée à l'intérieur d'une grosse conduite de drainage de un mètre de diamètre, qui courait sous la route. Son gant de base-ball dans la bouche, elle se balançait d'avant en arrière en frappant chaque fois la conduite de la tête. Il faisait noir à l'intérieur, mais, grâce à ses lunettes, Tim la voyait distinctement. Elle semblait indemne et il sentit un grand soulagement l'envahir.

– Lex, c'est moi. C'est Tim.

Elle ne répondit pas et continua à se taper la tête contre la conduite.

– Tu peux sortir maintenant.

Elle secoua la tête en signe de refus et il comprit qu'elle était absolument terrifiée.

– Si tu sors, Lex, je te prête mes lunettes.

Elle secoua encore la tête.

– Regarde ce que j'ai trouvé, reprit-il en tendant la main vers elle.

Elle le regarda d'un air perplexe. Il devait faire trop sombre pour qu'elle voie ce qu'il tenait à la main.

– C'est ta balle, Lex. J'ai retrouvé ta balle.

– Et après ?

Tim décida de changer de tactique.

– Tu dois être très mal installée là-dedans. Et il doit faire froid... Tu ne veux pas sortir ?

Pour toute réponse, elle recommença à donner des coups de tête dans la conduite.

– Pourquoi ne veux-tu pas sortir ?

– Il y a des aminaux.

Tim en fut tout décontenancé ; elle n'avait pas dit « aminaux » depuis des années.

– Les aminaux sont partis, dit-il au bout d'un moment.

– Il y en a un gros, un Tyrannosaurus rex.

– Il est parti.

– Parti où ?

– Je ne sais pas, mais il n'est plus dans les environs, répondit Tim en espérant qu'il disait vrai.

Lex ne bougea pas. Tim entendit encore le bruit de sa tête sur la conduite, puis il s'assit dans l'herbe, devant l'ouverture, pour qu'elle puisse le voir. Comme le sol était trempé, il releva les genoux contre sa poitrine et attendit. Il n'avait pas la moindre idée de ce qu'il pouvait faire.

– Je vais rester là, dit-il. Et me reposer.

– Est-ce que papa est là ?

– Non, répondit Tim en se sentant tout chose. Non, Lex, il est à la maison.

– Et maman ?

– Non, Lex.

– Il y a des adultes avec toi ?

– Pas encore, mais je suis sûr qu'ils ne vont pas tarder. Ils doivent déjà être en route.

Il entendit sa sœur remuer à l'intérieur de la conduite, puis il la vit sortir. Elle tremblait de froid et une croûte de sang séché lui barrait le front, mais elle semblait indemne.

– Où est le Dr Grant ? demanda-t-elle après avoir lancé un regard circulaire, comme si elle cherchait quelqu'un.

– Je ne sais pas.

– Il était là tout à l'heure.

– C'est vrai ? Quand ?

– Tout à l'heure, répondit Lex. Je l'ai vu quand j'étais dans le tuyau.

– Où est-il parti ?

– Comment veux-tu que je le sache ? répondit Lex en fronçant le nez. Ohé ! ohé ! Dr Grant ? Ohé !

Tim était inquiet de tout ce bruit qui pouvait faire revenir le tyrannosaure, mais, au bout de quelques instants, un cri lui répondit. Le cri venait de la droite, dans la direction du Land Cruiser que le garçon avait abandonné quelques minutes plus tôt. Avec ses lunettes, Tim découvrit le Dr Grant qui avançait vers eux et il se sentit soulagé. La chemise du paléontologiste était déchirée à l'épaule, mais, pour le reste, il avait l'air en pleine forme.

– Dieu soit loué ! s'écria Grant en les voyant. Je vous cherchais, tous les deux.

Ed Regis se releva en frissonnant et nettoya ses mains et son visage couverts de boue. Il venait de passer une demi-heure extrêmement pénible, dissimulé entre de gros rochers à flanc de colline, en contrebas de la route. Cette cachette ne valait pas grand-chose, mais il avait cédé à la panique et perdu sa clarté d'esprit. Il était resté longtemps allongé dans la boue froide en essayant de recouvrer son sang-froid, mais sans pouvoir chasser de son esprit l'image du dinosaure. Du dinosaure avançant vers la voiture. Avançant vers lui...

Ed Regis ne se souvenait plus très bien de ce qui s'était passé ensuite. Il se rappelait seulement que Lex avait dit quelque chose, mais qu'il ne s'était pas arrêté. Incapable de s'arrêter, il avait continué de courir à toutes jambes. De l'autre côté de la route, il avait perdu l'équilibre et dévalé la pente avant de se retrouver assis par terre, au milieu de gros rochers. Sa première pensée avait été de se glisser entre les rochers pour se mettre à l'abri et c'est ce qu'il avait fait, haletant, terrifié, obsédé par l'idée d'échapper au dinosaure. Et quand, après être resté un moment coincé comme un rat entre les blocs de pierre, il avait réussi à se calmer un peu, il s'était senti accablé de honte d'avoir abandonné les enfants à leur sort et pris la fuite en ne songeant qu'à sauver sa propre peau. Il savait bien qu'il aurait dû remonter vers la route pour essayer de leur venir en aide, lui qui s'était toujours imaginé courageux et serein face au danger. Mais il avait beau tenter de se raisonner, de se convaincre de rebrousser chemin, il en était absolument incapable. Chaque fois, la panique recommençait à monter en lui, une oppression lui nouait la gorge et il ne parvenait pas à faire un geste.

Il se disait que, de toute façon, cela ne servirait à rien et que, si les enfants étaient restés sur la route, ils n'avaient aucune chance de s'en sortir. Comme il ne pouvait rien faire pour eux, autant rester où il était. Personne n'apprendrait jamais ce qui s'était passé. Il ne pouvait rien faire... Il n'aurait rien pu faire.

Ed Regis était donc demeuré une demi-heure terré entre les rochers, luttant contre la peur panique qui l'assaillait, évitant soigneusement de se demander si les enfants étaient encore en vie et de s'interroger sur la réaction de Hammond quand il découvrirait ce qui s'était passé.

Ce qui le décida enfin à bouger fut une sensation bizarre qu'il éprouvait dans la bouche. Tout un côté était engourdi et le picotait; il se demanda s'il ne l'avait pas heurtée dans sa chute. Il porta la main à son visage et sentit la chair gonflée. C'était une drôle de sensation, mais pas douloureuse. Brusquement, il se rendit compte que cette chair gonflée était en réalité une sangsue fixée à ses lèvres, qui lui suçait le sang. *Elle était presque dans sa bouche.* Avec un haut-le-cœur, Regis arracha la sangsue. Il la sentit se décoller de ses lèvres, il sentit le sang chaud couler dans sa bouche. Il cracha et jeta au loin la sangsue avec une grimace de dégoût. Il en vit une autre sur son avant-bras et l'arracha, laissant sur la peau une marque d'un rouge sombre. Il devait être couvert de ces saloperies! Depuis qu'il avait roulé en bas de la colline... Ces collines étaient infestées de sangsues, tout comme les crevasses des rochers. Que lui avaient dit les ouvriers? Que les sangsues se glissaient à l'intérieur des sous-vêtements, qu'elles aimaient les endroits chauds et sombres, qu'elles étaient capables de se glisser n'importe où et de remonter dans...

– Ohé!

Il se retourna en entendant la voix portée par le vent.

– Ohé! Dr Grant?

Bon Dieu! c'était la petite fille!

D'après le ton de la voix, elle n'avait pas l'air d'avoir peur ni de souffrir. Elle appelait simplement d'une voix pressante. L'idée vint à l'esprit de Regis qu'il avait dû se produire quelque chose, que le tyrannosaure était reparti, ou du moins qu'il n'avait pas attaqué, et que les autres étaient peut-être encore en vie. Grant et Malcolm... Ils étaient peut-être tous encore vivants. A cette idée, il se ressaisit instantanément, comme on peut dessoûler instantanément devant un barrage de police, et il se sentit mieux, car il savait maintenant ce qu'il devait faire. En s'extirpant de sa cachette, il songeait déjà à la suite, il préparait ce qu'il allait dire, il réfléchissait à la manière dont il allait agir dans cette nouvelle situation.

Ed Regis nettoya ses mains et son visage pour enlever la boue révélant qu'il s'était caché, non qu'il fût embarrassé de s'être caché, mais il lui fallait prendre les choses en main. Il remonta jusqu'à la route en s'aidant des pieds et des mains, mais, en sortant du couvert des arbres, il eut un instant d'hésitation, car il ne voyait plus les voitures. Il se trouvait au pied de la colline et les Land Cruiser auraient dû être au sommet.

Il commença à remonter la route en pente. Tout était silencieux et il n'entendait que le clapotement de ses pas dans les flaques boueuses. La petite fille n'appelait plus. Pourquoi avait-elle cessé? Il lui était peut-être arrivé quelque chose. Dans ce cas, il ne fallait pas repartir vers les voitures... Le tyrannosaure était peut-être encore dans les parages. Et pour lui, encore à mi-chemin de la côte, le trajet jusqu'au camp serait d'autant plus court.

Et puis tout était si calme là-haut, d'un calme qui faisait froid dans le dos.

Ed Regis fit demi-tour et repartit dans la direction du camp.

Alan Grant fit courir ses mains le long des petits membres et palpa rapidement les bras et les jambes. Elle ne semblait rien avoir de cassé. Aussi étonnant que ce fût, elle n'avait que cette coupure au front.

– Je vous l'avais bien dit que je n'avais rien.

– Oui, Lex, mais je voulais en être sûr.

Tim n'avait pas eu autant de chance. Il avait le nez gonflé et si douloureux que Grant soupçonnait qu'il était cassé. L'épaule droite du garçon était tuméfiée, mais il ne semblait rien avoir aux jambes. Les deux enfants pouvaient marcher et c'était l'important.

Grant, quant à lui, ne souffrait que d'une écorchure à la poitrine causée par la griffe du tyrannosaure. Il avait une sensation de brûlure à chaque inspiration, mais la griffure semblait superficielle et elle ne le gênait pas dans ses mouvements.

Grant se demandait s'il n'avait pas perdu connaissance, car il n'avait que des souvenirs très flous des événements ayant directement précédé le moment où il s'était retrouvé sur son séant, au pied d'un arbre, à dix mètres du Land Cruiser. Pour étancher le sang coulant de la plaie, il avait placé quelques feuilles sur sa poitrine et la griffure ne saignait plus. Il s'était relevé et avait commencé à marcher pour trouver Malcolm et les enfants. Il avait de la peine à croire qu'il était encore en vie et autant de mal à ordonner les images fragmentaires qui remontaient à sa mémoire. Le tyrannosaure aurait facilement pu tous les tuer. Pourquoi ne l'avait-il pas fait ?

– J'ai faim, gémit Alexis.

– Moi aussi, dit Grant. Ce qu'il faut faire maintenant, c'est retrouver la civilisation. Et les mettre au courant pour le cargo.

– Nous sommes les seuls à le savoir ? demanda Tim.

– Oui, et nous devons rentrer pour les avertir.

– Nous n'avons qu'à suivre cette route qui mène à l'hôtel, dit Tim en tendant le bras vers le bas de la colline. Comme cela, nous les trouverons quand ils viendront nous chercher.

Grant réfléchit quelques instants. Il gardait présent à l'esprit le souvenir de la forme noire qui avait traversé la route entre les Land Cruiser avant l'attaque du tyrannosaure. De quel animal pouvait-il s'agir ? Il ne voyait qu'une seule possibilité : le petit tyrannosaure.

– Je ne pense pas que ce soit une bonne idée, Tim. La route est bordée de deux hautes clôtures et, si l'un des tyrannosaures se trouve un peu plus bas, nous serons pris au piège.

– Alors, nous allons attendre ici ? poursuivit Tim.

– Oui, répondit Grant. Nous allons attendre que quelqu'un vienne.

– J'ai faim, dit Lex.

– J'espère que ce ne sera pas trop long, fit Grant.

– Moi, je ne veux pas rester ici, déclara la fillette.

Le bruit d'une toux leur parvint du pied de la colline.

– Restez là, ordonna Grant en s'avançant sur la route pour regarder en bas.

– Reste là, lança Tim à sa sœur en s'éloignant au pas de course dans la même direction.

– Ne me laissez pas ici ! s'écria Lex en suivant son frère. Ne me laissez pas ici toute seule !

Grant la fit taire en plaquant une main sur sa bouche. Elle protesta en se débattant, mais il secoua la tête et tendit le bras pour lui montrer quelque chose.

Grant vit Ed Regis, raide, immobile, au bord de la route. Un silence de mort s'était abattu sur la forêt. Le chant lancinant des cigales et des grenouilles avait brusquement cessé. Seuls des bruissements de feuilles et la plainte du vent dans les arbres étaient perceptibles.

Lex voulut dire quelque chose, mais Grant l'entraîna vers le tronc le plus proche et la força à s'accroupir au milieu des épaisses racines aux formes torturées. Tim les rejoignit aussitôt. Grant posa un doigt sur ses lèvres pour leur intimer le silence, puis il avança lentement la tête pour regarder.

La route était plongée dans l'obscurité et la lune filtrant à travers les branches des grands arbres formait une mosaïque mouvante d'ombres et de lumières. Ed Regis avait disparu. Il fallut un certain temps à Grant pour le repérer, mais il finit par le découvrir, rigoureusement immobile, plaqué contre le tronc d'un gros arbre autour duquel il avait passé les bras.

La forêt demeurait silencieuse.

Lex tirait impatiemment sur la chemise du paléontologiste : elle voulait savoir ce qui se passait. Soudain, tout près d'eux, il entendit une sorte d'ébrouement étouffé, à peine plus fort que le souffle du vent. Lex le perçut également, car elle cessa de tirer sur la chemise.

Grant reporta les yeux sur Regis et il vit les ombres des feuilles éclairées par la lune frémir sur le tronc de l'arbre. Puis il distingua brusquement une autre ombre superposée, immobile : un cou incurvé et une tête massive.

Il entendit un nouvel ébrouement.

Tim se pencha précautionneusement pour regarder et Lex l'imita. Ils entendirent le craquement d'une branche brisée et un animal bondit sur la route. C'était le jeune tyrannosaure. Haut de deux mètres cinquante, il avait l'allure pataude d'un jeune animal, d'un chiot d'une taille démesurée. Il continua de descendre, s'arrêtant à chaque pas pour humer l'air. Il passa devant l'arbre contre lequel se pressait Regis sans que rien dans son attitude n'indique qu'il l'avait vu. Grant vit Regis se détendre légèrement, puis avancer la tête pour essayer de voir le tyrannosaure de l'autre côté de l'arbre.

Le dinosaure disparut dans l'ombre de la route et Ed Regis relâcha son étreinte sur le tronc de son arbre. Mais la forêt restait silencieuse. Regis demeura plaqué contre le tronc pendant encore une demi-minute, puis les bruits de la forêt se firent de nouveau entendre : le premier coassement timide d'une rainette et une stridulation aussitôt reprise par le chœur des cigales. Regis s'écarta de son arbre en secouant les épaules pour relâcher ses muscles. Il s'avança jusqu'au milieu de la route, la tête tournée dans la direction où était parti le tyrannosaure.

L'attaque vint de la gauche.

Avec un rugissement, le jeune dinosaure fonça, la tête en avant, projetant Regis sur la route. L'homme se mit à hurler et essaya de se relever, mais le tyrannosaure bondit sur lui et l'immobilisa avec sa patte postérieure. Incapable de se relever, Regis demeura assis au milieu de la route en hurlant et en agitant les mains devant le dinosaure comme s'il espérait l'effrayer et lui faire prendre la fuite. Le jeune tyrannosaure semblait intrigué par les cris et les gesticulations de cette petite proie. Pour satisfaire sa curiosité, il pencha la tête et Regis lui martela le museau à coups de poing.

– Va-t'en ! Allez, fiche le camp !

Ed Regis criait à tue-tête et le dinosaure recula.

– Tu m'entends ? Fiche le camp ! Fous le camp !

Regis parvint à se relever et, sans cesser de hurler, il commença à s'éloigner du dinosaure qui continuait à regarder avec curiosité le petit animal bizarre et bruyant qui s'agitait devant lui. Mais, quand Regis eut fait quelques pas vers le bord de la route, le tyrannosaure bondit de nouveau et le renversa.

Il joue avec lui, songea Grant.

– Arrête ! cria Regis en s'étalant sur le bord de la route.

Le jeune animal n'insista pas ; il le laissa se relever et s'éloigner de lui à reculons.

– Recule, idiot ! cria Regis comme un dresseur de lions. Tu m'entends... En arrière ! Recule !

Le tyrannosaure rugit, mais il ne bondit pas sur sa proie qui se rapprochait insensiblement du feuillage touffu des arbres. Encore quelques pas et il serait à l'abri.

– Recule ! En arrière ! Recule !

Au dernier moment, le tyrannosaure bondit et renversa Regis sur le dos.

– Arrête ! Vas-tu arrêter ?

Le jeune animal baissa la tête et Regis se mit à hurler. Ce n'étaient plus des paroles articulées, juste un hurlement strident et interminable.

Le cri cessa brusquement et, quand le tyrannosaure releva la tête, Grant distingua des lambeaux de chair entre ses mâchoires.

– Oh non ! souffla Lex.

Tim tourna la tête et se mit à hoqueter. Les lunettes glissèrent de son front et tombèrent sur le sol avec un bruit métallique.

Le jeune tyrannosaure releva brusquement la tête et dirigea son regard vers le haut de la colline.

Tim eut juste le temps de ramasser les lunettes, puis Grant prit les deux enfants par la main et ils s'enfuirent à toutes jambes.

CONTRÔLE

Dans la nuit, les compys filaient le long de la route, suivis de près par la jeep de Harding.

– C'est une lumière que je vois là-bas ? demanda Ellie en tendant la main vers l'avant.

– Possible, répondit le vétérinaire. On dirait même des phares.

La radio émit soudain toute une série de grésillements et de bourdonnements, et ils reconnurent la voix de John Arnold.

– ... m'entendez ?

– Ah ! le voilà ! fit Harding. Ce n'est pas trop tôt. Oui, John, je vous reçois, ajouta-t-il en enfonçant une touche. Nous sommes près de la rivière et nous suivons les compys. C'est passionnant.

– Nous ... soin de votre voitu..., dit Arnold d'une voix presque inaudible au milieu des grésillements.

– Qu'est-ce qu'il a dit ? demanda Gennaro.

– Il a parlé de voiture, répondit Ellie qui était chargée des transmissions radio sur le site du Montana et que plusieurs années d'expérience avaient rendue experte dans l'art de déchiffrer les communications brouillées. Je crois qu'il a dit qu'il avait besoin de votre voiture.

– John ? fit Harding en enfonçant la même touche. Vous m'entendez ? Nous ne vous recevons pas très bien, John.

Un éclair zébra le ciel, aussitôt suivi par un long crépitement de parasites, puis par la voix inquiète d'Arnold.

– ... où êtes... ou... ?

– Nous sommes à quinze cents mètres au nord de l'enclos des hypsis. Nous suivons un troupeau de compys, près de la rivière.

– ... intérêt à revenir... de suite !

– On dirait qu'il a un problème, fit Ellie, l'air soucieux, tellement l'inquiétude était perceptible dans la voix d'Arnold. Nous devrions faire demi-tour.

– Arnold a toujours un problème, répliqua Harding avec un haussement d'épaules. Vous connaissez les ingénieurs. Ils voudraient toujours que tout aille comme sur des roulettes. Allô, John ? Pouvez-vous répéter ?

Il y eut encore des grésillements, puis le roulement du tonnerre qui couvrit le bruit des parasites.

– ... Muldoon... soin de... oiture... est urgent...

– Il dit que Muldoon a besoin de notre voiture, c'est bien cela ? demanda Gennaro.

– J'en ai bien l'impression, fit Ellie.

– Il n'y a aucune raison, répliqua le vétérinaire.

– Muldoon veut vot... ture... autre... oqué.

– J'ai compris, dit Ellie. Les autres voitures sont bloquées sur la route à cause de l'orage et Muldoon veut aller les rejoindre.

– Mais pourquoi ne prend-il pas l'autre jeep ? demanda Harding avec une pointe d'agacement. John ? fit-il en enfonçant la touche. Dites à Muldoon de prendre l'autre jeep. Elle est dans le garage.

– ... allez-vous écouter... bande de... la voiture...

– Je vous dis qu'elle est dans le garage, John, poursuivit Harding. La voiture est dans le garage.

– ... edry... pris... elle qui manque...

– Je crains que cela ne nous mène à rien, fit Harding en secouant la tête. C'est d'accord, John. Nous arrivons tout de suite.

Il coupa la communication et commença à manœuvrer pour faire demi-tour.

– Je voudrais bien savoir ce qu'il y a de si urgent, marmonna-t-il.

Il fit vrombir le moteur et la jeep repartit dans la nuit. Dix minutes plus tard, ils virent apparaître avec soulagement les lumières du pavillon. Dès que la voiture s'arrêta devant le centre des visiteurs, Harding vit Muldoon se précipiter vers eux en hurlant et en agitant les bras.

– Vous êtes un incapable, Arnold ! Allez-vous me remettre ce parc en état de marche, bordel de merde ! Et ramenez-moi mes petits-enfants tout de suite !

Debout au centre de la salle de contrôle, John Hammond trépignait et vociférait depuis deux minutes tandis que Henry Wu demeurait immobile dans un coin, l'air hébété.

– Écoutez, monsieur Hammond, riposta Arnold, Muldoon est en route et c'est exactement ce qu'il est parti faire.

Puis l'ingénieur se retourna pour allumer une autre cigarette. Décidément, Hammond était comme tous les chefs qu'il avait connus, aussi bien chez Disney que dans la marine. Tous ces chefs ne comprenaient rien aux questions techniques et ils s'imaginaient qu'il suffisait de hurler pour régler les problèmes. Cela pouvait suffire dans certains cas, par exemple quand on hurlait à sa secrétaire de se débrouiller pour obtenir sans délai une limousine.

Mais cela ne changerait absolument rien aux problèmes qu'Arnold avait maintenant à résoudre. L'ordinateur se fichait pas mal que l'on crie après lui. Le réseau électrique s'en contrefichait lui aussi. Tous les sytèmes techniques demeuraient totalement indifférents à l'explosion des émotions humaines. Les cris allaient même à l'encontre du but poursuivi, car Arnold avait maintenant la quasi-certitude que Nedry ne reviendrait pas, ce qui impliquait qu'il lui faudrait personnellement se plonger dans les codes de l'ordinateur et essayer de découvrir ce qui n'allait pas. C'était une tâche ardue qui demandait beaucoup de calme et d'application.

– Pourquoi ne descendez-vous pas chercher une tasse de café ? suggéra Arnold. Nous vous appellerons à la cafétéria dès que nous aurons des nouvelles.

– Je ne veux pas qu'il y ait un effet Malcolm dans cette salle, maugréa Hammond.

– Ne vous tracassez pas pour cela, fit Arnold. Et maintenant, il faut que je me mette au travail.

– Démerdez-vous, Arnold.

– Oui, monsieur. Je vous appelle dès que j'ai des nouvelles de Muldoon.

Il commença à pianoter sur son clavier et vit s'animer les écrans de contrôle familiers.

```
*/Parc Jurassique-principaux modules/
*/
*/Call Libs
Comprend : biostat.sys
Comprend : sysrom.vst
Comprend : net.sys
Comprend : pwr.mdl
*/
*/Initialiser
SetMain [42]2002/9A (total CoreSysop %4 [vig.7*tty])
if ValidMeter(mH) (**mH).MeterVis return
Term Call 909 c.lev (void MeterVis $303) Random(3**MaxFid)
on SetSystem(!Dn) set shp-val.obj to lim(Val[d]SumVal
if SetMeter(mH) (**mH).ValdidMeter (Vdd) return
on SetSystem(!Telcom) set mxcpl.obj to lim(Val[pd])NextVal.
```

Arnold n'était plus un simple opérateur. Il s'attelait maintenant à l'étude du code, les instructions qui, ligne après ligne, indiquaient à l'ordinateur la marche à suivre. Et l'ingénieur avait malheureusement conscience que le programme complet du parc Jurassique comprenait plus d'un demi-million de lignes, pour la plupart sans références, sans explications.

– Que faites-vous, John ? demanda Henry Wu en s'avançant vers lui.

– Je vérifie le code.

– Ligne par ligne ? Cela va prendre un temps fou.

– A qui le dites-vous ? grommela Arnold. A qui le dites-vous ?

LA ROUTE

Muldoon prit le virage très rapidement et les roues de la jeep chassèrent sur la boue. Assis à côté du conducteur, Gennaro serra les poings. Ils filaient à toute allure sur la corniche surplombant la rivière noyée dans les ténèbres. Les mâchoires crispées, Muldoon accéléra à la sortie du virage.

– A quelle distance sommes-nous ? demanda Gennaro.

– Trois ou quatre kilomètres.

Ellie et Harding étaient restés au centre des visiteurs, et Gennaro avait proposé à Muldoon de l'accompagner.

– Une heure, marmonna Muldoon en contrôlant une embardée de la jeep. Une heure que nous n'avons pas de nouvelles des autres voitures.

– Ils ont pourtant des radios, glissa Gennaro.

– Nous n'avons pas réussi à entrer en communication avec eux.

– Si je devais rester une heure enfermé dans une voiture et sous la pluie, poursuivit l'avocat, l'air soucieux, il est certain que j'utiliserais la radio pour appeler quelqu'un.

– Moi aussi, fit Muldoon.

– Croyez-vous vraiment qu'il ait pu leur arriver quelque chose ?

– Il est probable que tout va bien, répondit Muldoon, mais je ne serai vraiment rassuré qu'en les voyant. Nous allons tomber sur eux d'une minute à l'autre.

Après un long virage, la route commençait à s'élever. Au pied de la montée, Gennaro distingua quelque chose de blanc au milieu des fougères qui bordaient la route.

– Arrêtez ! s'écria-t-il.

Muldoon freina et Gennaro bondit de la jeep. Il se mit à courir dans la lumière des phares pour aller voir ce qu'était l'objet blanc. Cela ressemblait à du tissu, mais il y avait...

Gennaro s'immobilisa au beau milieu de la route.

Il se trouvait encore à deux mètres, mais, même à cette distance, il voyait distinctement de quoi il s'agissait. Il continua d'avancer, mais plus lentement.

– Qu'est-ce que c'est? cria Muldoon en se penchant par la portière.

– C'est une jambe, répondit Gennaro.

La chair d'un blanc bleuté se terminait par un moignon sanguinolent, aux bords déchiquetés, à l'endroit où aurait dû se trouver le genou. Il vit une chaussette blanche roulée sous le mollet et un mocassin marron, une chaussure du genre de celles que portait Ed Regis.

Muldoon était descendu de la jeep et il passa en courant devant lui pour aller s'accroupir près de la jambe.

– Bon Dieu! souffla-t-il.

Il sortit le membre sectionné des fougères et le souleva pour le placer dans le faisceau des phares. Le sang jaillit et coula sur sa main. Gennaro, qui se tenait encore un mètre derrière, se plia en deux. Il appuya les mains sur ses genoux et ferma les yeux en réprimant des haut-le-cœur.

– Gennaro! fit sèchement Muldoon.

– Oui?

– Poussez-vous! Vous êtes dans la lumière!

L'avocat inspira longuement et fit quelques pas de côté. Quand il rouvrit les yeux, il vit Muldoon penché sur le moignon qu'il examinait d'un œil critique.

– Arraché à l'articulation, déclara Muldoon. Pas une morsure, ça... Il lui a simplement tordu et arraché la jambe.

Muldoon se redressa et renversa le membre sectionné pour faire couler le reste du sang sur les frondes des fougères. Sa main toute rouge, refermée sur la cheville, macula de sang la chaussette blanche et Gennaro fut pris d'une nouvelle nausée.

– Aucun doute sur ce qui s'est passé, entendit-il Muldoon murmurer. C'est le T-rex qui l'a tué.

Il leva pensivement la tête vers le haut de la colline.

– Ça ira? demanda-t-il en reportant son regard sur Gennaro. Vous vous sentez capable de continuer?

– Oui, murmura l'avocat, ça ira.

Muldoon se dirigeait déjà à grands pas vers la jeep, le membre sectionné à la main.

– Je pense qu'il vaut mieux l'emporter, lança-t-il en se retournant. Ce ne serait pas bien de le laisser ici. Merde! Dans quel état va être la voiture! Vous voulez regarder s'il y a quelque chose à l'arrière? Une bâche, un journal...

Gennaro ouvrit la portière arrière et commença à fouiller dans l'espace aménagé derrière le siège. Cela lui faisait du bien d'avoir quelque chose sur quoi fixer son attention. Le problème de l'emballage du membre sectionné prit une importance considérable, au point de lui occuper entièrement l'esprit et de chasser le reste. Il trouva un sac de toile contenant une trousse à outils, une jante, un carton et, soigneusement pliées...

– Il y a deux bâches en plastique, annonça-t-il.

– Passez-m'en une, dit Muldoon qui attendait près de la voiture.

Il enroula la bâche autour de la jambe et passa le paquet informe à Gennaro, qui s'étonna de le trouver si lourd.

– Mettez-le à l'arrière, ordonna Muldoon. Essayez de le caler quelque part, pour qu'il ne roule pas dans tous les sens...

– D'accord.

L'avocat posa le paquet derrière le siège et Muldoon se mit au volant. Quand il appuya sur l'accélérateur, les roues patinèrent un peu dans la boue, puis la voiture se mit en mouvement. Quand la jeep atteignit le sommet de la côte, les phares restèrent quelques instants levés vers le feuillage des arbres, puis le faisceau lumineux bascula brusquement et Gennaro distingua la route devant lui.

– Bon Dieu ! souffla Muldoon.

Gennaro vit un Land Cruiser, un seul, renversé au milieu de la route. Il n'y avait aucune trace du second.

– Où est passée l'autre voiture ?

Muldoon lança un regard circulaire, puis il tendit le bras vers la gauche.

– Là-bas.

L'avocat découvrit le second Land Cruiser à six ou sept mètres de la route, écrabouillé au pied d'un arbre.

– Qu'est-ce qu'elle fait là-bas ?

– C'est le T-rex qui l'a lancée, répondit Muldoon.

– *Lancée* ? fit Gennaro, les yeux écarquillés.

– Bon, finissons-en, reprit Muldoon d'un air lugubre en descendant de la jeep.

Les deux hommes s'élancèrent vers le Land Cruiser, le pinceau lumineux de leurs torches décrivant des cercles dans la nuit.

En s'approchant, Gennaro vit que la voiture était complètement détruite et il laissa prudemment Muldoon regarder le premier à l'intérieur.

– Ne craignez rien, fit Muldoon. Nous ne trouverons probablement personne.

– Non ?

– Non.

Il expliqua à l'avocat qu'il avait eu l'occasion en Afrique de se rendre sur les lieux d'une demi-douzaine d'attaques d'animaux sauvages contre des humains. Un léopard qui avait éventré une tente pendant la nuit et emporté un enfant de trois ans ; un buffle dans la réserve d'Amboseli ; deux lions ; un crocodile, près de Meru. Dans tous les cas, les traces laissées par les animaux étaient très peu nombreuses.

Le profane imaginait qu'il restait des indices horrifiants : membres arrachés, abandonnés sous une tente, traînées de sang menant à la brousse, vêtements sanglants éparpillés autour du camp. En vérité, la plupart du temps, il ne restait rien du tout, surtout si la victime était un petit enfant ou un bébé. Elle semblait le plus souvent s'être volatilisée, comme si elle s'était enfoncée dans la brousse pour ne plus jamais revenir. Un prédateur était capable de tuer un enfant en le secouant assez fort pour lui briser les vertèbres et, en général, il n'y avait pas de traces de sang.

Il y avait parfois un bouton de chemise ou un bout de caoutchouc d'une chaussure qui traînait, mais, le plus souvent, on ne trouvait absolument rien.

Les prédateurs emportaient les enfants – ils préféraient les enfants – et, sachant qu'ils ne laissaient rien derrière eux, Muldoon ne s'attendait pas à trouver des restes des victimes.

Mais, en se penchant pour regarder à l'intérieur de la voiture, il eut une surprise.

– Ça alors ! souffla-t-il.

Muldoon essaya de reconstituer la scène. Le pare-brise du Land Cruiser avait volé en éclats, mais il n'y avait pas beaucoup de fragments de verre par terre. Comme il en avait vu quelques-uns sur la route, c'est là-bas que le pare-brise avait dû éclater, avant que le tyrannosaure ne soulève la voiture et la projette au pied de l'arbre. Mais le Land Cruiser était complètement déglingué.

– C'est vide ? demanda Gennaro d'une voix étranglée.

– Pas tout à fait, répondit Muldoon en promenant à l'intérieur le pinceau lumineux de sa torche qui glissa sur un poste émetteur-récepteur tout cabossé.

Il distingua autre chose sur le plancher, un petit objet noir et incurvé. Les portières avant étaient bloquées, mais il passa par l'arrière et rampa sur le siège pour atteindre l'objet.

– C'est une montre, annonça-t-il.

Une montre digitale bon marché, montée sur un bracelet noir en plastique, dont le verre à cristaux liquides était brisé. Il ne pouvait en être sûr, mais il s'agissait peut-être de la montre de Tim. En tout cas, le genre de montre pouvant appartenir à un enfant.

– Qu'est-ce que c'est ? demanda Gennaro. Une montre ?

– Oui. Il y a aussi une radio, mais elle est cassée.
– Cela vous apprend quelque chose ?
– Oui, mais ce n'est pas tout.
Muldoon renifla. Une odeur aigre flottait dans la voiture. Il fit courir le faisceau de sa torche sur le plancher jusqu'à ce qu'il découvre la vomissure et les dégoulinades sur la portière. Il y posa le doigt et constata que c'était encore frais.
– Un des enfants est peut-être encore vivant, dit-il.
– Qu'est-ce qui vous fait croire cela ? demanda Gennaro en le regardant du coin de l'œil.
– La montre en est une preuve, répondit Muldoon.
Il la tendit à l'avocat, qui l'éclaira avec sa torche et la retourna dans sa main.
– Le verre est cassé, constata Gennaro.
– Exact, fit Muldoon. Et le bracelet est intact.
– Ce qui signifie ?
– Que le garçon l'a enlevée lui-même.
– Il a pu le faire n'importe quand, objecta l'avocat. Bien avant l'attaque.
– Non, répliqua Muldoon. Ces verres à cristaux liquides sont très résistants et il faut un choc violent pour les briser. Le verre de cette montre s'est cassé pendant l'attaque du dinosaure.
– Et c'est après que l'enfant a enlevé sa montre ?
– Réfléchissez, poursuivit Muldoon. Si vous étiez attaqué par un tyrannosaure, prendriez-vous le temps d'enlever votre montre ?
– Elle a peut-être été arrachée.
– Il est presque impossible d'arracher une montre portée au poignet sans arracher la main en même temps. Et, de toute façon, le bracelet n'est pas endommagé. Non, c'est bien l'enfant qui l'a enlevée lui-même... Il a regardé sa montre, a vu qu'elle était cassée et l'a enlevée. Il a eu le temps de le faire.
– Quand ?
– Cela ne peut s'être passé qu'après l'attaque, répondit Muldoon. Le garçon devait être dans cette voiture. Il est intelligent et, voyant que sa montre et la radio étaient hors d'usage, il les a laissées.
– Puisqu'il est si intelligent, pourquoi est-il parti ? Pourquoi n'est-il pas resté ici, en attendant du secours ?
– Peut-être ne pouvait-il pas rester, répondit Muldoon. Peut-être le tyrannosaure est-il revenu, ou bien un autre animal. En tout cas, quelque chose l'a obligé à partir.
– Et où peut-il être allé ?
– Voyons si nous pouvons le découvrir, fit Muldoon en repartant vers la route d'un pas résolu.

Gennaro le vit se pencher pour scruter le sol éclairé par sa torche, le visage à quelques centimètres de la boue. Muldoon semblait véritablement convaincu qu'il était sur une piste et que l'un des deux enfants au moins avait survécu. Cela ne changerait rien à la décision de Gennaro qui, bouleversé par sa découverte macabre, était farouchement déterminé à fermer le parc d'une manière définitive. Muldoon pouvait bien dire ce qu'il voulait, l'avocat le soupçonnait de faire montre d'un optimisme injustifié et...

– Vous voyez ces empreintes ? lança Muldoon sans lever le nez du sol.

– Quelles empreintes ?

– Les empreintes de pas... Regardez, elles descendent vers nous du haut de la côte. Ce sont des chaussures d'adulte, à semelles de crêpe. Vous voyez ce dessin facilement reconnaissable...

Gennaro ne voyait que de la boue, des flaques réfléchissant la lumière des torches.

– Les empreintes de pieds d'adulte arrivent jusqu'ici où d'autres empreintes les rejoignent, des petites et des moyennes... qui décrivent des cercles, se chevauchent... comme s'ils étaient restés sur place, pour discuter... Et là, regardez, on dirait qu'ils partent en courant... dans cette direction... Ils s'enfoncent dans le parc.

– Vous pouvez voir ce que vous avez envie de voir dans cette boue, fit Gennaro en secouant la tête.

Muldoon se redressa et fit un pas en arrière.

– Quoi que vous en pensiez, soupira-t-il, les yeux toujours fixés sur le sol boueux, je suis prêt à parier que l'un des gamins a survécu et peut-être les deux. Il se peut également qu'il y ait un adulte, si les grandes empreintes appartiennent à quelqu'un d'autre que Regis. Il ne nous reste plus qu'à fouiller le parc.

– De nuit ? demanda Gennaro.

Mais Muldoon n'écoutait plus. Il marchait à grands pas vers un talus de terre meuble, près d'un tuyau d'écoulement.

– Comment était habillée la petite fille ? demanda-t-il en s'accroupissant.

– Je n'en ai pas la moindre idée, répondit Gennaro.

Muldoon s'avança lentement vers le bord de la route. Soudain, ils perçurent un halètement rauque, une sorte de râle produit par un animal.

– Écoutez, souffla l'avocat en sentant la panique monter en lui. Je crois qu'il vaudrait mieux...

– Taisez-vous ! ordonna Muldoon en s'arrêtant pour écouter.

– Ce n'est que le vent, articula Gennaro.

Le râle se fit de nouveau entendre, plus distinctement cette fois. Ce n'était pas le vent. Le bruit provenait du feuillage, juste devant eux, en bordure de la route. Cela ne ressemblait pas au souffle d'un animal, mais Muldoon s'approcha avec précaution. Il agita sa torche et cria pour signaler sa présence, mais la nature du bruit ne changea pas. Puis il écarta les feuilles d'un palmier.

– Qu'est-ce que c'est ? demanda Gennaro.

– C'est Malcolm.

Ian Malcolm était allongé sur le dos, le visage terreux, la bouche grande ouverte, la respiration haletante. Muldoon tendit sa torche à Gennaro et se pencha pour examiner le mathématicien.

– Je ne trouve pas la blessure, dit-il. Il n'a rien à la tête, ni à la poitrine, ni aux bras...

Gennaro dirigea le faisceau de la torche sur les jambes du blessé.

– Il s'est fait un garrot...

Malcolm avait serré sa ceinture autour de sa cuisse droite. Gennaro fit courir le pinceau lumineux le long de la jambe et ils découvrirent la cheville droite tordue à un angle bizarre, le pantalon déchiré et imbibé de sang. Muldoon posa doucement la main sur la cheville de Malcolm qui poussa aussitôt un gémissement.

Muldoon recula en essayant de déterminer ce qu'il convenait de faire. Malcolm avait peut-être d'autres blessures ; s'il était touché à la colonne vertébrale, le transport jusqu'à la jeep pouvait lui être fatal. Mais, s'ils le laissaient là, il allait certainement mourir. C'est uniquement parce qu'il avait eu la présence d'esprit de se poser un garrot qu'il n'avait pas encore perdu tout son sang. Comme il était probablement condamné, autant essayer de le transporter.

Gennaro aida Muldoon à soulever le blessé qu'ils hissèrent péniblement sur leurs épaules. Malcolm gémissait et sa respiration était bruyante et entrecoupée.

– Lex, murmura-t-il. Lex... partie... Lex...

– Qui est Lex ? demanda Muldoon.

– La petite fille, répondit Gennaro.

Ils transportèrent Malcolm jusqu'à la jeep et réussirent à l'étendre sur la banquette arrière. L'avocat resserra le garrot et Malcolm poussa un nouveau gémissement de douleur. Muldoon remonta la jambe du pantalon et découvrit la chair broyée à laquelle se mêlaient des éclats d'os blanchâtres.

– Il faut le ramener au camp, dit-il.

– Vous voulez partir avant d'avoir retrouvé les enfants ? s'étonna Gennaro.

– Le parc fait plus de cinquante kilomètres carrés, déclara Muldoon en secouant la tête, et le seul moyen de trouver quelqu'un làdedans est d'utiliser les capteurs de mouvement. Si les enfants sont vivants et se déplacent dans le parc, les capteurs nous l'indiqueront et nous pourrons nous rendre directement sur place. Mais, si nous ne ramenons pas tout de suite le Dr Malcolm, il va mourir.

– Dans ce cas, nous rentrons, acquiesça Gennaro.

– Oui, je pense que c'est la meilleure solution.

– Allez-vous mettre Hammond au courant de la disparition des enfants ? demanda l'avocat en montant dans la jeep.

– Non, répondit Muldoon. C'est vous qui vous en chargerez.

CONTRÔLE

Dans la cafétéria déserte, Donald Gennaro regarda Hammond plonger tranquillement sa cuiller dans sa crème glacée.

– Muldoon est donc persuadé que les enfants se trouvent quelque part dans le parc ?

– Oui, c'est ce qu'il croit.

– Dans ce cas, je suis sûr que nous les retrouverons.

– J'espère, dit Gennaro sans quitter des yeux le vieil homme qui continuait à manger lentement.

– Nous les retrouverons, cela ne fait aucun doute. Comme je le répète depuis le début, ce parc est fait pour les enfants.

– Je voulais juste que vous compreniez qu'ils ont disparu, insista l'avocat.

– *Disparu* ? répéta Hammond d'un air revêche. Bien sûr que je le sais ! Je ne suis pas sénile !

Il soupira et poursuivit d'un ton radouci :

– Ne nous emballons pas, Donald. Nous avons eu une petite panne, probablement provoquée par l'orage et dont la conséquence fut un regrettable, un malheureux accident. Mais c'est tout ; nous allons reprendre la situation en main. Arnold va remettre les ordinateurs en marche et Muldoon est parti chercher les enfants. Je suis sûr qu'il les aura ramenés sains et saufs avant que j'aie eu le temps de finir ma glace. Attendons tranquillement de voir ce qui se passe, voulez-vous ?

– Comme il vous plaira, monsieur, fit Gennaro.

– Pourquoi ? demanda Henry Wu, le regard rivé sur l'écran de sa console.

– Parce que je pense que Nedry a traficoté le code, répondit Arnold. C'est pourquoi je vérifie tout.

– Très bien, fit Wu, mais avez-vous essayé les différentes options ?

– C'est-à-dire ?

– Je ne sais pas... Les systèmes de sécurité ne fonctionnent plus ? Contrôle clavier... ce genre de chose.

– Bon sang ! s'écria Arnold en claquant des doigts. Bien sûr qu'ils doivent fonctionner ! Les systèmes de sécurité ne peuvent être coupés que du tableau de commande.

– Parfait, dit Wu. Si la vérification du clavier fonctionne, vous devriez pouvoir reconstituer tout ce qu'il a fait.

– Et comment ! lança Arnold en commençant à pianoter sur sa console.

Pourquoi n'y avait-il pas pensé plus tôt ? Cela crevait les yeux ! Le programme informatique du parc Jurassique disposait de plusieurs systèmes de sécurité intégrés. L'un d'entre eux était un programme enregistrant toutes les commandes entrées par les opérateurs ayant accès au système. Conçu à l'origine comme un dispositif de recherche d'erreurs, il avait été conservé comme système de sécurité.

En quelques instants, la liste de toutes les touches actionnées par Nedry dans le courant de la journée s'afficha dans une fenêtre de l'écran.

13,42,121,32,88,77,19,13,122,13,44,52,77,90,13,99,13,100,13,109, 55,103,144,13,99,87,60,13,44,12,09,13,43,63,13,46,57,89,103,122,13, 44,52,88,31,13,21,13,57,98,100,102,103,13,112,13,146,13,13,13,77,67, 88, 23, 13, 13

system
nedry
goto command level
nedry
040/#xy/67&
mr goodbytes
security
keycheck off
safety off
sl off
security
whte-rbt.obj.

– C'est tout ? lança Arnold. Mais qu'a-t-il bien pu fabriquer pendant des heures ?

– Il a tué le temps, répondit Wu, jusqu'à ce qu'il se décide à s'y mettre.

La liste de chiffres représentait les codes ASCII identifiant les touches actionnées par Nedry sur son clavier. Ces chiffres indiquaient qu'il était resté sur l'interface standard, comme n'importe quel utilisateur. Nedry avait donc commencé par quelques commandes très générales, une attitude pour le moins étonnante de la part du programmeur.

– Peut-être voulait-il voir s'il y avait eu des changements, suggéra Henry Wu.

– Peut-être, murmura Arnold qui étudiait maintenant la liste des commandes, ce qui lui permettait de suivre, ligne après ligne, la progression de Nedry dans le système. Au moins, nous pouvons découvrir ce qu'il a fait.

system était l'instruction donnée par l'analyste pour quitter l'interface et accéder au code proprement dit. L'ordinateur lui avait demandé son nom et il avait répondu : *nedry.*

Ce nom lui donnant accès au code, l'ordinateur lui avait permis d'entrer dans le système d'exploitation. Nedry avait ensuite entré *goto command level,* le niveau de contrôle le plus élevé de l'ordinateur qui, par mesure de sécurité supplémentaire, lui demanda son nom, son numéro d'accès et le mot de passe.

nedry
040/#xy/67&
mr goodbytes

Ayant obtenu l'accès au niveau de commande, Nedry demanda le contrôle de sécurité ; l'ordinateur accepta l'instruction et l'informaticien essaya trois variantes :

keycheck off
safety off
sl off

– Il essaie de couper les systèmes de sécurité, dit Wu. Il ne veut pas que l'on puisse voir ce qu'il s'apprête à faire.

– Exactement, approuva Arnold. Mais, apparemment, il ignore qu'il n'est plus possible de couper les systèmes de sécurité autrement qu'en actionnant manuellement des commutateurs sur le tableau principal.

Après trois commandes erronées, l'ordinateur commençait automatiquement à être sur ses gardes, mais, puisque Nedry avait accédé à ce niveau, la machine devait supposer qu'il était perdu et qu'il essayait de faire quelque chose d'impossible. L'ordinateur demanda de nouveau à Nedry où il voulait aller et l'analyste répondit :

sécurité.

– Et voilà enfin la surprise, poursuivit Henry Wu en indiquant la dernière des commandes entrées par Nedry.

whte-rbt.obj

– Qu'est-ce que c'est que ça ? demanda Arnold. *White rabbit* ? Lapin blanc ? C'est une blague qu'il est seul à comprendre ?

– Cette commande porte l'extension objet, fit observer Wu.

Dans la terminologie informatique, un « objet » est un module qui peut être déplacé et chargé, comme on déplace une chaise dans une pièce. Un objet peut représenter une série de commandes pour faire un dessin, modifier les caractéristiques de l'écran ou effectuer un calcul particulier.

– Voyons où cela figure dans le code, dit Arnold. Cela nous donnera peut-être une idée de son utilisation.

Il demanda le programme utilitaires et tapa sur son clavier :

RECHERCHE WHTE-RBT.OBJ

Le message suivant s'afficha :

OBJET NON TROUVÉ DANS BIBLIOTHÈQUES

– Ça n'existe pas, dit Arnold.

– Alors, cherchez dans le listing des codes, suggéra Wu.

Arnold tapa :

RECHERCHE/LISTINGS : WHTE-RBT.OBJ

Les lignes de codes se mirent à défiler sur l'écran. Le défilement dura près d'une minute, puis cessa brusquement.

– Le voilà, dit Wu. Ce n'est pas un objet, c'est une commande.

Sur l'écran, une flèche indiquait une ligne de codes.

```
curV = GetHandl [ssm.dt] tempRgn [itm.dd2].
curH = GetHandl [ssd.itl] tempRgn2 [itm.dd4].
on DrawMeter(!gN) set shp-val.obj to lim(Val[d])-Xval.
if ValidMeter(mH) (**mH).MeterVis return.
if MeterHandl(vGT) ((DrawBack(tY)) return.
limitDat.4 = maxBits (% 33) to [limit.04] set on.
limitDat.5 = setzero, setfive, 0 [limit.2- var(szh)].
on whte-rbt.obj call link.sst [security, perimeter] set to off.
vertRange = [maxRange+setlim] tempVgn(fdn-&bb+$404).
horRange = [maxRange-setlim/2] tempHgn(fdn-&dd+$105).
void DrawMeter send-screen.obj print.
```

– Le fumier, murmura Arnold.

– Il ne s'agit pas du tout d'une erreur dans le code, fit Wu en secouant la tête.

– Non, dit Arnold, c'est une trappe. Le gros plein de soupe a programmé ce qui ressemble à une commande d'objet, mais c'est en réalité une commande qui relie les systèmes de sécurité et du périmètre, et permet de les couper. Ce qui lui donne librement accès à n'importe quelle partie du parc.

– Nous devrions pouvoir les rétablir, poursuivit Wu.

– Oui, nous devrions, acquiesça Arnold en étudiant l'écran, les yeux plissés. Il suffit de trouver la bonne commande. Je vais demander à l'édition de liens de créer un fichier exécutable. Nous verrons bien où cela nous mène.

– Tout cela ne doit pas nous faire oublier que quelqu'un a ouvert le congélateur il y a une heure, dit Wu en se levant. Je pense que je ferais bien d'aller compter mes embryons.

Ellie était dans sa chambre. Elle s'apprêtait à enlever ses vêtements mouillés et à se changer quand on frappa à la porte.

– Alan ? dit-elle.

Mais, en ouvrant la porte, elle découvrit Muldoon dans le couloir, un paquet enveloppé dans du plastique sous le bras. Muldoon était trempé lui aussi et il y avait des traînées de boue sur ses vêtements.

– Je suis désolé de vous déranger, fit-il vivement, mais nous avons besoin de votre aide. Les deux Land Cruiser ont été attaqués il y a une heure. Nous avons ramené Malcolm, mais il est commotionné et gravement blessé à une jambe. Il n'a pas repris connaissance, mais je l'ai mis au lit dans sa chambre. Harding est en route.

– Harding ? Et les autres ?

– Nous n'avons pas encore retrouvé les autres, docteur, répondit Muldoon d'un ton beaucoup plus grave.

– Mon Dieu !

– Mais nous pensons que le Dr Grant et les enfants sont encore vivants. Nous croyons qu'ils se trouvent dans le parc.

– Dans le parc ?

– Oui, c'est ce que nous pensons. Mais, en attendant, Malcolm a besoin de soins. J'ai demandé à Harding de venir...

– Ne vaudrait-il pas mieux appeler le médecin ?

– Il n'y a pas de médecin dans l'île. Nous ne pouvons compter que sur Harding.

– Mais vous devez pouvoir joindre un vrai médecin...

– Non, fit Muldoon en secouant la tête. Les lignes téléphoniques sont coupées ; nous ne pouvons pas appeler l'extérieur...

– Qu'est-ce que c'est ? demanda Ellie en le voyant caler le paquet sous son bras.

– Oh ! rien ! Allez donc voir Malcolm dans sa chambre... Vous pourrez donner un coup de main à Harding.

Muldoon repartit précipitamment et Ellie se laissa tomber sur son lit, bouleversée. Elle n'était pas femme à céder facilement à la panique et elle savait qu'Alan s'était déjà sorti de situations périlleuses. Une fois, il était resté dans les bad lands pendant quatre jours. Une falaise s'était éboulée au passage de son camion qui avait basculé dans un ravin de trente mètres de profondeur. Grant s'était cassé la jambe droite et il n'avait pas une goutte d'eau à boire, mais il avait réussi à regagner le camp à pied.

Mais il y avait les enfants...

Elle secoua la tête pour chasser cette pensée qui lui nouait la gorge. Les enfants étaient probablement avec Alan et qui mieux qu'un spécialiste des dinosaures comme Grant pouvait les ramener à bon port ?

DANS LE PARC

– Je suis fatiguée, docteur Grant, dit Lex d'une voix plaintive. Vous voulez bien me porter ?

– Tu es trop grande pour qu'on te porte, répliqua Tim.

– Mais c'est vrai que je suis fatiguée !

– D'accord, Lex, fit Grant en soulevant la fillette. Oh ! ce que tu es lourde !

Il était près de 21 heures. Des écharpes de brume se déployaient devant la pleine lune éclairant la prairie qu'ils traversaient, précédés par leur ombre, en direction de la ligne sombre des arbres. Grant réfléchissait pour essayer de déterminer où ils se trouvaient. Comme ils avaient franchi la clôture renversée par le tyrannosaure, ils étaient selon toute probabilité à l'intérieur de l'enclos des prédateurs, le dernier endroit du parc où il aurait souhaité se trouver. Dans son esprit repassait sans cesse l'image de l'ordinateur traçant les déplacements du tyrannosaure à l'intérieur de son territoire, toutes ces lignes qui s'entrecroisaient et se chevauchaient dans un espace si restreint. Un espace qu'il était en train de traverser avec les enfants.

Mais Grant se rappelait également que les tyrannosaures étaient isolés de tous les autres animaux. Ils sauraient donc qu'ils quitteraient cet enclos après avoir franchi une enceinte... Une clôture, un fossé, ou les deux.

Une chose était certaine : il n'avait pas encore vu d'enceinte.

La fillette posa la tête sur son épaule et enroula une boucle de ses cheveux autour de ses doigts. Elle s'endormit très vite et Tim se porta à la hauteur de Grant.

– Comment te sens-tu, Tim ?

– Ça va, répondit le garçon, mais je pense que nous sommes dans l'enclos du tyrannosaure.

– Cela ne fait aucun doute et j'espère que nous allons bientôt en sortir.

– Vous voulez aller dans ce bois ? demanda Tim en indiquant de la tête les arbres obscurs et menaçants dont ils s'approchaient.

– Oui, répondit Grant. Je pense qu'il sera possible de nous orienter en suivant l'ordre des numéros des capteurs de mouvement.

C'étaient des boîtes vertes fixées à environ un mètre vingt du sol. Certaines étaient montées sur un pied, la majorité fixées aux arbres. Mais aucun des capteurs ne fonctionnait, car le courant électrique n'avait toujours pas été rétabli. Sous l'objectif placé au centre de chaque boîte verte était peint un numéro de code. Juste devant lui, à la clarté diffuse de la lune, Grant distingua les caractères T/S/04.

Ils s'engagèrent dans la forêt. Des traînées de brume s'accrochaient au sol et s'enroulaient autour des racines des arbres gigantesques. C'était magnifique, mais la marche n'en était que plus difficile. Grant surveillait les capteurs qui semblaient numérotés par ordre décroissant. Ils passèrent successivement devant T/S/03 et T/S/02, puis arrivèrent à T/S/01. Fatigué de porter la fillette, Alan Grant avait espéré que ce capteur marquerait la limite de l'enclos des tyrannosaures, mais il n'en était rien. La boîte suivante portait l'inscription T/N/01 et celle d'après T/N/02. Grant comprit qu'elles devaient être disposées géographiquement autour d'un point central, comme un compas. Les chiffres diminuaient à mesure qu'ils se rapprochaient du centre, puis recommençaient à augmenter.

– Au moins nous allons dans la bonne direction, dit Tim.

– Un bon point pour toi.

Tim sourit et trébucha sur une racine. Il se releva rapidement et ils continuèrent à marcher en silence.

– Mes parents sont en train de divorcer, dit le garçon au bout d'un moment.

– Ah oui ? marmonna Grant.

– Mon père a déménagé le mois dernier. Il s'est installé dans un nouvel appartement, à Mill Valley.

– Oui, oui.

– Il ne porte plus jamais ma sœur. Il ne la soulève même pas.

– Et il dit que tu es obsédé par les dinosaures.

– Eh oui ! soupira Tim.

– Il te manque ? demanda Grant.

– Pas vraiment, répondit le garçon. Parfois... Mais il lui manque beaucoup plus, à elle.

– A qui ? A ta mère ?

– Non, à Lex. Ma mère a un petit ami, un collègue de travail.

Ils marchèrent encore en silence pendant un moment et longèrent les capteurs T/N/03 et T/N/04.

– Tu le connais ? demanda Grant.
– Ouais...
– Comment est-il ?
– Plutôt sympa. Il est plus jeune que mon père, mais il n'a déjà plus un poil sur le caillou.
– Comment te traite-t-il ?
– Je ne sais pas... Bien. Je pense qu'il essaie de s'entendre avec moi. Mais je ne sais pas ce qui va se passer... Maman dit parfois que nous allons être obligés de vendre la maison et de déménager. De temps en temps, la nuit, ils se disputent. Moi, je joue avec mon ordinateur dans ma chambre, mais je les entends.
– Je vois, fit Grant.
– Et vous, vous êtes divorcé ?
– Non, répondit Grant. Ma femme est morte, il y a longtemps.
– Et maintenant, vous êtes avec le Dr Sattler ?
– Pas du tout, répondit Grant en esquissant un sourire dans l'obscurité. C'est une étudiante qui travaille avec moi.
– Elle est encore étudiante ?
– Oui, elle termine sa thèse de doctorat.

Grant s'arrêta pour faire passer Lex sur son autre épaule, puis ils reprirent leur marche en laissant derrière eux les capteurs T/N/05 et T/N/06. Le tonnerre roula au loin, mais, dans la forêt, les seuls bruits étaient le chant des cigales et les coassements assourdis des rainettes.
– Vous avez des enfants ? demanda Tim.
– Non, répondit Grant.
– Vous allez vous marier avec le Dr Sattler ?
– Non, elle doit épouser l'année prochaine un médecin de Chicago, un garçon très bien.
– Ha ! fit Tim, que cette révélation sembla étonner. Alors, qui allez-vous épouser ? reprit-il après un silence.
– Je ne pense pas que j'épouserai qui que ce soit.
– Moi non plus, affirma Tim. Allons-nous marcher toute la nuit ? reprit-il après un nouveau silence.
– J'en serais bien incapable, répondit Grant. Nous allons nous arrêter, au moins pour quelques heures. Tout va bien, ajouta-t-il en regardant sa montre. Il nous reste près de quinze heures avant que le cargo atteigne le continent.
– Où allons-nous nous arrêter ? demanda vivement Tim.

Alan Grant était en train de se poser la même question. Sa première idée avait été de monter dans un arbre et d'essayer d'y dormir. Mais il leur faudrait grimper très haut pour se mettre à l'abri des animaux et Lex risquait de tomber dans son sommeil. De plus, dormir sur une branche d'arbre lui paraissait impossible et, au mieux, très inconfortable.

Il fallait trouver un endroit où ils seraient véritablement en sécurité. Il essaya de se remémorer les plans qu'il avait consultés dans l'avion. Il se souvenait qu'il y avait des constructions isolées dans chacun des grands secteurs. Il ne savait pas à quoi elles ressemblaient, car les plans des différents bâtiments ne figuraient pas dans le dossier et il ne se souvenait pas précisément de leur emplacement, mais, comme elles étaient disséminées dans le parc, il y en avait peut-être une à proximité.

Il ne s'agissait plus seulement de franchir une enceinte pour sortir de l'enclos des tyrannosaures. Trouver un bâtiment nécessitait la mise en place d'une stratégie. Et la meilleure stratégie était...

– Tim ? Peux-tu tenir ta sœur quelques instants ? Je vais grimper dans un arbre pour voir où nous nous trouvons.

Des plus hautes branches, la vue était dégagée sur la cime des arbres se déployant des deux côtés du sien. A son grand étonnement, Alan Grant découvrit que la lisière de la forêt était toute proche : juste devant eux, les arbres s'arrêtaient pour former une clairière derrière laquelle couraient une clôture électrifiée et un fossé cimenté. Au-delà s'étendait une vaste prairie qui devait faire partie de l'enclos des sauropodes. Au loin, il discernait d'autres arbres et des miroitements à la surface de l'océan.

Il perçut le mugissement d'un dinosaure, mais l'animal était très loin. Grant mit les lunettes de Tim et regarda de nouveau autour de lui. Il suivit des yeux la courbe grise du fossé et découvrit ce qu'il cherchait : le ruban sombre d'une voie de service menant au rectangle plat d'un toit. Le toit semblait à peine dépasser le niveau du sol, mais il était là. Et pas très loin. A moins de cinq cents mètres de l'arbre dans lequel il était perché.

Quand il redescendit, Lex était en train de renifler.

– Que se passe-t-il ?

– J'ai entendu un animal.

– Il ne nous fera aucun mal. Tu es bien réveillée ? Alors, en route.

Ils se dirigèrent vers la clôture. Haute de trois mètres cinquante, elle était surmontée de rouleaux de fil de fer barbelé et semblait infranchissable à la clarté laiteuse de la lune. Le fossé s'étendait juste de l'autre côté.

Lex leva la tête pour regarder la clôture d'un air hésitant.

– Tu pourras grimper ? demanda Grant.

– Bien sûr, c'est facile, répondit la fillette en lui tendant sa balle et son gant de base-ball avant de se lancer à l'assaut de la clôture. Mais je parie que Tim n'y arrivera pas.

– Tu vas la fermer ! lança son frère d'un ton furieux.

– Tim a le vertige.

– C'est pas vrai !

– Si, insista Lex en poursuivant son escalade.
– Non!

Grant se retourna vers le garçon, le visage pâle dans l'obscurité, qui ne faisait pas un geste.

– Tu y arriveras, Tim.
– Bien sûr.
– Tu veux que je t'aide?
– Tim est un trouillard! lança la fillette.
– Pauvre idiote! répliqua son frère en commençant à escalader la clôture.
– C'est glacé! s'écria Lex, au milieu du fossé, dans l'eau croupie qui lui arrivait à la taille.

Ils avaient franchi la clôture sans encombre – Tim avait seulement déchiré sa chemise sur le rouleau de barbelés – puis s'étaient laissés glisser tous les trois dans le fossé où Grant essayait maintenant de trouver une issue.

– C'est grâce à moi que Tim a franchi ce grillage, poursuivit la fillette. La plupart du temps, il a peur.
– Merci pour ton aide, fit Tim d'un ton sarcastique en avançant dans le fossé pour scruter la paroi cimentée, lisse, qui semblait n'offrir aucune possibilité de sortie.

C'est Grant qui découvrit enfin dans la paroi une fissure où une plante grimpante descendait vers l'eau. Il tira et la plante résista à la traction.

– Allons-y, les enfants.

Ils grimpèrent tous les trois et débouchèrent dans la prairie. Il ne leur fallut que quelques minutes pour traverser l'espace découvert et atteindre le talus de la voie de service encaissée qui menait au bâtiment d'entretien. Ils passèrent devant deux autres capteurs et Grant remarqua avec une inquiétude accrue que les appareils ne fonctionnaient toujours pas. Pas plus que l'éclairage. Plus de deux heures s'étaient écoulées depuis le début de la panne et le courant n'avait toujours pas été rétabli.

Ils entendirent au loin le rugissement du tyrannosaure.

– Il va venir par ici? demanda Lex.
– Non, répondit Grant, nous sommes passés dans un autre secteur du parc.

Ils se laissèrent glisser en bas d'un talus herbeux et se dirigèrent vers la construction en béton qui, dans l'obscurité, avait l'aspect sinistre d'un bunker.

– Où sommes-nous? demanda Lex.
– En lieu sûr, répondit Grant en espérant que c'était vrai.

Le portail muni de lourds barreaux de fer était assez grand pour laisser le passage à un camion. La construction qu'ils voyaient derrière était un hangar abritant des bottes de foin, de l'herbe et du matériel.

Le portail était fermé avec un gros cadenas. Tandis que Grant l'examinait, Lex se faufila entre les barreaux.

– Faites comme moi, dit-elle.

Tim la suivit et il se retourna vers Grant.

– Je crois que vous aussi, vous pourrez passer, dit-il.

Il avait vu juste. Le paléontologiste fut obligé de rentrer le ventre, mais il parvint à se glisser entre les barreaux. Dès qu'il fut à l'abri du hangar, il sentit une grande fatigue l'envahir.

– Je me demande s'il y a quelque chose à manger, fit Lex.

– Il n'y a que du fourrage ici.

Grant défit une botte et étala l'herbe séchée sur le sol de béton. Le foin était chaud et ils s'allongèrent en soupirant d'aise. Lex se roula en boule près de Grant et ferma les yeux. Tim passa un bras autour de sa sœur et il entendit les barrissements lointains des sauropodes.

Aucun des deux enfants ne prononça un mot ; ils s'endormirent presque instantanément. Grant souleva le bras pour regarder sa montre, mais il faisait trop sombre pour voir les aiguilles.

Alan Grant sentait la chaleur du corps des enfants tout contre le sien. Il ferma les yeux et s'abandonna au sommeil.

CONTRÔLE

Muldoon et Gennaro entrèrent dans la salle de contrôle à l'instant précis où Arnold s'écriait, en battant des mains :

– Ça y est, mon salaud ! Je t'ai eu !

– Que se passe-t-il ? demanda Gennaro.

Arnold lui montra l'écran :

```
Vg1 = GetHandl [dat.dt] tempCall [itm.temp]
Vg2 = Gethandl [dat.itl] tempCall [itm.temp]
if Link(Vg1,Vg2) set Lim(Vg1,Vg2) return
if Link(Vg2,Vg1) set Lim(Vg2,Vg1) return
on whte-rbt.obj link set security (Vg1), perimeter (Vg2)
limitDat.1 = maxBits (% 22) to [limit.04] set on
limitDat.2 = setzero, setfive, 0 [limit.2-var(dzh)]
on fini.obj call link.sst [security, perimeter] set to on
on fini.obj set link.sst [security, perimeter] restore
on fini.obj delete line rf whte-rbt.obj, fini.obj
Vg1 = GetHandl [dat.dt] tempCall [itm.temp]
Vg2 = GetHandl [dat.itl] tempCall [itm.temp]
limitDat.4 = maxBits (% 33) to [limit.04] set on
limitDat.5 = setzero,setfive,0[limit.2-var(szh)]
```

– Et voilà, déclara Arnold, l'air ravi.

– Voilà quoi ? demanda Gennaro, le regard fixé sur l'écran.

– J'ai enfin réussi à découvrir la commande permettant de rétablir le code d'origine. La commande *fini.obj* réactive les paramètres liés, à savoir la clôture et l'électricité.

– Bien, dit Muldoon.

– Mais ce n'est pas tout, poursuivit Arnold. Elle efface ensuite les lignes de code qui y font référence. Elle détruit toutes les preuves de son utilisation. Très astucieux!

– Je n'y entends pas grand-chose, fit Gennaro en secouant la tête.

Mais il en savait assez pour ne pas ignorer que, lorsqu'on était obligé de revenir au code source, c'est qu'il y avait de gros, gros problèmes.

– Regardez, dit Arnold en entrant la commande :

FINI.OBJ

Le texte affiché sur l'écran changea aussitôt.

```
Vg1 = GetHandl [dat.dt] tempCall [itm.temp]
Vg2 = GetHandl [dat.itl] tempCall [itm.temp]
if Link(Vg1,Vg2) set Lim(Vg1,Vg2) return
if Link(Vg2,Vg1) set Lim(Vg2,Vg1) return
limitDat.1 = maxBits (% 22) to [limit.04] set on
limitDat.2 = setzero,setfive,0[limit.2-var(dzh)]
Vg1 = GetHandl [dat.dt] tempCall [itm.temp]
Vg2 = GetHandl [dat.itl] tempCall [itm.temp]
limitDat.4 = maxBits (% 33) to [limit.04] set on
limitDat.5 = setzero,setfive,0[limit.2-var(szh)]
```

– Regardez! s'écria Muldoon en tendant la main vers la fenêtre.

Dans le parc, les gros projecteurs à quartz étaient en train de s'allumer. Tout le monde s'avança jusqu'aux fenêtres.

– Pas trop tôt, dit Arnold.

– Est-ce que cela signifie que les clôtures sont de nouveau électrifiées? demanda Gennaro.

– Et comment! Il faut quelques secondes pour atteindre la puissance maximale, car nous avons quatre-vingts kilomètres de clôture et le générateur doit charger les condensateurs sur tout le trajet. Mais, dans trente secondes, tout sera en ordre.

Arnold se tourna vers le panneau de verre transparent montrant le plan du parc.

Des lignes rouges partant de la centrale électrique et zigzaguant à travers le parc indiquaient la progression du courant le long des clôtures.

– Et les capteurs de mouvement? demanda l'avocat.

– Ils se remettent en marche eux aussi. Il faudra quelques minutes à l'ordinateur pour faire ses comptes. Mais tout est en ordre... Il est 21 h 30, et nous avons repris la situation en main.

Quand Grant ouvrit les yeux, il vit une lumière d'un bleu éclatant à travers les barreaux de la grille. Les projecteurs à quartz : le courant était rétabli! Encore ensommeillé, il regarda sa montre : 21 h 30 précises. Voyant qu'il n'avait dormi que quelques minutes, il décida de s'accorder encore un moment de sommeil avant de repartir dans la prairie et de se planter devant un capteur en gesticulant pour le déclencher. On le repérerait dans la salle de contrôle, on enverrait une voiture les chercher, il dirait à Arnold de rappeler le cargo et chacun finirait la nuit dans son propre lit, dans sa propre chambre...

Oui, c'est ce qu'il allait faire après quelques minutes de repos. Grant bâilla et referma les yeux.

– Pas mal, dit Arnold en étudiant le plan lumineux. Il n'y a que trois disjoncteurs qui se sont déclenchés pour l'ensemble du parc. C'est bien mieux que je n'espérais.

– Trois disjoncteurs ? fit Gennaro.

– Le courant est automatiquement interrompu dans les sections mises en court-circuit, expliqua Arnold. Regardez ici, dans le secteur douze. Il y en a une longue près de la route.

– C'est l'endroit où le tyrannosaure a renversé la clôture, précisa Muldoon.

– Exactement. Et il y en a une autre dans le secteur onze, près du bâtiment des sauropodes.

– Pourquoi cette section est-elle hors circuit ? s'enquit Gennaro.

– Dieu seul le sait. Probablement des dégâts causés par la tempête ou bien un arbre tombé. Nous pourrons bientôt vérifier sur le moniteur. Et voici la troisième section hors circuit, près de la rivière. Je ne sais pas non plus pour quelle raison.

Gennaro se tourna vers le plan qui devenait de plus en plus chargé et se remplissait de points verts et de chiffres.

– Qu'est-ce que cela représente ?

– Les animaux. Les capteurs de mouvement se sont remis en marche et l'ordinateur commence à localiser tous les animaux du parc. Les animaux et les humains...

– Vous voulez dire que Grant et les enfants..., murmura Gennaro, les yeux écarquillés devant le plan.

– Oui. Nous avons fait passer le nombre des animaux recherchés à plus de quatre cents et, s'ils se déplacent dans le parc, ils seront détectés et comptabilisés comme des animaux additionnels. Mais je n'en vois pas encore, ajouta-t-il en étudiant le plan.

– Pourquoi est-ce si long ?

– Vous devez comprendre, monsieur Gennaro, qu'il y a énormément de mouvements n'ayant aucun rapport avec ce qui nous intéresse, des branches agitées par le vent, des oiseaux qui volent dans les arbres, toutes sortes de choses. L'ordinateur doit éliminer tous ces mouvements parasites et cela peut prendre... Ah ! voilà ! Le comptage est terminé.

– Vous ne voyez pas les enfants ? demanda Gennaro.

Arnold se retourna sur son siège et étudia le plan.

– Non, répondit-il. Il n'y a pour l'instant aucun animal additionnel.

Tout ce qui a été détecté par les capteurs a été identifié comme un dinosaure. Ils doivent être montés dans un arbre ou s'être réfugiés dans un endroit où on ne peut pas les voir. Mais il n'y a pas à s'inquiéter. Plusieurs animaux, dont le gros T-rex, ne se sont pas encore montrés. Il est probablement en train de dormir quelque part et il ne bouge pas. Il en va peut-être de même de ceux que nous cherchons. Mais comment le savoir ?

– Nous devrions nous mettre au travail, intervint Muldoon. Il faut réparer les clôtures et faire rentrer les animaux dans leur enclos. D'après ce que l'ordinateur nous indique, il y en a cinq qui ne sont pas dans leur secteur. Je vais emmener le personnel d'entretien.

– Peut-être avez-vous envie de prendre des nouvelles du Dr Malcolm, fit Arnold en se tournant vers Gennaro. Dites au Dr Harding que M. Muldoon aura besoin de lui dans une heure pour superviser la conduite des animaux. De mon côté, je vais informer M. Hammond que nous commençons à tout remettre en ordre.

Gennaro franchit les grilles de fer et poussa la porte de l'hôtel. Il vit Ellie Sattler arriver dans le couloir en portant des serviettes et une casserole d'eau bouillante.

– Il y a une cuisine au fond, dit-elle. Nous allons y faire bouillir de l'eau pour les pansements.

– Comment va-t-il ?

– Bien mieux qu'on n'aurait pu le penser.

Gennaro suivit Ellie jusqu'à la chambre de Malcolm et il fut surpris en entrant d'entendre un grand rire. Le mathématicien était allongé sur le dos tandis que Harding installait un goutte-à-goutte.

– Alors, l'autre lui dit : « Franchement, Bill, je n'ai pas aimé et je suis revenu au papier hygiénique ! »

Le vétérinaire éclata de rire.

– Elle est bonne, non ? demanda Malcolm en souriant. Ah ! monsieur Gennaro ! C'est gentil de venir me voir. Vous comprenez maintenant le sens de l'expression n'aller que d'une jambe !

Gennaro s'avança d'un pas hésitant.

– Je lui ai administré une bonne dose de morphine, glissa Harding.

– Pas assez forte, je le répète, lança Malcolm. Ce qu'il peut être pingre quand il s'agit de ses drogues ! Avez-vous trouvé les autres ?

– Pas encore, répondit Gennaro. Mais je suis content de vous trouver, vous, en si bonne forme.

– Pourquoi voudriez-vous que je ne sois pas en forme avec une fracture compliquée de la jambe qui s'est probablement infectée et qui commence à sentir, disons assez fort ? Mais, comme je le dis toujours, tant que l'on garde le sens de l'humour...

– Vous souvenez-vous de ce qui s'est passé ? demanda Gennaro en souriant.

– Évidemment que je m'en souviens! On ne l'oublie pas de sitôt quand on se fait mordre par un *Tyrannosaurus rex*! Croyez-moi, on s'en souvient jusqu'à la fin de ses jours, même si, en ce qui me concerne, il n'y en a peut-être plus pour très longtemps. Mais je m'en souviens, oui, je m'en souviens.

Malcolm raconta sa fuite éperdue sous la pluie, pourchassé par le dinosaure.

– C'est de ma faute, il était beaucoup trop près... mais j'ai cédé à la panique. En tout cas, il m'a pris entre ses dents.

– Comment ? demanda Gennaro.

– Par le torse, répondit Malcolm en remontant sa chemise pour montrer de grosses ecchymoses qui couraient de l'épaule au nombril en formant un demi-cercle. Il m'a soulevé entre ses mâchoires, expliqua le mathématicien, et il m'a secoué comme un prunier avant de me lâcher. J'étais terrifié, naturellement, mais tout allait bien jusqu'à ce qu'il me laisse tomber. C'est dans cette chute que je me suis cassé la jambe. Mais la morsure n'était pas trop méchante... Cela aurait pu être pire, ajouta-t-il avec un soupir.

– La plupart des grands carnivores n'ont pas une mâchoire très puissante, expliqua Harding. Leur véritable force se trouve dans la musculature du cou. Ils n'utilisent leur mâchoire que pour tenir la proie et se servent du cou pour secouer et arracher. Mais quand sa proie est une petite créature comme le Dr Malcolm, le tyrannosaure se contente de la secouer, puis il la laisse tomber.

– Je crains que vous n'ayez raison, glissa Malcolm. Je n'aurais certainement pas survécu s'il y avait mis tout son cœur. Pour ne rien vous cacher, il m'a donné l'impression de ne le faire que du bout des lèvres.

– Vous pensez qu'il vous a attaqué sans conviction ?

– Je regrette de devoir dire cela, mais, très sincèrement, je ne pense pas avoir eu toute son attention. En revanche, il avait toute la mienne, mais, lui, il pèse huit tonnes...

– Ils vont aller réparer les clôtures, dit Gennaro en se tournant vers le vétérinaire. Arnold a dit que Muldoon aurait besoin de vous pour faire rentrer les animaux dans leur enclos.

– D'accord, fit Harding.

– Aucune objection, si vous me laissez le Dr Sattler et de la morphine en quantité suffisante, dit le mathématicien. Et tant que nous n'avons pas un effet Malcolm ici.

– Qu'est-ce qu'un effet Malcolm ? s'enquit Gennaro.

– La modestie m'interdit de vous exposer les détails d'un phénomène qui porte mon nom.

Malcolm poussa un soupir et ferma les yeux. Quelques secondes plus tard, il était endormi.

Ellie sortit dans le couloir avec Gennaro.

– Ne vous laissez pas impressionner, dit-elle. Il traverse des moments très difficiles. Quand pourrons-nous avoir un hélicoptère ?

– Un hélicoptère ?

– Il faut absolument l'opérer de cette jambe. Faites venir un hélicoptère et évacuez-le de l'île.

LE PARC

Après quelques crachotements, le générateur portable se mit bruyamment en marche et les projecteurs à quartz s'allumèrent à l'extrémité de leurs bras télescopiques. Muldoon perçut le clapotis étouffé de la rivière, à quelques mètres au nord. Il se retourna vers la camionnette de service et vit l'un des ouvriers en sortir avec une grosse scie électrique.

– Non, non, Carlos, les cordes suffiront ! Nous n'avons pas besoin de la découper.

Muldoon se tourna vers la clôture. Ils avaient eu du mal à trouver la section mise hors circuit, car il n'y avait rien d'autre à voir qu'un petit protocarpus appuyé contre la clôture. Plusieurs de ces arbres au feuillage plumeux avaient été plantés dans ce secteur du parc afin de dissimuler partiellement le treillis de fils de fer.

Mais celui-ci était maintenu par des câbles et des tendeurs métalliques. L'orage avait arraché les câbles et le vent avait poussé les tendeurs contre la clôture, provoquant un court-circuit. Cela n'aurait jamais dû se produire, car les ouvriers étaient censés n'utiliser que des câbles enrobés de plastique et des tendeurs en céramique à proximité des clôtures. Mais les règles n'avaient pas été respectées.

Il n'y avait aucune difficulté particulière. Il suffisait d'écarter le protocarpus de la clôture, d'enlever les câbles et tendeurs métalliques et de marquer l'emplacement aux jardiniers qui viendraient le lendemain matin. Le tout ne devait pas prendre plus de vingt minutes. Tant mieux, songea Muldoon. Les dilophosaures ne s'éloignaient jamais beaucoup de la rivière et, même si les ouvriers étaient protégés par la clôture, les dilophosaures pouvaient cracher à travers le treillis métallique et les aveugler avec leur salive empoisonnée.

– Señor Muldoon ? demanda Ramón, l'un des ouvriers, en s'approchant de lui. Avez-vous vu les lumières ?

– Quelles lumières ?

Ramón tendit la main en direction de l'est, vers la jungle luxuriante.

– Je les ai remarquées en arrivant, señor. Regardez, là-bas, elles sont très faibles. On dirait les lumières d'une voiture, mais elles ne bougent pas.

Muldoon scruta le feuillage. Ce devait être une lumière du service d'entretien, visible depuis que le courant avait été rétabli.

– Nous nous en occuperons plus tard, dit-il. Pour l'instant, nous allons éloigner cet arbre de la clôture.

Arnold était de charmante humeur. L'ordre était presque revenu dans le parc : Muldoon réparait les clôtures et Hammond était parti surveiller le rassemblement des animaux avec Harding. Malgré sa fatigue, Arnold se sentait bien, assez bien pour supporter la compagnie de l'avocat.

– L'effet Malcolm ? dit-il. C'est ce qui vous préoccupe ?

– Simple curiosité, fit Gennaro.

– En fait, ce que vous voulez, c'est que je vous dise pourquoi Ian Malcolm se trompe ?

– Absolument.

– C'est assez technique, dit Arnold en allumant une cigarette.

– Je vous écoute.

– Très bien. La théorie du chaos qui décrit des systèmes non linéaires a maintenant de nombreuses applications et est utilisée pour étudier aussi bien les marchés boursiers qu'une foule d'émeutiers ou les ondes cérébrales pendant une crise d'épilepsie. C'est une théorie très *branchée* que l'on peut appliquer à tout système complexe dans lequel il peut arriver quelque chose d'imprévisible. Vous me suivez ?

– Allez-y.

– Ian Malcolm est un mathématicien spécialisé dans cette théorie du chaos. Il n'est dénué ni d'humour ni de prestance dans son sempiternel complet noir, et le plus clair de son travail consiste à modéliser sur ordinateur le comportement de systèmes complexes. John Hammond, toujours à l'affût des dernières trouvailles scientifiques, demanda donc à Malcolm d'établir le modèle du système du parc Jurassique. Malcolm accepta. Ses modèles sont des représentations de l'espace des phases sur un écran d'ordinateur. En avez-vous déjà vu ?

– Jamais, répondit Gennaro.

– Eh bien, ils ressemblent à une hélice bizarrement tordue. D'après Malcolm, le comportement de tout système suit la surface de l'hélice. Vous me suivez toujours ?

– Difficilement, fit l'avocat.

Arnold leva une main à la hauteur de son visage.

– Imaginons que je pose une goutte d'eau sur le dos de ma main. Cette goutte finira par tomber. Peut-être coulera-t-elle vers mon poignet ; peut-être roulera-t-elle vers mon pouce, ou bien entre mes doigts. Je ne peux absolument pas savoir où elle ira, mais ce que je sais, c'est qu'elle roulera à la surface de ma main. C'est obligatoire.

– D'accord, fit l'avocat en hochant la tête.

– La théorie du chaos assimile le comportement de l'ensemble d'un système à celui d'une goutte d'eau se déplaçant à la surface d'une hélice tarabiscotée. La goutte peut tomber en suivant les spires de l'hélice ou bien passer par-dessus le bord. Elle peut faire beaucoup de choses, mais elle se déplacera toujours sur la surface de l'hélice.

– D'accord.

– Les modèles de Malcolm, poursuivit Arnold, ont une saillie ou bien une brusque déclivité à partir de laquelle la goutte d'eau prendra rapidement de la vitesse. Il a modestement baptisé ce mouvement d'accélération l'effet Malcolm. C'est tout le système qui peut s'effondrer d'un seul coup. Et c'est ce qu'il a prévu pour le parc Jurassique ; il affirme qu'il renferme une instabilité structurelle.

– Une instabilité structurelle, répéta Gennaro. Et qu'avez-vous fait en prenant connaissance de ses conclusions ?

– Nous les avons refusées et il va sans dire que nous n'en avons tenu aucun compte.

– Était-ce l'attitude la plus sage ?

– Cela va de soi... Nous avons affaire à des systèmes vivants. C'est de la vie qu'il s'agit, pas de modèles informatiques.

A la lumière crue du projecteur à quartz, la tête verte de l'hypsilophodon bascula en avant, la langue pendante, les yeux vitreux.

– Attention ! s'écria Hammond en voyant la grue commencer à soulever l'animal. Faites attention !

Harding jura tout bas et repoussa la tête sur les sangles de cuir. Il ne voulait pas que la circulation du sang soit interrompue au niveau de la carotide. La grue grinçante souleva l'animal et le déposa sur le camion. C'était une jeune femelle dryosaure de deux mètres de long, pesant à peu près deux cent cinquante kilos. Elle avait la peau d'un vert sombre moucheté de brun et sa respiration, bien que lente, n'avait rien d'inquiétant. Harding lui avait injecté un tranquillisant quelques minutes auparavant et il semblait avoir trouvé la dose correcte. Il y avait toujours un moment d'inquiétude lorsqu'il s'agissait de déterminer la dose. Trop faible, les animaux s'enfuyaient dans la forêt et s'effondraient dans des coins inaccessibles ; trop forte, c'était l'arrêt cardiaque. La jeune dryosaure avait fait un seul bond avant de tomber sans connaissance. Parfaitement dosé.

– Doucement ! hurlait Hammond aux ouvriers. Faites attention !

– Monsieur Hammond, glissa Harding. Je vous en prie...

– Il faut qu'ils fassent attention...

– Ne craignez rien, ils font attention.

Le vétérinaire grimpa sur la plate-forme du camion où la grue déposait l'animal. Il lui passa les harnais destinés à le retenir, glissa autour de son cou le collier muni d'un cardiographe, puis saisit le gros thermomètre électronique de la taille d'une broche et l'enfonça dans le rectum. Un signal sonore retentit et l'instrument afficha la température : 35,7 °C.

– Alors ? demanda nerveusement Hammond.

– Tout va bien, répondit Harding. La température n'a baissé que de 0,8 °C.

– C'est trop, lança Hammond. C'est beaucoup trop.

– Vous ne voulez pas qu'elle se réveille et qu'elle saute du camion ! riposta sèchement Harding.

Avant son arrivée au parc Jurassique, Harding était responsable du service vétérinaire au zoo de San Diego et on le considérait comme le grand spécialiste mondial des oiseaux. Il voyageait aux quatre coins de la planète, engagé comme consultant par des zoos d'Europe, d'Inde et du Japon pour donner son avis sur les soins à apporter aux oiseaux exotiques. Quand le vieux monsieur excentrique était venu lui proposer de travailler dans un parc animalier privé, il avait décliné sa proposition. Mais quand Hammond lui avait révélé de quels animaux il s'agissait... il n'avait pas voulu laisser passer cette chance. Harding ne cachait pas un penchant pour les ouvrages didactiques et la perspective de publier le premier *Traité de médecine vétérinaire interne : les maladies des dinosaures* avait pour lui un attrait irrésistible. En cette fin du XXe siècle, les progrès de la médecine vétérinaire étaient frappants et les plus grands zoos disposaient de cliniques aussi bien équipées que des hôpitaux. Les nouveaux ouvrages ne faisaient guère que reprendre et développer les anciens. Pour un praticien de réputation mondiale, il n'y avait plus de nouveaux domaines à conquérir. Alors, être le premier à soigner une nouvelle classe d'animaux, c'était vraiment quelque chose !

Harding n'avait jamais regretté sa décision. Il avait acquis une compétence considérable avec ces animaux et il ne voulait pas voir Hammond s'ingérer dans son travail.

La dryosaure s'ébroua. Sa respiration était encore faible et il n'y avait toujours pas de réflexe oculaire. Mais il était temps de se mettre en route.

– Embarquement immédiat ! s'écria Harding. Nous allons raccompagner notre jeune amie chez elle.

– Les systèmes vivants, expliqua Arnold, ne sont pas comme les systèmes mécaniques. Ils ne sont jamais en équilibre, ils ont une instabilité structurelle. Ils peuvent paraître stables, mais ne le sont pas. Tout est mouvement, tout est changement. Dans un sens, tout est au bord de l'effondrement.

– Mais il y a des tas de choses qui ne changent pas, objecta Gennaro, les sourcils froncés. La température du corps ne change pas et il y a toutes sortes de...

– La température du corps varie constamment, le coupa Arnold. *Constamment*. Elle se modifie suivant un cycle de vingt-quatre heures, plus basse le matin, plus élevée l'après-midi. Elle varie selon l'humeur, l'état de santé, l'exercice physique, la température extérieure, la nourriture... Elle subit d'incessantes fluctuations, d'infimes soubresauts sur un graphique. A tout moment, certaines forces font monter la température et des forces contraires la font descendre. Elle a une instabilité structurelle. Et tous les autres aspects des systèmes vivants sont analogues.

– Ce que vous voulez dire, c'est donc que...

– Malcolm n'est en fait qu'un théoricien, acheva Arnold. Assis devant son pupitre, il a conçu un joli modèle mathématique, mais l'idée ne l'a jamais effleuré que ce qu'il considérait comme des défauts était en réalité des nécessités. Quand je travaillais sur les missiles, nous avions à résoudre un problème dit de « lacet de résonance », ce qui signifiait que la moindre instabilité sur la rampe de lancement était synonyme d'échec. Le missile allait inéluctablement échapper à notre contrôle et il serait impossible de le faire revenir. C'est une caractéristique des systèmes mécaniques. Une oscillation minime peut s'amplifier au point de mettre en péril tout le système. Mais ces petits phénomènes oscillatoires font partie intégrante d'un système vivant, ils témoignent de sa santé et de sa vitalité. C'est ce que Malcolm n'a jamais compris.

– Êtes-vous sûr qu'il ne l'a pas compris ? Il semble pourtant faire une distinction très nette entre ce qui est vivant et ce qui ne l'est pas...

– Mais vous en avez la preuve sous les yeux ! reprit vivement Arnold en lui montrant les écrans. Dans moins d'une heure, l'ensemble du parc fonctionnera normalement. Il ne me reste plus qu'à rétablir les lignes téléphoniques qui, pour une raison qui m'échappe, sont encore hors service. Mais tout le reste va fonctionner. Et ce n'est pas une théorie, c'est un fait !

L'aiguille s'enfonça profondément dans le cou et Harding injecta la médrine. Le dryosaure femelle, couché sur le côté, commença immédiatement à gronder et donna dans le vide de grands coups de ses puissantes pattes postérieures.

– En arrière, tout le monde ! ordonna le vétérinaire en s'écartant rapidement. Reculez !

Le dinosaure se releva en titubant et demeura immobile, les pattes flageolantes. Il secoua sa tête de lézard, fixa un regard sans expression sur les humains qui avaient reculé jusqu'aux projecteurs à quartz et cligna des yeux à plusieurs reprises.

– Elle bave, fit remarquer Hammond d'une voix inquiète.

– Ça passera, affirma Harding. Ce n'est pas grave.

Le dinosaure grogna, puis s'engagea lentement dans la prairie en s'éloignant des lumières.

– Pourquoi ne saute-t-elle pas ?

– Laissez-lui un peu de temps, fit Harding. Il lui faudra à peu près une heure pour retrouver tous ses moyens, mais elle va bien. Hé, les gars, ajouta-t-il en se tournant vers le camion, allons nous occuper des stégos !

Muldoon regarda les ouvriers ficher en terre le dernier pieu, tendre les cordes et redresser le protocarpus. Il distingua sur les mailles de la clôture des traînées noires à l'endroit où s'était produit le court-circuit. Au pied du treillis de fils de fer, plusieurs isolateurs en céramique avaient éclaté. Il faudrait les remplacer, mais, pour cela, Arnold serait obligé de couper l'alimentation électrique de toutes les clôtures.

– Contrôle ? C'est Muldoon. Nous sommes prêts à effectuer les réparations.

– Très bien, répondit Arnold. Je coupe votre section.

Muldoon regarda sa montre. Il entendit au loin des hululements assourdis par la distance et reconnut le cri des dilophosaures.

– Finissons ce que nous avons à faire ici, dit-il à Ramón. Je veux aller voir les autres sections endommagées.

Une heure s'était écoulée. Donald Gennaro gardait les yeux fixés sur le plan lumineux du parc où clignotaient des points de couleur et où défilaient des chiffres.

– Où en êtes-vous ? demanda-t-il à Arnold, assis devant sa console.

– J'essaie de rétablir les lignes téléphoniques afin de pouvoir demander une assistance médicale pour Malcolm.

– Je voulais dire dans le parc.

– Il semble qu'ils aient bientôt fini de rentrer les animaux et que les deux sections de clôture soient réparées, répondit Arnold après avoir jeté un coup d'œil au plan lumineux. Comme je vous l'ai dit, nous avons repris la situation en main. Il n'y a pas eu de catastrophe, pas d'effet Malcolm. En fait, il ne reste plus que la troisième section...

– Arnold ?

C'était la voix de Muldoon.

– Oui ?

– Avez-vous vu cette foutue clôture ?

– Un instant.

Sur l'un des moniteurs, Gennaro découvrit une prairie ondoyante. Au loin, il distingua le toit de ciment d'une construction basse.

– C'est le bâtiment de service des sauropodes, expliqua Arnold, l'un de ceux que nous utilisons pour entreposer du matériel et du fourrage. Nous en avons dans tout le parc, dans chacun des enclos.

Sur l'écran vidéo, la caméra commença un panoramique.

– Nous allons maintenant braquer l'objectif sur la clôture...

Gennaro vit apparaître un haut réseau de mailles métalliques brillant à la lumière, dont une portion avait été piétinée et complètement aplatie. La jeep de Muldoon et les membres de l'équipe d'entretien se trouvaient à côté.

– Ha! fit Arnold. On dirait que le T-rex est entré dans l'enclos des sauropodes.

– Il va faire un bon gueuleton, glissa Muldoon.

– Il faut le faire sortir de là, déclara Arnold.

– Avec quoi? demanda Muldoon. Nous ne sommes pas équipés pour neutraliser un tyrannosaure. Je vais réparer la clôture, mais pas question d'aller faire un tour là-dedans avant le lever du jour.

– Hammond ne va pas être content.

– Nous en reparlerons à mon retour, dit Muldoon.

– Combien de sauropodes le *rex* peut-il tuer? demanda Hammond sans cesser d'arpenter la salle de contrôle.

– Probablement un seul, répondit Harding. Les sauropodes sont de gros animaux et une seule proie suffira à nourrir le tyrannosaure pendant plusieurs jours.

– Il faut aller le chercher cette nuit, déclara Hammond.

– Je n'irai pas avant le lever du jour, répliqua Muldoon en secouant vigoureusement la tête.

Hammond se dressait machinalement sur la pointe des pieds, comme il avait coutume de le faire dans ses accès de colère.

– Avez-vous oublié que vous travaillez pour moi?

– Non, monsieur, je n'ai rien oublié. Mais c'est d'un tyrannosaure adulte que nous parlons. Comment comptez-vous le neutraliser?

– Nous disposons de pistolets à tranquillisants.

– En effet, nous disposons de pistolets qui tirent une fléchette de vingt centimètres cubes, répliqua Muldoon. Une dose convenant à un animal de deux cents à deux cent cinquante kilos. Mais le tyrannosaure pèse huit tonnes et il ne sentirait absolument rien.

– Vous avez commandé une arme plus puissante...

– J'en ai commandé trois, monsieur, mais vous avez décidé de réduire les dépenses et je n'en ai eu qu'une seule. Et elle a disparu... Nedry l'a emportée.

– C'est idiot! Comment avez-vous pu laisser faire cela?

– Ce qu'a fait Nedry ne me concerne pas, riposta Muldoon.

– Vous prétendez donc, poursuivit Hammond, que, dans l'état actuel des choses, il nous est impossible d'arrêter le tyrannosaure?

– Précisément.

– C'est ridicule!

– Le parc vous appartient, monsieur, et vous n'avez jamais voulu que l'on puisse faire du mal à vos précieux dinosaures. Vous avez donc maintenant un tyrannosaure en liberté dans l'enclos des sauropodes et vous ne pouvez absolument rien y faire.

Sur ces mots, il quitta la salle.

– Attendez! s'écria Hammond en s'élançant derrière lui.

Gennaro gardait les yeux fixés sur les écrans tandis que des éclats de voix lui parvenaient du couloir.

– Tout compte fait, dit-il en se tournant vers Arnold, vous n'avez peut-être pas totalement la situation en main.

– Détrompez-vous, répliqua Arnold en allumant une nouvelle cigarette. Nous contrôlons le parc et le jour se lèvera dans deux heures. Nous perdrons peut-être un ou deux animaux avant d'avoir fait sortir le tyrannosaure, mais nous maîtrisons la situation.

L'AUBE

Grant fut réveillé par un grincement retentissant suivi d'un bruit mécanique. Il ouvrit les yeux et vit une botte de foin passer devant lui sur un convoyeur et monter vers le plafond. Deux autres suivirent, puis l'appareil s'arrêta aussi brusquement qu'il s'était mis en marche et le silence retomba sur le hangar.

Grant bâilla à se décrocher la mâchoire, s'étira en grimaçant et se mit sur son séant.

Une lumière ambrée entrait par les fenêtres. Le jour était levé : il avait dormi toute la nuit ! Il regarda vivement sa montre : 5 heures. Il disposait encore de près de six heures pour prévenir le cargo. Grant roula sur le dos en réprimant un gémissement ; il avait des élancements dans le crâne et tout son corps le faisait souffrir, comme si on l'avait roué de coups. Il perçut à l'extérieur une sorte de couinement évoquant le bruit aigre d'une roue mal lubrifiée, puis il entendit Lex pouffer de rire.

Il se leva lentement et regarda autour de lui. La lumière du jour lui permettait de distinguer les bottes de fourrage et le matériel entreposés dans l'abri. Sur une boîte métallique grise fixée au mur, une inscription en lettres noires indiquait : BAT. SERV. SAUROPODES (04). Ayant la confirmation qu'ils se trouvaient dans l'enclos des sauropodes, Grant ouvrit la boîte et vit un téléphone. Il décrocha, mais n'entendit que des grésillements de parasites ; les lignes n'avaient toujours pas été rétablies.

– Mâche bien, entendit-il Lex dire à l'extérieur. Ne te goinfre pas comme ça, Ralph.

Grant s'avança et découvrit la fillette devant la grille. Elle tendait à travers les barreaux des poignées de foin à un animal ressemblant à un gros cochon rose qui émettait les couinements qu'il avait entendus. C'était un bébé tricératops, à peu près de la taille d'un poney. Il n'avait pas encore de cornes, mais une collerette se développait au-dessus de ses grands yeux pleins de douceur. Le jeune animal poussait son museau à travers les barreaux sans quitter des yeux la fillette qui lui donnait à manger.

– Prends ton temps, dit Lex en lui tapotant le crâne. Ne t'inquiète pas, Ralph, tu en auras autant que tu veux. Tu aimes ça, hein ?

La fillette se retourna et vit Grant qui la regardait.

– Je vous présente Ralph, dit-elle. C'est mon nouveau copain et il adore le foin.

Grant fit un pas en avant et grimaça aussitôt.

– Vous avez l'air patraque, dit Lex.

– Je me sens patraque.

– Tim aussi. Il a le nez comme une patate.

– Où est ton frère ?

– Il fait pipi. Vous voulez m'aider à nourrir Ralph ?

Le bébé tricératops leva les yeux vers Grant sans cesser de mâchonner l'herbe sèche dont les brins dépassant de sa bouche tombaient par terre.

– Il mange vraiment comme un goret, reprit Lex. Et il avait très faim.

Le jeune animal termina sa bouchée et passa la langue sur ses lèvres. Puis il ouvrit la bouche pour en redemander et Grant vit les dents fines et pointues dans la mâchoire supérieure rappelant le bec corné d'un perroquet.

– Une seconde, Ralph, dit la fillette en ramassant une poignée de foin sur le sol cimenté. On dirait que ta mère ne te donne jamais à manger.

– Pourquoi l'appelles-tu Ralph ?

– Parce qu'il ressemble à Ralph. Un copain, à l'école.

Grant se rapprocha et posa délicatement la main sur le cou du tricératops.

– Oui, vous pouvez le caresser, dit la fillette. Il aime bien ça, hein, Ralph ?

La peau était sèche et chaude, avec la texture granuleuse d'un ballon de football. Ralph poussa un petit couinement quand Grant commença à le caresser et il remua la queue de plaisir.

– Il n'est pas farouche, fit Grant.

Tout en mâchonnant son foin, le bébé tricératops regardait alternativement Grant et la fillette sans montrer le plus petit signe de peur. Grant songea que les dinosaures n'avaient pas devant des humains les réactions habituelles des animaux sauvages.

– Je pourrais peut-être monter sur son dos, suggéra Lex.

– Je ne te le conseille pas.

– Je suis sûre qu'il me laisserait faire. Ce serait drôle de faire une promenade à dos de dinosaure.

Le regard de Grant se porta derrière les barreaux, sur la prairie gagnée par la lumière encore indécise du jour. Il était temps de quitter l'abri du hangar et de se placer devant l'un des capteurs de mouvement pour donner l'alarme dans la salle de contrôle. Il faudrait aux autres un certain temps, peut-être une heure, pour venir les chercher et la coupure prolongée du téléphone commençait à l'inquiéter...

Grant entendit une sorte d'éternuement, un souffle bruyant semblable à l'ébrouement d'un grand cheval, et le bébé tricératops commença brusquement à s'agiter. Il essaya de dégager sa tête des barreaux entre lesquels il l'avait passée, mais il accrocha le bord de sa collerette et poussa des couinements terrifiés.

L'ébrouement se fit de nouveau entendre. Plus fort, plus proche.

Ralph se dressa sur ses pattes de derrière et s'efforça de se libérer en secouant frénétiquement la tête.

– Calme-toi, Ralph, dit Lex.

– Il faut le pousser, lança Grant.

Il prit la tête de Ralph à deux mains et appuya de toutes ses forces en poussant obliquement. La collerette franchit l'obstacle des barreaux et le bébé dinosaure, surpris, perdit l'équilibre et bascula sur le côté. Soudain, tout son corps se trouva dans l'ombre et une patte énorme, plus grosse qu'un tronc d'arbre, apparut. Le pied était muni de cinq gros ongles recourbés, comme celui d'un éléphant.

Ralph leva les yeux et émit un nouveau couinement. Une tête s'avança, longue d'un mètre quatre-vingts, avec trois longues cornes blanches, une au-dessus de chacun des grands yeux bruns et une troisième, plus petite, au bout du nez. C'était la tête d'un tricératops adulte. L'énorme animal dirigea son regard vers Lex et Grant, puis il battit lentement des paupières et reporta son attention sur Ralph. Il commença à lécher le bébé, qui poussa des couinements de joie et se frotta contre la patte massive.

– C'est sa maman ? demanda Lex.

– Cela m'en a tout l'air.

– Vous croyez qu'il faut lui donner à manger, à elle aussi ?

Mais le tricératops adulte poussait le bébé en lui donnant de petits coups de tête pour l'éloigner des barreaux.

– Non, je ne pense pas que ce soit une bonne idée.

Le bébé se détourna de la grille et commença à s'engager dans la prairie. De temps en temps, sa mère le poussait du museau pour lui indiquer la direction à suivre et les deux dinosaures s'éloignèrent lentement.

– Au revoir, Ralph ! cria Lex en agitant la main au moment où Tim sortait de l'ombre du bâtiment.

– Voici ce que nous allons faire, dit Grant. Je vais repartir sur la colline pour déclencher les capteurs et indiquer aux autres où nous sommes. Vous deux, vous restez ici et vous m'attendez.

– Non, répliqua la fillette.

– Pourquoi ? Reste ici, tu seras en sécurité.

– Non, insista-t-elle, vous n'allez pas nous laisser tout seuls. Hein, Tim ?

– Tu as raison, dit Tim.

– D'accord, soupira Grant. Suivez-moi.

Ils se glissèrent tous les trois entre les barreaux de la grille.

L'aube commençait à poindre, l'air était chaud et humide, le ciel se colorait de rose et de pourpre. De blanches écharpes de brume s'accrochaient encore au sol. Ils voyaient loin devant eux le tricératops femelle et son bébé se diriger vers un troupeau de grands hadrosaures, des dinosaures à bec de canard, qui broutaient le feuillage des arbres, au bord de la lagune.

Pour boire, certains des becs de canard, dans l'eau jusqu'aux genoux, baissaient leur tête au museau épaté qui se reflétait à la surface de la lagune paisible. Puis ils relevaient la tête en la faisant pivoter au bout de leur long cou. Un bébé qui s'était aventuré dans l'eau regagnait la berge en poussant des cris aigus sous le regard indulgent des adultes.

Plus au sud, d'autres hadrosaures broutaient les feuilles les plus basses des arbres. De loin en loin, l'un d'eux se dressait sur ses pattes postérieures et prenait appui sur le tronc pour atteindre les hautes branches. A une certaine distance, la petite tête d'un apatosaure se dressait au-dessus de la cime des arbres. La scène était si paisible que Grant avait de la peine à imaginer qu'un danger pût rôder.

– Attention ! s'écria Lex en se jetant au sol au moment où deux libellules géantes de près de deux mètres d'envergure passaient en vrombissant. Qu'est-ce que c'était ?

– Des libellules, répondit Grant. Il y avait des insectes énormes au jurassique.

– Elles piquent ? demanda la fillette.

– Non, je ne crois pas.

Tim tendit le bras. Une des libellules se posa sur sa main et il sentit le poids de l'insecte géant.

– Elle va te piquer ! cria Lex.

Mais la libellule se contentait d'agiter lentement ses ailes transparentes, veinées de rouge. Quand Tim remua la main, elle s'envola.

– Où allons-nous ? demanda Lex.

– Là-bas.

Ils s'engagèrent dans la prairie et arrivèrent devant une boîte noire montée sur un lourd trépied de métal : le premier capteur de mouvement. Grant s'arrêta et agita les mains devant l'appareil, mais il ne se passa rien. Si le téléphone n'était pas encore rétabli, peut-être les capteurs ne fonctionnaient-ils pas non plus.

– Nous allons en essayer un autre, dit-il en tendant la main vers le bout de la prairie.

Assourdi par la distance, ils perçurent le rugissement rauque d'un gros animal.

– Et merde! s'exclama Arnold. Je n'y arrive pas!

Il but une gorgée de café sans détacher de l'écran ses yeux rougis par la fatigue. Il avait mis tous les moniteurs vidéo hors fonction et poursuivait ses recherches. Après douze heures de travail ininterrompu, il se sentait épuisé. Il se tourna vers Henry Wu qui revenait du labo.

– Vous n'arrivez pas à quoi?

– Les lignes téléphoniques sont toujours coupées et je ne parviens pas à les rétablir. Je pense que Nedry les a trafiquées.

Wu décrocha un combiné et n'entendit qu'un sifflement.

– On dirait un modem, fit-il.

– Ce n'est pas un modem, répliqua Arnold. Je suis descendu au sous-sol et j'ai coupé tous les modems. Ce que vous entendez n'est qu'un bruit blanc qui ressemble à la transmission d'un modem.

– Les lignes sont donc toujours inutilisables?

– Absolument. Nedry a fait ce qu'il fallait pour cela. Il a introduit dans le programme une sorte de protection que je ne peux plus trouver après avoir entré la commande qui effaçait une partie des listings. Mais la commande des lignes téléphoniques doit être résidente et se trouver dans la mémoire de l'ordinateur.

– Alors, où est le problème? fit Wu avec un haussement d'épaules. Il suffit de réinitialiser; coupez le système d'exploitation et videz la mémoire.

– Je ne l'ai jamais fait, répliqua Arnold, et j'avoue que j'hésite. Je pourrai peut-être tout récupérer, mais ce n'est pas sûr. Nous ne sommes pas, ni vous ni moi, des informaticiens et, tant que nous ne disposerons pas d'une ligne téléphonique, il nous sera impossible de joindre un vrai spécialiste.

– S'il s'agit d'une commande RAM résidente, elle n'apparaîtra pas dans le code. Ce que vous pouvez faire, c'est demander un affichage du contenu de la RAM, mais vous ne savez pas ce que vous cherchez. Je pense que la seule solution est de réinitialiser.

– Il n'y a toujours pas de téléphone! lança Gennaro en pénétrant en trombe dans la salle de contrôle.

– Nous nous en occupons.

– Vous vous en occupez depuis minuit! Et l'état de santé de Malcolm se dégrade. Il a absolument besoin d'un médecin.

– Cela signifie que je vais être obligé de couper le système, fit lentement Arnold. Mais je ne suis pas sûr que tout reviendra.

– Écoutez, insista Gennaro, il y a un blessé grave dans le pavillon. S'il ne reçoit pas les soins appropriés, il est condamné, et vous ne pouvez pas faire venir un médecin sans utiliser le téléphone. Vous avez probablement déjà quatre victimes sur les bras. Coupez tout et remettez le téléphone en service! Alors? reprit l'avocat en voyant qu'Arnold continuait à hésiter.

– Eh bien, l'ennui, c'est que... les systèmes de sécurité ne permettent pas que l'on coupe l'ordinateur et...

– Eh bien, coupez ces foutus systèmes de sécurité! Allez-vous enfin vous mettre dans le crâne que, sans aide médicale, il va y passer?

– D'accord, soupira Arnold.

Il se leva et se dirigea vers le tableau de commande. Il ouvrit les battants et fit pivoter les volets de protection des commutateurs de sécurité qu'il actionna l'un après l'autre.

– Vous l'aurez voulu, dit-il à l'intention de l'avocat.

Et il abaissa le commutateur principal.

La salle de contrôle fut aussitôt plongée dans l'obscurité et tous les écrans s'éteignirent.

– Combien de temps faut-il attendre? demanda Gennaro.

– Trente secondes, répondit Arnold.

– Berk! fit Lex en grimaçant.

– Que se passe-t-il? demanda Grant.

– Ça pue! lança la fillette. On dirait une odeur de poubelle!

Grant s'arrêta et fouilla du regard la ligne des arbres pour y déceler un mouvement. Mais il ne vit rien. Une brise très légère faisait frémir le feuillage; tout était paisible et silencieux dans le jour naissant.

– Je crois que c'est ton imagination, dit-il.

– Non, ce n'est pas...

La fillette fut interrompue par un cri évoquant un coup de trompette provenant du troupeau de becs de canard. L'un après l'autre, les animaux lancèrent leur cri jusqu'à ce que le troupeau tout entier le reprenne. En proie à une brusque nervosité, les hadrosaures se tournaient en tous sens, sortaient précipitamment de l'eau, entouraient les petits pour les protéger...

Eux aussi l'ont senti, songea Grant.

Avec un rugissement terrifiant, le tyrannosaure surgit brusquement du couvert des arbres, tout près de la lagune, à une cinquantaine de mètres de Grant et des enfants. Sans s'occuper d'eux, il s'élança à travers la prairie et fondit sur les becs de canard.

– Je vous l'avais dit! hurla Lex. Personne ne veut jamais m'écouter!

Au loin, les hadrosaures terrifiés commençaient à prendre la fuite et Grant sentait le sol trembler sous ses pieds.

– Venez, les enfants!

Il saisit Lex à bras-le-corps et se mit à courir, Tim sur ses talons. En tournant la tête, il aperçut le tyrannosaure attaquant les becs de canard qui balançaient leur queue gigantesque pour se défendre et emplissaient l'air de leurs cris retentissants. Il entendit un fracas de branches et d'arbres brisés et, quand il se retourna une seconde fois, les hadrosaures étaient en train de charger.

Dans l'obscurité de la salle de contrôle, Arnold regarda sa montre. Trente secondes s'étaient écoulées, la mémoire devait être vide. Il releva le commutateur principal.

Rien.

Arnold sentit son estomac se serrer. Il abaissa le commutateur, puis le releva. Toujours rien. La sueur commençait à perler à son front.

– Que se passe-t-il ? demanda Gennaro.

– Oh ! merde ! murmura Arnold.

Puis il lui revint à l'esprit qu'il fallait d'abord remettre en service les commutateurs de sécurité avant de lancer le système. Il les actionna et referma les volets de protection, puis il releva de nouveau le commutateur principal en retenant son souffle.

Les lumières de la salle s'allumèrent.

L'ordinateur émit un signal sonore.

Les écrans commencèrent à bourdonner.

– Dieu soit loué ! lança Arnold en se précipitant vers le moniteur central. Un tableau s'afficha sur l'écran.

PARC JURASSIQUE – MISE EN ROUTE SYSTÈME

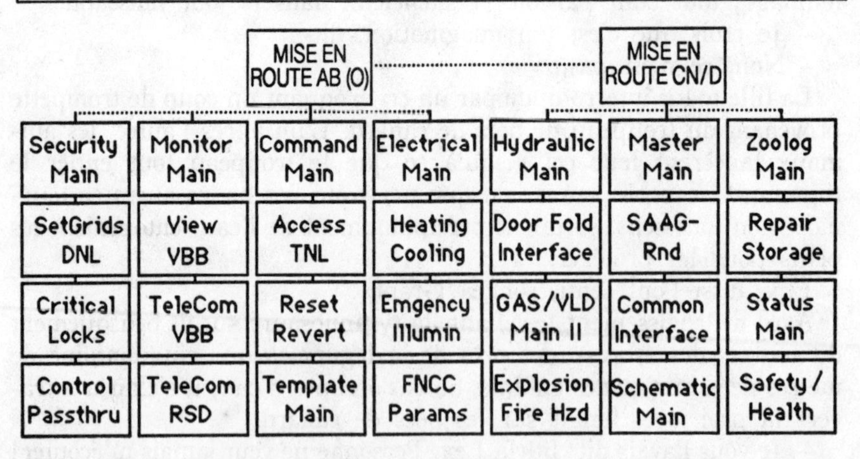

Gennaro se rua sur un téléphone et décrocha... Rien. Pas même des sifflements de parasites. Rien du tout.

– Pourquoi est-ce que ça ne marche pas ?

– Une seconde, fit Arnold. Après une remise en route, tous les modules système doivent être remis en fonction manuellement.

– Pourquoi manuellement ? demanda l'avocat.

– Allez-vous me laisser travailler en paix, bon Dieu ?

– Le système n'est pas censé être coupé, expliqua Wu. Si cela se produit, l'ordinateur suppose qu'il y a un problème quelque part et il demande à l'utilisateur de tout remettre en marche manuellement. Sinon, s'il y avait un court-circuit, le système se mettrait en route, puis en court-circuit, et recommencerait interminablement.

– C'est bon, déclara Arnold. Allons-y.

Gennaro décrocha derechef et commença à composer un numéro, mais il s'arrêta brusquement.

– Bon sang, regardez ça ! s'écria-t-il en montrant l'un des moniteurs vidéo.

Mais Arnold ne l'écoutait pas. Son attention était dirigée vers le plan du parc où un amas de petits points rassemblés près de la lagune commençait à se déplacer d'une façon parfaitement coordonnée. A se déplacer rapidement, à la manière d'un tourbillon.

– Que se passe-t-il encore ? demanda Gennaro.

– Les becs de canard, répondit Arnold d'une voix blanche. Ils sont en train de charger.

Les hadrosaures chargeaient à une vitesse étonnante, leurs corps gigantesques pressés les uns contre les autres, en grondant, en poussant des cris d'effroi et en soulevant un grand nuage de poussière jaune.

Grant ne voyait pas le tyrannosaure, mais les becs de canard fonçaient droit sur eux.

Sans lâcher Lex, il se précipita avec Tim vers un affleurement rocheux auprès duquel s'élevait un bouquet de grands conifères. Ils couraient de toutes leurs forces et sentaient le sol trembler sous leurs pas. Le bruit du troupeau était assourdissant, semblable à des rugissements de réacteurs sur la piste d'un aéroport. Lex hurlait, mais Grant ne parvenait pas à comprendre ce qu'elle disait. Au moment où ils atteignaient les rochers, le troupeau arrivait à leur hauteur.

Grant eut le temps de voir les pattes colossales des premiers hadrosaures – chaque animal pesait cinq tonnes –, puis ils furent enveloppés dans un nuage de poussière si dense qu'il ne discerna plus rien du tout. Il ne percevait que des images fugaces de corps énormes et de membres gigantesques, des grondements et des hurlements de panique des animaux tournant en rond. Un des becs de canard heurta un rocher qui se mit à dévaler vers eux avant de se perdre dans la prairie.

Noyés dans le nuage de poussière, ils ne distinguaient presque rien au-delà des rochers contre lesquels ils restaient collés, les oreilles bourdonnant des coups de trompette des hadrosaures et des rugissements furieux du tyrannosaure. Lex enfonça les doigts dans l'épaule de Grant.

Un bec de canard balaya les rochers d'un terrifiant coup de queue, laissant derrière lui une large tache de sang. Grant attendit que les bruits de la bataille se déplacent vers la gauche, puis il entraîna les enfants et les aida à monter dans l'arbre le plus élevé. Ils grimpèrent rapidement, se hissant de branche en branche tandis que les dinosaures soulevaient autour d'eux des tourbillons de poussière. Arrivée à six mètres du sol, Lex s'accrocha à Grant et refusa obstinément de continuer. Tim, lui aussi, donnait des signes de fatigue et Grant estima qu'ils étaient assez haut. Ils discernaient au-dessous d'eux les dos massifs des becs de canard affolés. Grant s'arc-bouta au tronc à l'écorce rugueuse, cracha de la poussière et attendit, les yeux fermés.

Arnold régla l'objectif tandis que le troupeau s'éloignait et que la poussière retombait lentement. Il vit que les hadrosaures s'étaient éparpillés et que le tyrannosaure avait cessé de courir, ce qui ne pouvait signifier qu'une chose : il avait tué une proie. Le grand carnivore était maintenant près de la lagune.

– Il faudrait demander à Muldoon d'aller évaluer les dégâts, dit-il sans quitter des yeux l'écran du moniteur vidéo.

– Je vais l'avertir, fit Gennaro en se dirigeant vers la porte de la salle de contrôle.

LE PARC

Il y eut un petit bruit sec semblable au crépitement du feu dans l'âtre. Quelque chose de chaud et d'humide chatouilla la cheville de Grant. Il ouvrit les yeux et vit une énorme tête beige. La tête s'effilait en avant et se terminait par un museau épaté en bec de canard. Les yeux faisant saillie au-dessus du museau aplati avaient la douceur de ceux d'une vache. La bouche s'ouvrit et l'animal commença à brouter les feuilles de la branche sur laquelle Grant était assis. Le paléontologiste vit les larges dents plates dans la mâchoire et sentit de nouveau les lèvres chaudes effleurer sa cheville.

Un hadrosaure. Grant n'en revenait pas de le voir de si près, mais il n'éprouvait aucune crainte : toutes les espèces de dinosaures à bec de canard étaient herbivores et ce spécimen se comportait exactement comme une vache. Malgré sa taille gigantesque, il paraissait si calme, si placide, que Grant ne se sentait nullement menacé. Il resta sur sa branche en prenant soin de ne pas faire le moindre mouvement et regarda le dinosaure poursuivre son repas.

L'étonnement de Grant était dû à une sorte de sentiment de propriété qu'il éprouvait à l'endroit de ce dinosaure particulier. Il s'agissait probablement d'un maiasaura, un dinosaure ayant vécu à la fin du crétacé, une espèce que Grant avait été le premier à décrire en collaboration avec John Horner. Le maiasaura avait la lèvre supérieure retroussée et donnait ainsi l'impression de sourire. Son nom signifiait « reptile bonne mère », car on pensait qu'il protégeait ses œufs jusqu'à l'éclosion et attendait que ses petits soient capables de se débrouiller tout seuls.

Grant entendit une sorte de pépiement insistant venant du pied de l'arbre et la grosse tête disparut. Le paléontologiste se déplaça légèrement, juste assez pour apercevoir un bébé hadrosaure qui gambadait autour de l'adulte. La peau du petit maiasaura était d'un beige sombre avec des taches noires. L'adulte baissa la tête jusqu'au sol et resta immobile pendant que le bébé, dressé sur ses membres postérieurs, les pattes avant posées sur la mâchoire de sa mère, mangeait les feuilles dépassant de la grande bouche aplatie.

La mère attendit patiemment que le bébé ait terminé et se soit remis sur ses quatre pattes, puis la grosse tête remonta vers Grant.

Le maiasaura reprit son repas, à moins d'un mètre de lui. Grant remarqua les deux conduits respiratoires allongés, placés sur le museau. A l'évidence, le dinosaure ne l'avait pas senti et, bien que l'œil gauche fût dirigé droit sur lui, il ne réagissait pas à sa présence.

Se souvenant que, la veille au soir, le tyrannosaure non plus ne l'avait pas vu, Grant décida de faire une expérience.

Il toussa.

Le hadrosaure se figea instantanément. L'énorme tête demeura immobile et les mâchoires cessèrent leur mouvement de mastication. Seuls les yeux remuèrent, cherchant la source du bruit. Après quelques instants, comme tout danger semblait écarté, l'animal se remit à manger.

Étonnant, songea Grant.

Lex, qu'il tenait toujours au creux de ses bras, ouvrit brusquement les yeux.

– Qu'est-ce que c'est ? s'écria-t-elle.

Le maiasaura poussa un cri de frayeur, une sorte de barrissement si puissant que la fillette sursauta et faillit tomber de l'arbre. Le hadrosaure recula la tête en lançant un nouveau barrissement.

– Ne la mets pas en colère, conseilla Tim, assis sur la branche voisine.

Le bébé se mit à gazouiller en restant entre les pattes de sa mère qui s'éloigna de l'arbre, puis pencha la tête sur le côté et regarda avec curiosité la branche sur laquelle Grant et Lex étaient assis. Avec sa tête penchée et ses lèvres retroussées comme dans un sourire, le dinosaure avait un air comique.

– Il est vraiment stupide ? demanda Lex.

– Non, répondit Grant. Tu lui as simplement fait peur.

– Alors, poursuivit la fillette qui s'impatientait, il va nous laisser descendre, oui ou non ?

La femelle hadrosaure qui avait reculé de quelques mètres poussa encore son cri. Grant eut l'impression qu'elle essayait de les faire fuir, mais sans très bien savoir comment s'y prendre. Elle avait l'air dérouté et inquiet. Ils attendirent en silence et, au bout d'une minute, le dinosaure s'approcha de nouveau de la branche en remuant les mâchoires d'un air gourmand, s'apprêtant à l'évidence à reprendre son repas interrompu.

– Zut ! s'exclama Lex. Moi, je ne reste pas là !

Et elle commença à descendre. En voyant remuer le feuillage, le maiasaura poussa un nouveau barrissement.

C'est incroyable, songea Grant. Elle ne peut vraiment pas nous voir quand nous ne bougeons pas et, au bout d'une minute, elle a complètement oublié notre présence.

Cela se passait exactement comme avec le tyrannosaure... Des études avaient démontré que les batraciens ne voyaient que les choses en mouvement, telles que les insectes, qu'ils ne voyaient littéralement pas ce qui ne bougeait pas. Il semblait en aller de même des dinosaures.

Quoi qu'il en fût, la femelle hadrosaure semblait décidément trouver trop gênantes ces étranges créatures qui descendaient maintenant de l'arbre. Avec un dernier barrissement, elle poussa son petit d'un coup de museau et les deux dinosaures s'éloignèrent lentement. La mère s'arrêta une fois pour se retourner, puis elle poursuivit son chemin.

Quand ils touchèrent le sol, Lex secoua la poussière qui s'était déposée en fine couche sur ses vêtements. Tout autour d'eux, l'herbe était aplatie et il y avait des traînées de sang. Une odeur âcre flottait dans l'air.

– En route, les enfants, dit Grant en regardant sa montre. Nous n'avons pas de temps à perdre.

– Je ne vais nulle part, répliqua Lex. Je ne veux pas aller plus loin.

– Il le faut, Lex.

– Pourquoi ?

– Parce que nous devons avertir les autres pour le bateau. Comme les capteurs de mouvement ne leur permettent pas de nous voir, c'est à nous de faire toute la route. Il n'y a pas d'autre solution.

– Et si nous prenions le canot ? suggéra Tim.

– Quel canot ?

Tim se tourna pour montrer le bâtiment de service dans lequel ils avaient passé la nuit et qui n'était qu'à une vingtaine de mètres derrière eux.

– Il y a un canot pneumatique là-bas, déclara-t-il.

Grant vit immédiatement les avantages que cela pourrait leur procurer. Il était 7 heures et il leur restait plus de douze kilomètres à parcourir. S'ils pouvaient descendre la rivière en bateau, ils iraient beaucoup plus vite que par la route.

– Nous allons essayer, dit-il.

Arnold sélectionna le mode de recherche visuelle et balaya du regard les écrans sur lesquels les images du parc se succédaient toutes les deux secondes. C'était une opération fatigante, mais le moyen le plus rapide de trouver la jeep empruntée par Nedry. Muldoon avait insisté avec la plus grande fermeté. Il était parti avec Gennaro évaluer les conséquences de la panique du troupeau de hadrosaures, mais, comme le jour était levé, il tenait absolument à retrouver la voiture : il avait besoin des armes qui s'y trouvaient.

L'interphone bourdonna.

– Monsieur Arnold, pourrais-je avoir une petite conversation avec vous ?

C'était Hammond. A l'écouter, on eût dit la voix de Dieu.

– Vous voulez venir ici, monsieur ?

– Non, monsieur Arnold. C'est vous qui venez me voir. Je suis dans le laboratoire de génétique en compagnie du Dr Wu. Nous vous attendons.

Arnold soupira et détacha son regard des écrans.

Grant s'enfonça dans le recoin le plus obscur du bâtiment. Il y avait des bidons de vingt litres d'herbicide, des outils d'élagage, des pneus de jeep, des rouleaux de grillage, des sacs d'engrais de cinquante kilos, des piles d'isolateurs de céramique brune, des bidons vides d'huile de vidange, des lampes de travaux et des câbles.

– Je ne vois pas de canot.

– Continuez à chercher, dit Tim.

Grant vit des sacs de ciment, des tuyaux de cuivre, du treillis vert... et deux pagaies en plastique accrochées au mur de béton.

– C'est déjà quelque chose, dit-il, mais je n'ai toujours pas trouvé le canot.

– Il doit être quelque part par là, fit Tim.

– Quoi ? Tu ne l'as pas vu ?

– Non, j'ai simplement supposé qu'il y en avait un.

Grant continua de fouiller dans le bric-à-brac, mais toujours pas de canot. Au fond d'une armoire métallique fixée au mur, il découvrit des cartes roulées et couvertes de taches de moisissure. Il les étala par terre en chassant une grosse araignée et les étudia longuement.

– J'ai faim...

– Une seconde !

C'étaient des cartes topographiques détaillées de la partie centrale de l'île, celle dans laquelle ils se trouvaient. Grant vit que la lagune allait en s'étrécissant pour former la rivière dont les méandres remontaient vers le nord, traversant le pavillon des oiseaux et passant à moins d'un kilomètre de l'hôtel.

Grant cherchait le meilleur moyen d'atteindre la lagune. D'après les cartes, il devait exister une porte au fond du bâtiment de service. Il leva la tête et la vit, dans un renfoncement du mur de béton, assez large pour permettre le passage d'une voiture.

Grant alla ouvrir la porte ; elle donnait sur une route pavée, probablement une autre route de service, descendant en ligne droite vers la lagune et si encaissée qu'elle était invisible de la prairie. Cette route desservait un quai construit en bordure de la lagune. Sur la carte, en gros caractères noirs, était indiqué : ABRI CANOT.

– Regardez ça ! dit brusquement Tim en lui tendant une boîte en fer.

Grant ouvrit la boîte qui contenait un pistolet à air comprimé et une bande de toile garnie de fléchettes. Au nombre de six, grosses comme le doigt, elles portaient une inscription : MORO-709.

– Bien joué, Tim, dit Grant en faisant passer la bande de toile sur son épaule et en glissant le pistolet dans sa ceinture.

– Ce sont des fléchettes de tranquillisant ?

– Je crois, répondit Grant.

– Et le bateau ? demanda Lex.

– Je pense que nous le trouverons sur le quai.

Grant prit les pagaies sur son épaule et ils descendirent la route menant à la lagune.

– J'espère que c'est un gros bateau, dit Lex, parce que je ne sais pas nager.

– Ne t'inquiète pas, fit Grant d'une voix rassurante.

– Nous allons peut-être pouvoir attraper du poisson, poursuivit la fillette.

Ils perçurent soudain une sorte de halètement sourd et régulier, mais Grant ne pouvait voir d'où provenait le bruit, car la route était bordée de deux hauts talus herbeux.

– Vous êtes sûr qu'il y a vraiment un canot pneumatique ? demanda Lex en fronçant le nez.

– Probablement, répondit Grant.

Le halètement se faisait de plus en plus fort à mesure qu'ils avançaient, mais un autre bruit leur parvenait maintenant, sourd et continu, comme un bourdonnement. Au débouché de la route, au bord du petit quai de béton, Grant s'arrêta, pétrifié.

Le tyrannosaure était là.

Assis à l'ombre d'un arbre, les pattes de derrière écartées, l'animal avait les yeux ouverts, mais il ne faisait aucun mouvement. Seule sa tête montait et descendait au rythme de sa respiration bruyante. Le bourdonnement qu'ils avaient entendu provenait des nuées de mouches entourant le carnivore. Elles grouillaient sur sa tête, sur ses crocs dégoulinants de sang et sur l'arrière-train du cadavre du hadrosaure étendu derrière le grand prédateur.

Le tyrannosaure se trouvait à moins de vingt mètres. Grant était sûr que l'animal les avait vus et pourtant il ne réagissait pas. Il lui fallut encore quelques instants pour comprendre que le dinosaure était endormi. Il dormait assis.

Après avoir fait signe aux enfants de ne pas bouger, Grant s'avança lentement sur le quai en passant devant le tyrannosaure, qui continua de dormir en ronflant doucement.

Vers le bout du quai se trouvait une cabane en bois peinte en vert pour se fondre dans la végétation. Grant ouvrit silencieusement la porte et passa la tête à l'intérieur. Il vit une demi-douzaine de gilets de sauvetage orange accrochés au mur, plusieurs rouleaux de grillage et de corde, et deux gros cubes de caoutchouc posés par terre. Les cubes étaient étroitement sanglés dans des bandes de caoutchouc.

Des canots pneumatiques.

Grant se retourna vers les enfants.

Pas de bateau ? demanda Lex en formant silencieusement les syllabes avec les lèvres.

Si, répondit Grant en hochant vigoureusement la tête.

Le tyrannosaure leva un bras pour chasser les mouches tournoyant autour de son mufle, mais le reste de son corps demeura immobile. Grant tira l'un des cubes hors de la cabane ; il était beaucoup plus lourd qu'il ne l'aurait imaginé. Il défit les bandes de caoutchouc et trouva la valve de gonflage. Avec un sifflement violent, le caoutchouc commença à se distendre, puis il se souleva brusquement et retomba sur le quai, gonflé à bloc, avec un bruit qui parut assourdissant à Grant.

Il pivota sur lui-même et fixa les yeux sur le tyrannosaure. L'animal émit un grognement, aussitôt suivi d'un ronflement, et il commença à remuer. Grant s'apprêta à prendre la fuite, mais le dinosaure, après avoir changé de position, s'appuya de nouveau au tronc de l'arbre avec un long et bruyant renvoi.

Lex eut une expression de dégoût et agita rapidement la main devant son visage.

Trempé de sueur, Grant tira le canot pneumatique jusqu'au bord du quai. L'embarcation bascula et tomba dans la lagune en soulevant une grande gerbe d'eau.

Le dinosaure n'eut aucune réaction.

Grant amarra le canot au quai, puis il retourna dans la cabane pour prendre deux brassières. Il les lança dans le canot pneumatique et fit signe aux enfants de le rejoindre.

Blême de peur, Lex refusa en agitant vigoureusement la main.

Les signes de Grant se firent plus insistants.

Le dinosaure continuait à dormir.

Avec des gestes impérieux, Grant finit par convaincre les enfants. Lex arriva la première en marchant sur la pointe des pieds et Grant lui fit signe de monter dans le canot ; Tim la suivit et ils enfilèrent leur gilet de sauvetage. Grant monta à son tour et poussa pour éloigner l'embarcation du quai. Tandis que le canot pneumatique avançait silencieusement sur la lagune, Grant prit les pagaies et les fixa dans les tolets.

Lex se détendit en poussant un profond soupir de soulagement. Soudain, elle se figea et porta la main à sa bouche. La fillette tressaillit en émettant des sons étouffés : elle se retenait de tousser.

Il fallait toujours qu'elle tousse au mauvais moment !

– Lex ! chuchota Tim d'une voix implorante en se retournant vers la rive.

Elle secoua la tête d'un air malheureux et montra son cou. Il comprit qu'elle avait un chatouillement dans la gorge et qu'il lui fallait boire de l'eau. Voyant que Grant était occupé à ramer, Tim se pencha pardessus le bord du canot pneumatique et prit un peu d'eau dans le creux de sa main qu'il avança vers sa sœur.

L'accès de toux fut violent. Tim eut l'impression que le bruit se répercutait à la surface de l'eau comme une détonation.

Le tyrannosaure bâilla avec indolence et se gratta l'oreille avec sa patte de derrière, exactement comme un chien. Puis il bâilla une seconde fois. Abruti par son festin, il se réveillait lentement.

Sur le canot pneumatique, Lex continuait à émettre des sons rauques.

– Tais-toi, Lex! ordonna Tim.

– Je ne peux pas m'en empêcher, protesta la fillette d'une voix étranglée.

Le nouvel accès de toux fut aussi bruyant que le précédent. Grant appuya plus fort sur les pagaies, faisant avancer l'embarcation vers le centre de la lagune.

Sur la rive, le tyrannosaure se redressait péniblement.

– Je n'ai pas pu m'en empêcher, Timmy! lança Lex d'une voix gémissante. Je t'assure que je n'ai pas pu m'en empêcher.!

– Chut! Vas-tu te taire!

Grant ramait aussi vite qu'il le pouvait.

– De toute façon, poursuivit Lex, ça n'a pas d'importance. Nous sommes déjà assez loin et il ne sait pas nager.

– Bien sûr que si, il sait nager, pauvre idiote! s'écria Tim.

Le tyrannosaure sauta du quai et plongea dans la lagune. Il se mit aussitôt à avancer dans leur direction.

– Comment voulais-tu que je le sache? reprit Lex d'une toute petite voix.

– Tout le monde sait que les tyrannosaures nagent! C'est dans tous les livres! Tous les reptiles savent nager!

– Pas les serpents.

– Bien sûr que si! Ce que tu peux être bête!

– Du calme! ordonna Grant. Accrochez-vous à quelque chose!

Il se retourna et observa la manière dont le tyrannosaure nageait. L'animal avait maintenant de l'eau jusqu'à la poitrine, mais son énorme tête dépassait largement de la surface de la lagune. Ce n'est que quelques instants plus tard que Grant le vit nager... Seuls le sommet de son crâne, les yeux et les narines faisaient saillie. Il ressemblait à un crocodile et il nageait comme un crocodile en donnant de grands coups de queue qui faisaient bouillonner l'eau derrière lui. Derrière la tête du tyrannosaure, Grant distinguait la bosse du dos et les protubérances de la queue quand elle brisait la surface de la lagune.

Exactement comme un crocodile, songea-t-il lugubrement. Le plus gros crocodile de la planète.

– Je suis désolée, docteur Grant ! fit Lex en pleurnichant. Je ne l'ai pas fait exprès !

Grant regarda par-dessus son épaule. La lagune, à cet endroit, faisait moins de cent mètres de large et ils étaient presque arrivés au milieu. S'ils continuaient dans la même direction, la profondeur de l'eau allait diminuer et le tyrannosaure pourrait se remettre à marcher, ce qui lui permettrait d'avancer plus rapidement. Grant fit virer l'embarcation et se dirigea vers le nord.

– Qu'est-ce que vous faites ?

Le tyrannosaure n'était plus qu'à quelques mètres d'eux. Grant entendait la respiration saccadée de l'animal qui continuait à se rapprocher. Il baissa les yeux vers ses pagaies, mais ce n'étaient que des avirons légers, en plastique, des armes dérisoires.

Le tyrannosaure rejeta la tête en arrière et ouvrit ses puissantes mâchoires garnies de rangées de longues dents recourbées en sabre. Bandant tous les muscles de son cou, le dinosaure projeta sa gueule en avant, ratant de peu le plat-bord du canot. L'énorme tête s'écrasa sur l'eau et le frêle esquif fut soulevé et repoussé par la gerbe bouillonnante. Le tyrannosaure disparut sous l'eau, ne laissant qu'une traînée de bulles qui vinrent crever à la surface de la lagune. Lex s'agrippa à une poignée et regarda derrière elle.

– Il s'est noyé ?

– Non, répondit Grant.

Il vit quelques bulles, puis une ondulation à la surface de l'eau... se rapprochant de leur embarcation...

– Accrochez-vous ! hurla-t-il au moment où la tête jaillissait sous le canot, le déformant et le projetant en l'air.

Le canot tournoya avant de retomber dans une grande gerbe d'écume.

– Faites quelque chose ! cria Lex. Faites quelque chose !

Alan Grant tira le pistolet à air comprimé de sa ceinture. L'arme paraissait ridiculement petite dans sa main, mais il avait une chance, à condition d'atteindre l'animal dans un endroit sensible, un œil ou le nez...

Le tyrannosaure réapparut à la surface, tout près du canot pneumatique, et il ouvrit la gueule en rugissant. Grant visa la tête et tira. La fléchette siffla dans l'air et se ficha dans la joue de l'animal qui poussa un nouveau rugissement.

C'est alors que, de la rive, lui répondit un autre cri.

Grant tourna la tête et vit le jeune T-rex penché sur la carcasse du hadrosaure, cherchant manifestement à s'approprier la proie. Il commença à déchirer la chair à belles dents, puis releva la tête et poussa un long mugissement. Le tyrannosaure adulte le vit lui aussi et sa réaction fut immédiate... Il fit demi-tour et commença à nager vigoureusement vers la rive pour aller défendre sa proie.

– Il s'en va ! s'écria Lex d'une voix perçante. Il s'en va ! Tra-la-la-lère ! Stupide dinosaure !

Le jeune tyrannosaure poussa un rugissement de défi. Fou de rage, le prédateur adulte jaillit de la lagune, l'eau ruisselant sur son corps énorme, et s'élança à une vitesse folle. Son jeune congénère baissa la tête et prit la fuite, la bouche encore pleine de lambeaux de chair.

Le grand carnivore s'élança à sa poursuite. Il passa en trombe devant la carcasse mutilée du hadrosaure et disparut derrière une butte. Un dernier rugissement menaçant retentit tandis que le canot pneumatique continuait de voguer vers la rivière.

Épuisé par ses efforts, Grant se laissa tomber au fond de l'embarcation, la poitrine haletante. Il n'arrivait pas à reprendre son souffle.

– Ça ira, docteur Grant ? demanda Lex en laissant traîner ses doigts dans l'eau.

– Me promets-tu, à partir de maintenant, de faire exactement ce que je te dirai de faire ?

– D'accord, soupira la fillette comme s'il lui demandait quelque chose de tout à fait déraisonnable. Vous ne ramez plus, ajouta-t-elle au bout d'un moment.

– Je suis fatigué.

– Alors, pourquoi est-ce que nous continuons à avancer ?

Grant se redressa et constata qu'elle avait raison.

– Il doit y avoir un courant, dit-il.

Un courant qui les entraînait vers le nord, dans la direction de l'hôtel. Grant regarda sa montre et découvrit avec étonnement qu'il n'était que 7 h 15. Un quart d'heure seulement s'était écoulé depuis la dernière fois qu'il l'avait regardée, un quart d'heure qui lui avait semblé durer deux heures.

Grant s'adossa au plat-bord de caoutchouc, ferma les yeux et s'endormit.

CINQUIÈME ITÉRATION

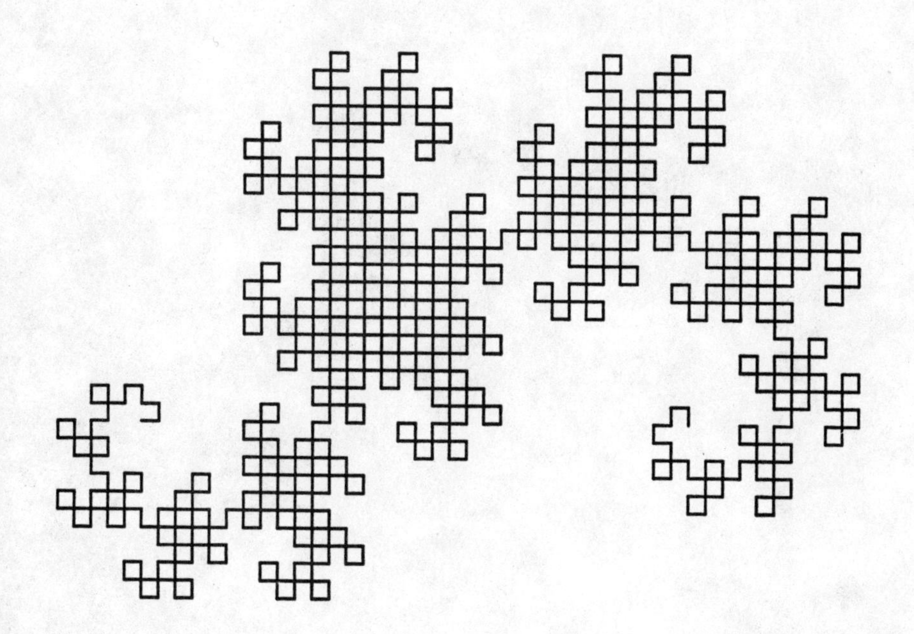

Les failles du système deviennent de plus en plus graves.

IAN MALCOLM

RECHERCHES

Assis dans la jeep, Gennaro écoutait le bourdonnement des mouches et regardait au loin trembler le feuillage des palmiers. Il était abasourdi par l'état du terrain qui ressemblait à un champ de bataille. L'herbe était complètement couchée dans un rayon de cent mètres et un gros palmier avait été déraciné. De larges taches de sang s'étendaient sur l'herbe et des traînées rouges étaient visibles sur les gros rochers qui s'élevaient à leur droite.

– Cela ne fait aucun doute, dit Muldoon, assis à côté de lui, le T-rex est venu voir les hadrosaures.

Il but une nouvelle gorgée de whisky et reboucha soigneusement la bouteille.

– Saletés de mouches, marmonna-t-il.

Ils continuèrent à attendre, tous leurs sens aux aguets.

– Qu'attendons-nous exactement ? finit par demander Gennaro en pianotant sur le tableau de bord.

Muldoon ne répondit pas tout de suite. Il continua à scruter la végétation en plissant les yeux pour se protéger des rayons obliques du soleil.

– Le T-rex est quelque part par là, fit-il au bout d'un certain temps, et nous ne disposons d'aucune arme susceptible de l'arrêter.

– Mais nous avons la jeep...

– Il court plus vite qu'une jeep, monsieur l'avocat, rétorqua Muldoon en secouant la tête. Si nous quittons la route pour nous engager en terrain découvert, nous pouvons au mieux, avec les quatre roues motrices, atteindre cinquante ou soixante kilomètres à l'heure. Il nous rattrapera facilement, ajouta-t-il avec un soupir. Mais, pour l'instant, je ne vois pas grand-chose bouger dans les environs. Êtes-vous prêt à vivre dangereusement ?

– Bien sûr, répondit Gennaro.

Muldoon mit le moteur en marche. Surpris par le bruit, deux petits othnielias bondirent des herbes couchées, juste devant la voiture. Muldoon fit d'abord décrire à la jeep un large cercle autour de la zone piétinée, puis d'autres cercles concentriques, de plus en plus serrés, jusqu'à l'endroit d'où les othnielias avaient jailli. Il arrêta la jeep, descendit et s'avança dans l'herbe. Quand il s'immobilisa, un énorme essaim de mouches s'envola.

– Qu'avez-vous vu ? demanda Gennaro.

– Apportez-moi la radio !

Gennaro descendit de la jeep et courut le rejoindre. Même à une certaine distance, il percevait l'odeur aigre-douce caractéristique d'un début de décomposition. Il découvrit dans l'herbe une forme sombre, souillée de sang, les pattes de guingois.

– Un jeune hadrosaure, articula Muldoon, le regard fixé sur le cadavre. Quand le troupeau a pris la fuite, il a été séparé des autres et le tyrannosaure l'a attaqué.

– Comment savez-vous cela ? demanda Gennaro en regardant la chair déchiquetée par de nombreuses morsures.

– Cela se voit aux excrétions, expliqua Muldoon. Regardez ces crottes blanches... Ce sont des excréments de hadrosaure ; c'est l'acide urique qui leur donne cette couleur. Mais ce que vous voyez là-bas, ajouta-t-il en montrant dans l'herbe un tas haut comme le genou de matières fécales, provient du tyrannosaure.

– Et comment pouvez-vous savoir qu'il n'est pas arrivé plus tard ?

– Grâce aux morsures, répondit Muldoon. Vous voyez ces petites marques, fit-il en tendant le doigt vers le ventre de l'animal. Ces morsures n'ont pas saigné, elles ont été faites après la mort par des animaux se nourrissant de charognes. C'est l'œuvre des othys quc nous avons vus s'enfuir. Mais le hadrosaure a succombé à une morsure au cou... cette longue entaille, là, au-dessus des omoplates. La marque du T-rex, cela ne fait aucun doute.

Gennaro se pencha sur le cadavre et considéra les membres déformés avec un sentiment d'irréalité. Il entendit Muldoon allumer la radio.

– Contrôle ?

– Oui ? répondit la voix de John Arnold.

– J'ai trouvé le cadavre d'un autre hadro, un jeune.

Muldoon se pencha à son tour en chassant les mouches d'un revers de la main et regarda sous le pied droit où un numéro était tatoué.

– Le numéro du spécimen est HD/09.

– J'ai une nouvelle qui va vous intéresser, reprit la voix d'Arnold au milieu des grésillements de l'appareil.

– Vraiment ? Je vous écoute.

– J'ai retrouvé Nedry.

La jeep traversa la rangée de palmiers bordant la route et s'engagea sur l'étroite route de service menant à la rivière. Il faisait plus chaud dans la jungle dense, aux odeurs lourdes. Muldoon tripotait le moniteur de la jeep sur l'écran duquel apparut une carte quadrillée du parc.

– Ils l'ont trouvé grâce à une caméra vidéo, dit Muldoon. Dans le secteur 1104, juste devant nous.

Un peu plus loin, Gennaro vit un mur de béton qui barrait la route et la jeep garée à côté.

– Il a dû se tromper à l'embranchement, dit Muldoon. Sale petite ordure!

– Qu'a-t-il emporté? demanda Gennaro.

– Quinze embryons, d'après Wu. Vous avez une idée de ce que cela vaut?

Gennaro secoua la tête en silence.

– Entre deux et dix millions de dollars, reprit Muldoon. C'était un gros coup.

La jeep s'approcha de l'autre voiture et Gennaro aperçut le corps étendu par terre. La forme en était indistincte et la couleur verte, mais, quand la jeep s'arrêta, plusieurs silhouettes vertes s'égaillèrent.

– Des compys, murmura Muldoon. Les compys l'ont trouvé.

Une douzaine de procompsognathus, les petits prédateurs à l'aspect fragile, gazouillaient avec animation à la lisière de la forêt en regardant les deux hommes descendre de voiture.

Dennis Nedry était étendu sur le dos. Sa face joufflue, à l'apparence encore juvénile, était maintenant rouge et boursouflée. Des mouches volaient autour de la bouche et de la langue gonflée. Le corps était atrocement mutilé... Les intestins arrachés, une jambe à moitié dévorée. Gennaro détourna précipitamment les yeux et les porta dans la direction des compys qui, assis sur leurs pattes de derrière, observaient les hommes avec curiosité. Il remarqua que les mains des petits dinosaures avaient cinq doigts avec lesquels ils s'essuyaient la figure et le menton, ce qui leur donnait une attitude étrangement humaine...

– Merde alors! s'exclama Muldoon. Ce ne sont pas les compys!

– Quoi?

Muldoon secoua la tête.

– Vous voyez ces taches sur sa chemise et sur son visage? Vous sentez cette odeur de vomi séché? Eh bien, c'est de la salive de dilophosaure. Elle a attaqué la cornée... Regardez tout ce rouge! Quand on en reçoit dans les yeux, c'est extrêmement douloureux, mais pas mortel, et on dispose de deux heures pour prendre l'antidote. Nous en avons en réserve un peu partout dans le parc, par sécurité. Mais, pour ce fumier, je n'ai aucun regret. Ils l'ont d'abord aveuglé, puis ils lui ont ouvert le ventre. Ce n'est pas une mort très agréable... Il y a peut-être quand même une justice ici-bas.

Les procompsognathus se mirent à pousser des cris et à sautiller quand Muldoon ouvrit la portière arrière pour sortir un tube d'acier et une boîte en inox.

– Tout est là, dit-il en tendant deux cylindres sombres à Gennaro.

– Qu'est-ce que c'est ? demanda l'avocat.

– Que voulez-vous que ce soit ? Des roquettes... Attention, ajouta-t-il en voyant le mouvement de recul de Gennaro. Regardez où vous mettez les pieds.

Gennaro enjamba prudemment le corps de Nedry tandis que Muldoon transportait le tube dans l'autre véhicule.

– En route, dit-il en s'installant au volant.

– Et pour lui ? demanda Gennaro. Que faisons-nous ?

– Que voulez-vous faire ? Nous avons d'autres soucis.

La jeep démarra et Gennaro se retourna. Les compys se disposaient à reprendre leur repas. L'un d'eux bondit sur le visage de Nedry et commença à lui picorer le nez.

La rivière devint plus étroite. Les rives se rapprochèrent progressivement jusqu'à ce que les branchages des arbres se touchent au milieu du cours d'eau pour former une barrière végétale que ne pouvaient percer les rayons du soleil. Tim entendit quelques cris d'oiseaux et il vit de petits dinosaures sauter en gazouillant de branche en branche. Mais la plupart du temps l'air était chaud, moite et silencieux sous le dais de feuillage.

Grant regarda sa montre : il était 8 heures.

Le canot pneumatique glissait silencieusement sur l'eau qu'un rayon de soleil faisait miroiter de loin en loin. L'embarcation semblait même prendre de la vitesse. Grant s'était réveillé ; allongé sur le dos, il regardait défiler les branches au-dessus de sa tête. Du coin de l'œil, il vit Lex qui se tenait à l'avant lever le bras pour attraper quelque chose.

– Qu'est-ce que tu fais ?

– Vous croyez que nous pouvons manger ces baies ? demanda la fillette en montrant les arbres.

Quelques branches étaient assez basses pour qu'elle pût les toucher. Tim vit qu'elles portaient des grappes de baies d'un rouge vif.

– Non, répondit Grant.

– Pourquoi ? Les petits dinosaures en mangent bien, eux, insista Lex en montrant quelques animaux se déplaçant sur les branches.

– J'ai dit non, Lex.

Elle soupira, mécontente de son accès d'autorité.

– Je voudrais que papa soit là, reprit-elle d'un ton grincheux. Papa sait toujours ce qu'il faut faire.

– Qu'est-ce que tu racontes ? répliqua Tim. Il ne sait *jamais* ce qu'il faut faire !

– Si ! insista la fillette en regardant défiler au-dessus de sa tête les arbres dont les racines énormes, aux formes torturées, s'élançaient vers la rivière. Tu dis ça parce que tu n'es pas son petit chouchou...

Tim tourna la tête et décida de ne rien dire.

– Mais ne t'inquiète pas, ajouta Lex, papa t'aime aussi... Même si tu t'intéresses plus aux ordinateurs qu'au sport.

– Mon père est un fanatique du sport, expliqua Tim à Grant.

Grant hocha la tête en silence. Il suivait dans le branchage les petits dinosaures d'un jaune pâle, hauts d'à peine soixante centimètres, qui sautaient d'arbre en arbre. Ils avaient un bec corné évoquant celui d'un perroquet.

– Tu sais comment ils s'appellent ? demanda Tim à sa sœur. Ce sont des microcératops.

– La belle affaire !

– Je croyais que ça t'intéresserait.

– Seuls les très jeunes garçons s'intéressent aux dinosaures !

– Qui a dit ça ?

– Papa.

Tim allait se mettre en colère, mais Grant le fit taire d'un geste de la main.

– Un peu de silence, les enfants !

– Pourquoi ? demanda Lex. Je peux faire ce que je veux, si j'ai...

Elle n'acheva pas sa phrase, car, au même moment, retentit en aval un hurlement à glacer le sang.

– Avez-vous une idée de l'endroit où est ce fichu tyrannosaure ? demanda Muldoon à la radio. Nous ne l'avons pas vu par ici.

Ils étaient retournés dans l'enclos des sauropodes, à l'endroit où l'herbe avait été piétinée par le troupeau paniqué de hadrosaures. Mais il n'y avait pas la moindre trace du grand carnivore.

– Je vérifie tout de suite, répondit Arnold avant de couper la communication.

– Je vérifie tout de suite ! répéta Muldoon d'un ton sarcastique en se tournant vers Gennaro. Et pourquoi ne l'a-t-il pas fait plus tôt ? Pourquoi n'a-t-il pas suivi ses déplacements ?

– Je n'en sais rien, répondit l'avocat.

– Il ne se montre pas, annonça Arnold quelques instants plus tard.

– Comment cela, il ne se montre pas ?

– Il n'apparaît pas sur les moniteurs. Les capteurs de mouvement n'ont pas décelé sa présence.

– Merde ! lâcha Muldoon. Si on ne peut même plus compter là-dessus ! Avez-vous au moins retrouvé Grant et les enfants ?

– Les capteurs de mouvement ne les ont pas trouvés non plus.

– Et maintenant, poursuivit Muldoon, que sommes-nous censés faire ?

– Attendre, répondit Arnold.

– Regardez ! Regardez !

Juste devant eux se dressait l'énorme dôme de la volière. Grant qui ne l'avait vu que de loin se rendait maintenant compte qu'il était véritablement gigantesque... Au moins quatre cents mètres de diamètre. Les poutrelles de la charpente du dôme géodésique luisaient faiblement dans l'air légèrement embrumé et la première pensée qui lui vint à l'esprit fut que le verre devait peser des tonnes. Quand ils furent plus près, Grant constata qu'il n'y avait pas de verre entre les poutrelles et que des filets très légers étaient suspendus aux éléments de la charpente métallique.

– Les travaux ne sont pas terminés, dit Lex.

– Je pense qu'il est fait pour rester ouvert, fit Grant.

– Alors, tous les oiseaux peuvent sortir.

– Pas les grands oiseaux, répliqua Grant.

Le courant les entraîna jusqu'au dôme et ils levèrent la tête au ciel. En quelques minutes, le sommet du dôme devint si haut qu'ils parvenaient à peine à le discerner dans la brume.

– Si je ne me trompe, dit Grant, il y a un second pavillon par ici.

Quelques instants plus tard, il distingua le toit d'une construction dominant la cime des arbres.

– Vous voulez vous arrêter ? demanda Tim.

– Il y a peut-être un téléphone ou bien des capteurs de mouvement, répondit le paléontologiste en dirigeant leur embarcation vers la rive. Il faut absolument entrer en contact avec la salle de contrôle. Le temps presse.

Ils descendirent du canot pneumatique en glissant dans la boue. Grant hala l'embarcation au sec et l'amarra à un arbre, puis ils s'enfoncèrent tous les trois dans une palmeraie touffue.

LA VOLIÈRE

– Je ne comprends pas, dit John Arnold au téléphone. Je ne vois pas le tyrannosaure et il n'y a pas non plus le moindre signe de Grant et des enfants.

Assis devant sa console, il vida sa énième tasse de café et la posa au milieu des assiettes de carton et des sandwichs entamés. Il était 8 heures du matin et Arnold se sentait exténué. Cela faisait maintenant quatorze heures que Nedry avait saboté l'ordinateur du parc Jurassique et il avait patiemment tout remis en état de marche.

– Tous les systèmes du parc sont en service et fonctionnent normalement, poursuivit-il. Les communications téléphoniques sont rétablies et j'ai demandé à un médecin de venir vous soigner.

Dans sa chambre du pavillon des visiteurs, Ian Malcolm toussa.

– Mais vous avez des ennuis avec les capteurs de mouvement ? articula-t-il.

– Disons que je ne trouve pas ce que je cherche, répondit Arnold.

– Le tyrannosaure, par exemple ?

– Je ne le vois plus nulle part. Il y a une vingtaine de minutes, il est parti vers le nord en longeant la lagune et puis je l'ai perdu. Je ne comprends pas pourquoi, à moins qu'il ne se soit encore endormi.

– Et vous ne trouvez pas Grant et les enfants ?

– Non.

– Je pense que la réponse est très simple, fit Malcolm. Le champ des capteurs de mouvement est insuffisant.

– Insuffisant ? protesta Arnold. Ils balaient quatre-vingt-douze...

– Je sais, le coupa Malcolm, ils couvrent quatre-vingt-douze pour cent de la surface terrestre. Mais, si vous étudiez les huit pour cent restants, je pense que vous découvrirez qu'ils forment une unité topographique, c'est-à-dire qu'ils sont contigus. Autrement dit, un animal peut se déplacer librement dans le parc et échapper à toute détection en suivant une route de service, la rivière de la jungle ou encore les plages.

– Même si c'était le cas, répliqua Arnold, les animaux sont trop stupides pour en avoir conscience.

– La stupidité des animaux n'est pas prouvée, poursuivit Malcolm.

– Et vous pensez que c'est ce que font Grant et les enfants ?

– Absolument pas, répondit Malcolm, secoué par une nouvelle quinte de toux. Grant n'est pas un imbécile et il va de soi qu'il cherche à se faire repérer. Les enfants et lui ont dû passer leur temps à gesticuler devant tous les capteurs qu'ils ont vus. Mais il est possible qu'ils aient des problèmes que nous ne soupçonnons pas. A moins qu'ils ne soient en train de suivre la rivière.

– Cela m'étonnerait beaucoup. Les berges sont très étroites et il est souvent impossible de marcher le long de l'eau.

– Le courant pourrait-il les ramener jusqu'ici ?

– Oui, mais ce ne serait pas le moyen le plus sûr de regagner le camp, car la rivière traverse la volière...

– Pourquoi la visite de la volière n'était-elle pas prévue au programme ? demanda vivement Malcolm.

– Nous avons eu certains problèmes... A l'origine, nous devions construire un pavillon surélevé d'où les visiteurs auraient pu observer les ptérodactyles en vol. En ce moment, il y en a quatre dans la volière... En réalité, ce sont des cearadactyles, de gros ptérosaures qui se nourrissent de poisson.

– Qu'ont-ils de particulier ?

– Eh bien, pendant les travaux de construction de la loge, nous avons lâché les ptérosaures dans la volière pour qu'ils s'acclimatent. Mais ce fut une grave erreur, car nous avons découvert que ces oiseaux protègent leur territoire.

– Et alors ?

– Ils défendent farouchement le territoire qu'ils se sont approprié. Ils se battent entre eux... et ils attaquent tout animal pénétrant dans la zone qu'ils se sont réservée.

– Qu'entendez-vous par « attaquent » ? demanda Malcolm.

– C'est impressionnant, expliqua Arnold. Les ptérosaures s'élèvent en planant jusqu'en haut de la volière, puis ils replient leurs ailes et plongent. Un oiseau de quinze kilos heurte un homme avec la force d'une tonne de briques. Pendant les travaux, ils assommaient les ouvriers et les blessaient en leur faisant de profondes coupures.

– Et eux, ils ne se blessent pas dans ces chocs ?

– Pas une seule fois, jusqu'à présent.

– Alors, si les enfants sont dans la volière...

– Ils n'y sont pas, fit vivement Arnold. Du moins, je l'espère.

– C'est ça, le pavillon ? demanda Lex. Quelle bicoque !

Sous le dôme de la volière, soutenu par de gros pylônes de bois, le pavillon des ptérosaures se dressait au milieu d'un bouquet de conifères. Mais la construction inachevée n'avait pas été peinte et des planches étaient clouées sur les fenêtres. Les arbres et les murs du pavillon étaient couverts de grandes traînées blanches.

– Je ne sais pas pourquoi, mais les travaux n'ont pas été terminés, dit Grant en s'efforçant de cacher sa déception. Tant pis, ajouta-t-il, retournons au canot.

Tandis qu'ils redescendaient vers la rivière, le soleil parut, apportant une note de gaieté. Grant regarda les ombres des poutrelles de la charpente du dôme et il remarqua sur le sol comme sur le feuillage d'autres larges traînées de la substance d'un blanc crayeux qu'il avait vue sur les murs du pavillon. Et il perçut une odeur âcre qui flottait dans l'air.

– Ça pue ici, fit Lex. Qu'est-ce que c'est que ces traces blanches ?

– On dirait des déjections de reptiles. Probablement des oiseaux.

– Comment se fait-il qu'ils n'aient pas terminé les travaux ?

– Je n'en sais rien.

En débouchant dans une clairière à l'herbe rase, parsemée de fleurs sauvages, ils entendirent un long sifflement grave. Un autre lui répondit, venant de l'autre côté de la forêt.

– Qu'est-ce que c'est ?

– Je ne sais pas.

Grant vit apparaître sur l'herbe l'ombre d'un nuage. Un nuage qui se déplaçait très rapidement. En quelques secondes, il se trouva au-dessus d'eux. Grant leva la tête et vit une énorme silhouette planer silencieusement et leur cacher le soleil.

– Ouille ! s'écria Lex. Un ptérodactyle !

– Oui, fit Tim.

Grant garda le silence. Il était fasciné par la vue du grand reptile planeur. Le ptérodactyle émit un long sifflement et décrivit un arc de cercle pour revenir dans leur direction.

– Pourquoi ne faisaient-ils pas partie de la visite ? demanda Tim.

Grant se posait la même question. Les reptiles volants étaient magnifiques ; ils glissaient si gracieusement dans l'air. Puis il vit apparaître un deuxième ptérodactyle, aussitôt suivi d'un troisième et d'un quatrième.

– Peut-être parce que le pavillon n'est pas terminé, suggéra Lex.

Grant songea que ce n'étaient pas des ptérodactyles ordinaires ; ils étaient bien trop grands. Ce devaient être des cearadactyles, des reptiles volants de grande taille ayant vécu au début du crétacé. Quand ils étaient tout en haut du dôme, ils ressemblaient à de petits avions. Les ptérosaures se rapprochèrent et il vit qu'ils avaient près de cinq mètres d'envergure, un corps poilu et une tête évoquant celle du crocodile. Il se souvint qu'ils se nourrissaient de poisson et vivaient en Amérique du Sud et au Mexique.

Lex mit sa main en visière et leva les yeux au ciel.

– Ils pourraient nous faire du mal ?

– Je ne pense pas. Ils ne mangent que du poisson.

L'un des ptérosaures descendit en vrille vers eux, comme un éclair noir déplaçant de l'air chaud, laissant derrière lui une odeur âcre.

– Qu'est-ce qu'ils sont *gros* ! s'écria Lex. Vous êtes sûr qu'ils ne peuvent pas nous faire de mal ?

– Tout à fait sûr.

Un deuxième ptérosaure descendit en piqué, encore plus vite que le premier. Venant de derrière, il frôla leurs têtes. Grant eut le temps de voir son bec garni de dents acérées et son corps couvert de poils, et songea qu'il ressemblait à quelque chauve-souris géante. Mais ce qui le frappa fut l'apparence fragile du reptile. Son énorme envergure, ses ailes membraneuses roses, si fines qu'elles en étaient presque translucides, tout contribuait à créer une étonnante impression de délicatesse.

– Ouille ! cria Lex en portant la main à ses cheveux. Il m'a mordue !

– Quoi ? demanda Grant.

– Il m'a mordue ! Il m'a mordue !

Tout en haut du dôme, les deux autres ptérosaures replièrent leurs ailes et deux silhouettes sombres et ramassées piquèrent vers le sol en lançant un cri aigu et prolongé.

– Venez, les enfants ! s'écria Grant en les prenant par la main.

Ils se mirent à courir et, quand l'intensité du cri fut assez forte, Grant se jeta par terre au dernier moment en entraînant les enfants. Les deux cearadactyles passèrent en sifflant, dans un grand battement d'ailes. Grant sentit des griffes lacérer sa chemise sur son dos.

Il se releva, aida Lex à se remettre debout et repartit en courant, quelques mètres derrière Tim, tandis que les deux premiers reptiles volants fondaient de nouveau sur eux en hurlant. Grant attendit encore une fois le dernier moment pour pousser les enfants par terre tandis que deux ombres obscurcissaient le ciel.

– Berk ! fit Lex d'un air dégoûté.

Grant se tourna vers elle et vit qu'elle avait reçu des déjections blanches.

– Allons-y ! cria-t-il en se relevant.

Il allait s'élancer à toute allure quand il entendit Lex pousser un hurlement de terreur. En se retournant, il vit que l'un des ptérosaures l'avait saisie par l'épaule. Les gigantesques ailes membraneuses de l'animal battaient frénétiquement l'air autour de la fillette tandis que sa mâchoire inférieure frappait la petite tête à coups répétés. Le ptérosaure essayait de décoller avec sa proie, mais Lex était trop lourde.

Elle hurlait en se débattant de toutes ses forces. Grant fit la seule chose qui lui vint à l'esprit. Il se précipita vers la fillette et se jeta contre le corps du reptile ailé. L'animal lâcha prise et roula sur le dos. Grant retomba sur lui; l'animal se mit à crier en le lardant de coups de bec. Grant baissa la tête pour se protéger des griffes et des ailes gigantesques qui l'enveloppaient. Il avait l'impression d'être sous une tente, au milieu d'une tempête de sable. Il ne voyait rien, il n'entendait rien; plus rien d'autre n'existait que le battement des ailes, les lourdes membranes et ces cris perçants. Les griffes lui labouraient la poitrine; Lex hurlait à pleine gorge. Grant repoussa le ptérosaure, qui se mit à glapir et battit des ailes en redoublant de vigueur pour se redresser. Le reptile finit par s'enrouler dans ses ailes comme une chauve-souris et il s'éloigna en prenant appui sur les petites griffes de ses ailes. Grant le suivit des yeux, ébahi.

Il marchait sur ses ailes! La théorie de Lederer était confirmée!

Les autres ptérosaures lancèrent une nouvelle attaque et Grant, étourdi, perdit l'équilibre. Horrifié, il vit Lex s'éloigner en courant, les bras croisés sur la tête pour se protéger... Tim criait à tue-tête...

Quand le premier reptile volant attaqua en piqué, Lex lança quelque chose et le ptérosaure reprit aussitôt de l'altitude avec un sifflement. Ses congénères s'élancèrent aussitôt à sa poursuite. Ayant du mal à déplier ses ailes et à prendre son essor, celui que Grant avait affronté se laissa distancer. Quand Grant leva la tête, les yeux plissés pour suivre le vol des reptiles, il vit le premier ptérosaure poursuivi par les autres qui poussaient des glapissements furieux.

– Que s'est-il passé ? demanda Grant en se tournant vers les enfants.

– Ils ont emporté mon gant, répondit Lex. Mon Darryl Strawberry spécial.

Ils se remirent en route et Tim passa le bras autour des épaules de sa sœur.

– Tout va bien ? demanda-t-il.

– Bien sûr, idiot! répondit-elle en se dégageant. J'espère qu'ils vont s'étouffer et qu'ils mourront, ajouta-t-elle en levant les yeux.

– Ouais, approuva Tim. Moi aussi.

Ils virent devant eux le canot amarré sur la rive. Grant regarda sa montre : il était 8 h 30 et il ne disposait plus que de deux heures et demie pour regagner l'hôtel.

Lex se dérida quand le courant les entraîna hors du dôme argenté de la volière. Ils glissaient de nouveau sous un dais de feuillage et la rivière allait en s'étranglant. A certains endroits, elle ne dépassait pas trois mètres de largeur et le courant devenait de plus en plus rapide. Lex se leva pour toucher les branches juste au-dessus de sa tête.

Grant s'adossa au plat-bord et écouta le gargouillement de l'eau à travers le caoutchouc. Ils allaient de plus en plus vite et les branches défilaient rapidement. C'était agréable, cela faisait comme une petite brise fraîche dans la chaleur du tunnel végétal. Et cela signifiait qu'ils atteindraient un peu plus tôt leur but.

Grant n'avait aucune idée de la distance qu'ils avaient parcourue, mais elle s'élevait à plusieurs kilomètres depuis le bâtiment de service où ils avaient passé la nuit. Au moins sept ou huit, peut-être même plus. Cela signifiait donc que, lorsqu'ils abandonneraient le canot, ils ne seraient qu'à une heure de marche de l'hôtel. Mais rien ne pressait. Pour l'instant, ils allaient à une bonne allure.

– J'aimerais bien savoir ce qu'est devenu Ralph, dit Lex. Il est peut-être mort maintenant.

– Je suis sûr qu'il va très bien.

– Je me demande s'il me laisserait monter sur son dos, poursuivit la fillette d'une voix somnolente. Ce serait amusant de faire un tour sur son dos.

– Vous vous souvenez de ce qui s'est passé hier soir ? demanda Tim. Quand nous avons soigné le stégosaure ?

– Oui.

– Pourquoi avez-vous posé des questions sur l'A.D.N. de grenouille ?

– A propos de la reproduction, répondit le paléontologiste. Ils n'arrivent pas à expliquer pourquoi les dinosaures se reproduisent malgré l'irradiation et puisqu'il n'y a que des femelles.

– D'accord.

– Eh bien, il faut savoir que l'efficacité d'une irradiation n'est pas prouvée et qu'elle est probablement très faible. Je pense que ce qui s'est passé ici le confirmera. Mais il reste le problème du sexe des dinosaures... Comment peuvent-ils se reproduire s'il n'y a que des femelles ?

– C'est vrai, dit Tim.

– Dans le règne animal, la reproduction sexuelle peut prendre une multitude de formes.

– Tim est passionné par le sexe, glissa Lex.

– Par exemple, reprit Grant sans s'occuper de la fillette, de nombreux animaux se reproduisent sans jamais avoir ce que nous appelons des relations sexuelles. Le mâle libère un spermatophore contenant le sperme que la femelle récupérera ultérieurement. Ce type d'échange n'exige pas une différenciation physique aussi marquée que nous l'imaginons habituellement. Chez de nombreuses espèces animales, le mâle et la femelle se ressemblent beaucoup plus que chez les êtres humains.

– Que viennent faire les grenouilles là-dedans ? demanda Tim.

Des cris aigus retentirent dans les arbres tandis que les microcératops s'enfuyaient en agitant les branches. La grosse tête du tyrannosaure traversa le feuillage sur la gauche et les mâchoires terrifiantes claquèrent devant le radeau. Lex poussa un hurlement de terreur et Grant pagaya vers la rive opposée, mais le cours d'eau ne faisait guère plus de trois mètres de large. Bloqué par l'enchevêtrement végétal, le tyrannosaure donna de violents coups de tête en rugissant, puis il parvint à se libérer. Ils suivirent à travers les arbres bordant la rivière l'énorme silhouette du carnivore qui restait à la hauteur de l'embarcation en cherchant une trouée. Les microcératops s'étaient tous réfugiés sur l'autre rive où ils couraient, criaient et bondissaient dans le feuillage. Sans défense, Grant et les enfants regardaient le tyrannosaure chercher vainement un passage dans la végétation touffue. Puis ils le virent prendre le canot de vitesse et essayer de passer en aval en secouant furieusement les branches.

Mais il échoua encore.

Sans s'avouer vaincu, le grand carnivore poursuivit sa route sur la rive en laissant le canot derrière lui.

– Je le hais, murmura Lex. Je le hais!

Grant se rassit, haletant. Si le tyrannosaure avait trouvé une trouée, il n'aurait rien pu faire pour les sauver. La rivière était devenue si étroite qu'il restait à peine le passage pour le canot. Il avait vraiment l'impression d'être dans un tunnel et le plat-bord de la fragile embarcation entraînée par un courant rapide frottait contre les rives boueuses.

Grant regarda de nouveau sa montre et vit qu'il était 9 heures. Le canot pneumatique poursuivit sa course folle.

– Écoutez! s'écria brusquement Lex.

Grant entendit des grondements furieux auxquels se mêlaient des sortes de hululements. Les cris venaient de l'aval, derrière un coude de la rivière. Grant tendit l'oreille et il perçut de nouveau le hululement.

– Qu'est-ce que c'est? demanda Lex.

– Je ne sais pas, répondit-il, mais il y en a plus d'un.

Il reprit les pagaies pour gagner la rive opposée et s'agrippa à une branche pour arrêter le canot. De nouveaux cris s'élevèrent.

– On dirait des chouettes, dit Tim.

– Ce n'est pas encore l'heure de la morphine? demanda Malcolm en poussant un gémissement.

– Non, pas encore, répondit Ellie.

– De quelle quantité d'eau disposons-nous ici? poursuivit le mathématicien avec un soupir.

– Je ne sais pas. Nous pouvons avoir toute l'eau que nous voulons au robinet...

– Non, je veux dire quelle quantité y a-t-il en réserve? S'il y en a.

– Il n'y en a pas, répondit Ellie avec un petit haussement d'épaules.

– Allez dans toutes les chambres de notre étage et remplissez les baignoires.

Ellie le considéra d'un regard perplexe.

– Ce n'est pas tout, poursuivit Malcolm. Avons-nous des talkies-walkies? Des torches électriques? Des allumettes et des réchauds? Ce genre de choses, vous voyez?

– Je vais jeter un coup d'œil. Vous vous préparez à affronter un tremblement de terre?

– Quelque chose comme cela. L'effet Malcolm suppose des changements catastrophiques.

– Mais Arnold prétend que tous les systèmes fonctionnent normalement.

– C'est à ce moment-là que cela se produit.

– Vous n'avez pas une très haute opinion d'Arnold, n'est-ce pas ?

– Il fait bien son boulot d'ingénieur. Wu aussi. Ce sont des techniciens. Pour moi, ils manquent d'intelligence... Ils voient la situation immédiate, ils pensent avec un esprit étroit et appellent cela « être pointu ». Ils n'ont pas de vision d'ensemble et ne réfléchissent pas aux conséquences. Le résultat de ce manque de profondeur, c'est l'île où nous sommes. On ne peut pas créer un animal sans imaginer qu'il agira comme un être vivant, que son comportement sera imprévisible, qu'il essaiera de s'échapper. Mais, cela, ils ne l'ont pas compris.

– Ne croyez-vous pas que c'est simplement la nature humaine ? demanda Ellie.

– Certainement pas ! répliqua Malcolm. C'est comme si l'on disait que des œufs brouillés et du bacon au petit déjeuner font partie intégrante de la nature humaine. Cela n'a rien à voir. Il s'agit uniquement d'habitudes occidentales et cette idée suffit à écœurer une grande partie de la population du reste du monde. C'est la morphine qui me rend philosophe, ajouta-t-il avec une grimace de douleur.

– Voulez-vous un peu d'eau ?

– Non, merci. Je vais vous expliquer ce qui ne va pas chez les ingénieurs et les scientifiques. Les scientifiques nous répètent à l'envi qu'ils cherchent à découvrir la vérité sur la nature. Il y a du vrai là-dedans, mais ce n'est pas ce qui les motive. Personne ne peut être mû par une abstraction telle que « la recherche de la vérité ». La véritable préoccupation des scientifiques est la réussite. Tout ce qui les intéresse, c'est de savoir s'ils peuvent faire quelque chose et ils ne prennent jamais le temps de se demander s'ils *devraient* le faire. Par commodité, ils qualifient cela de considérations oiseuses. S'ils ne le font pas « eux », ce sera quelqu'un d'autre. Ils ont la conviction que les découvertes sont inévitables et essaient simplement d'être les premiers. Telle est la règle du jeu dans le monde scientifique. Même en recherche pure, toute découverte est un acte agressif, un acte de violence qui nécessite un important matériel et change littéralement la face du monde. Les accélérateurs de particules mutilent le sol et laissent des déchets radioactifs. Les astronautes abandonnent des détritus sur la lune. Il y a toujours une preuve du passage des scientifiques pendant qu'ils faisaient leurs découvertes. Toute découverte est un viol du monde naturel. Toujours. Ce sont les scientifiques qui le veulent. Ils tiennent à laisser leurs instruments, à laisser leur empreinte. Ils ne peuvent se contenter de regarder, d'évaluer. Ils sont incapable de s'intégrer à l'ordre naturel des choses. Il leur faut provoquer quelque chose de non naturel. Tel est le rôle que jouent les scientifiques... Et dire que des sociétés entières s'engagent maintenant dans cette voie.

Malcolm poussa un profond soupir et retomba sur son lit.

– Vous ne croyez pas que vous y allez un peu fort... ?

– A quoi ressemble une de vos excavations après un an de fouilles ?

– A un champ de bataille, reconnut Ellie.

– Vous ne replantez pas, vous ne rétablissez pas ce que vous avez bouleversé ?

– Non.

– Pourquoi ?

– Faute de crédits, je suppose, répondit-elle avec un petit haussement d'épaules.

– Vous avez assez d'argent pour creuser, mais pas pour tout remettre en ordre ?

– Vous savez, nous ne faisons des fouilles que dans les bad lands...

– *Que* dans les bad lands, répéta Malcolm en secouant la tête. Que des détritus... Que des déchets... Que des effets indirects. Ce que j'essaie de vous faire comprendre, c'est que les scientifiques veulent tout cela. Ils veulent des déchets, des détritus, des mutilations et des effets indirects ! C'est pour eux une manière de se rassurer et cela devient de plus en plus désastreux.

– Alors, quelle est la réponse ?

– Se débarrasser de ces techniciens à l'esprit étroit, les faire dégringoler de leur piédestal.

– Ce serait renoncer à tous les progrès...

– Quels progrès ? répliqua vivement Malcolm. Le temps que les femmes consacrent aux travaux ménagers n'a pas diminué depuis 1930 malgré l'aspirateur, la machine à laver et le sèche-linge, le broyeur d'ordures et les vêtements jetables... Pourquoi faut-il encore aussi longtemps pour nettoyer la maison qu'en 1930 ?

Ellie garda le silence.

– Parce qu'il n'y a pas eu de progrès, reprit Malcolm. Pas de vrais progrès. Quand, il y a treize mille ans, nos ancêtres réalisaient les peintures rupestres de Lascaux, ils consacraient vingt heures par semaine à se nourrir, se loger et se vêtir. Le reste du temps, ils s'amusaient, ils dormaient, ils faisaient ce qu'ils avaient envie de faire. Et ils vivaient dans un monde naturel, avec un air pur, de l'eau limpide, des arbres et des couchers de soleil. Vous imaginez, vingt heures par semaine, il y a des milliers d'années...

– Votre idée, c'est de remonter le cours du temps ? demanda Ellie.

– Non, mais je voudrais que les gens se réveillent. La science moderne se développe depuis quatre siècles et nous devrions maintenant savoir à quoi nous en tenir sur ce qu'elle peut nous apporter. Le moment du changement est venu.

– Avant de détruire la planète ? suggéra Ellie.

– Oh ! la la ! soupira Malcolm en fermant les yeux. C'est bien le dernier de mes soucis.

Dans le tunnel ombreux enserrant la rivière, se retenant aux branches, Grant faisait prudemment avancer le canot. Il entendait encore les cris en aval. Enfin, il vit les dinosaures.

– Ce sont bien ceux qui sont venimeux ?

– Oui, répondit Grant. Des dilophosaures.

Deux dilophosaures se tenaient sur la rive. Leur corps, haut de trois mètres, était moucheté de noir et de jaune, mais leur ventre était d'un vert vif rappelant celui du lézard. Ils avaient sur la tête deux crêtes rouges en V qui couraient des yeux au nez. La manière dont ils courbaient le cou pour boire l'eau de la rivière avant de relever la tête en lançant leur hululement renforçait encore leur ressemblance avec des oiseaux.

– Et si nous abandonnions le canot pour partir à pied ? murmura Lex.

Grant secoua la tête en signe de refus. Les dilophosaures étaient plus petits que le tyrannosaure, assez petits pour se glisser à travers la végétation bordant la rivière, aussi dense fût-elle, et ils donnaient une impression de grande vivacité.

– Jamais nous ne pourrons passer dans le canot, poursuivit Lex. Ils sont venimeux.

– Nous n'avons pas le choix, répliqua Grant. Nous devons passer.

Les dilophosaures continuaient à boire et à huluer. Ils semblaient se répondre d'une manière rituelle, étrangement répétitive. Le dinosaure de gauche penchait la tête pour boire, puis il ouvrait la bouche en découvrant de longues rangées de dents acérées et lançait un hululement. L'autre répondait d'abord par un cri avant de se pencher à son tour pour boire en reproduisant fidèlement les mouvements de son congénère. Puis ils recommençaient en répétant exactement les mêmes mouvements.

Grant remarqua que l'animal de droite était un peu plus petit, que les taches de son dos étaient moins larges et sa crête d'un rouge plus terne...

– Ça alors ! murmura-t-il. C'est un rite nuptial !

– Croyez-vous que nous pourrons passer ? demanda Tim.

– Pas pour l'instant. Ils sont au bord de la rivière.

Grant savait que certains animaux pouvaient accomplir leur rite nuptial pendant plusieurs heures d'affilée. Ils ne prenaient pas le temps de se nourrir et ne prêtaient aucune attention à ce qui les entourait... Il regarda sa montre et vit qu'il était 9 h 20.

– Qu'allons-nous faire ? insista Tim.

– Je n'en ai pas la moindre idée.

Grant venait de se rasseoir dans le canot pneumatique quand il entendit les dilophosaures rugir et hululer avec une nervosité accrue. Il leva la tête et vit que les deux animaux tournaient le dos à la rivière.

– Qu'est-ce qui se passe ? demanda Lex.

– Je crois que la chance est enfin avec nous, répondit Grant en souriant. Je veux que vous vous allongiez tous les deux au fond du canot, poursuivit-il en éloignant l'embarcation de la rive. Nous allons passer aussi vite que possible. Mais n'oubliez pas : quoi qu'il arrive, vous ne dites pas un mot et vous ne faites pas un mouvement. C'est compris ?

Le canot commença à prendre de la vitesse, entraîné par le courant vers les dilophosaures. Allongée aux pieds de Grant, Lex le regardait avec des yeux effrayés. Ils se rapprochaient de plus en plus des deux dinosaures qui leur tournaient toujours le dos. Grant prit le pistolet à air comprimé et vérifia qu'il était chargé.

Ils perçurent brusquement une odeur bizarre, à la fois douce et écœurante, rappelant celle du vomi séché, tandis que les hululements devenaient de plus en plus forts. Le canot sortit d'un coude de la rivière et Grant retint son souffle. Les dilophosaures se tenaient à quelques mètres, tournés vers les arbres, poussant des cris furieux.

Comme Grant l'avait pressenti, ces cris étaient destinés au tyrannosaure qui essayait de se frayer un passage à travers le rideau d'arbres. Pendant que les dilophosaures hululaient avec fureur en tapant du pied sur la rive boueuse, le canot passa derrière eux. L'odeur fétide était insupportable. Le tyrannosaure lança un long rugissement, sans doute en voyant le canot. Encore quelques secondes et...

Il y eut un choc sourd.

L'embarcation s'immobilisa. Elle était échouée, à quelques mètres des deux carnivores.

– C'est le bouquet ! murmura Lex.

Il y eut un long raclement du fond du canot sur la boue, puis l'esquif se dégagea et reprit de la vitesse. Le tyrannosaure poussa un dernier rugissement et repartit le long de la rivière. L'un des dilophosaures parut surpris, puis il hulula. L'autre lui répondit aussitôt.

Le canot poursuivit sa route.

TYRANNOSAURE

Sous un soleil éclatant, la jeep de Muldoon et Gennaro traversait la prairie en cahotant. Ils s'éloignaient du rideau d'arbres et des palmiers qui suivaient les méandres de la rivière, une centaine de mètres derrière eux. Ils arrivèrent au pied d'une butte et Malcolm coupa le contact.

– Bon Dieu ! grommela-t-il. Quelle chaleur !

Il s'essuya le front avec le bras, prit la bouteille de whisky coincée entre ses genoux, but une gorgée et tendit la bouteille à Gennaro. L'avocat refusa d'un signe de la tête. Il parcourait des yeux le paysage miroitant au soleil. Puis son regard se reporta sur l'ordinateur et le moniteur vidéo montés sur le tableau de bord. Sur l'écran apparaissaient des vues du parc prises par des caméras commandées à distance. Toujours pas le moindre signe de Grant et des enfants. Ni du tyrannosaure.

– Muldoon ? crachota la radio.

– Oui, répondit-il en prenant le poste émetteur-récepteur.

– Votre écran est allumé ? J'ai trouvé le rex... Il est dans le secteur 442 et se dirige vers le 443.

– Une seconde, dit Muldoon en réglant le moniteur. Ça y est, je l'ai. Il suit la rivière.

Le grand carnivore se dirigeait vers le nord en longeant les arbres qui bordaient le cours d'eau.

– Allez-y doucement avec lui. Contentez-vous de l'immobiliser.

– Ne vous inquiétez pas, répondit Muldoon en plissant les yeux pour se protéger du soleil. Je ne lui ferai pas de mal.

– N'oubliez pas, insista Arnold, que cette grosse bête est notre principale attraction touristique.

Muldoon coupa la radio, qui émit un dernier grésillement.

– Bande d'abrutis ! marmonna-t-il. Ils pensent encore aux touristes ! Allons voir le rex pour lui donner sa dose, poursuivit-il en remettant le contact.

La jeep démarra avec une secousse et repartit en cahotant.

– Vous en mourez d'impatience, n'est-ce pas ? demanda Gennaro.

– Ça fait un bon bout de temps que j'ai envie de lui planter une seringue dans l'arrière-train, acquiesça Muldoon. Voilà enfin l'occasion.

La jeep s'arrêta brutalement. Juste devant eux, Gennaro vit le tyrannosaure avancer à travers les palmiers bordant la rivière.

Muldoon vida la bouteille et la lança sur la banquette arrière. Puis il se retourna pour prendre son tube. Gennaro regarda le moniteur vidéo qui montrait leur jeep et le tyrannosaure. Il devait y avoir une caméra derrière eux, quelque part dans les arbres.

– Si vous voulez m'aider, dit Muldoon, vous pouvez sortir les cylindres qui sont à vos pieds.

Gennaro se pencha et ouvrit la petite caisse Halliburton en acier inoxydable. Dans la mousse qui en tapissait le fond, quatre cylindres de la taille d'une bouteille de lait étaient soigneusement disposés. Ils portaient tous la même inscription : MORO-709. Gennaro en sortit un de son logement.

– Vous enlevez le bout et vous vissez une aiguille, dit Muldoon.

Gennaro trouva un paquet contenant de grosses aiguilles dont le diamètre était celui de son doigt. Il en vissa une sur le cylindre qui, à l'autre extrémité, était muni d'une capsule de plomb.

– C'est le plongeur, expliqua Muldoon.

Il se pencha sur le fusil à air comprimé posé sur ses genoux. C'était un gros tube de métal gris qui, pour Gennaro, ressemblait beaucoup à un bazooka ou un lance-roquettes.

– Que signifie MORO-709 ?

– C'est un tranquillisant très commun, répondit Muldoon. Utilisé par des zoos dans le monde entier. Nous allons essayer mille centimètres cubes pour commencer.

Muldoon ouvrit d'un coup sec la culasse qui était assez large pour qu'il y entre le poignet. Il y glissa le cylindre et la referma.

– Cela devrait faire l'affaire, reprit-il. Il faut environ deux cents centimètres cubes pour un éléphant de taille moyenne, qui ne pèse que deux ou trois tonnes. Le rex en fait huit et il est beaucoup plus agressif. Il faut aussi en tenir compte.

– Pourquoi ?

– On détermine la dose de tranquillisant en fonction du poids mais aussi du tempérament de l'animal. Imaginons que l'on injecte la même dose de 709 à un éléphant, un hippopotame et un rhinocéros. L'éléphant sera immobilisé; il restera cloué sur place, comme une statue. L'hippopotame sera ralenti dans ses mouvements; il sera un peu somnolent mais continuera à avancer. Le rhino, lui, deviendra fou furieux. D'autre part, si l'on poursuit un rhino en voiture pendant plus de cinq minutes, il tombera raide mort. Excès d'adrénaline... Étrange combinaison de robustesse et de fragilité.

La jeep commença à rouler lentement vers la rivière en se rapprochant du tyrannosaure.

– Mais tous ces gros animaux sont des mammifères, reprit Muldoon. Nous avons appris beaucoup de choses sur les grands mammifères – lions, tigres, ours, éléphants – car ils occupent une place de choix dans les zoos. Nous connaissons beaucoup moins bien les reptiles et personne ne sait absolument rien sur les dinosaures. Les dinosaures sont des animaux entièrement nouveaux.

– Vous les considérez comme des reptiles ? demanda Gennaro.

– Non, répondit Muldoon en changeant de vitesse. Les dinosaures n'entrent dans aucune des catégories existantes.

Il donna un brusque coup de volant pour éviter une grosse pierre.

– En fait, poursuivit-il, nous sommes en train de découvrir que les dinosaures étaient aussi différents entre eux que le sont aujourd'hui les mammifères. Certains d'entre eux sont doux et peu farouches, d'autres méchants et dangereux. Certains ont une excellente vue, d'autres non. Certains sont stupides et d'autres très, très intelligents.

– Comme les raptors ?

– Les raptors sont intelligents, acquiesça Muldoon. Très intelligents. Je vous assure que tous les problèmes que nous avons eus jusqu'à présent ne sont rien en comparaison de ce qui se passerait si les raptors sortaient de leur enclos. Bon, je crois que nous ne pourrons pas nous rapprocher beaucoup plus de notre rex.

Un peu plus haut, le tyrannosaure passait la tête entre les branches pour scruter la rivière. Puis l'animal avança de quelques mètres et chercha de nouveau une trouée.

– Je me demande ce qu'il regarde, fit Gennaro.

– C'est difficile à savoir. Il essaie peut-être d'atteindre les microcératops qui courent dans les arbres, mais vous pouvez être sûr qu'ils ne se laisseront pas attraper comme cela.

Muldoon arrêta la jeep à une cinquantaine de mètres du tyrannosaure, mais il prit soin d'orienter la voiture dans l'autre direction et de laisser le moteur tourner.

– Mettez-vous au volant, ordonna-t-il à Gennaro, et bouclez votre ceinture.

Il prit un autre cylindre et le glissa dans sa chemise, puis il descendit.

– Vous avez souvent fait ce genre de chose ? demanda l'avocat en prenant place derrière le volant.

Muldoon rota bruyamment.

– Jamais, répondit-il. Je vais essayer de l'atteindre juste derrière le conduit auditif et nous verrons bien ce qui se passe.

Il fit dix mètres derrière la jeep, puis se baissa dans l'herbe en mettant un genou en terre. Il épaula le gros tube et releva le viseur télescopique, puis il coucha en joue le tyrannosaure qui ne leur prêtait toujours aucune attention.

Il y eut un petit nuage de fumée et Gennaro vit une traînée blanche filer vers le tyrannosaure. Mais l'animal ne réagit pas.

Puis le dinosaure se tourna lentement vers eux pour les observer avec curiosité. Il remua la tête de droite et de gauche, comme pour les regarder alternativement avec chaque œil.

Muldoon avait reposé son arme et il chargeait le deuxième cylindre.

– Vous l'avez eu ? demanda Gennaro.

– Raté, répondit Muldoon en secouant la tête. Saleté de viseur laser... Regardez donc s'il y a une pile dans la boîte.

– Une quoi ? demanda l'avocat.

– Une pile. C'est gros comme le doigt et il y a des marques grises.

Gennaro se pencha pour fouiller dans la boîte d'acier. Il sentit les vibrations de la jeep, il entendit le moteur tourner au ralenti, mais il ne trouva pas de piles. Le tyrannosaure rugit, un son terrifiant qui, après avoir roulé dans la vaste cage thoracique de l'animal, jaillit avec une puissance formidable. Gennaro se redressa instantanément ; il agrippa le volant d'une main et referma l'autre sur le pommeau du levier de vitesse.

– Muldoon ? dit une voix nerveuse à la radio. C'est Arnold... Dégagez ! Terminé.

– Je sais ce que je fais, bougonna Muldoon.

Et le tyrannosaure chargea.

Muldoon ne bougea pas en voyant l'énorme dinosaure foncer droit sur lui. Lentement, méthodiquement, il leva son arme, visa et tira. Gennaro vit encore le petit nuage de fumée et la trace blanche du cylindre se diriger vers l'animal.

Le tyrannosaure continua à charger comme si de rien n'était.

Muldoon s'était relevé et il courait à toutes jambes vers la jeep.

– Démarrez ! Démarrez !

Gennaro passa la première. Muldoon se jeta sur la portière au moment où la jeep démarrait avec une secousse. Le tyrannosaure se rapprochait rapidement. Muldoon ouvrit la portière et se glissa sur le siège.

– Plus vite, bon Dieu ! Plus vite !

Gennaro écrasa l'accélérateur. La jeep se cabra et l'avant se redressa tellement qu'ils ne virent plus que le bleu du ciel à travers le pare-brise. Puis elle retomba lourdement et commença à prendre de la vitesse en se dirigeant vers un bouquet d'arbres qui s'élevait sur la gauche. L'œil rivé au rétroviseur, Gennaro vit le tyrannosaure lancer un dernier rugissement de rage et se détourner.

– Ouf ! souffla-t-il en lâchant l'accélérateur.

– J'aurais juré l'avoir touché au second coup, murmura Muldoon en secouant la tête.

– A mon avis, vous l'avez raté.
– La seringue a dû se briser avant l'injection.
– Reconnaissez donc que vous l'avez raté.
– Oui, marmonna Muldoon, je l'ai raté. La pile du viseur laser était morte. C'est ma faute, j'aurais dû vérifier, après toute une nuit passée dehors. Bon, allons chercher d'autres munitions.

La jeep reprit la direction de l'hôtel, et Muldoon saisit le poste émetteur-récepteur.
– Contrôle ?
– Oui, répondit Arnold.
– Nous regagnons la base.

Plus la rivière devenait étroite, plus le courant était rapide. Le canot pneumatique ne cessait de prendre de la vitesse et les enfants avaient l'impression d'être dans un parc d'attractions.
– Youpi ! s'écria Lex en s'agrippant au plat-bord. Plus vite ! Plus vite !

Les yeux plissés, Grant regardait droit devant lui. Enserrée dans son tunnel végétal, la rivière était encore étroite, mais un peu plus loin la rangée d'arbres s'interrompait et la luminosité devenait beaucoup plus vive. Un grondement encore lointain se faisait entendre et la rivière semblait se terminer brusquement, par une ligne horizontale...

Tandis que la frêle embarcation continuait à accélérer, Grant saisit ses pagaies.
– Qu'est-ce que c'est ? demanda Tim.
– Une chute d'eau, répondit Grant.

Le canot jaillit du tunnel ombreux et déboucha à toute allure dans le soleil, entraîné par le courant impétueux vers le bord de la cascade dont le grondement leur emplissait les oreilles. Grant pagayait de toutes ses forces, mais il ne réussissait qu'à faire décrire des cercles au canot inexorablement emporté vers la cascade.
– Je ne sais pas nager ! hurla Lex en se tournant vers lui.

Grant vit qu'elle n'avait pas fermé son gilet de sauvetage, mais il ne pouvait plus rien y faire. Ils se rapprochaient du bord à une vitesse hallucinante et le rugissement de la chute d'eau devenait assourdissant. Grant plongea sa pagaie aussi profondément qu'il le put ; il sentit qu'elle se coinçait et qu'elle résistait. Le canot pneumatique était ballotté par le courant, mais il ne basculait pas dans le vide. Arc-bouté sur la pagaie, Grant regarda par-dessus le plat-bord et découvrit au pied de l'à-pic de quinze mètres la cuvette recevant les eaux de la cascade.

Debout au centre de la cuvette, le tyrannosaure les attendait.

Lex poussa un hurlement de terreur quand le canot pivota. L'arrière bascula et ils furent projetés dans le vide au milieu d'un grand bouillonnement d'eau. Grant battit désespérément l'air de ses bras. Il eut l'impression de tomber au ralenti, interminablement, et tout devint silencieux.

La chute lui avait semblé durer si longtemps qu'il avait eu le temps de voir Lex qui tombait à côté de lui serrer contre elle sa brassière orange; le temps de regarder Tim, les yeux écarquillés, fixés au pied de la chute; le temps d'observer le rideau liquide qui semblait pétrifié; le temps d'examiner la surface bouillonnante de la cuvette dont il se rapprochait lentement, si lentement.

Grant ressentit une brusque et cuisante douleur, et il se retrouva dans l'eau froide et bouillonnante. Ballotté, secoué par les remous, il s'enfonça et aperçut la jambe du tyrannosaure, mais les tourbillons l'entraînèrent à l'autre bout de la cuvette et il ne remonta à la surface que dans la rivière qui reprenait son cours. Il nagea vers la rive, essaya de se retenir à la surface lisse et chaude d'un rocher, lâcha prise, s'accrocha à une branche et parvint enfin à sortir de l'eau bouillonnante. Haletant, il se traîna jusqu'aux rochers et tourna la tête vers la rivière, juste à temps pour voir passer le canot pneumatique. Puis il vit Tim qui luttait contre le courant. Il tendit la main et le hissa sur la rive où il s'affala, toussant et frissonnant.

Grant se retourna vers la cascade et vit le tyrannosaure plonger brusquement la tête dans l'eau, juste entre ses pattes. Il vit l'animal secouer sa tête énorme en projetant de l'eau de toutes parts. Il avait quelque chose entre les dents.

Le tyrannosaure releva lentement la tête.

Le gilet de sauvetage orange de Lex pendait de sa gueule.

Quelques secondes plus tard, le corps de Lex remonta à la surface, juste derrière la longue queue du dinosaure. La tête dans l'eau, elle était entraînée par le courant. Grant plongea sans hésiter. Luttant contre les remous, il réussit à remonter sur les rochers le petit corps pesant et inerte. Le visage de la fillette était cendreux et de l'eau coulait de sa bouche.

Grant se pencha sur elle pour lui faire le bouche-à-bouche, mais elle se mit à tousser. Elle vomit un liquide jaune-vert et fut secouée par une nouvelle quinte de toux. Puis elle battit des paupières.

– Salut, articula-t-elle avec un pauvre sourire. On a réussi...

Tim fondit en larmes et Lex recommença à tousser.

– Arrête, dit-elle à son frère. Pourquoi est-ce que tu pleures ?

– Parce que!

– Tu nous as fait très peur, dit Grant.

Il vit passer sur la rivière des fragments d'une matière blanche : le tyrannosaure était en train de déchiqueter le gilet de sauvetage. L'animal était encore face à la chute d'eau et leur tournait le dos, mais il pouvait se retourner d'une seconde à l'autre et les voir...

– Venez, les enfants, dit Grant.

– Où allons-nous ? demanda Lex d'une voix étranglée.

– Venez ! répéta Grant.

Il chercha du regard une cachette. En aval s'étendait une plaine couverte d'herbe qui n'offrait aucune protection. En amont, il y avait le dinosaure. Grant aperçut soudain un sentier qui longeait la rivière et semblait remonter vers la chute.

Il découvrit sur la terre du chemin l'empreinte d'une chaussure d'homme. Orientée vers la cascade.

Le tyrannosaure se retourna en grondant et son regard se porta en direction de la plaine. L'animal semblait enfin avoir compris que ses proies lui avaient échappé et il les cherchait en aval. Grant et les enfants se dissimulèrent dans les fougères bordant la rivière et, pliés en deux, ils remontèrent vers la cascade.

– Où allons-nous ? demanda Lex. Nous repartons en arrière !

– Je sais.

A mesure qu'ils se rapprochaient de la chute d'eau, le bruit se faisait plus intense, les rochers plus glissants et la terre plus boueuse. Il y avait une épaisse vapeur d'eau en suspension, de sorte qu'ils avaient l'impression de traverser un nuage. Le sentier semblait mener directement à la cascade, mais, en s'approchant, ils virent qu'en réalité il passait derrière la chute.

Le tyrannosaure avait toujours la tête tournée de l'autre côté. Ils parcoururent en courant les derniers mètres et avaient presque disparu derrière le rideau argenté de la cascade quand Grant vit le dinosaure se retourner. Il ne savait pas si l'animal les avait vus et il lui était maintenant impossible de distinguer quoi que ce fût à travers la muraille liquide.

Grant regarda autour de lui avec étonnement. Il découvrit un renfoncement, à peine plus large qu'une armoire, mais bourré de matériel : pompes, gros filtres, canalisations. Tout était mouillé et froid.

– Vous croyez qu'il nous a vus ? demanda Lex en criant pour couvrir le bruit de l'eau. Où sommes-nous ici ? Où sommes-nous ? Il nous a vus ?

– Attends une seconde, dit Grant.

Il songea en regardant le matériel qu'il devait y avoir quelque part une alimentation électrique. Et, s'il y avait l'électricité, il y avait peut-être aussi le téléphone. Il se mit à fouiller au milieu des filtres et des canalisations.

– Qu'est-ce que vous faites ? cria Lex.

– Je cherche un téléphone.

Il était déjà presque 10 heures et il ne leur restait qu'un peu plus d'une heure pour prévenir l'équipage du cargo.

Grant découvrit dans le renfoncement une porte de fer portant l'inscription : SERV 04, mais elle était fermée à clé. Juste à côté se trouvait une fente destinée à recevoir les cartes magnétiques. Le long du chambranle était alignée une rangée de boîtes métalliques. Il les ouvrit l'une après l'autre, mais elles ne renfermaient que des boutons et des commutateurs. Pas de téléphone... Et impossible d'ouvrir la porte.

Il faillit rater la boîte isolée, sur la gauche de la porte. En l'ouvrant, il découvrit un tableau réunissant des touches couvertes de taches vertes de moisissure. C'était peut-être le moyen d'ouvrir la porte et il avait le sentiment que, derrière, il trouverait un téléphone. Le nombre 1023 avait été gravé dans le métal de la boîte. Il le composa sur les touches.

La porte s'ouvrit en grinçant. Elle donnait sur un escalier aux marches cimentées plongeant dans un puits de ténèbres. Sur le mur du fond une pancarte indiquait : VÉHICULE SERV 04/22 CHARGEUR et une flèche était pointée vers le bas de l'escalier. Cela voulait-il dire qu'il y avait une voiture ?

– Venez, les enfants.

– Pas question ! lança Lex. Je ne veux pas descendre là-dedans !

– Viens, Lex, dit son frère.

– J'ai dit pas question ! Il n'y a pas de lumière, je n'y vais pas !

– Tant pis, dit Grant qui ne voulait pas perdre de temps à discuter. Restez ici, je reviens tout de suite.

– Où allez-vous ? demanda Lex, brusquement inquiète.

Grant franchit la porte. Il entendit un signal électronique et elle se referma rapidement derrière lui.

Grant se retrouva plongé dans l'obscurité totale. Le premier moment de surprise passé, il se retourna vers la porte et fit courir sa main sur la surface humide. Il n'y avait pas de bouton, pas de loquet, rien. Il se mit à tâtonner le long des murs, de chaque côté de la porte, espérant trouver un commutateur, un boîtier de commande, quelque chose...

Il n'y avait rien.

Grant commençait à lutter contre la panique qui l'étreignait quand ses doigts se refermèrent sur un cylindre froid de métal. Sa main rencontra un rebord, puis une surface plane... Une torche électrique. Il l'alluma et le faisceau illumina l'espace exigu. Grant se retourna vers la porte, mais il comprit qu'elle ne s'ouvrirait pas. Il faudrait que les enfants s'en chargent. En attendant...

Grant s'avança vers l'escalier. Les marches étaient humides et glissantes, et il descendit précautionneusement. Quelques marches plus bas, il perçut un reniflement et un grattement... Des griffes sur le béton. Il sortit le pistolet à air comprimé et reprit prudemment la descente.

L'escalier tournait et il distingua soudain le reflet de sa torche. Quelques instants plus tard, il découvrit le véhicule de service... C'était une voiture électrique, un genre de voiture de golf dont l'avant était tourné vers un long tunnel qui semblait s'étirer sur des kilomètres. Une lumière rouge brillait près du volant et Grant en conclut que la batterie était peut-être chargée.

Puis il perçut un nouveau reniflement. Il pivota sur lui-même et vit une forme claire qui bondissait sur lui, la gueule ouverte. Il tira sans réfléchir ; l'animal tomba sur lui et le renversa. Paniqué, Grant roula sur lui-même, le faisceau de sa torche zébrant les murs de traits de lumière. Mais l'animal ne se releva pas et Grant se sentit tout bête quand il braqua la torche sur lui.

C'était un velociraptor, mais très jeune, à peine âgé de un an, pas plus gros qu'un chien de taille moyenne. Il restait étendu par terre, pantelant, la fléchette fichée sous la mâchoire. La dose d'anesthésique était probablement trop forte pour son poids et Grant retira vivement la fléchette. Le velociraptor tourna vers lui des yeux légèrement vitreux. Grant perçut distinctement une forme d'intelligence émanant de l'animal, une sorte de douceur contrastant étrangement avec le sentiment de menace qu'il avait éprouvé en voyant les adultes dans leur enclos. Il caressa la tête du jeune velociraptor dans l'espoir de le calmer et vit le corps frêle frissonner sous l'effet du tranquillisant. C'était un mâle !

Un jeune velociraptor mâle. Il ne pouvait y avoir aucun doute : il était en présence d'un jeune mâle né et élevé en liberté.

Très excité par cette découverte, Grant remonta précipitamment l'escalier. Il s'arrêta devant la porte et promena le pinceau lumineux de sa torche sur le panneau de métal lisse et les murs qui l'encadraient. Il finit par comprendre qu'il était bel et bien enfermé et qu'il ne pourrait sortir que si les enfants avaient la présence d'esprit d'ouvrir la porte de l'extérieur. Il entendait leurs voix assourdies de l'autre côté du panneau de fer.

– Docteur Grant ! hurlait Lex en martelant la porte de ses petits poings. Docteur Grant !

– Calme-toi, fit Tim d'une voix rassurante. Il va revenir.

– Mais où est-il parti ?

– Le Dr Grant sait ce qu'il fait. Il va revenir très vite.

– Je veux qu'il revienne tout de suite ! insista Lex.

Les poings sur les hanches, les coudes écartés, la fillette se mit à trépigner d'impatience.

Un brusque rugissement retentit et la tête du tyrannosaure déchira le rideau de la cascade.

Horrifié, Tim regarda l'énorme gueule béante. Lex poussa un hurlement de terreur et se jeta par terre. La tête fit quelques mouvements d'avant en arrière, puis elle se retira, mais Tim distinguait encore son ombre derrière l'eau de la chute.

Il entraîna Lex dans le renfoncement, juste au moment où, projetant de l'eau en tous sens, réapparut la gueule dans laquelle s'agitait une grosse langue. Puis la tête se retira de nouveau.

Lex s'accrocha à son frère en tremblant.

– Oh! je le hais! murmura-t-elle. Quelle sale bête!

Elle essaya de s'enfoncer dans l'abri en se faisant toute petite, mais il y avait du matériel partout et les enfants n'avaient pas la place de se cacher.

La tête traversa encore une fois le rideau liquide de la cascade, mais plus lentement, et l'extrémité de la gueule vint se poser sur le sol. Le tyrannosaure huma l'air, les narines dilatées, mais ses yeux étaient encore de l'autre côté de la chute d'eau.

Il ne peut pas nous voir, songea Tim. Il sait que nous sommes là, mais il ne peut pas nous voir à travers la cascade.

Le tyrannosaure renifla bruyamment.

– Qu'est-ce qu'il fait? demanda Lex d'une toute petite voix.

– Chut!

Avec un grondement sourd, les mâchoires s'ouvrirent lentement et la langue jaillit, bleu-noir, énorme, avec une pointe légèrement fourchue. Longue d'un mètre vingt, elle atteignait aisément la partie la plus éloignée du renfoncement. La langue glissa sur les filtres avec un bruit de râpe tandis que Tim et Lex se plaquaient contre les canalisations.

La langue s'avança lentement vers la gauche, puis vers la droite, en épousant les contours et en enroulant sa pointe autour des tuyaux, des filtres et des valves. Tim remarqua qu'elle avait des contractions musculaires, un peu comme la trompe d'un éléphant. Elle se colla au mur droit du renfoncement et effleura les jambes de Lex.

– Berk! souffla la fillette.

La langue s'immobilisa. Puis elle commença à monter en se tortillant comme un serpent le long du corps de Lex...

– Ne bouge pas! lui chuchota Tim à l'oreille.

La langue passa devant le petit visage, puis elle remonta le long de l'épaule de Tim et s'enroula autour de sa tête. Tim ferma les yeux en sentant l'organe charnu et visqueux lui recouvrir le visage. C'était chaud, c'était mouillé et ça sentait vaguement l'urine.

Lentement, très lentement, la langue commença à l'attirer vers la gueule béante.

– Timmy...

Tim était incapable de répondre, car sa bouche était entièrement recouverte par la langue noire. Il pouvait encore voir, mais il lui était impossible de parler. Lex le tira par la main.

– Allez, Timmy!

La langue l'entraînait vers l'énorme bouche. Il sentait sur ses jambes l'haleine brûlante de l'animal. Lex le tirait par le bras, mais elle ne pouvait rien faire contre la puissance du corps charnu et musculeux. Tim dégagea son bras et appuya des deux mains sur la langue pour essayer de la faire passer par-dessus sa tête. Elle ne bougea pas. Il enfonça ses talons dans le sol boueux, mais cela ne changea rien.

Lex avait passé les bras autour de sa taille et elle essayait de le retenir en l'encourageant de la voix. Mais il était incapable de résister ; des étoiles commençaient à danser devant ses yeux. Une sorte de paix l'envahissait, il cédait calmement à l'inéluctable et se laissait entraîner.

– Timmy !

La langue se détendit brusquement et elle se déroula. Tim la sentit glisser sur son visage et il vit que tout son corps était couvert d'une salive blanchâtre et mousseuse. La langue retomba mollement sur le sol et les mâchoires claquèrent en se refermant sur elle. Un sang noir jaillit et se mêla à la boue. Les narines continuaient de respirer à un rythme précipité.

– Qu'est-ce qu'il fait ? cria Lex.

Lentement, très lentement, la tête commença à glisser en arrière, laissant une longue traînée sur le sol boueux. Puis elle disparut totalement et il ne resta plus devant leurs yeux que le rideau argenté de l'eau de la cascade.

CONTRÔLE

– Parfait, déclara Arnold. Le rex a son compte.

Il s'enfonça dans son fauteuil en souriant, alluma sa dernière cigarette et froissa le paquet. C'était la dernière étape avant que l'ordre soit entièrement rétabli dans le parc. Il ne leur restait plus maintenant qu'à aller chercher le tyrannosaure et à le ramener dans son enclos.

– J'ai fini par t'avoir, mon salaud, murmura Muldoon, les yeux rivés sur son moniteur. Il lui a quand même fallu une heure pour réagir, ajouta-t-il en se tournant vers Gennaro.

– Mais il pourrait se noyer, dans cette position, hasarda Henry Wu d'une voix inquiète.

– Il ne se noiera pas, répliqua Muldoon. Je n'ai jamais vu un animal plus dur à abattre.

– Je crois que nous devrions nous occuper de son transport, dit Arnold.

– Oui, on va y aller, grommela Muldoon sans le moindre enthousiasme.

– Cet animal est précieux...

– Je sais bien qu'il est précieux !

Arnold se tourna vers Gennaro, incapable de contenir le sentiment de triomphe qui l'envahissait.

– Je vous ferai remarquer, lança-t-il, que tout est redevenu normal dans le parc. Quelles que soient les conclusions du modèle mathématique de ce cher Malcolm, nous avons la situation en main.

– Qu'est-ce que c'est que ça ? demanda l'avocat en montrant l'écran, derrière la tête de l'ingénieur.

Arnold se retourna. Il découvrit avec étonnement qu'une fenêtre affichant l'état du système, habituellement vide, était en train de clignoter sur l'écran. ALIM AUX LOW. Pendant quelques instants, il ne comprit pas ce que signifiait le message en lettres jaunes. Pourquoi l'alimentation auxiliaire était-elle en train de baisser, puisque les ordinateurs fonctionnaient sur le générateur principal ? Il se dit qu'il s'agissait peut-être d'un contrôle de routine de l'alimentation auxiliaire, une vérification du niveau des réservoirs de carburant ou de la charge de la batterie...

– Henry ? dit-il. Regardez ça.

– Pourquoi êtes-vous branché sur l'alimentation auxiliaire ?

– Je ne le suis pas, répondit Arnold.

– C'est pourtant ce qu'on dirait.

– C'est impossible !

– Demandez donc l'impression de l'enregistrement de l'état du système.

Arnold enfonça une touche et ils entendirent dans un coin de la salle le bourdonnement d'une imprimante qui se mettait en marche. Wu se dirigea vers l'organe de sortie.

Arnold gardait les yeux rivés sur l'écran. Le message clignotant s'affichait maintenant en lettres rouges et annonçait : ALIM AUX FAIL. Le nombre vingt apparut et un compte à rebours s'afficha.

– Mais que se passe-t-il ? rugit Arnold.

Tim fit prudemment quelques pas sur le sentier boueux et déboucha au soleil. Il regarda derrière la chute d'eau et vit le tyrannosaure, couché sur le côté, flottant dans la cuvette.

– J'espère qu'il est mort ! lança Lex.

Mais Tim voyait bien que l'animal n'était pas mort. Sa poitrine se soulevait et l'un de ses petits bras était agité de mouvements convulsifs. Puis le garçon vit le cylindre blanc fiché à l'arrière de la tête du dinosaure, près du creux de l'oreille.

– Il a été endormi, expliqua Tim à sa sœur.

– Très bien, dit la fillette. Quand je pense qu'il a failli nous dévorer !

La respiration du tyrannosaure était difficile et, à son grand étonnement, Tim se sentit gêné de voir humilié de la sorte un animal aussi imposant. Il se prit à souhaiter que le dinosaure ne meure pas.

– Ce n'est pas de sa faute, tu sais.

– C'est ça, s'écria Lex, il a failli nous dévorer et ce n'est pas de sa faute !

– C'est un carnivore, expliqua Tim. Il ne peut pas se comporter autrement.

– Tu ne dirais pas ça si tu étais dans son estomac en ce moment !

Les deux enfants perçurent un changement dans le bruit de la cascade. Le grondement assourdissant se fit progressivement plus doux, plus feutré, le rideau liquide devint de moins en moins abondant et se réduisit à un mince filet d'eau...

Puis l'eau cessa de couler.

– Timmy, murmura Lex. La cascade s'est arrêtée...

Il ne tombait plus que quelques gouttes, comme d'un robinet mal fermé, et la surface de la cuvette recueillant l'eau de la cascade était devenue lisse. Les enfants virent que le sentier au bord duquel ils se tenaient se trouvait près du sommet de l'à-pic.

– Il n'y a pas de raison qu'une cascade s'arrête, dit Lex.

– Ce doit être l'électricité, suggéra Tim en secouant la tête. Quelqu'un a coupé l'électricité.

Derrière eux, les pompes et les filtres s'arrêtaient l'un après l'autre, les lumières s'éteignaient et les machines se taisaient. Ils entendirent soudain un déclic et la porte marquée SERV 04 pivota lentement sur ses gonds.

Grant apparut dans l'embrasure et cligna des yeux dans la lumière aveuglante du jour.

– Bien joué, les enfants, dit-il. Vous avez réussi à ouvrir la porte.

– Nous n'avons rien fait, répliqua Lex.

– C'est l'électricité qui est coupée, expliqua Tim.

– Peu importe, dit Grant. Venez donc voir ce que j'ai trouvé.

Les yeux écarquillés, l'air effaré, Arnold vit tous les moniteurs s'éteindre l'un après l'autre. Puis ce fut le tour des lumières et la salle de contrôle fut plongée dans l'obscurité et la confusion. Tout le monde se mit à crier en même temps. Muldoon alla lever les stores et Wu s'approcha, une feuille de listing à la main.

– Regardez ça, dit-il.

HEURE		ÉTAT SYS	CODE
05 12 44	Sécu 1 Off	Marche	AV12
05 12 45	Sécu 2 Off	Marche	AV12
05 12 46	Sécu 3 Off	Marche	AV12
05 12 51	Comm Arrêt	Arrêt	–AV0
05 13 48	Comm Startup	Arrêt	–AV0
05 13 55	Sécu 1 On	Arrêt	–AV0
05 13 57	Sécu 2 On	Arrêt	–AV0
05 13 59	Sécu 3 On	Arrêt	–AV0
05 14 08	Com Startup	Startup Aux	–AV1
05 14 18	Moniteur Princ	Marche Aux	AV04
05 14 19	Sécurité Princ	Marche Aux	AV05
05 14 22	Commande Princ	Marche Aux	AV06
05 14 24	Laborat Princ	Marche Aux	AV08
05 14 29	Télécom-Vbb	Marche Aux	AV09
05 14 32	Schéma Princ	Marche Aux	AV09
05 14 37	Vue	Marche Aux	AV09
05 14 44	Contr Vérif État	Marche Aux	AV09
05 14 57	Avert : État clôtures	Marche Aux	AV09
09 11 37	Avert : Carbu aux 20 %	Marche Aux	AVZZ
09 33 19	Avert : Carbu aux 10 %	Marche Aux	AVZZ
09 53 19	Avert : Carbu aux 1 %	Marche Aux	AVZZ
09 53 39	Avert : Carbu aux 0 %	Arrêt	–AV0

– Vous avez coupé le système à 5 h 13, dit Henry Wu, et, quand vous l'avez remis en marche, vous êtes passé sur l'alimentation auxiliaire.

– Bon Dieu ! gémit Arnold.

Il semblait bien que l'alimentation principale n'avait pas été mise en service depuis l'arrêt. Quand il avait relancé le système, seule l'alimentation auxiliaire avait fonctionné. Arnold était en train de songer qu'il y avait là quelque chose de très bizarre quand il comprit soudain que c'était *normal*. C'était prévu et tout à fait logique. Le générateur auxiliaire se mettait en marche le premier et il servait à lancer le générateur principal qui avait besoin d'une charge très forte. Le système avait été conçu de cette manière.

Mais Arnold n'avait jamais eu l'occasion d'arrêter le système et, quand les lumières et les écrans s'étaient remis en marche dans la salle de contrôle, il ne lui était absolument pas venu à l'esprit que l'alimentation en électricité n'était pas assurée par le générateur principal.

C'était pourtant le cas et, pendant toutes les heures qui venaient de s'écouler, tout le temps passé à chercher le tyrannosaure et à faire un tas d'autres choses, le parc avait été alimenté par le générateur auxiliaire. C'était une très mauvaise chose et il prenait lentement conscience de toutes les conséquences...

– Et cette ligne ? demanda Muldoon en montrant le listing. Qu'est-ce que ça veut dire ?

```
05 14 57    Avert : Etat Clôtures          Marche Aux    AV09
```

– Cela signifie qu'un avertissement a été envoyé aux moniteurs de la salle de contrôle, répondit Arnold. A propos des clôtures.

– Et vous n'avez rien remarqué ?

– Non, répondit l'ingénieur en secouant la tête. Je devais être en communication radio avec vous. Quoi qu'il en soit, je n'ai rien vu.

– Et que signifie précisément « Avert : Etat clôtures » ?

– Eh bien, expliqua Arnold, je ne le savais pas à ce moment-là, mais l'alimentation électrique était assurée par le générateur auxiliaire. Or, le courant fourni par celui-ci n'a pas un ampérage suffisant pour les clôtures électriques. Elles ont donc été automatiquement mises hors circuit.

– Les clôtures n'étaient plus électrifiées ? lança Muldoon d'un air incrédule.

– Non.

– Toutes coupées ? Depuis 5 heures ? Pendant cinq heures d'affilée ?

– Oui.

– Y compris les clôtures des velociraptors ?

– Oui, soupira Arnold.

– Bon Dieu ! grommela Muldoon. Pendant cinq heures... Ils ont eu le temps de sortir.

Un hurlement lointain s'éleva. Muldoon commença à distribuer les postes émetteurs-récepteurs et à donner des instructions d'une voix vibrante et autoritaire.

– M. Arnold va aller mettre en marche le générateur principal dans le local de service. Docteur Wu, vous restez dans la salle de contrôle ; vous êtes la seule autre personne à savoir manipuler les ordinateurs. Monsieur Hammond, vous regagnez l'hôtel... non, je vous en prie, ne discutez pas ! Vous fermerez les grilles et vous resterez à l'abri en attendant que je vous appelle. Je vais aider Arnold à se défendre contre les raptors. Avez-vous encore envie de vivre dangereusement ? ajouta-t-il en se tournant vers Gennaro.

– Pas vraiment, répondit l'avocat, le visage blême.

– Soit... Partez à l'hôtel avec les autres. C'est tout, messieurs. Allez, en route !

– Qu'allez-vous faire à mes animaux ? interrogea Hammond d'une voix geignarde.

– Je crois que ce n'est pas la question, monsieur. La question est de savoir ce qu'ils vont faire de nous !

Muldoon sortit et suivit le couloir en direction de son bureau, mais Gennaro le rattrapa.

– Vous avez changé d'avis ? grommela Muldoon.

– Vous allez avoir besoin d'un coup de main, fit l'avocat.

– C'est bien possible.

Muldoon poussa la porte indiquant : SURVEILLANT ANIMAUX, saisit le tube de lancement gris et ouvrit, derrière son bureau, un placard encastré dans le mur où se trouvaient les projectiles.

– Le problème avec ces foutus dinos, dit Muldoon, c'est qu'ils n'ont pas de système nerveux central. Ils ne meurent pas vite, même quand ils sont touchés au cerveau. Ils ont une solide charpente et, avec l'épaisseur de leurs côtes, un coup au cœur est risqué. De plus, il n'est pas facile de les atteindre dans l'arrière-train ou aux jambes. Ils saignent longtemps et meurent lentement. Mettez cela, ajouta-t-il en lançant une épaisse ceinture en toile à Gennaro.

L'avocat serra la ceinture autour de sa taille et Muldoon lui fit passer les projectiles.

– Tout ce que nous pouvons espérer, c'est leur faire éclater la tête. Nous ne disposons malheureusement que de six projectiles alors qu'il y a huit velociraptors dans cet enclos. En route et ne vous éloignez pas de moi ! C'est vous qui avez les munitions.

Muldoon sortit du bureau et s'élança en courant dans le couloir en regardant par-dessus le balcon le chemin menant au local de service. Gennaro le suivait en ahanant. Ils descendirent au rez-de-chaussée, poussèrent les portes vitrées et Muldoon s'immobilisa.

Arnold était adossé au local de service et trois velociraptors s'approchaient de lui. L'ingénieur avait ramassé un bâton qu'il brandissait dans leur direction en hurlant. Les dinosaures se déployaient en avançant : l'un restait au centre et les deux autres s'écartaient vers les ailes. La coordination était parfaite. Gennaro ne put réprimer un frisson.

Un genou en terre, Muldoon était déjà en train d'épauler.

– Chargez ! ordonna-t-il.

Gennaro fit glisser le projectile à l'arrière du tube de lancement. Il y eut un grésillement électrique et ce fut tout.

– Bon Dieu ! rugit Muldoon. Vous l'avez mis à l'envers !

Gennaro rechargea. Les raptors s'étaient encore rapprochés d'Arnold et ils commençaient à gronder quand la tête de l'animal de gauche explosa littéralement. Le haut du torse fut projeté en l'air et le sang éclaboussa le mur du bâtiment comme une tomate trop mûre lancée avec force. Le bas du corps s'affaissa, les pattes battant l'air, la queue agitée de mouvements convulsifs.

– Cela va leur donner à réfléchir, grommela Muldoon.

Arnold s'élança vers la porte de l'abri de service. Les deux velociraptors firent volte-face et commencèrent à se diriger vers Muldoon et Gennaro en s'écartant l'un de l'autre. Des hurlements s'élevèrent au même moment dans la direction de l'hôtel.

– Nous courons au désastre, dit Gennaro.

– Chargez ! ordonna Muldoon.

Henry Wu entendit les explosions et se tourna vers la porte de la salle de contrôle. Il fit le tour des consoles, puis s'immobilisa. Il avait envie de sortir, mais il lui fallait rester dans cette salle. Si Arnold réussissait à rétablir le courant, ne fût-ce que pendant une seule minute, il serait en mesure de remettre en marche le générateur principal.

Oui, il devait rester là.

Il entendit quelqu'un crier et crut reconnaître la voix de Muldoon.

Muldoon sentit une douleur atroce lui lacérer la cheville. Il roula jusqu'en bas d'un petit talus et se remit à courir. En tournant la tête, il vit Gennaro qui courait dans la direction opposée, vers la forêt. Les velociraptors avaient choisi de poursuivre Muldoon et ils n'étaient plus qu'à une vingtaine de mètres de lui. Il courait en hurlant à pleins poumons, en se demandant vaguement où il pourrait bien aller. Il savait qu'il ne lui restait pas plus de dix secondes avant qu'ils le rattrapent.

Dix secondes.

Peut-être moins.

Ellie fut obligée d'aider Malcolm à se tourner pour que Harding plante sa seringue et lui injecte la morphine. Le mathématicien poussa un soupir et retomba sur le dos. Il semblait s'affaiblir de minute en minute. Ils entendirent à la radio des cris ténus et des explosions assourdies provenant du centre des visiteurs.

– Comment va-t-il ? demanda Hammond en pénétrant dans la chambre.

– Il tient le coup, répondit Harding. Il délire un peu.

– Pas le moins du monde, lança Malcolm. Je suis d'une totale lucidité. On dirait un reportage sur la guerre, ajouta-t-il en entendant de nouveaux cris à la radio.

– Les velociraptors se sont échappés, dit Hammond.

– Vraiment ? fit Malcolm d'une voix haletante. Comment est-ce possible ?

– Le système nous a lâchés. Arnold ne s'était pas rendu compte qu'il fonctionnait avec l'alimentation auxiliaire et que les clôtures étaient hors circuit.

– Vraiment ?

– Vous m'emmerdez, avec votre arrogance !

– S'il m'en souvient bien, poursuivit Malcolm, j'avais prédit que les clôtures ne demeureraient pas intactes.

Hammond se laissa tomber dans un fauteuil en soupirant.

– J'en ai marre de tout ça, fit-il en secouant la tête. Il ne vous a sûrement pas échappé que ce que nous nous efforçons de réaliser ici est, au fond, très simple. Mes associés et moi-même avons acquis la conviction, il y a déjà plusieurs années, qu'il était possible de cloner l'A.D.N. d'un animal disparu et de lui redonner vie. L'idée nous a enthousiasmés... C'était une sorte de voyage dans le temps, le seul que l'on puisse réaliser sur terre. Comme l'idée était follement excitante et comme il était possible de la réaliser, nous avons décidé de nous lancer dans cette entreprise. Nous avons fait l'acquisition de cette île et les travaux ont commencé. Tout cela fut on ne peut plus simple.

– Simple ? fit Malcolm en rassemblant toutes ses forces pour s'asseoir sur son lit. Vous dites simple ? Vous êtes encore plus stupide que je ne le pensais. Et je vous prenais déjà pour un idiot de première grandeur.

– Docteur, murmura Ellie en essayant de lui faire reprendre une position horizontale.

Mais Malcolm refusa et montra la radio d'où provenaient encore des cris.

– Et ce qu'on entend, ce qui se passe dehors... c'est ça, votre idée toute simple ? *Simple* ! Vous créez de nouveaux êtres vivants dont vous ignorez tout. Votre Dr Wu ne connaît même pas le nom des animaux qu'il fabrique... Il n'a pas de temps à perdre avec des détails de ce genre. Vous en créez un grand nombre en très peu de temps, vous n'apprenez rien sur eux et, malgré cela, vous exigez d'eux une docilité totale sous prétexte que, les ayant fabriqués, vous considérez qu'ils vous appartiennent. Vous oubliez qu'ils sont vivants, qu'ils ont leur intelligence propre et qu'ils ne seront peut-être pas dociles. Vous oubliez que vous en savez très peu sur eux et que vous êtes totalement incompétent pour accomplir ces choses que vous qualifiez inconsidérément de *simples*... Seigneur Dieu!...

Il se laissa retomber sur son oreiller, secoué par une quinte de toux.

– Vous savez en quoi le pouvoir scientifique est dangereux? reprit Malcolm après quelques instants. C'est une forme de richesse transmise en héritage. Et vous n'ignorez pas que les riches héritiers sont des crétins congénitaux. Ça ne rate jamais...

– Mais qu'est-ce qu'il raconte? demanda Hammond.

Harding lui fit un signe pour expliquer que le mathématicien avait un accès de délire.

– Je vais vous expliquer, reprit Malcolm en lançant un regard en coin à Hammond, et vous comprendrez peut-être. Dans la plupart des domaines, celui qui veut obtenir le pouvoir doit consentir des sacrifices. Il y a un apprentissage, une discipline à laquelle il faut s'astreindre pendant de longues années, et ce, quel que soit le pouvoir que l'on recherche. Président de sa société, ceinture noire de karaté, maître spirituel. Quel que soit le but que l'on se fixe, il faut y consacrer le temps et les efforts nécessaires. Il faut renoncer à beaucoup de choses pour l'atteindre, il faut que ce soit véritablement de la plus haute importance. Lorsque ce but est atteint, le pouvoir vous appartient. Il ne peut être cédé, il réside en vous. Il est littéralement le résultat de la discipline que l'on s'est imposée. Ce qui est intéressant dans ce processus, poursuivit Malcolm après avoir repris son souffle, c'est que, lorsque quelqu'un a enfin acquis la capacité de tuer à mains nues, il a également mûri d'une manière suffisante pour ne pas y avoir recours indûment. La maîtrise de soi procède de ce pouvoir. La discipline requise pour l'obtenir vous a changé au point que vous n'en abuserez pas. A l'inverse, le pouvoir scientifique s'apparente à un héritage, une richesse acquise sans effort. On assimile les travaux des autres et on poursuit dans la même voie. On peut commencer très jeune, on peut progresser rapidement. Il n'y a pas de discipline à laquelle s'astreindre pendant des décennies. L'excellence n'est pas reconnue; les vieux scientifiques ne jouissent d'aucun respect. Il n'y aucune humilité devant la nature. La seule philosophie consiste à s'enrichir aussi vite que possible et à se faire un nom. Tricher, mentir, falsifier, tout est permis. Personne n'y trouvera à redire, personne n'émettra de critiques. Le sens moral n'a plus cours. Tout le monde essaie de faire la même chose, de faire quelque chose d'important, et aussi rapidement que possible. Comme vous pouvez vous jucher sur des épaules de géants, il est possible de réussir en peu de temps. Vous ne savez pas exactement ce que vous avez fait, mais vous l'avez déjà publié, breveté et vendu. Et l'acheteur fait montre d'encore moins de rigueur. Il se contente d'acquérir le pouvoir, comme n'importe quel produit. Il ne lui est jamais venu à l'esprit qu'une discipline pouvait être indispensable.

– Vous comprenez ce qu'il raconte, vous ? demanda Hammond.

Ellie hocha la tête en silence.

– Je ne vois pas du tout où il veut en venir, insista Hammond.

– Je vais essayer d'être aussi clair que possible, reprit Malcolm. Un maître du karaté ne tue pas les gens à mains nues ; il ne tue pas sa femme parce qu'il a perdu son sang-froid. Celui qui tue est celui qui manque de discipline, de maîtrise de soi, celui qui s'est procuré son pouvoir à la sauvette. C'est le genre de pouvoir que la science encourage et autorise. Et voilà pourquoi vous vous imaginez qu'il est simple de construire un endroit comme ce parc.

– Mais ce fut simple, s'obstina Hammond.

– Alors, pourquoi tout est-il en train de mal tourner ?

John Arnold ouvrit fébrilement la porte du local de service et fit un pas dans l'obscurité. Il faisait noir comme dans un four ! Il aurait dû songer que la lumière serait coupée ! Il sentit l'air frais montant des profondeurs du vaste local construit sur deux niveaux. Il lui fallait trouver la passerelle et faire très attention, s'il ne voulait pas se rompre les os. Trouver la passerelle !

Il commença à avancer en tâtonnant comme un aveugle, mais comprit très vite que cela ne lui servirait à rien. Il fallait absolument que l'intérieur du local soit éclairé. Il retourna à la porte et l'entrouvrit d'une dizaine de centimètres. La lumière filtrant par l'entrebâillement était suffisante, mais comment maintenir la porte dans cette position ? Il enleva vivement sa chaussure et l'utilisa pour caler la porte.

Arnold se dirigea vers la passerelle que la lumière lui permettait maintenant de distinguer aisément. Il remarqua que le bruit de ses pas était alternativement assourdi et beaucoup plus sonore, mais l'important était de voir où il marchait. Devant lui se dessinait le haut de l'escalier donnant accès aux générateurs. Il n'avait plus que dix mètres à parcourir.

Il fut de nouveau plongé dans le noir.

Il n'y avait plus de lumière !

Arnold se retourna vers la porte et il découvrit la silhouette d'un velociraptor qui interceptait la lumière. L'animal se pencha et flaira longuement sa chaussure.

Henry Wu faisait nerveusement les cent pas dans la salle de contrôle. Incapable de rester en place, il posait la main sur les consoles, il caressait fiévreusement les écrans.

Le généticien passait en revue toutes les opérations qu'il aurait à effectuer. Il lui faudrait être très rapide. Dès que le premier écran s'allumerait, il frapperait...

– Wu! lança à la radio une voix accompagnée d'un sifflement.
– Oui! répondit-il en saisissant l'appareil. Oui, c'est moi!
– Le jus n'est pas encore revenu?

C'était Muldoon, mais sa voix avait une sonorité bizarre. Elle paraissait caverneuse...

– Non, pas encore, répondit Wu en ébauchant un sourire, heureux de savoir que Muldoon était sain et sauf.
– Je crois qu'Arnold a réussi à atteindre le local, poursuivit Muldoon. Mais je ne sais pas ce qui s'est passé après.
– Où êtes-vous?
– Je suis coincé.
– Comment?
– Je suis coincé dans une conduite. Et je suis très entouré en ce moment...

Complètement coincé, se dit Muldoon. Il avait aperçu un empilement de tuyaux de drainage derrière le centre des visiteurs et s'était jeté à reculons dans le premier. Un tuyau de un mètre de diamètre où il logeait difficilement, mais où les raptors ne pouvaient pas le suivre. Du moins où ils n'essayaient pas d'entrer depuis qu'il avait fait sauter la patte du plus curieux qui s'approchait trop de l'ouverture. L'animal s'était enfui en hurlant et les autres se montraient beaucoup plus circonspects. L'unique regret de Muldoon était de ne pas avoir attendu pour presser la détente que le velociraptor pointe son museau au bout de la conduite.

Mais il aurait certainement une autre chance, car il y en avait encore trois ou quatre qui grondaient en tournant autour du tuyau.

– Vraiment très entouré, reprit-il en approchant le poste émetteur-récepteur de ses lèvres.
– Arnold a-t-il une radio? demanda Henry Wu.
– Je ne pense pas. Ne bougez pas et prenez patience.

Il n'avait pas eu le temps de voir ce qu'il y avait à l'autre extrémité de sa conduite et il lui était impossible de se retourner. Il était vraiment très à l'étroit. Il ne lui restait plus qu'à espérer que le tuyau n'était pas ouvert à l'autre bout, car il n'avait pas envie que l'un des dinosaures s'avise de lui mordre le postérieur.

Arnold pressa le pas... Le velociraptor s'était lancé à sa poursuite. Le dinosaure n'était plus qu'à quelques mètres de lui et il le sentait se rapprocher dans la pénombre, il entendait résonner les griffes acérées sur le métal.

Mais l'animal avançait lentement. Le velociraptor voyait bien dans l'obscurité, mais l'armature à claire-voie de la passerelle et les odeurs mécaniques peu familières l'avaient rendu prudent. C'est ma seule chance, songea Arnold. Si je peux atteindre l'escalier et descendre jusqu'au sous-sol...

Il avait la conviction qu'un velociraptor ne pouvait descendre un escalier. Surtout avec des marches raides et étroites.

L'ingénieur regarda par-dessus son épaule. L'escalier n'était plus qu'à deux ou trois mètres. Encore quelques pas...

Il y était! Il tendit la main, saisit la rampe métallique et commença à dévaler les marches presque verticales. Au moment où ses pieds touchèrent le sol cimenté, il entendit le velociraptor pousser au-dessus de sa tête un grondement de frustration.

– Dommage pour toi! lança Arnold en se tournant dans la direction du générateur auxiliaire.

Encore quelques mètres et la machine allait lui apparaître dans la pénombre...

Il y eut un bruit sourd juste derrière lui.

Arnold se retourna tout d'un bloc.

Le raptor se tenait sur le sol cimenté, les lèvres retroussées.

Il avait sauté de la passerelle.

Arnold chercha désespérément une arme du regard, mais il fut brusquement projeté sur le dos. Quelque chose de lourd lui écrasa la poitrine, l'empêchant de respirer. Il comprit que l'animal était monté sur lui. Il sentit les griffes énormes se ficher dans sa chair, il perçut l'haleine fétide exhalée par la gueule qui s'approchait de son visage et il ouvrit la bouche pour hurler.

Ellie Sattler tenait sa radio à la main et écoutait. Deux ouvriers s'étaient réfugiés dans le pavillon où ils savaient qu'ils seraient en sécurité, mais il n'y en avait pas eu d'autres depuis plusieurs minutes. Et tout semblait devenu plus calme dehors. Elle entendit la voix de Muldoon au milieu des grésillements.

– Ça fait combien de temps?

– Quatre ou cinq minutes, répondit Wu.

– Arnold aurait déjà dû y arriver, grommela Muldoon. Vous avez une idée?

– Non, dit Henry Wu.

– Des nouvelles de Gennaro?

– Je suis là, fit l'avocat.

– Où êtes-vous passé? demanda Muldoon.

– Je me dirige vers le local de service, répondit Gennaro. Souhaitez-moi bonne chance!

Accroupi au milieu du feuillage, Gennaro était aux aguets.

Juste devant lui courait le sentier bordé d'arbres qui menait au centre des visiteurs et il savait que le local de service se trouvait un peu plus à l'est. Il entendait des chants d'oiseaux et une brume ténue flottait dans l'air. Le grondement d'un raptor s'éleva, mais à une certaine distance, quelque part sur la droite.

Gennaro se releva et s'enfonça dans la végétation en s'éloignant du sentier.

– *Vous avez envie de vivre dangereusement ?*

– *Pas vraiment.*

C'était la vérité, il n'avait pas menti à Muldoon. Mais il avait une sorte de plan, ou tout au moins il entrevoyait une possibilité qui pouvait réussir. En restant au nord des bâtiments, il pouvait atteindre le local de service par l'arrière. Les raptors n'avaient aucune raison de rester dans la forêt et ils devaient s'être rassemblés autour des deux principaux bâtiments.

Du moins, il l'espérait.

Il s'efforçait d'être aussi silencieux que possible, mais se rendait bien compte qu'il faisait beaucoup de bruit. Il s'obligea à ralentir et perçut le martèlement de son cœur. La végétation était devenue très dense et il ne voyait pas à plus de deux mètres. Il commençait à se demander s'il n'avait pas raté le local quand il aperçut le toit juste à sa droite, qui dépassait des palmiers.

Gennaro s'approcha de la construction et en fit lentement le tour. Il trouva la porte, l'ouvrit et se glissa à l'intérieur.

Il heurta quelque chose du pied dans l'obscurité.

Une chaussure d'homme.

Perplexe, il la ramassa et s'en servit pour caler la porte, puis il s'engagea dans le local. Il vit une passerelle juste devant lui, mais se rendit brusquement compte qu'il ne savait pas où aller. Et il avait laissé sa radio dans la forêt !

Il jura à mi-voix.

Peut-être en trouverait-il une autre dans le bâtiment. Mais il n'avait qu'à chercher tout de suite le générateur. Il savait à quoi cela ressemblait et il le trouverait probablement au sous-sol. Gennaro vit devant lui un escalier qui descendait.

Il faisait beaucoup plus sombre en bas et il ne distinguait plus grand-chose. Il continua à avancer en tâtonnant au milieu des canalisations, une main levée devant la tête pour se protéger.

Il entendit un grondement et s'immobilisa. Il tendit l'oreille, mais le bruit ne se reproduisit pas. Il avança prudemment. Quelque chose coula sur son épaule et sur son bras nu. C'était chaud, comme de l'eau. Il en prit un peu sur un doigt.

C'était visqueux. Il approcha le doigt de ses narines.

Du sang.

Il leva la tête. Le velociraptor était juché sur des tuyaux, juste au-dessus de sa tête. Le sang coulait des griffes de l'animal. Avec un étrange détachement, il se demanda si le dinosaure était blessé. Puis il se mit à courir, mais le raptor bondit sur son dos et le jeta au sol.

Gennaro était robuste ; il parvint à se soulever en repoussant violemment l'animal et roula sur le ciment. Quand il se retourna, il vit que le velociraptor était tombé sur le côté et qu'il ne se relevait pas.

Oui, l'animal était blessé. A la jambe.

Tue-le !

Gennaro se releva et chercha une arme. Le raptor était encore couché, pantelant, sur le ciment. Il regarda désespérément autour de lui pour trouver quelque chose, n'importe quoi, pouvant lui servir d'arme. Quand il se retourna, le dinosaure avait disparu.

Un grondement s'éleva et se répercuta dans l'obscurité.

Gennaro fit volte-face et tendit les mains devant lui. Il éprouva soudain une douleur atroce à la main droite.

Des dents.

Le dinosaure avait planté les dents dans sa main.

L'animal secoua violemment la tête et tira d'un coup sec. Donald Gennaro perdit l'équilibre et il heurta le sol cimenté.

Allongé dans son lit, trempé de sueur, Ian Malcolm écoutait les grésillements de la radio.

– Alors ? demanda Muldoon. Toujours rien ?

– Toujours rien, murmura Henry Wu.

– Et merde !

Il y eut un silence entre les deux hommes.

– Je meurs d'impatience de connaître ce nouveau plan, soupira Malcolm.

– Ce que je voudrais, expliqua Muldoon, c'est que tout le monde se regroupe dans le pavillon. Mais je ne vois pas comment nous pourrions faire.

– Il y a une jeep devant le centre des visiteurs, suggéra Wu. Si je la prenais pour aller vous chercher, pourriez-vous sauter dans la voiture ?

– Peut-être, répondit Muldoon. Mais cela vous obligerait à abandonner la salle de contrôle.

– De toute façon, répliqua le généticien, je ne peux rien faire ici.

– Parfaitement exact, fit observer Malcolm. Une salle de contrôle privée d'électricité n'a plus de raison d'être.

– Très bien, dit Muldoon, nous pouvons essayer. Je n'aime pas du tout la tournure que prennent les choses.

– C'est le moins que l'on puisse dire, fit Malcolm en changeant de position dans son lit. Cela prend même franchement l'allure d'un désastre.

– Mais les raptors vont nous suivre jusqu'au pavillon, objecta Wu.

– Ce sera quand même mieux, répliqua Muldoon. Allez-y!

La communication radio fut interrompue. Malcolm ferma les yeux et rassembla ses forces en respirant lentement.

– Détendez-vous, murmura Ellie à son chevet. Laissez-vous aller.

– Savez-vous quel est réellement le fond du problème, commença le mathématicien d'une voix faible, la raison de ce besoin de contrôler... C'est une attitude typiquement occidentale qui remonte à cinq siècles, à l'époque où Florence était le phare de la planète. L'idée selon laquelle la science était une nouvelle manière de considérer la réalité – il y avait une objectivité de la science qui ne dépendait ni des croyances ni de la nationalité, qui était *rationnelle* –, cette idée avait, à l'époque, tout l'attrait de la nouveauté. Elle était chargée d'espoir et de promesses pour l'avenir, et portait le coup de grâce à un système médiéval vieux de plusieurs siècles. Le monde médiéval de la politique féodale, des dogmes religieux et des superstitions infâmes s'effaçait devant la science. En réalité, ce modèle médiéval ne fonctionnait plus, ni économiquement ni intellectuellement, et il ne pouvait s'adapter au monde nouveau qui commençait à poindre.

Malcolm fut interrompu par une quinte de toux.

– Mais aujourd'hui, reprit-il, la science est devenue à son tour un credo vieux de plusieurs siècles. Comme le système médiéval, elle commence à ne plus être adaptée au monde. Son pouvoir s'est tellement étendu que ses limites pratiques commencent à devenir manifestes. En grande partie grâce à elle, nous sommes des milliards à vivre sur une petite planète surpeuplée. Mais la science ne peut nous aider à décider ce que allons faire de cette planète et comment nous allons y vivre. La science nous permet de construire un réacteur nucléaire et de fabriquer des pesticides, mais elle ne peut nous empêcher de les utiliser. Et il semble que notre petite planète commence à être dangereusement polluée – aussi bien l'air que l'eau et la terre – à cause de cette même science, de plus en plus difficile à maîtriser. Je pense que c'est évident pour tout le monde, ajouta-t-il dans un soupir.

Il y eut un silence. Malcolm avait fermé les yeux et sa respiration devenait difficile. Personne ne parlait dans la chambre. Ellie eut l'impression que le mathématicien s'était enfin endormi, mais il se dressa brusquement sur son séant et reprit le fil de son discours.

– En même temps, la grande justification intellectuelle de la science s'est évanouie. Depuis Newton et Descartes, la science nous a proposé sa vision sans équivoque de la maîtrise absolue. Elle a revendiqué le pouvoir de tout maîtriser grâce à la compréhension des lois naturelles. Mais cette prétention s'est révélée sans fondement dans le courant de notre siècle. C'est d'abord le principe d'incertitude de Heisenberg qui fixe les limites de ce que nous pouvons connaître du monde subatomique. Tant pis, avons-nous dit, nous ne vivons pas dans un monde subatomique. Puis le théorème de Gödel qui a fixé des limites similaires aux mathématiques, le langage formel de la science. Les mathématiciens avaient pris l'habitude de penser que leur langage renfermait quelque vérité intrinsèque découlant des lois de la logique. Nous avons donc appris que ce que nous appelons la « raison » est arbitraire. Et maintenant, poursuivit Malcolm après avoir repris son souffle, la théorie du chaos nous prouve que l'imprévisibilité est une partie intégrante de notre vie quotidienne et qu'elle est parfaitement banale. La vision ambitieuse et séculaire de la science, ce rêve de maîtrise totale qu'elle a poursuivi pendant si longtemps, s'est effondrée dans le courant de notre siècle. Et avec elle, une grande partie de sa justification et même de sa raison d'être. La science a toujours affirmé que, si elle ne connaissait pas encore tout, elle finirait par tout connaître. Nous nous rendons compte aujourd'hui qu'il n'en est rien. Ce n'est que forfanterie, une attitude aussi stupide et navrante que celle de l'enfant qui se jette du haut d'un immeuble parce qu'il est persuadé de pouvoir voler.

– Vous allez trop loin ! lança Hammond en secouant vigoureusement la tête.

– Nous assistons à la fin de l'ère scientifique, poursuivit Malcolm sans tenir compte de l'interruption. La science, comme tous les systèmes périmés, s'autodétruit. A mesure qu'elle accumule le pouvoir, elle se montre impuissante à le maîtriser. Car tout va de plus en plus vite. Il y a un demi-siècle, tout le monde ne jurait que par la bombe atomique. C'était l'incarnation du pouvoir. Nul n'imaginait que l'on pût aller plus loin. Et pourtant, il a suffi d'une décennie pour voir l'émergence du pouvoir génétique, un pouvoir beaucoup plus redoutable que l'énergie atomique. Et il sera mis entre toutes les mains ; il sera livré en kit aux jardiniers du dimanche ; il sera l'objet de travaux pratiques dans les écoles ; il sera exploité dans des laboratoires bon marché et mis au service des terroristes et des dictateurs. Et cela obligera tout le monde à se poser la même question : comment utiliser ce pouvoir que je détiens ? Or, c'est précisément la question à laquelle la science reconnaît ne pas avoir de réponse.

– Alors, demanda Ellie, que se passera-t-il ?

– Un changement, répondit Malcolm avec un petit haussement d'épaules.

– Un changement de quelle nature ?

– Tous les changements d'importance sont comme la mort. On ne peut voir ce qu'il y a de l'autre côté avant d'y être arrivé.

Sur ce, Ian Malcolm ferma les yeux.

– Le pauvre, murmura Hammond en secouant la tête.

– Avez-vous la moindre idée, reprit le mathématicien d'une voix ténue, des chances que vous avez, vous ou n'importe lequel d'entre nous, de sortir vivant de cette île ?

SIXIÈME ITÉRATION

Le rétablissement du système peut se révéler impossible.

IAN MALCOLM

RETOUR

Avec un bourdonnement feutré de moteur, la voiture électrique filait dans le tunnel souterrain aux parois lisses. Grant conduisait pied au plancher. Seul le plafond était percé de loin en loin par des conduits d'aération qui ne laissaient filtrer que peu de lumière. Mais Grant remarqua en plusieurs endroits des tas d'excréments blancs et séchés. De nombreux animaux avaient à l'évidence suivi ce tunnel.

Assise à côté de lui, Lex se retourna et dirigea le faisceau de la torche sur le jeune velociraptor étendu à l'arrière.

– Pourquoi est-ce qu'il respire mal ?

– Parce que je lui ai injecté un tranquillisant.

– Il va mourir ?

– J'espère que non.

– Et pourquoi est-ce qu'on l'emmène avec nous ? poursuivit la fillette.

– Pour prouver aux responsables du parc que leurs dinosaures se reproduisent.

– Comment le savez-vous ?

– Parce que celui-ci est très jeune et parce que c'est un mâle.

– C'est vrai ? fit Lex en se penchant pour regarder de plus près.

– Oui, c'est vrai. Et maintenant, veux-tu éclairer devant, s'il te plaît !

Grant leva le bras et tourna le poignet pour placer sa montre devant la fillette.

– Quelle heure est-il ?

– Dix heures et quart.

– Très bien.

– Cela signifie, lança Tim de l'arrière, qu'il ne nous reste plus que trois quarts d'heure pour prévenir l'équipage du bateau.

– Nous ne devrions plus être très loin, dit Grant. Je pense que nous sommes presque arrivés au centre des visiteurs.

Sans en être tout à fait sûr, il avait l'impression que le sol du tunnel était en train de monter en pente douce et qu'ils devraient bientôt arriver à la surface...

– Super ! s'écria Tim.

Ils débouchèrent au grand jour à une vitesse vertigineuse. Des traînées de brume masquaient partiellement le bâtiment qui se dressait devant eux. Grant reconnut aussitôt le centre des visiteurs. Et ils étaient arrivés juste devant le garage !

– Youpi ! s'exclama Lex. Nous avons réussi ! Youpi !

Elle fit des bonds sur son siège pendant que Grant garait la voiture. Des cages étaient empilées contre un mur. Ils enfermèrent le velociraptor dans l'une d'elles et lui laissèrent une écuelle d'eau. Puis ils s'élancèrent dans l'escalier menant à l'entrée du bâtiment.

– Je vais manger un hamburger ! Avec des frites ! Un milk-shake au chocolat ! Fini les dinosaures ! Youpi !

Ils arrivèrent en haut des marches et poussèrent la porte donnant sur le hall.

Et ils demeurèrent immobiles devant le spectacle qui s'offrait à eux.

Les portes vitrées de l'entrée du bâtiment avaient été fracassées et une brume grise et froide pénétrait dans le vaste hall. Le panneau portant l'inscription QUAND LES DINOSAURES RÉGNAIENT SUR LA TERRE se balançait en grinçant dans le vent. Le grand robot représentant le tyrannosaure était renversé, les jambes en l'air, ses entrailles métalliques mises à nu. Dehors, derrière les grandes portes vitrées, ils distinguaient dans la brume les formes mouvantes des palmiers.

Tim et Lex se collèrent contre le bureau métallique du service de sécurité. Grant saisit la radio restée sur le bureau et essaya toutes les fréquences.

– Allô ! C'est Grant ! Vous m'entendez ? Allô ! C'est Grant !

Lex ne pouvait détacher son regard du corps du garde étendu derrière le bureau et dont elle ne voyait que les pieds et les jambes.

– Allô ! C'est Grant ! Répondez !

Lex se pencha et avança la tête pour regarder derrière le bureau, mais Grant la retint par la manche.

– Reste là !

– Il est mort ? Qu'est-ce qu'il y a par terre ? C'est du sang ?

– Oui.

– Comment se fait-il qu'il ne soit pas tout rouge ?

– Tu es morbide ! lança Tim.

– Je ne sais pas ce que ça veut dire... Et puis c'est même pas vrai !

Des grésillements se firent entendre.

– Bon sang ! C'est vous, Grant ?

Aussitôt après, il entendit une voix de femme.

– Alan ? Alan ?

C'était Ellie.
– Je suis là, dit Grant.
– Dieu soit loué! Tu vas bien?
– Oui, oui, je vais bien.
– Et les enfants? demanda Ellie. Tu les as vus?
– Ils sont avec moi. Ils vont très bien.
– Dieu soit loué! répéta Ellie.
Lex était en train de contourner le bureau à quatre pattes. Grant lui donna une tape sur la cheville.
– Reviens ici, toi!
– ... où êtes-vous? crachota la radio.
– Dans le hall. Dans l'entrée du bâtiment principal.
– Bon Dieu! lança la voix de Wu à la radio. Ils sont là-bas!
– Écoute, Alan, reprit Ellie, les velociraptors se sont échappés. Ils sont capables d'ouvrir les portes et il y en a peut-être dans votre bâtiment.
– Génial! grommela Grant. Où es-tu?
– Nous sommes dans le pavillon.
– Et les autres? demanda Grant. Muldoon et tous les autres?
– Nous en avons perdu quelques-uns. Mais ceux qui restent sont rassemblés dans le pavillon.
– Est-ce que le téléphone fonctionne?
– Non. Tout le système est paralysé. Plus rien ne fonctionne.
– Comment le remettre en service? demanda Grant.
– Nous avons essayé...
– Il faut absolument y arriver, poursuivit Grant. Il n'y a pas de temps à perdre, car, dans une demi-heure, les raptors débarqueront sur le continent!
Il allait raconter ce qu'il avait vu sur le cargo quand Muldoon l'interrompit.
– Je crois que vous n'avez pas bien compris la situation, docteur. Nous ne disposons pas d'une demi-heure, même ici.
– Expliquez-vous!
– Plusieurs raptors nous ont suivis et, en ce moment, il y en a deux sur le toit.
– Et alors? Le bâtiment est imprenable, non?
– Apparemment pas, répliqua Muldoon en toussotant. Jamais nous n'avions envisagé que des animaux puissent monter sur le toit...
Des parasites empêchèrent Grant d'entendre le début de la phrase suivante.
– ... dû planter un arbre trop près de leur clôture. Ils ont réussi à la franchir et à grimper sur le toit. Normalement, les barreaux d'acier sont électrifiés, mais, comme l'électricité est coupée, les raptors sont en train de les ronger.

– De ronger les barreaux ? répéta Grant, l'air perplexe, en essayant de se représenter la scène. Cela leur prendra beaucoup de temps ?

– Oui, répondit Muldoon. Leur mâchoire exerce une pression d'une tonne au centimètre carré. Ils sont comme des hyènes, capables de ronger l'acier, et...

La transmission fut interrompue pendant quelques secondes.

– Cela leur prendra beaucoup de temps ? répéta Grant.

– Je pense qu'ils en ont pour dix minutes ou un quart d'heure avant d'avoir fini et de pouvoir pénétrer dans le bâtiment par la lucarne. Et, quand ils seront à l'intérieur... Ha ! Attendez une seconde !

La transmission fut interrompue.

Au-dessus du lit de Malcolm, les velociraptors étaient venus à bout du premier barreau d'acier. L'un des animaux saisit l'extrémité de la barre de métal et tira, l'arrachant de son logement. Puis il posa ses deux puissantes pattes postérieures sur la lucarne et le verre se brisa, projetant des fragments sur le lit du blessé. Ellie se pencha et enleva les plus gros morceaux des draps.

– Dieu qu'ils sont laids ! soupira Malcolm.

Maintenant que le verre était brisé, ils percevaient distinctement les grondements des velociraptors et les crissements de leurs dents sur le métal des barreaux. Il y avait des portions amincies, à l'éclat argenté aux endroits qu'ils avaient commencé à ronger. Leur salive épaisse coulait sur les draps et la table de chevet.

– Ils ne peuvent pas encore entrer, dit Ellie. Il leur faut ronger au moins un autre barreau.

– Ha ! Si Grant pouvait atteindre le local de service..., hasarda Wu.

– Merde de merde ! grommela Muldoon en clopinant dans la pièce à cause de sa cheville foulée. Jamais il n'arrivera à temps ! Jamais il ne pourra rétablir l'alimentation électrique ! Pas assez vite pour arrêter ça !

– Si, murmura Malcolm d'une voix à peine audible, presque un souffle.

– Qu'est-ce qu'il a dit ? demanda Muldoon.

– Si, répéta doucement Malcolm. Pouvez...

– On peut quoi ?

– Diversion..., articula le mathématicien en grimaçant de douleur.

– Quel genre de diversion ?

– Aller à la... clôture...

– Oui ? Pour quoi faire ?

– Passer... les mains à travers..., murmura Malcolm avec un pauvre sourire.

– Oh ! Bon Dieu ! lança Muldoon en se retournant.

– Attendez un peu, dit Henry Wu. Il a raison. Il n'y a que deux raptors sur le toit, ce qui signifie qu'il y en a au moins quatre autres dehors. Nous pourrions sortir et opérer une diversion.

– Et après ?
– Après, Grant pourrait librement accéder au local de service et remettre le générateur en marche.
– Et il lui faudrait ensuite regagner la salle de contrôle et lancer le système ?
– Exactement.
– Pas le temps, déclara Muldoon. Pas le temps.
– Mais si nous réussissons à attirer les raptors par ici, insista Wu, et peut-être à les éloigner de cette lucarne... Cela pourrait marcher. Ça vaut la peine d'essayer.
– Un appât, dit Muldoon.
– Exactement.
– Mais qui va servir d'appât ? Je ne suis plus bon à rien avec ma cheville.
– Moi, je veux bien, proposa Henry Wu.
– Non, répliqua Muldoon. Vous êtes le seul à savoir manipuler l'ordinateur. Il vous faudra expliquer à Grant comment le remettre en marche.
– Dans ce cas, j'y vais, lança Harding.
– Pas question, dit Ellie. Malcolm a besoin de vous. C'est moi qui y vais.
– Ce n'est pas une bonne idée, protesta Muldoon. Il y aura des raptors tout autour de vous, des raptors sur le toit...
Mais elle était déjà penchée pour lacer ses chaussures de jogging.
– N'en parlez pas à Grant, dit-elle. Cela risquerait de l'inquiéter.

Le hall était silencieux et de froides traînées de brume passaient devant eux. La radio était muette depuis plusieurs minutes.
– Pourquoi ne nous disent-ils plus rien ? demanda Tim.
– J'ai faim, fit Lex d'un ton geignard.
– Ils sont en train d'élaborer un plan, déclara Grant.
– Grant... m'entendez, crachota la radio. ...ry Wu.
– Je vous entends.
– Voyez-vous de l'endroit où vous êtes ce qu'il y a derrière le centre des visiteurs ?
Grant se tourna vers les portes vitrées de l'arrière du bâtiment et il vit des silhouettes de palmiers émergeant de la brume.
– Oui, répondit-il.
– Il y a un chemin qui traverse les palmiers et mène directement à un local de service, expliqua Henry Wu. C'est là que se trouvent le matériel électrique et les générateurs. Vous avez dû le voir hier.
– Oui, fit Grant d'un ton dubitatif.
Était-ce la veille qu'il avait jeté un coup d'œil à l'intérieur du local de service ? Il avait l'impression que cela faisait une éternité.

– Écoutez, reprit le généticien, nous pensons pouvoir attirer tous les raptors vers le pavillon, mais nous n'en sommes pas sûrs. Laissez-nous cinq minutes et soyez prudent.

– D'accord, fit Grant.

– Vous pouvez laisser les enfants dans la cafétéria. Il ne devrait pas y avoir de problème. N'oubliez pas la radio quand vous partirez.

– D'accord.

– Éteignez-la en partant, de manière à ne pas faire de bruit quand vous serez dehors. Et prévenez-moi dès que vous serez arrivé au local de service.

– D'accord.

Grant coupa la radio et Lex se rapprocha à quatre pattes.

– Nous allons dans la cafétéria ? demanda-t-elle.

– Oui, répondit Grant.

La fillette se releva et ils commencèrent à traverser le hall.

– Je veux un hamburger, dit Lex.

– Il n'y a pas d'électricité pour faire la cuisine.

– Bon, alors, une glace !

– Tim, il faudra que tu t'occupes de ta sœur.

– Bien sûr.

– Je vais m'absenter pendant quelques minutes, poursuivit Grant.

– Je sais.

Ils arrivèrent devant la porte de la cafétéria et entrèrent. Grant vit des tables carrées et des chaises, une porte en acier inoxydable à deux battants au fond de la salle, une caisse enregistreuse et un présentoir de bonbons et de confiseries.

– Très bien, les enfants. Je veux que vous restiez ici quoi qu'il advienne. C'est compris ?

– Laissez-nous la radio, dit Lex.

– Je ne peux pas, j'en aurai besoin. Restez tranquillement ici. J'en ai pour cinq minutes. D'accord ?

– D'accord.

Grant sortit et referma la porte derrière lui. La cafétéria fut plongée dans l'obscurité.

– Allume la lumière, dit Lex en serrant la main de son frère.

– Je ne peux pas, répondit Tim. Il n'y a pas d'électricité.

Il ajusta sur son nez ses lunettes de vision nocturne.

– Tu as de la chance, toi ! Et moi ?

– Tiens-moi la main. Nous allons chercher quelque chose à manger.

Il entraîna la fillette. Il voyait les tables et les chaises en vert phosphorescent. Sur la droite se trouvaient la caisse enregistreuse et le présentoir à bonbons et confiseries. Il prit une poignée de confiseries.

– Mais non, protesta Lex. Je t'ai dit que je voulais une glace !

– Prends-les quand même.

– Une glace, Tim!
– D'accord, d'accord.
Il fourra les confiseries dans sa poche et se remit à avancer sans lâcher la main de sa sœur. Mais elle le tira en arrière.
– Je vois rien!
– Tu n'as qu'à me tenir la main et me suivre.
– Alors, ne marche pas si vite.
Au fond de la salle, il vit une porte à deux battants avec des hublots. Ce devait être la cuisine. Il poussa un des battants et s'avança sur le seuil.

Ellie Sattler franchit la porte d'entrée du pavillon et sentit la brume glacée sur ses jambes et son visage. Elle savait être en sécurité derrière la clôture, mais son cœur tambourinait dans sa poitrine. Elle discerna devant elle les barreaux de la grille enveloppés de brume.
Mais elle ne distinguait pas grand-chose derrière la grille. A vingt mètres, tout devenait d'un blanc laiteux. Et pas un seul raptor en vue. Tout semblait baigner dans un silence irréel.
– Hou! hou! s'écria-t-elle d'une voix hésitante.
– Cela ne suffira pas, lança Muldoon, adossé au chambranle de la porte. Il faut faire du bruit.
Il s'avança en traînant la patte, une tige de fer à la main. Arrivé devant la clôture, il commença à taper de toutes ses forces sur les barreaux de la grille comme sur un gong annonçant qu'il était temps de passer à table.
– Approchez, les petits! Le déjeuner est servi!
– Très drôle! murmura Ellie.
Elle lança un regard vers le toit du bâtiment, mais ne vit pas de raptors.
– Ils ne parlent pas notre langue, poursuivit Muldoon avec un sourire, mais je suppose qu'ils ont quand même une petite idée de ce qui se passe...
Ellie était toujours très nerveuse et elle trouvait son humour irritant. Elle se retourna vers le pavillon dont les contours se perdaient dans la brume et Muldoon se remit à frapper sur les barreaux avec sa tige de fer. A la périphérie de son champ de vision, presque invisible dans le brouillard, Ellie aperçut une silhouette fantomatique : un raptor.
– Notre premier client, dit Muldoon.
La silhouette évanescente disparut, puis se montra de nouveau, mais sans se rapprocher. L'animal semblait n'éprouver aucune curiosité et Ellie commença à s'inquiéter. Si elle ne parvenait pas à attirer les raptors vers le pavillon, Alan serait en danger.
– Vous faites trop de bruit, lança-t-elle avec agacement.
– Arrêtez vos conneries!

– C'est vrai, vous faites trop de bruit.
– Écoutez, je connais ces animaux...
– Vous êtes ivre... Laissez-moi faire.
– Et comment allez-vous vous y prendre ?
Elle ne répondit pas et s'avança vers la grille.
– Il paraît que les raptors sont intelligents, dit-elle.
– C'est sûr. Au moins aussi intelligents que les chimpanzés.
– Ils ont l'ouïe fine ?
– Extrêmement.
– Peut-être reconnaîtront-ils ce bruit, dit Ellie en ouvrant la porte qui tourna en grinçant sur ses gonds rouillés par le brouillard permanent.
Elle referma la porte, puis la rouvrit en la faisant grincer. Et elle la laissa ouverte.
– A votre place, je ne ferais pas ça, protesta Muldoon. Si vous y tenez vraiment, laissez-moi aller chercher le lance-roquettes.
– Allez le chercher.
– C'est Gennaro qui a les projectiles, soupira-t-il en se souvenant que l'avocat les avait gardés.
– Dans ce cas, reprit Ellie, il ne vous reste plus qu'à ouvrir l'œil.
Elle franchit la porte et passa derrière la grille. Son cœur battait si fort qu'elle sentait à peine ses pieds sur le sol de terre battue. Elle continua d'avancer et la grille commença aussitôt à s'estomper dans la brume. En quelques instants, elle disparut.
Comme elle l'avait prévu, Muldoon la héla avec une anxiété accentuée par l'alcool.
– Allons, ma petite dame, ne faites pas ça !
– Ne m'appelez pas « ma petite dame » ! riposta Ellie par-dessus son épaule.
– Je vous appellerai comme je voudrai ! cria Muldoon.
Mais elle ne l'écoutait plus, trop occupée à scruter la brume de tous côtés en se tournant lentement. Elle était déjà à une vingtaine de mètres de la grille et elle voyait la brume poussée par le vent glisser comme un rideau de pluie devant les arbres dont elle ne voulait pas s'approcher. Elle évoluait dans un univers ouaté, un camaïeu de gris. La tension rendait douloureux les muscles de ses jambes et de ses épaules, et elle avait mal aux yeux à force de fouiller la brume du regard.
– Vous m'entendez, bordel ? rugit Muldoon derrière elle.
Ellie se demanda si les velociraptors étaient de si bons chasseurs que cela, s'ils auraient l'idée de couper sa retraite. La grille n'était pas très éloignée, mais...
Ils attaquèrent.
Sans un bruit.
Le premier animal jaillit de la végétation, au pied d'un gros arbre qui s'élevait sur la gauche. Il fondit sur elle et elle pivota pour s'enfuir. Le

second attaqua de l'autre côté, cherchant manifestement à l'intercepter dans sa course. Il bondit, les griffes en avant. Ellie fila comme une flèche et l'animal s'écrasa sur le sol. Elle courut à toutes jambes, sans oser se retourner, respirant comme un soufflet de forge. Elle vit les barreaux de la grille se dessiner dans le linceul de brume, elle vit Muldoon ouvrir la porte toute grande, tendre la main vers elle en criant quelque chose, lui saisir le bras et la tirer si fort qu'elle perdit l'équilibre et s'étala de tout son long. Elle tourna la tête juste à temps pour voir les deux raptors, puis un troisième, se jeter en grondant contre la grille.

– Bien joué! cria Muldoon.

Le chasseur narguait les animaux en imitant leurs grondements, ce qui les rendait fous furieux. Ils se lançaient à l'assaut de la grille et l'un d'eux faillit la franchir.

– Bon Dieu! Ce fut juste! Quel saut!

Ellie se releva et regarda les égratignures et les bleus sur ses jambes où coulait un filet de sang. Elle ne pouvait penser qu'à une seule chose : trois raptors ici, deux autres sur le toit... Il en manquait encore un.

– Venez m'aider, lança Muldoon. Il faut les retenir ici.

Grant sortit du centre des visiteurs et s'enfonça d'un pas vif dans le brouillard. Il trouva le sentier qui courait à travers les palmiers et commença à le suivre. Il distingua bientôt devant lui le rectangle aux contours voilés du bâtiment de maintenance.

Ne voyant pas de porte, il commença à faire le tour de la construction. Sur le derrière, protégé par un rideau d'arbustes, Grant découvrit une aire de chargement cimentée pour les camions. Il grimpa sur une plate-forme donnant sur une porte roulante en tôle galvanisée, mais la porte était fermée. Il sauta de la plate-forme et continua de faire le tour du bâtiment jusqu'à ce qu'il arrive devant une porte qu'une chaussure d'homme maintenait ouverte.

Grant entra et plissa les yeux pour essayer de voir dans la pénombre. Il tendit l'oreille, mais n'entendit rien. Puis il prit sa radio.

– C'est Grant, dit-il. Je suis à l'intérieur.

Henry Wu leva la tête vers la lucarne. Les deux raptors étaient encore en train de s'escrimer à ronger les barreaux, mais ils semblaient distraits par les bruits venant de l'extérieur. Le généticien se dirigea vers la fenêtre de la façade. Les trois velociraptors continuaient de se jeter contre la grille. Ellie courait le long des barreaux pour les exciter, mais les dinosaures ne donnaient plus l'impression d'essayer véritablement de l'atteindre. Ils semblaient plutôt jouer, s'éloignant de la grille, se dressant sur leurs pattes de derrière en grondant, puis se laissant retomber avant de décrire des cercles et de lancer une nouvelle charge. Leur comportement évoquait beaucoup plus une parade qu'il ne révélait une agressivité authentique.

– Comme des oiseaux, dit Muldoon. Ils font cela pour la galerie.

– Ils sont intelligents, acquiesça Henry Wu d'un signe de la tête. Ils savent bien qu'ils ne pourront pas l'avoir et ils n'essaient pas vraiment.

La radio crachota une phrase rendue incompréhensible par les parasites.

– Pouvez-vous répéter, docteur ?

– Je suis à l'intérieur, dit Grant.

– Vous êtes dans le local de service, docteur ?

– Oui, confirma Grant. Mais vous pourriez peut-être m'appeler Alan.

– D'accord, Alan, poursuivit Henry Wu en fermant les yeux pour mieux se représenter ce que Grant avait devant lui. Si vous vous tenez juste à l'entrée, vous devez voir tout un tas de tuyaux et de canalisations. Juste devant vous, au centre du bâtiment, se trouve une sorte de cage sur deux niveaux. A votre gauche, vous devez voir une passerelle métallique avec un garde-fou.

– Je la vois.

– Prenez-la.

– J'y vais.

La radio transmit le bruit assourdi de ses pas sur le métal.

– Au bout de huit à dix mètres, reprit Wu, vous allez voir une autre passerelle qui part vers la droite.

– Je la vois, dit Grant.

– Prenez-la aussi.

– D'accord.

– Vous allez bientôt voir une échelle sur votre gauche.

– Elle est là.

– Allez-y, descendez.

Il y eut un long silence. Wu passait nerveusement la main dans ses cheveux et Muldoon avait le visage crispé par l'anxiété.

– C'est bon, dit enfin Grant. Je suis en bas de l'échelle.

– Bien, soupira Henry Wu. Maintenant, vous devriez voir juste devant vous deux gros réservoirs jaunes portant l'inscription : « Matière inflammable ».

– Je les vois. Il y a autre chose d'écrit, en espagnol.

– C'est bien ça, dit Wu. Ce sont les deux réservoirs d'essence pour le générateur. L'un des deux est vide et il faut utiliser le second. Baissez-vous et vous verrez un tuyau blanc qui sort à la base du réservoir.

– P.V.C. de 100 ?

– Oui, c'est ça. Maintenant, suivez ce tuyau.

– D'accord, je le suis... Aïe !

– Que se passe-t-il ?

– Rien... Je me suis cogné la tête.

Il y eut un nouveau silence.

– Tout va bien ? demanda Wu.
– Oui, ça va... Je me suis cogné la tête, c'est tout.
– Continuez à suivre ce tuyau.
– Oui, oui, fit Grant avec un agacement perceptible. Voilà, le tuyau pénètre dans une sorte de grosse boîte en aluminium, avec des trous d'aération sur les côtés. C'est écrit : « Honda ». On dirait le générateur.
– En effet, dit Wu, c'est bien le générateur. Regardez sur le côté et vous verrez un tableau avec deux boutons.
– Je les vois. Un jaune et un rouge.
– Très bien. Appuyez d'abord sur le jaune, maintenez-le enfoncé, puis appuyez sur le rouge.
– Pigé.
Il y eut encore un silence qui se prolongea pendant près d'une minute. Wu et Malcolm échangèrent un regard inquiet.
– Alan ?
– Ça n'a pas marché, dit Grant.
– Vous avez bien maintenu le jaune enfoncé avant d'appuyer sur le rouge ?
– Oui, oui, répondit Grant avec impatience. J'ai fait exactement ce que vous m'avez dit. Il y a d'abord eu un bourdonnement, puis un cliquetis très rapide. Ensuite, le bourdonnement s'est arrêté et il n'y a rien eu d'autre.
– Faites un nouvel essai.
– Je l'ai déjà fait... Ça n'a pas marché.
– Bon, attendez un peu, dit Wu en réfléchissant rapidement. On dirait que le générateur essaie de se mettre en marche, mais qu'il n'y arrive pas... Alan ?
– Je vous écoute.
– Voulez-vous retourner derrière le générateur, à l'endroit où s'emboîte le tuyau en plastique ?
– D'accord. Voilà... Le tuyau s'emboîte dans un cylindre noir qui ressemble à une pompe d'alimentation.
– Exactement, fit Henry. C'est la pompe d'alimentation. Regardez sur le dessus, il doit y avoir une petite valve.
– Une valve ?
– Elle doit dépasser sur le dessus de la pompe. Elle est munie d'une petite tige métallique que l'on peut tourner.
– Je l'ai trouvée. Mais elle est sur le côté, pas sur le dessus.
– Bon. Tournez pour ouvrir.
– Il y a de l'air qui sort.
– Parfait. Attendez que...
– ... Maintenant, c'est un liquide qui sort. Ça sent l'essence.
– Bon, refermez la valve... Il y a un problème d'amorçage, ajouta-t-il à mi-voix en se tournant vers Muldoon. Alan ?

– Oui.

– Voulez-vous faire un nouvel essai avec les boutons ?

Quelques secondes plus tard, Wu entendit les toussotements et les crachotements du générateur qui se mettait en marche, puis le teuf-teuf régulier de la machine qui tournait.

– C'est parti, dit Grant.

– Bravo, Alan ! Bien joué !

– Et maintenant ? demanda Grant d'une voix morne. L'électricité n'est pas revenue ici.

– Rendez-vous dans la salle de contrôle et je vous expliquerai ce qu'il faut faire pour remettre le système en marche manuellement.

– C'est ce que je dois faire maintenant ?

– Oui.

– D'accord, dit Grant. Je vous appelle dès que je suis arrivé.

Il y eut un dernier sifflement et la transmission fut coupée.

– Alan ?

Mais la radio resta muette.

Tim poussa la porte à deux battants qui s'ouvrait au fond de la salle à manger et il entra dans la cuisine. Une grande table en acier inoxydable occupait le centre de la pièce. Sur la gauche se trouvait une énorme cuisinière équipée de nombreux brûleurs et, un peu plus loin, étaient alignés plusieurs grands réfrigérateurs. Tim commença à les ouvrir pour chercher une glace pour Lex et, chaque fois qu'il ouvrait une porte, de la vapeur sortait de l'appareil.

– Pourquoi est-ce que la cuisinière est allumée ? demanda sa sœur.

– Elle n'est pas allumée.

– Alors, pourquoi est-ce qu'il y a ces petites flammes bleues ?

– Ce sont des veilleuses.

– Qu'est-ce que c'est, des veilleuses ?

– Laisse tomber, soupira Tim en ouvrant la porte d'un autre réfrigérateur. Ça veut dire que je pourrai te faire cuire quelque chose.

Il venait de trouver dans le dernier réfrigérateur toutes sortes de provisions, packs de lait, différentes variétés de légumes et des steaks. Il y avait aussi du poisson... mais pas de glace.

– C'est toujours une glace que tu veux ?

– Je crois te l'avoir dit, non ?

Le réfrigérateur suivant était véritablement énorme, avec une porte en inox munie d'une large poignée horizontale. Tim tira sur la poignée, réussit à ouvrir la porte et découvrit une chambre froide, grande comme une vraie pièce, où la température était glaciale.

– Timmy...

– Attends une minute, tu veux ? fit-il avec agacement. J'essaie de te trouver une glace.

– Timmy... *Il y a quelque chose.*

Elle avait chuchoté et, pendant quelques instants, il ne comprit pas le sens de ses derniers mots. Puis il sortit précipitamment de la chambre froide dont le tour de la porte était enveloppé dans une vapeur verte. Lex se tenait près de la grande table en inox et elle avait la tête tournée vers la porte de la salle à manger.

Tim perçut une sorte de sifflement prolongé, évoquant un serpent gigantesque, un son modulé, mais à peine audible. Cela aurait pu être le vent, mais Tim savait qu'il n'en était rien.

– Timmy, j'ai peur..., murmura la fillette.

Il s'avança prudemment jusqu'à la porte à deux battants et regarda par un hublot.

Dans la salle à manger obscure, au milieu des tables à la disposition régulière, il distingua une silhouette souple et silencieuse comme un fantôme et découvrit la source du sifflement. C'était un velociraptor.

Grant suivait les canalisations en tâtonnant dans l'obscurité. Il cherchait l'échelle pour remonter, mais il n'était pas facile de trouver son chemin dans le noir et le bruit du générateur contribuait à le désorienter. Il atteignit enfin l'échelle et avait déjà gravi quelques marches quand il se rendit compte qu'il percevait en bas un autre bruit que celui du générateur.

Grant resta en équilibre sur une marche et tendit l'oreille.

C'était un homme qui criait.

Il reconnut la voix de Gennaro.

– Où êtes-vous ? s'écria-t-il.

– Par ici ! répondit l'avocat. Dans le camion !

Grant ne voyait pas de camion. Il plissa les yeux et distingua du coin de l'œil des formes vertes se mouvant dans l'obscurité. Puis il aperçut le camion et se dirigea vers lui.

Le silence fit frissonner Tim.

Haut d'un mètre quatre-vingts, le velociraptor donnait une impression de puissance, même si ses jambes étaient cachées par les tables et les chaises. Tim ne distinguait que le haut de son torse, ses deux bras plaqués le long du corps et les griffes qui prolongeaient ses mains. Il percevait les mouchetures iridescentes sur le dos de l'animal. Le velociraptor se glissait entre les tables avec une grande vivacité en coulant sur les côtés des regards rapides avec les petits mouvements saccadés de la tête propres aux oiseaux. A chaque pas, la tête montait et descendait, et la longue queue droite s'inclinait, ce qui accentuait encore la ressemblance avec un oiseau.

Un oiseau de proie géant et silencieux.

La salle à manger était sombre, mais le velociraptor semblait voir assez bien pour continuer sa progression. De temps en temps, il se penchait et passait la tête sous les tables. Tim entendait un reniflement bref, puis la tête se relevait brusquement et recommençait à se balancer d'avant en arrière.

Tim observa le dinosaure jusqu'à ce qu'il soit sûr qu'il se dirigeait vers la cuisine. Était-il attiré par leur odeur ? Tous les livres affirmaient que les dinosaures n'avaient pas un odorat très développé, mais celui-ci semblait fort bien se débrouiller. De toute façon, les livres pouvaient dire ce qu'ils voulaient, c'est un animal en chair et en os que Tim avait sous les yeux.

Et qui se rapprochait.

Le garçon s'éloigna de la porte en baissant la tête.

– Il y a quelque chose là-bas ? demanda Lex.

Tim ne répondit pas. Il entraîna sa sœur dans le fond de la pièce et la poussa sous une table, derrière une grande poubelle.

– Reste là ! lui murmura-t-il à l'oreille d'une voix pressante.

Tim s'élança vers le réfrigérateur contenant les provisions. Il prit une poignée de steaks et repartit précipitamment vers la porte. Il posa silencieusement le premier steak sur le carrelage, fit quelques pas en arrière et posa un second morceau de viande par terre...

Il vit du coin de l'œil sa sœur passer la tête sur le côté de la poubelle et lui intima du doigt l'ordre de rester cachée. Il continua de s'éloigner de la porte à reculons et posa deux autres steaks sur le sol carrelé.

Le sifflement se fit plus fort, des griffes poussèrent la porte et une grosse tête s'avança prudemment dans l'ouverture.

Le velociraptor s'immobilisa sur le seuil de la cuisine.

Tim était à moitié accroupi derrière le pied le plus éloigné de la grande table en inox, mais il n'avait pas eu le temps de se dissimuler complètement. Sa tête et ses épaules dépassaient ; le velociraptor pouvait le voir.

Le garçon commença lentement à se baisser et à s'enfoncer sous la table... Le velociraptor tourna brusquement la tête dans sa direction et fixa les yeux sur lui.

Tim s'immobilisa. Il était encore visible, mais il se força à ne pas bouger.

Le velociraptor demeurait immobile sur le seuil.

Il flairait la pièce.

Il fait plus sombre ici, songea Tim, et il voit moins bien. Il se méfie.

Il percevait maintenant l'odeur du grand reptile et, à travers ses lunettes, il vit l'animal bâiller en rejetant en arrière son museau aplati et en découvrant deux rangées de dents acérées. Le regard du velociraptor n'était plus braqué sur lui et l'animal tournait maintenant la tête de droite et de gauche, avec des mouvements brusques qui faisaient pivoter les yeux dans les orbites enfoncées.

Tim sentait son cœur tambouriner dans sa poitrine. C'était encore pire de se trouver face à cet animal dans un espace clos qu'en pleine nature. Avec sa taille imposante, la vivacité de ses mouvements, son odeur âcre, sa respiration sifflante...

Vu de près, il était bien plus effrayant que le tyrannosaure. Le T-rex était un animal énorme, mais il ne possédait pas une grande intelligence alors que le velociraptor, s'il ne dépassait pas la taille d'un homme, était à l'évidence un animal extrêmement vif et intelligent. Tim redoutait presque autant le regard pénétrant du dinosaure que ses dents tranchantes et pointues.

Le velociraptor huma l'air. Il fit un pas en avant... directement vers Lex. Il devait l'avoir sentie! Le cœur de Tim fit un bond dans sa poitrine.

Le velociraptor s'arrêta, puis baissa lentement la tête.

Il avait trouvé la viande.

Tim avait envie de se pencher pour regarder par-dessous la table, mais il n'osait pas faire le moindre mouvement. Les jambes à demi repliées, rigoureusement immobile, il écouta les bruits de mastication. Le dinosaure mangeait.

Le raptor releva la tête et regarda autour de lui en humant l'air. Il vit le deuxième steak, fit deux pas rapides et se pencha.

Silence.

Le velociraptor ne mangeait pas.

La tête se redressa. Tim commençait à avoir les jambes ankylosées, mais il ne bougeait pas.

Pourquoi l'animal n'avait-il pas mangé le deuxième steak ? Une douzaine d'explications traversèrent l'esprit de Tim : il n'aimait pas le goût du bœuf ou la viande trop froide, il n'appréciait pas la chair d'un animal mort, il flairait un piège, il avait senti Lex, il avait senti Tim ou il l'avait vu...

Le velociraptor se déplaçait de plus en plus vite. Il vit le troisième steak, baissa la tête, la releva aussitôt et continua à avancer.

Tim retint son souffle. Le dinosaure n'était plus qu'à trois mètres de lui et il voyait les tressaillements des muscles sur le flanc de l'animal. Il distinguait le sang séché sur les griffes des mains, les stries qui couraient sur les mouchetures de la peau, les plis du cou, juste sous la mâchoire.

Le velociraptor renifla, secoua la tête et dirigea les yeux droit sur Tim qui faillit pousser un cri de frayeur. Tous ses muscles étaient tendus et il surveillait les yeux du reptile qui parcouraient la pièce. Le velociraptor renifla une nouvelle fois.

Il m'a découvert!

Puis l'animal rejeta la tête en arrière pour regarder devant lui et s'avança vers le quatrième steak.

Ne bouge pas, Lex! Je t'en prie, ne bouge pas! Surtout ne bouge pas!...

Le velociraptor flaira la viande et continua à avancer. Il était arrivé devant la porte de la chambre froide. Tim voyait les volutes de vapeur s'enrouler sur le carrelage et effleurer les jambes du dinosaure. Un pied aux griffes énormes se souleva, puis retomba silencieusement. L'animal hésitait. Il fait trop froid, songea Tim. Il n'entrera pas, il fait trop froid, il n'entrera pas, il n'entrera pas...

Le dinosaure entra.

La tête disparut, puis le corps, puis la longue queue.

Tim se rua vers la porte en inox et la poussa en pesant de tout son poids, mais le bout de la queue resta coincé. La porte ne fermait pas! Le velociraptor rugit, un son aux résonances terrifiantes. Tim fit machinalement un pas en arrière... et la queue disparut! Il claqua la porte de la chambre froide et entendit un déclic. Elle était fermée!

– Lex! Lex!

Il entendit le raptor taper sur la porte, il l'imagina en train de frapper à coups redoublés sur le panneau d'acier. Il avait vu sur la face intérieure un gros bouton d'acier et savait que, si le raptor appuyait dessus, la porte s'ouvrirait. Il fallait trouver un moyen de la bloquer.

– Lex!

– Qu'est-ce que tu veux? demanda-t-elle, juste à côté de lui.

Tim pesait sur la poignée horizontale pour maintenir la porte fermée.

– Il y a une goupille! s'écria-t-il. Une petite goupille! Prends-la!

Le velociraptor poussa un rugissement terrible, assourdi par l'épaisseur du panneau d'acier et se jeta de toutes ses forces contre la porte.

– Je ne vois rien! cria Lex.

La goupille pendait sous la poignée, se balançant au bout d'une petite chaîne métallique.

– Elle est juste devant toi!

– Je ne la vois pas! hurla la fillette.

Tim se rappela qu'elle n'avait pas de lunettes pour voir dans l'obscurité.

– Cherche-la en tâtonnnant!

Il vit la petite main s'élever, toucher la sienne et s'avancer vers la goupille.

Lex était si près de lui qu'il la sentait vibrer de terreur et qu'il entendait son souffle court et précipité pendant qu'elle cherchait la goupille. Le velociraptor se jeta de nouveau contre la porte qui s'entrouvrit... Elle s'entrouvrit, mais l'animal, qui ne s'y attendait pas, avait déjà reculé pour prendre son élan avant une nouvelle tentative et Tim eut le temps de la refermer. Il vit Lex se tourner vers lui dans l'obscurité et lever la main.

– Je l'ai! cria la fillette.

Elle avança la main et glissa la goupille dans le trou. Mais elle ressortit.

– Par-dessus! Entre-la par-dessus!

Elle reprit la goupille au bout de sa chaîne, la fit passer par-dessus la poignée et l'introduisit derechef dans le trou.

Fermé.

Le velociraptor rugit et les deux enfants reculèrent quand il se rua sur la porte. A chacune de ses tentatives, les charnières du lourd panneau d'acier craquaient, mais elles résistaient. Tim ne pensait pas que le raptor réussirait à ouvrir la porte.

L'animal était bel et bien enfermé dans la chambre froide.

– Allons-y, dit le garçon en poussant un long soupir.

Il prit la main de sa sœur et ils partirent en courant.

– Si vous les aviez vus, dit Gennaro à Grant tandis que les deux hommes commençaient à monter l'échelle métallique. Il y avait bien deux douzaines de compys. J'ai été obligé de me réfugier dans le camion pour leur échapper. Ils étaient devant le pare-brise, assis, attendant comme des charognards. Mais ils se sont enfuis comme des lapins en vous voyant arriver.

– Ce sont des animaux nécrophages, expliqua Grant. Jamais ils ne s'attaqueront à quelque chose qui bouge ou qui leur paraît trop robuste. Ils se contentent de proies mortes ou presque, du moins qui ne donnent pas signe de vie.

Ils étaient arrivés en haut de l'échelle et se dirigeaient vers la sortie.

– Qu'est devenu le raptor qui vous a attaqué ? demanda Grant.

– Je ne sais pas, répondit Gennaro.

– Il est parti ?

– Je ne l'ai pas vu. Je pense que je m'en suis sorti uniquement parce qu'il était blessé. Je crois que Muldoon l'a touché à la jambe, car il saignait quand je l'ai vu en bas. Et après... je ne sais pas. Il est peut-être ressorti. Ou bien il est mort à l'intérieur, je n'en sais rien.

– A moins qu'il ne soit encore là-dedans, dit Grant.

Debout à la fenêtre, Henry Wu regardait les raptors s'agiter derrière la grille. Ils semblaient encore d'humeur espiègle et continuaient à simuler des attaques contre Ellie. Wu se demanda si ce comportement qui durait déjà depuis un certain temps n'avait pas trop duré. Peut-être les dinosaures s'efforçaient-ils de retenir l'attention d'Ellie autant qu'elle essayait de retenir la leur.

Le comportement des dinosaures n'avait jamais été pour Henry Wu une préoccupation majeure. Et avec juste raison : le comportement n'était qu'une conséquence secondaire de l'A.D.N., comme la fabrication d'une protéine. On ne pouvait sérieusement prévoir le comportement, pas plus qu'on ne pouvait le contrôler, si ce n'est de manière très sommaire, en rendant par exemple un animal dépendant d'une substance alimentaire par la suppression d'une enzyme spécifique. Mais, en règle générale, le comportement échappait au domaine des connaissances. Il était absolument impossible en étudiant un fragment d'A.D.N. de prévoir un comportement.

C'est ce qui avait rendu les travaux du généticien purement empiriques. Cela revenait à une manière de bricolage, un peu comme le travail d'un ouvrier d'aujourd'hui réparant tant bien que mal une horloge très ancienne, remontant à une époque où les matériaux comme les procédés de fabrication étaient entièrement différents. On ne pouvait jamais savoir exactement pourquoi cela marchait de telle ou telle manière, sans parler des multiples réparations et modifications opérées au fil du temps par les forces de l'évolution. Ainsi, tel l'ouvrier qui effectue une réparation et vérifie ensuite si son horloge fonctionne mieux, Henry Wu effectuait une modification, puis regardait si le comportement des animaux s'en trouvait amélioré. Il ne s'attachait à corriger que le plus flagrant, coups de tête répétés contre les clôtures électrifiées ou dos écorchés par des frottements prolongés contre des troncs d'arbre. C'étaient des comportements de ce type qui le renvoyaient dans son laboratoire.

Les limites de sa science avaient conservé une part de mystère aux dinosaures. Il n'était pas sûr, il ne pouvait être sûr, que le comportement des animaux du parc était conforme à ce qu'il avait été dans un passé reculé. La question n'était pas résolue et elle demeurerait sans réponse.

Jamais le généticien ne le reconnaîtrait, mais la révélation que les dinosaures se reproduisaient apportait la preuve de la qualité de son travail. Il n'y avait pas de meilleure démonstration que l'existence d'un animal fécond : cela impliquait que Wu avait assemblé correctement toutes les pièces du puzzle. Il était parvenu à recréer un animal disparu depuis des millions d'années avec une telle précision que cet animal était en mesure de se reproduire.

Plus il suivait les évolutions des raptors derrière la grille, plus cette persistance dans leur comportement l'inquiétait. Les raptors étaient intelligents et les animaux intelligents se lassent rapidement de faire la même chose. Ils sont également capables d'élaborer des plans, et...

– Où est Ellie ? demanda Harding en sortant de la chambre de Malcolm.

– Elle est encore dehors.

– Il faut la faire rentrer. Les raptors ont abandonné la lucarne.

– Quand ? demanda Henry Wu en s'avançant vers la porte.

– Il y a une ou deux minutes, répondit Harding.

– Ellie ! cria Wu en ouvrant la porte d'entrée. Revenez tout de suite !

Elle se retourna vers lui, l'air perplexe.

– Il n'y a pas de problème, lança-t-elle. Tout va bien...

– Revenez tout de suite !

Muldoon n'aimait pas voir Henry Wu devant la porte ouverte et il s'apprêtait à le lui dire quand il vit une ombre sauter du toit. Il comprit tout de suite ce qui se passait. Le généticien décolla littéralement du chambranle et Muldoon entendit Ellie pousser un hurlement horrifié. Il se rua vers la porte, regarda à l'extérieur et vit Wu couché sur le dos, le ventre ouvert par une griffe énorme. Le raptor secouait la tête pour arracher les intestins du généticien qui s'efforçait faiblement de repousser la grosse tête du dinosaure en train de le dévorer vivant. Ellie cessa de hurler et elle se mit à courir le long de la grille tandis que Muldoon rentrait précipitamment et claquait la porte derrière lui, glacé d'horreur. Tout s'était passé si vite!

– Il a sauté du toit? demanda Harding.

Muldoon hocha la tête sans répondre. Il s'avança vers la fenêtre et vit que les trois velociraptors s'éloignaient en courant de l'autre côté de la grille.

Mais ils ne suivaient pas Ellie. Ils partaient dans l'autre direction, vers le centre des visiteurs.

En arrivant à l'angle du bâtiment de service, Grant avança la tête en essayant de distinguer quelque chose dans la brume. Il entendait les grondements des raptors qui semblaient se rapprocher. Puis il les vit passer en courant et comprit qu'ils se dirigeaient vers le centre des visiteurs.

Il se retourna vers Gennaro.

L'avocat lui fit non de la tête.

– Nous n'avons pas le choix, lui murmura Grant à l'oreille en se penchant vers lui. Il faut remettre l'ordinateur en marche.

Il fit quelques pas et sa silhouette se fondit dans la brume.

Quelques instants plus tard, Gennaro le suivit.

Ellie ne perdit pas de temps à réfléchir. Dès qu'elle vit les raptors sauter à l'intérieur de la grille pour attaquer Wu, elle prit ses jambes à son cou en se dirigeant vers l'extrémité du bâtiment. Il y avait une bande de terrain d'environ cinq mètres de large entre la grille et la construction. Le bruit de sa respiration était si fort qu'elle ne savait même pas si les raptors la poursuivaient.

Ellie tourna l'angle du bâtiment et vit un arbre qui s'élevait tout près du mur. Elle sauta, s'agrippa à une grosse branche et commença à balancer les jambes. Non seulement elle ne se laissait pas gagner par la panique, mais elle éprouvait plutôt une sorte d'euphorie en donnant des coups de reins et en voyant ses jambes s'élever au-dessus de sa tête. Elle parvint à les balancer par-dessus une autre branche, contracta ses abdominaux et se hissa rapidement sur la branche.

Elle était déjà à plus de trois mètres du sol et les raptors ne l'avaient pas suivie. Elle commençait à se sentir beaucoup mieux quand elle vit apparaître le premier animal au pied de l'arbre. Du sang coulait sur ses lèvres et des lambeaux de chair dépassaient de sa gueule. Ellie reprit son ascension, grimpant de branche en branche aussi vite qu'elle le pouvait. Elle apercevait presque le toit du bâtiment.

Quand elle baissa la tête pour regarder en bas, elle vit que les deux raptors avaient commencé à grimper.

Elle se hissa à la hauteur du toit. La surface horizontale couverte de gravier était à un peu plus d'un mètre d'elle et les pyramides vitrées des lucarnes pointaient dans la brume. Elle vit une ouverture sur le toit et songea qu'elle pourrait entrer dans le bâtiment. Bandant tous ses muscles, elle sauta et s'étala de tout son long sur le gravier. Elle s'était écorché le visage, mais elle éprouvait toujours cette étrange euphorie, comme si tout cela n'était qu'un jeu, un jeu où elle avait bien l'intention de gagner. Elle s'élança vers la porte donnant sur la cage d'escalier. Derrière elle, les bruits dans le feuillage indiquaient que les raptors étaient encore dans l'arbre.

Elle atteignit la porte et tourna le bouton.

Elle était fermée à clé.

Dans son euphorie, il fallut quelques instants à Ellie pour saisir ce que cela signifiait. La porte était fermée à clé. Elle était sur le toit, mais ne pouvait entrer. *La porte était fermée à clé.*

Elle martela rageusement la porte, puis se précipita vers l'autre extrémité du toit en espérant trouver une autre issue, mais, à travers la brume, elle ne distingua que le rectangle vert de la piscine. Tout le tour en était cimenté et il y avait plus de trois mètres entre le bord du toit et la piscine. Jamais elle ne pourrait franchir une telle distance. Et il n'y avait pas d'autre arbre pour redescendre. Pas d'escalier de secours. Pas d'échelle d'incendie.

Il n'y avait absolument rien.

Ellie se retourna et vit les raptors bondir avec souplesse sur le toit. Elle courut vers l'arrière du bâtiment, espérant toujours trouver une issue. Mais, là encore, il n'y avait rien.

Les velociraptors s'avançaient lentement vers elle, se glissant silencieusement entre les pyramides de verre. Elle baissa les yeux. Le rebord de la piscine était au moins à trois mètres. Trop loin.

En se rapprochant d'elle, les raptors s'écartaient l'un de l'autre. *C'est toujours la même chose,* songea-t-elle. *Il suffit d'un petit détail pour tout foutre en l'air.* Son euphorie ne s'était pas dissipée; elle éprouvait encore une légèreté de tout son être et ne parvenait pas à croire que ces animaux allaient la tuer, que sa vie allait s'achever là, de cette manière. Cela ne lui semblait pas possible. Son euphorie la protégeait comme une armure; elle refusait de se soumettre à l'inéluctable.

Les raptors se mirent à gronder et Ellie recula. Elle prit une longue inspiration et partit ventre à terre vers le bord du toit. Elle vit la piscine en contrebas et songea qu'elle était trop loin. A-Dieu-vat! se dit-elle en sautant.

Elle se jeta dans le vide.

Ellie eut d'abord l'impression de recevoir une gifle monumentale, puis sentit le froid qui l'enveloppait... Elle était dans l'eau. Elle avait réussi!

Ellie remonta à la surface et leva la tête pour voir les deux raptors, debout au bord du toit, qui la regardaient. Elle comprit aussitôt que, si elle l'avait fait, les dinosaures pouvaient également le faire. *Est-ce qu'ils savent nager?* se demanda-t-elle en se maintenant à la surface de l'eau. Mais elle était sûre que oui; ils nageaient probablement comme des crocodiles.

Les raptors s'éloignèrent du bord du toit et elle entendit soudain la voix de Harding.

– Docteur Sattler?

Elle comprit que le vétérinaire avait ouvert la porte du toit et que les velociraptors avaient choisi une autre proie.

Elle sortit précipitamment de la piscine et s'élança vers le pavillon.

Harding avait grimpé les marches deux par deux et ouvert la porte sans réfléchir en appelant Ellie. Puis il s'était immobilisé. Des écharpes de brume traversaient le toit en s'accrochant aux pyramides de verre. Les raptors étaient invisibles.

– Docteur Sattler!

Il était tellement préoccupé par le sort d'Ellie qu'il lui fallut un certain temps avant de prendre conscience de son erreur. Il songeait qu'il aurait dû voir les animaux quand une main aux griffes acérées jaillit sur le côté de l'embrasure. Une douleur fulgurante lui lacéra la poitrine. Il bondit en arrière et rassembla toutes ses forces pour refermer la porte sur le bras du raptor.

– Elle est là! lui cria Muldoon du pied de l'escalier. Elle vient de rentrer!

De l'autre côté de la porte, le raptor émit un grondement de rage et Harding poussa derechef la porte sur le bras de l'animal. Les griffes se retirèrent et le vétérinaire referma la porte avec un fracas métallique. Puis il se laissa tomber par terre, plié en deux par une quinte de toux.

– Où allons-nous? demanda Lex.

Les enfants étaient arrivés au premier étage du centre des visiteurs, au bout d'un couloir bordé d'une longue paroi de verre.

– Dans la salle de contrôle, répondit Tim.

– Où est-elle?

– Quelque part par-là.

Tim lut les inscriptions sur toutes les portes devant lesquelles ils passaient. C'étaient des bureaux : GARDIEN DU PARC... SERVICE CLIENTÈLE... DIRECTEUR GÉNÉRAL... RÉGISSEUR... Ils arrivèrent devant une cloison vitrée portant l'inscription :

ZONE INTERDITE
ACCÈS RÉSERVÉ AU PERSONNEL AUTORISÉ

Il y avait une fente pour introduire une carte magnétique, mais Tim se contenta de pousser le panneau de verre.

– Pourquoi est-ce que c'est ouvert ?

– L'électricité est coupée, expliqua Tim.

– Pourquoi allons-nous dans la salle de contrôle ? demanda la fillette.

– Pour chercher une radio. Il faut appeler quelqu'un.

Le couloir continuait derrière la porte vitrée. Tim reconnaissait les lieux ; il y était venu pendant la visite du bâtiment. Lex trottinait pour rester à sa hauteur. Ils perçurent au loin des grondements de raptors, mais les animaux semblaient se rapprocher. Puis Tim les entendit se jeter contre les grandes portes vitrées du hall.

– Ils sont là, murmura Lex.

– N'aie pas peur.

– Qu'est-ce qu'ils sont venus faire ici ? demanda la fillette.

– Ne t'occupe pas d'eux.

SURVEILLANT DU PARC... OPÉRATIONS... CENTRE DE CONTRÔLE...

– C'est là, dit Tim en poussant la porte.

La salle de contrôle était bien telle qu'il en avait gardé le souvenir. Au centre se trouvaient une console avec quatre sièges et quatre moniteurs. Tout était noir, à l'exception des moniteurs qui montraient des rangées de rectangles de couleur.

– Où allons-nous trouver une radio ? demanda Lex.

Mais Tim ne pensait plus à la radio. Il s'avança dans la pièce, le regard fixé sur les écrans. Ils étaient allumés ! Cela signifiait donc...

– L'électricité a dû revenir...

– Berk ! s'écria Lex en faisant un petit saut de côté.

– Qu'est-ce qu'il y a ?

– J'ai marché sur une oreille !

Tim n'avait pas vu de corps en entrant, mais il se retourna et vit qu'il y avait effectivement une oreille sur le sol. Rien qu'une oreille.

– C'est vraiment dégoûtant, fit Lex avec une grimace.

– Laisse tomber, dit Tim en se retournant vers les moniteurs.

– Où est le reste du corps ? poursuivit la fillette.

– Ne t'occupe pas de ça maintenant !

Tim étudia attentivement l'écran où apparaissaient plusieurs rangés de rectangles de couleur.

PARC JURASSIQUE – MISE EN ROUTE SYSTÈME

MISE EN ROUTE AB (O) ······ MISE EN ROUTE CN/D

Security Main	Monitor Main	Command Main	Electrical Main	Hydraulic Main	Master Main	Zoolog Main
SetGrids DNL	View VBB	Access TNL	Heating Cooling	Door Fold Interface	SAAG-Rnd	Repair Storage
Critical Locks	TeleCom VBB	Reset Revert	Emgency Illumin	GAS/VLD Main II	Common Interface	Status Main
Control Passthru	TeleCom RSD	Template Main	FNCC Params	Explosion Fire Hzd	Schematic Main	Safety / Health

– Tu ferais mieux de ne pas toucher à ça, Tim.

– Ne t'inquiète pas.

Il avait déjà vu des ordinateurs compliqués, comme ceux qui étaient installés dans les bâtiments où son père travaillait. Ces gros ordinateurs contrôlaient tout, depuis les ascenseurs et le matériel de surveillance jusqu'à l'installation de chauffage et de climatisation. Ils ressemblaient en gros à celui-là, avec tout un tas de petites cases de couleur, mais étaient en général plus faciles à comprendre. Et il y avait presque toujours une case indiquant « Aide », quand on avait besoin de savoir comment fonctionnait la machine. Mais, sur l'écran qu'il avait devant les yeux, « Aide » ne figurait nulle part. Il regarda une seconde fois, pour en être sûr.

Mais son regard fut attiré par autre chose, un affichage numérique dans un angle de l'écran. Des chiffres indiquaient : 10 :47 :22. Tim comprit que c'était l'heure. Il ne restait plus que treize minutes avant l'arrivée du cargo... Mais le sort de ceux qui étaient assiégés dans le pavillon le préoccupait beaucoup plus.

Il entendit des grésillements de parasites, se retourna et vit que Lex tenait une radio à la main. Elle était en train de tripoter les boutons.

– Comment ça marche ? demanda-t-elle. Je n'arrive pas à la faire marcher.

– Donne-moi ça !

– C'est à moi ! C'est moi qui l'ai trouvée !

– Donne-moi cette radio, Lex !

– Je veux la faire marcher d'abord !

– Lex !

Au milieu des grésillements, la voix de Muldoon retentit soudain.

– *Qu'est-ce qui se passe encore?*

Surprise, la fillette lâcha la radio qui tomba avec fracas.

Grant recula en rasant le sol et s'accroupit derrière un palmier. Il voyait à travers les traînées de brume les raptors qui sautaient en grondant et donnaient des coups de tête contre les portes vitrées du centre des visiteurs. Mais, entre deux grondements, ils demeuraient silencieux et inclinaient la tête, comme s'ils essayaient de percevoir un bruit lointain. Puis ils lançaient de petits cris plaintifs.

– Que font-ils? demanda Gennaro.

– On dirait qu'ils essaient d'entrer dans la cafétéria.

– Qu'y a-t-il dans la cafétéria? poursuivit l'avocat.

– C'est là que j'ai laissé les enfants...

– Vous croyez qu'ils pourront briser ces portes vitrées?

– Non, je ne pense pas.

Grant continua d'observer les animaux. Il perçut les grésillements d'une radio, affaiblis par la distance, et l'agitation des raptors redoubla. L'un après l'autre, ils se mirent à sauter, de plus en plus haut. Il vit l'un d'eux atteindre le balcon du premier étage, se recevoir avec souplesse et disparaître à l'intérieur du bâtiment.

Au même étage, dans la salle de contrôle, Tim ramassa vivement la radio que sa sœur avait lâchée. Il enfonça un bouton.

– Allô? Allô?

– ... est toi, Tim?

Le garçon reconnut la voix de Muldoon.

– Oui, c'est moi.

– Où es-tu?

– Dans la salle de contrôle. L'électricité est revenue.

– Voilà une bonne nouvelle, Tim!

– Si quelqu'un veut m'expliquer comment remettre l'ordinateur en marche, je suis prêt à le faire.

Il y eut un silence.

– Allô? fit Tim. Vous m'avez entendu?

– Il y a un petit problème, répondit Muldoon. Il se trouve que... Voilà, aucun de nous ne sait ce qu'il faut faire.

– Quoi? s'exclama Tim, tellement cela lui paraissait incroyable. Vous vous fichez de moi? Personne ne sait ce qu'il faut faire?

– Non. Je crois qu'il faut chercher le circuit principal, reprit Muldoon après un silence. Activer le circuit principal... Tu t'y connais, en ordinateurs, Tim?

Le garçon garda les yeux fixés sur l'écran. Lex lui donna un coup de coude.

– Dis-lui que non, Timmy.

– Oui, un peu. Je m'y connais un petit peu.

– Tu n'as qu'à essayer, poursuivit Muldoon. Ici, personne ne sait ce qu'il faut faire. Et Grant n'y connaît rien non plus.

– D'accord, fit Tim, je vais essayer.

Il relâcha la touche de la radio et recommença à étudier l'écran.

– Timmy..., dit Lex. Tu ne sais pas ce qu'il faut faire.

– Si, je sais.

– Si tu sais, fais-le.

– Attends une minute.

Pour commencer, il rapprocha la chaise du clavier et appuya sur les touches permettant au curseur de se déplacer sur l'écran. Mais il ne se passa rien. Il frappa ensuite d'autres touches. Toujours rien.

– Alors ? dit-elle.

– Il y a quelque chose qui ne va pas, répondit Tim, l'air perplexe.

– Tu n'y connais rien, Timmy !

Il examina encore une fois l'écran, avec la plus grande attention. Le clavier présentait en haut une rangée de touches de fonction, comme tous les claviers d'ordinateurs personnels, et le moniteur était grand et en couleurs. Mais le boîtier était d'un type qu'il ne connaissait pas. Tim regarda sur les bords de l'écran et vit une multitude de petits points lumineux rouges.

Des lumières rouges disposées tout autour de l'écran... Qu'est-ce que cela pouvait bien être ? Il avança un doigt et vit le reflet de la lumière rouge sur sa peau.

Il posa le doigt sur l'écran et entendit un bip.

Un message s'afficha dans une fenêtre :

VOUS AVEZ DÉJÀ ACCÈS AU SYSTÈME/
FAITES VOTRE SÉLECTION À PARTIR DU MENU PRINCIPAL.

PARC JURASSIQUE – MISE EN ROUTE SYSTÈME

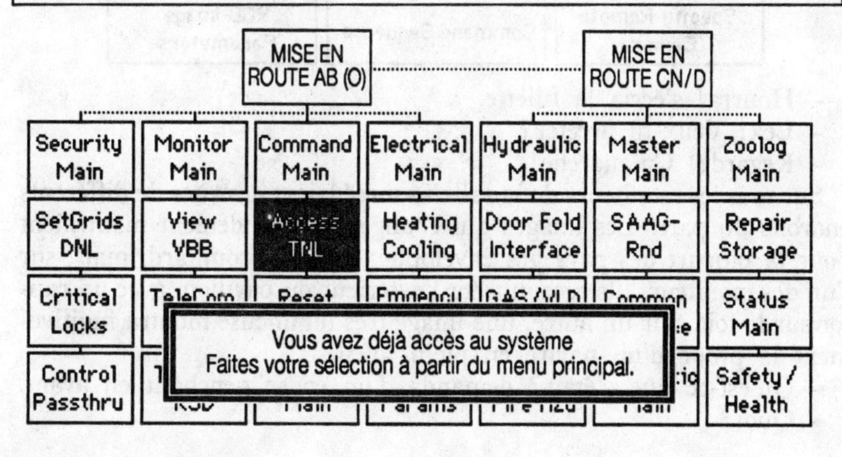

Quelques instants plus tard, le message disparut, ne laissant que le menu principal.

– Qu'est-ce qui s'est passé ? demanda Lex. Qu'est-ce que tu as fait ? Tu as touché quelque chose ?

Bien sûr ! songea Tim. J'ai touché l'écran ! Les lumières rouges disposées tout autour devaient être des senseurs à infrarouge. Tim n'avait jamais vu ce genre d'écran, mais il avait lu un article dans une revue. Il posa le doigt sur RÉINIT/RETOUR.

Un nouveau message s'afficha aussitôt sur l'écran :

L'ORDINATEUR EST RÉINITIALISÉ

FAITES VOTRE SÉLECTION À PARTIR DU MENU PRINCIPAL

La radio leur transmit des grondements de raptors.

– Je veux voir, dit Lex. Tu devrais essayer VIDÉO.

– Non, Lex.

– Moi, c'est ce que je veux, insista la fillette.

Avant qu'il ait eut le temps de la retenir, elle avait appuyé sur VIDÉO. Un nouveau menu s'afficha :

SOUS ROUTINE VIDÉO INTERFACE VIDÉO / SURVEILLANCE ENVIRONNEMENT			
REMOTE CLC VIDEO - H			REMOTE CLC VIDEO - P
Monitor Interval	Set	Hold	Monitor Interval
Monitor Control	Auto	Man	Monitor Control
Optimize Sequence Rotation	AO(19)	DD(33)	Optimize Sequence Rotation
Specify Remote Camera	Command Sequence		RGB Image Parameters

– Hourra ! s'écria la fillette.

– Lex ! Veux-tu arrêter ?

– Regarde ! Ça marche !

Sur tous les moniteurs de la salle se succédaient des vues de différents endroits du parc. Les images qui changeaient rapidement montraient pour la plupart des paysages enveloppés dans le brouillard, mais, sur l'un des moniteurs, ils reconnurent l'extérieur du pavillon, avec un raptor sur le toit. Sur un autre, une image très lumineuse montra fugitivement la proue d'un navire en plein soleil...

– Qu'est-ce que c'était ? demanda Tim en se penchant en avant.

– Quoi ?

– Cette image!

Mais elle avait déjà changé et les enfants avaient maintenant devant les yeux l'intérieur du pavillon. Toutes les chambes défilaient et ils virent apparaître Malcolm, allongé sur un lit...

– Arrête, dit Lex. Je les vois.

Tim toucha l'écran à plusieurs endroits et des sous-menus s'affichèrent. Puis d'autres sous-menus.

– Attends! s'écria Lex. Tu vas l'embrouiller!

– Vas-tu te taire! Tu ne sais pas comment ça marche!

Une liste de moniteurs était affichée sur l'écran. L'un d'eux portait le nom de PAVILLON SAFARI : LV2-4. Un autre : NAVIRE (VND). Tim appuya à plusieurs reprises sur l'écran.

Des images vidéo apparurent sur plusieurs moniteurs. L'une montrait la proue du cargo au milieu de l'océan. Au loin, Tim distingua la terre, des constructions le long du rivage et un port. Il reconnut le port, parce qu'il l'avait survolé la veille en hélicoptère. C'était Puntarenas. Le cargo allait y pénétrer dans quelques minutes.

Mais l'attention de Tim fut attirée par l'écran voisin qui montrait le toit du pavillon enveloppé dans la brume. Les raptors étaient plus ou moins cachés par les pyramides de verre, mais ils pointaient la tête et la retiraient à intervalles irréguliers.

Sur le troisième moniteur, Tim découvrit l'intérieur d'une chambre. Malcolm était couché sur un lit et Ellie se tenait à son chevet. Ils avaient tous deux la tête levée. Muldoon entra dans la chambre et alla se placer à côté d'eux en regardant le plafond, une expression inquiète sur le visage.

– Ils nous voient, dit Lex.

– Non, je ne pense pas.

Des grésillements se firent entendre. Les enfants virent sur le moniteur Muldoon approcher la radio de ses lèvres.

– Allô, Tim?

– Je vous reçois.

– Il ne nous reste plus beaucoup de temps, Tim, dit Muldoon d'un air sinistre. Il faut absolument activer ce circuit électrique.

Tim entendit les raptors gronder et il vit une tête prolongeant un long cou apparaître en haut de l'écran en claquant des mâchoires.

– Dépêche-toi, Timmy! s'exclama Lex. Fais revenir l'électricité!

CIRCUITS

Tim essaya de revenir au menu principal, mais il se trouva embarqué dans une succession d'écrans de contrôle moniteurs dont il ne parvenait pas à se dépêtrer. La plupart des ordinateurs possédaient une touche ou une commande particulière permettant de revenir au menu précédent ou au menu principal, mais cela ne semblait pas être le cas de celui-ci. De plus, il était certain que le programme comportait des commandes d'aide, mais il ne parvenait pas non plus à les trouver. Tim se sentait d'autant plus nerveux que Lex ne tenait pas en place et lui criait dans les oreilles.

Tim réussit enfin à retourner au menu principal. Il ne savait plus très bien ce qu'il avait fait, mais il y était arrivé. Il s'accorda quelques instants de réflexion pour trouver la bonne commande.

– Fais quelque chose, Timmy!

– Vas-tu te taire, à la fin! Tu vois bien que je cherche de l'aide!

Il essaya TEMPLATE MAIN et l'écran afficha un diagramme compliqué, rempli de cases et de flèches reliées entre elles.

Non. Inutile.

Il essaya ensuite : INTERFACE COMMUN et un nouveau tableau s'afficha sur l'écran.

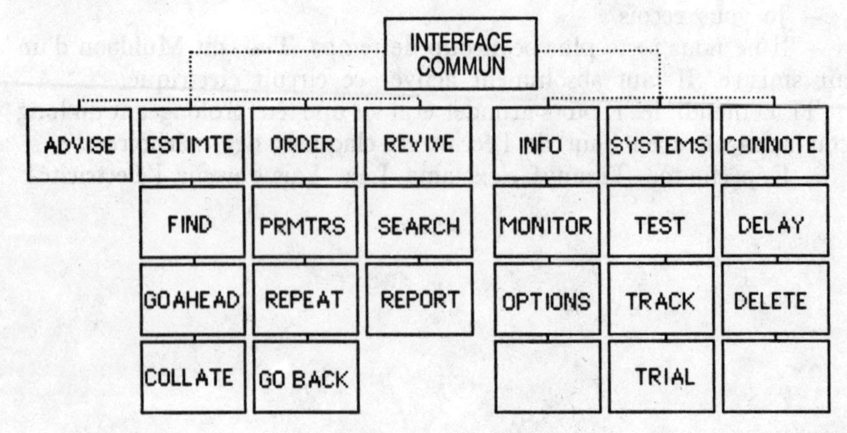

– Qu'est-ce que c'est que ça ? demanda Lex. Pourquoi est-ce que tu ne rétablis pas l'électricité, Timmy ?

Il ne répondit pas. Peut-être la touche INFO lui permettrait-elle d'obtenir de l'aide. Il essaya.

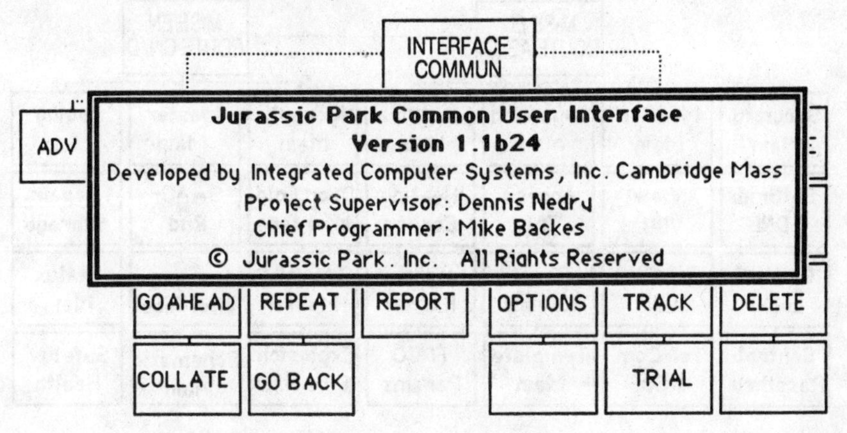

– Timmy ! lança la fillette d'une voix implorante.

Il avait déjà appuyé sur TROUVER, mais il n'obtint qu'une nouvelle fenêtre inutile. Il essaya ensuite RETOUR.

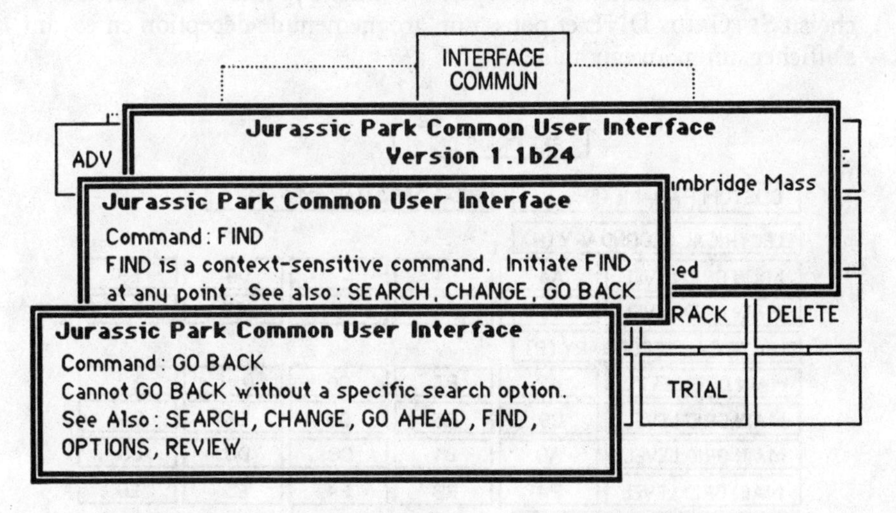

Il entendit la voix de Muldoon qui lui demandait comment se présentait la situation, mais il ne répondit pas, trop occupé à essayer toutes les touches l'une après l'autre.

Soudain, sans qu'il sût pourquoi, le menu principal s'afficha.

PARC JURASSIQUE – MISE EN ROUTE SYSTÈME

MISE EN ROUTE AB (O)	MISE EN ROUTE CN/D

Security Main	Monitor Main	Command Main	Electrical Main	Hydraulic Main	Master Main	Zoolog Main
SetGrids DNL	View VBB	Access TNL	Heating Cooling	Door Fold Interface	SAAG-Rnd	Repair Storage
Critical Locks	TeleCom VBB	Reset Revert	Emgency Illumin	GAS/VLD Main II	Common Interface	Status Main
Control Passthru	TeleCom RSD	Template Main	FNCC Params	Explosion Fire Hzd	Schematic Main	Safety / Health

Il étudia l'écran. Elec Main et SetGrd DNL semblaient avoir un rapport avec les circuits électriques. Il remarqua également que Status Main et Critical Locks pouvaient avoir de l'importance. Puis il entendit les grondements des raptors. Il fallait prendre une décision. Il choisit SetGrids DNL et poussa un grognement de déception en voyant s'afficher un nouveau tableau :

SET GRIDS DNL

CUSTOM PARAMETERS	STANDARD PARAMETERS				
ELECTRICAL SECONDARY (H)					
MAIN GRID LEVEL	A4	B4	C7	D4	E9
MAIN GRID LEVEL	C9	R5	D5	E3	G4
ELECTRICAL SECONDARY (P)					
MAIN GRID LEVEL	A2	B3	C6	D11	E2
MAIN GRID LEVEL	C9	R5	D5	E3	G4
MAIN GRID LEVEL	A8	B1	C8	D8	E8
MAIN GRID LEVEL	P4	R8	P4	E5	L6
ELECTRICAL SECONDARY (M)					
MAIN GRID LEVEL	A1	B1	C1	D2	E2
MAIN GRID LEVEL	C4	R4	D4	E5	G6

Il ne savait plus que faire. Il essaya STANDARD PARAMETERS.

Circuits Parc B4-C6 Circuits extér C2-D2
Circuits Zool B-07 Circuits Enclos R4-R4
Circuits Pavil F4-D4 Circuits Maint E5-L6
Circuits Princ C4-G7 Circuits Capt D5-G4
Circuits Util AH-B5 Circuits Centr A1-C1
Intégrité circuits non testée
Circuits sécurité demeurent automatiques

Tim ne put retenir un geste de dépit et il lui fallut quelques instants pour se rendre compte qu'il venait d'obtenir de précieux renseignements. Il connaissait maintenant les coordonnées du pavillon. Il appuya sur Circuit F4.

CIRCUIT ÉLECTRIQUE F4 (PAVILLON SAFARI)
LA COMMANDE NE PEUT ÊTRE EXÉCUTÉE. ERREUR-505
Mise en service circuit incompatible avec erreur de commande
(Ref Manuel Pages 4.09-4.11)

– Ça ne marche pas, dit Lex.
– Je le vois bien!
Il essaya une autre touche et un nouveau message s'afficha.

CIRCUIT ÉLECTRIQUE D4 (PAVILLON SAFARI)
LA COMMANDE NE PEUT ÊTRE EXÉCUTÉE. ERREUR-505
Mise en service circuit incompatible avec erreur de commande
(Ref Manuel Pages 4.09-4.11)

Tim s'efforça de garder son calme et d'analyser la situation. Il ne savait pas pourquoi, mais, chaque fois qu'il essayait de mettre un circuit en service, il recevait un message d'erreur lui indiquant que c'était incompatible avec la commande qu'il entrait. Qu'est-ce que cela signifiait ? Pourquoi cette incompatibilité ?
– Timmy..., murmura Lex en le tirant par le bras.
– Pas maintenant, Lex!
– Si, maintenant! dit-elle en l'arrachant à la console.
C'est à ce moment-là que Tim entendit les grondements des raptors. Ils venaient du couloir.

Les velociraptors avaient presque fini de ronger le second barreau d'acier de la lucarne donnant sur le lit de Malcolm. Ils parvenaient maintenant à passer toute la tête à travers le châssis de la vitre brisée et ils tendaient le cou en grondant contre les occupants de la chambre. Puis ils retiraient la tête et se remettaient à ronger le barreau.

– Ils n'en ont plus pour longtemps, déclara Muldoon. Trois ou quatre minutes, pas plus. Tim, tu m'entends ? poursuivit-il en prenant sa radio. Tim ?

Il n'y eut pas de réponse.

Tim sortit de la salle de contrôle et vit un velociraptor, au bout du couloir, devant le balcon. Il considéra l'animal avec stupéfaction en se demandant comment il avait bien pu sortir de la chambre froide.

Il vit soudain apparaître un deuxième raptor sur le balcon et il comprit. Le dinosaure qui se trouvait dans le couloir n'était pas celui de la cuisine, mais un autre, venu de l'extérieur, qui avait sauté sur le balcon. Il vit le deuxième raptor se poser silencieusement, parfaitement en équilibre, sur la balustrade. Tim n'en croyait pas ses yeux : le dinosaure avait fait un bond de trois mètres. Plus de trois mètres! Ces animaux avaient une incroyable puissance dans les jambes.

– Tu m'avais dit qu'ils ne pouvaient pas..., commença Lex.

– Chut !

Tim essayait de réfléchir, mais il ne pouvait détacher les yeux du balcon où, avec un mélange d'effroi et de fascination, il vit apparaître le troisième raptor. Les trois animaux commencèrent à tourner sur place au bout du couloir, puis, à la file indienne, ils se mirent en marche. Dans leur direction.

Sans se retourner, Tim poussa doucement la porte pour rentrer dans la salle de contrôle. Mais la porte ne bougea pas et il poussa plus fort.

– On ne peut pas entrer, chuchota Lex. Regarde.

Elle lui montra la fente destinée à recevoir la carte magnétique. Une lumière rouge brillait juste à côté. La fermeture de sécurité avait été réactivée !

– Idiot ! A cause de toi, nous sommes à la porte !

Tim regarda dans le couloir. Il vit d'autres portes, mais, à côté de chacune d'elles, un point rouge brillait. L'accès à toutes les salles leur était interdit... Ils ne pouvaient aller nulle part !

Il distingua une forme inerte à l'autre bout du couloir. C'était le cadavre d'un garde. Une carte magnétique blanche était fixée à sa ceinture.

– Viens, murmura-t-il à sa sœur.

Ils s'élancèrent vers le corps du garde. Tim prit la carte et se retourna, mais les raptors les avaient vus. Les trois dinosaures bloquaient le passage en montrant les dents. Ils s'écartèrent les uns des autres et commencèrent à remuer la tête d'avant en arrière avec des mouvements cadencés.

Ils s'apprêtaient à attaquer.

Tim n'avait qu'une seule chose à faire. Il glissa la carte magnétique dans la fente de la porte la plus proche et poussa Lex à l'intérieur de la pièce. Tandis que la porte se refermait lentement derrière eux, les raptors chargèrent avec des sifflements furieux.

PAVILLON

La respiration de Ian Malcolm était si faible que chaque souffle semblait devoir être le dernier et il considérait les raptors d'un regard sans vie. Harding prit la tension du blessé, fit la grimace et recommença. Malgré la couverture dans laquelle elle s'était enroulée, Ellie Sattler frissonnait. Muldoon était assis par terre, adossé à un mur. Hammond gardait les yeux levés vers le plafond sans ouvrir la bouche. La radio restait désespérément muette.

– Qu'a-t-il bien pu arriver à Tim ? demanda Hammond. Pourquoi n'appelle-t-il pas ?

– Je ne sais pas.

– Ils sont laids, n'est-ce pas ? murmura Malcolm. Incommensurablement laids.

– Qui aurait pu imaginer que les choses tourneraient ainsi, marmonna Hammond en secouant la tête.

– Malcolm, peut-être, glissa Ellie.

– Je ne l'ai pas imaginé, dit le mathématicien. Je l'ai *calculé*.

– Arrêtez, je vous en prie, soupira Hammond. A quoi bon répéter : « Je vous l'avais bien dit », pendant des heures ? Personne n'a jamais souhaité que nous en arrivions là.

– Il ne s'agit pas de ce que l'on souhaite, répliqua Malcolm sans ouvrir les yeux, d'une voix que la morphine rendait pâteuse. Ce qui compte, c'est ce que l'on pense pouvoir accomplir. Quand le chasseur s'enfonce dans la forêt pluviale pour aller chercher de quoi nourrir sa famille, compte-t-il imposer sa loi à la nature ? Bien sûr que non... Il a conscience que la nature le dépasse, qu'il n'a aucune prise sur elle. Peut-être même rend-il grâce à la nature, à la fertilité de la forêt qui pourvoit à sa subsistance. Il lui rend grâce, parce qu'il sait qu'il n'a aucun pouvoir sur elle, qu'il est à sa merci. Mais, vous, vous avez décidé que vous ne serez pas à la merci de la nature, vous avez décidé que vous l'asservirez. Dès lors, vous vous exposez à de graves ennuis, car votre entreprise est vouée à l'échec. Vous avez fabriqué des systèmes qui exigent de vous la réussite. Mais vous ne pouvez pas réussir, vous ne pourrez jamais. Il ne faut pas tout confondre. Vous pouvez fabriquer un bateau, vous ne fabriquerez pas l'océan ; vous pouvez fabriquer un avion, vous ne fabriquerez pas l'air. Vos pouvoirs sont beaucoup plus limités que vos rêves de raison ne vous portent à le croire.

– Je n'arrive plus à le suivre, fit Hammond avec un soupir. Où Tim a-t-il bien pu aller ? Moi qui croyais pouvoir compter sur lui...

– Je suis sûr qu'il fait ce qu'il peut pour que tout rentre dans l'ordre, dit Malcolm. Nous en sommes tous là.

– Et Grant ? Où est-il passé, celui-là ?

Grant arriva devant la porte de derrière du centre des visiteurs, celle par laquelle il était sorti vingt minutes plus tôt. Il posa la main sur la poignée, mais elle ne tourna pas. Ce n'est qu'à ce moment-là qu'il remarqua la petite lumière rouge. La fermeture automatique des portes avait été rétablie ! Grant étouffa un juron. Il fit le tour du bâtiment au pas de course et entra dans le hall par la porte aux vitres fracassées. Il se dirigea d'abord vers le bureau de la sécurité où la radio émettait des grésillements continus, puis se rendit dans la cuisine en espérant y trouver les enfants. Mais la porte était ouverte et les enfants avaient disparu.

Il monta au premier étage, mais constata que la porte donnant accès à la zone interdite ne s'ouvrait pas non plus. Impossible d'aller plus loin ; il lui fallait une carte magnétique.

C'est alors qu'il entendit des grondements venant du couloir, de l'autre côté de la porte.

Tim sentit sur sa joue le contact de la peau de reptile, des griffes déchirèrent sa chemise et il tomba sur le dos en poussant un cri de terreur.

– Timmy ! hurla Lex.

Tim se releva rapidement. Juché sur son épaule, le bébé velociraptor poussait des piaillements affolés. Les enfants se trouvaient dans la nursery, la pièce toute blanche sur le sol de laquelle étaient répandus des jouets : une balle jaune, une poupée, un hochet en plastique.

– C'est le bébé raptor, dit Lex en avançant la main vers le petit animal agrippé à l'épaule de son frère.

Le raptor enfouit sa tête dans le cou de Tim, qui se dit que le pauvre animal devait être affamé.

Lex se rapprocha ; le petit dinosaure bondit sur son épaule et se frotta contre son cou.

– Pourquoi est-ce qu'il fait ça ? demanda-t-elle. Tu crois que c'est parce qu'il a peur ?

– Je ne sais pas, dit Tim.

Lex repassa le raptor à son frère. Le petit animal se mit à gazouiller et à pousser de petits cris en sautillant sur l'épaule de Tim. Il tournait les yeux dans toutes les directions avec de petits mouvements saccadés de la tête. Le bébé était à l'évidence très excité et...

– Timmy, murmura Lex.

La porte du couloir ne s'était pas entièrement refermée derrière eux et les velociraptors adultes entraient l'un derrière l'autre dans la nursery.

L'agitation du petit dinosaure redoubla et il se mit à faire des bonds sur l'épaule de Tim. Le bébé détournera peut-être leur attention, songea le garçon. Après tout, c'est un des leurs. Il saisit le petit animal et le poussa de toutes ses forces vers la porte. Le bébé fila entre les jambes des adultes. Le premier velociraptor approcha son museau de lui et le flaira délicatement.

Tim prit la main de Lex et l'entraîna vers le fond de la salle. Il devait bien y avoir une porte, une issue...

Un hurlement perçant retentit. Tim se retourna et vit le bébé entre les mâchoires de l'adulte. Un second velociraptor s'approcha et tira sur les pattes du bébé en essayant d'arracher sa proie à son congénère. Les deux raptors commencèrent à se battre tandis que le bébé poussait des cris déchirants. De grosses gouttes de sang s'écrasaient sur le sol.

– Ils l'ont mangé! souffla Lex.

Les deux velociraptors continuaient de se battre pour la possession du petit corps déchiqueté.

Tim trouva une porte – elle n'était pas fermée à clé – et il entraîna Lex dans la salle voisine.

Elle baignait dans une lumière verte et Tim reconnut le laboratoire d'extraction de l'A.D.N., avec ses microscopes stéréoscopiques abandonnés et les écrans vidéo à haute résolution montrant des images géantes d'insectes en noir et blanc. C'étaient les mouches et autres moucherons qui, des millions d'années auparavant, avaient piqué des dinosaures et dont le sang trouvé dans leur corps avait été utilisé pour recréer les animaux du parc. Les enfants traversèrent le laboratoire en courant. Tim entendait les grondements et les grognements furieux des raptors lancés à leur poursuite, et qui gagnaient du terrain. Arrivé au fond du laboratoire, il poussa une porte qui devait être munie d'un système d'alarme, car, le long de l'étroit couloir dans lequel ils s'engouffrèrent, une sirène fit entendre sa plainte aiguë et les plafonniers se mirent à clignoter. Ils suivirent le couloir dans une alternance de lumière et d'obscurité tandis que les grondements de plus en plus proches des raptors couvraient le bruit de la sirène. Lex le suivait avec difficulté en gémissant. Tim vit devant lui une autre porte qu'il poussa de l'épaule. En franchissant le seuil, il heurta violemment un obstacle et Lex poussa un cri de terreur.

– Du calme, les enfants, articula posément une voix.

Tim écarquilla les yeux. La silhouette du Dr Grant se dressait au-dessus de lui. A ses côtés se trouvait M. Gennaro.

Il avait fallu près de deux minutes à Grant pour songer que le garde dont le corps gisait dans l'entrée devait avoir sur lui une carte magnétique. Il était donc redescendu la chercher, puis avait regagné le premier étage où il s'était engagé dans le couloir. Guidé par les grondements des raptors, Grant avait vu les deux animaux se battre dans la nursery, et, comprenant que les enfants étaient passés dans la salle voisine, il s'était précipité vers le laboratoire d'extraction.

Et il les avait trouvés.

Après avoir marqué un temps d'hésitation en voyant apparaître les deux hommes, les raptors avaient repris leur progression.

Grant poussa rapidement les enfants dans les bras de Gennaro.

– Emmenez-les en lieu sûr, dit-il à l'avocat d'un ton impérieux.

– Mais...

– Passez par là, poursuivit Grant en tournant la tête pour montrer une porte derrière lui. Essayez d'aller dans la salle de contrôle... Vous devriez y être en sécurité.

– Et vous, qu'allez-vous faire ? demanda Gennaro.

Les raptors étaient arrivés à la porte et Grant remarqua que les animaux se regroupaient avant de se remettre en marche. L'habitude de chasser en bande, songea le paléontologiste en frissonnant.

– J'ai un plan, dit-il à Gennaro. Allez-y, ne perdez pas de temps.

L'avocat entraîna les enfants vers la porte. Les raptors avancèrent vers Grant, sans un regard pour les ordinateurs ni pour les écrans qui affichaient sans répit des séquences de codes. Ils avançaient sans marquer la moindre hésitation, baissant la tête en cadence pour flairer le sol.

Grant entendit derrière lui le déclic de la porte qui se refermait. Ils étaient maintenant tous les trois de l'autre côté de la paroi de verre et ils le regardaient. Gennaro secoua la tête.

Grant comprit la signification de son geste. Il n'y avait pas de porte donnant dans la salle de contrôle. Gennaro et les enfants étaient pris au piège.

Tout dépendait de lui à présent.

Grant avança lentement dans le laboratoire en éloignant les raptors de l'avocat et des enfants. Il aperçut une autre porte, un peu plus loin. Un panneau indiquait : ACCÈS AU LABORATOIRE. Il ne savait pas de quel laboratoire il s'agissait, mais une idée commençait à germer dans son esprit et il espérait ne pas s'être trompé. Voyant que les raptors se rapprochaient, Grant poussa la porte et pénétra dans une grande salle à l'atmosphère chaude et ouatée.

Il lança un regard circulaire.

Oui, c'était bien ce qu'il espérait. Il se trouvait dans la salle d'incubation : lumière infrarouge, longues tables, rangées d'œufs enveloppés dans une épaisse vapeur. Sur les tables, un balancement régulier était imprimé aux œufs. La vapeur débordant des tables retombait jusqu'au sol où elle s'évaporait rapidement.

Grant se précipita directement au fond de la salle d'incubation où, derrière une cloison vitrée, se trouvait un laboratoire.

Ses vêtements luisaient sous les ondes ultraviolettes tandis qu'il passait en revue tout le fragile matériel de laboratoire, récipients de réactifs, vases remplis de pipettes, plats de verre...

Les raptors entrèrent prudemment dans la salle en humant l'air chaud et humide et en regardant les longues tables animées d'un mouvement continu. Le premier essuya le sang de sa gueule avec le dessus de son bras et les trois dinosaures commencèrent à se glisser silencieusement entre les tables. Ils avançaient avec une parfaite coordination en se baissant à intervalles réguliers pour regarder sous les tables.

Ils le cherchaient.

Grant s'accroupit et gagna le fond du laboratoire où il vit une table surmontée d'un capot où figurait une tête de mort. Une petite plaque annonçait : DANGER/TOXINES BIOGÉNIQUES A4/MANIPULER AVEC PRÉCAUTION. Il se rappelait que Henry Wu avait dit que ces poisons étaient si violents que quelques molécules suffisaient pour tuer un animal en quelques secondes...

Le capot arrivait au ras de la surface de la table et Grant ne pouvait glisser la main par-dessous. Il essaya de l'ouvrir, mais ne trouva ni poignée ni bouton, aucune commande d'ouverture... Il se redressa lentement pour regarder dans la salle d'incubation. Les raptors continuaient à avancer.

Il reporta son attention sur le capot et remarqua un curieux boîtier de métal encastré dans la table, ressemblant à une prise de courant à usage extérieur et fermé par un couvercle rond. Il souleva le couvercle, vit un bouton et l'enfonça. Le capot se releva avec un chuintement prolongé.

Grant découvrit des tablettes de verre supportant des rangées de fioles qui portaient une tête de mort. Il parcourut les étiquettes : CCK-55... TÉTRA-ALPHASÉCRÉTINE... THYMOLÉVINE X-1612... Les liquides émettaient une lueur vert pâle sous les ultraviolets. Grant vit juste à côté un récipient de verre rempli de petites seringues qui contenaient une quantité très réduite de liquide vert. Accroupi dans la pénombre bleutée, Grant leva la main vers le récipient. Les aiguilles des seringues étaient protégées par un petit capuchon en plastique. Il en retira un avec ses dents et regarda l'aiguille extra-fine.

Puis il repartit dans la salle d'incubation. Au-devant des raptors.

Alan Grant avait consacré une grande partie de sa vie à l'étude des dinosaures. Le moment était venu de voir s'il les connaissait bien. *Velociraptor* était un petit carnivore, cousin d'*oviraptor* et de *dromaeosaurus,* dont les scientifiques s'accordaient à penser qu'ils volaient des œufs. De la même manière que certains oiseaux modernes volent les œufs d'autres oiseaux, il ne faisait aucun doute pour Grant que les velociraptors mangeraient des œufs de dinosaures si l'occasion leur en était donnée.

Tout courbé, il s'avança jusqu'à la première table. Il leva lentement la main, la plongea dans le nuage de vapeur et saisit un œuf. L'œuf était presque aussi gros qu'un ballon de football, avec une coquille crème mouchetée de rose. Tenant solidement l'œuf d'une main, Grant enfonça l'aiguille à travers la coquille et injecta le contenu de la seringue. L'œuf émit aussitôt une lueur bleu pâle.

Grant se baissa. Il voyait sous la table les jambes des raptors et les épaisses volutes de vapeur s'enroulant jusqu'au sol. Puis il lança par terre l'œuf luisant et le fit rouler en direction des dinosaures. En entendant le bruit, les raptors s'arrêtèrent et tournèrent la tête dans toutes les directions. Puis ils reprirent lentement leur traque.

L'œuf s'arrêta à plusieurs mètres du premier raptor.

Grant jura tout bas et recommença toute l'opération. Il prit un autre œuf sur la table, y injecta le liquide et le fit rouler vers les dinosaures. Cette fois, l'œuf heurta le pied d'un des velociraptors. Il continua à se balancer doucement en tapant contre une énorme griffe.

Surpris, le raptor baissa la tête. Il se pencha, flaira l'œuf phosphorescent et entreprit de le faire rouler en le poussant avec son museau.

Puis il s'en désintéressa.

Le velociraptor se dressa de nouveau sur ses pattes de derrière et se remit à avancer dans la salle d'incubation.

Décidément, cela ne marchait pas.

Grant saisit rapidement un troisième œuf et y injecta le contenu d'une nouvelle seringue. Puis il le fit rouler, mais plus vite que les autres, comme une boule de bowling. L'œuf commença à traverser bruyamment la salle.

L'un des animaux entendit le bruit, se baissa, vit l'œuf arriver et se lança instinctivement à la poursuite de l'objet qui se déplaçait. Il se glissa prestement entre les tables pour l'intercepter. La puissante mâchoire se referma sur l'œuf avec un bruit sec quand la coquille éclata.

Le raptor se redressa, du blanc d'œuf dégoulinant le long du museau. Il se lécha les lèvres et souffla bruyamment. Il se pencha derechef et commença à laper le contenu de l'œuf. Mais il ne semblait pas le moins du monde incommodé. L'animal baissa de nouveau la tête pour poursuivre son repas et Grant se pencha pour regarder s'il se passait quelque chose...

Entre les tables, le raptor fixa les yeux sur lui.

L'animal poussa un grondement menaçant et commença à avancer vers Grant, traversant la salle à longues enjambées et à une vitesse stupéfiante. Paralysé par la terreur, Grant était incapable de faire un geste, mais l'animal émit soudain un cri étranglé et le grand corps bascula tout d'un bloc en avant. La queue puissante commença à battre convulsivement le sol et le raptor continua d'émettre des sons étouffés, ponctués de petits cris aigus. La bave lui monta à la bouche et la tête s'agita de droite et de gauche tandis que la queue martelait le sol.

Et d'un, songea Grant.

Mais l'agonie de l'animal se prolongeait. La vie semblait se retirer très lentement de lui. Grant leva le bras pour prendre un autre œuf et vit que les deux autres raptors étaient figés sur place. La tête inclinée sur le côté, ils écoutaient les cris de leur congénère mourant. Un des deux raptors alla voir ce qui se passait.

Le raptor moribond était parcouru de mouvements convulsifs et tout son corps tressautait sur le sol. Il n'émettait plus que des plaintes inarticulées et la bave mousseuse qui lui couvrait le museau était si abondante que Grant ne distinguait presque plus sa tête.

Le deuxième raptor se pencha sur le corps de son congénère pour l'examiner. Il semblait tout à fait dérouté par les affres de cette agonie. Il s'approcha prudemment de la tête couverte d'écume, puis son regard se porta sur le cou agité de tremblements, les côtes qui se soulevaient et s'abaissaient précipitamment, les jambes...

Il planta ses dents dans la cuisse de l'animal agonisant.

Le raptor poussa un grognement de douleur, releva brusquement la tête et mordit son assaillant au cou.

Et de deux, songea Grant.

Mais le deuxième velociraptor parvint à se dégager. Le sang coulait de son cou. Il leva la jambe et, d'un seul mouvement de ses griffes puissantes, éventra l'animal mourant. Les intestins jaillirent comme des serpents de la cavité viscérale et les hurlements du raptor emplirent la salle. L'assaillant se détourna, comme s'il était devenu trop compliqué de se battre.

Il traversa la moitié de la salle, se pencha et se redressa, un œuf phosphorescent dans la gueule. Grant le regarda mordre l'œuf dont le contenu coula de son menton.

Et de deux, cette fois, se dit Grant.

Le deuxième raptor succomba presque instantanément. Il émit quelques cris étranglés et bascula sur le côté. Il renversa une table dans sa chute et plusieurs dizaines d'œufs roulèrent sur le sol. Consterné, Grant les regarda s'éparpiller dans la salle.

Il restait le troisième raptor.

Grant avait encore une seringue, mais, avec tous les œufs qui roulaient par terre, il allait devoir trouver autre chose. Il cherchait désespérément une nouvelle idée quand il entendit un grognement furieux. L'animal l'avait repéré.

Pendant un long moment, le dernier raptor demeura immobile, se contentant de le regarder fixement. Puis, lentement, posément, l'animal se rapprocha de sa proie avec des mouvements saccadés de la tête. Il avançait prudemment, sans rien montrer de la vivacité dont il était capable lorsqu'il chassait en groupe. Le fait de chasser seul le rendait circonspect et il ne quittait pas Grant des yeux. Le paléontologiste lança un regard circulaire : il ne pouvait se cacher nulle part, il ne pouvait plus rien faire...

Son regard revint se fixer sur le raptor qui avançait lentement en se déplaçant latéralement. Grant se mit à son tour en mouvement en prenant soin de laisser autant de tables que possible entre le velociraptor et lui. Lentement, très lentement, il se déplaça vers la gauche...

Le dinosaure avançait toujours dans la pénombre aux reflets rouges, la respiration sifflante, les narines dilatées.

Grant sentit des œufs se briser sous ses pieds, le jaune collant à la semelle de ses chaussures. En se baissant, il sentit la bosse que formait la radio dans sa poche.

La radio.

Il sortit le poste émetteur-récepteur de sa poche et enfonça une touche.

– Allô ! C'est Grant !

– Alan ? répondit aussitôt la voix d'Ellie. Alan ?

– Je n'ai pas le temps de t'expliquer, dit-il à mi-voix. Continue à parler.

– Alan ? C'est toi ?

– *Parle !* répéta-t-il d'un ton pressant avant de pousser la radio sur le sol, en direction du velociraptor.

Il s'accroupit derrière le pied d'une table et attendit.

– Alan ? Dis-moi quelque chose, je t'en prie !

Il y eut des grésillements, puis le silence se fit. La radio restait muette. Le velociraptor continua d'avancer en émettant des sifflements menaçants.

La radio était toujours muette.

Que faisait-elle ? Elle n'avait donc pas compris ? Le raptor se rapprochait de plus en plus.

– ... Alan ?

En entendant la voix métallique, le dinosaure s'immobilisa. Il huma l'air, comme s'il percevait une autre présence dans la salle.

– C'est moi, Alan... Je ne sais pas si tu m'entends.

Le raptor tourna la tête et se dirigea vers la radio.

– Alan... Dis quelque chose...

Pourquoi n'avait-il pas poussé la radio plus loin ? Le raptor s'avançait vers l'appareil, mais il était trop près. Le pied puissant s'était posé à un mètre de Grant qui voyait distinctement la peau granuleuse à la légère luisance verte et les traînées de sang séché sur la griffe recourbée. L'odeur âcre du reptile lui emplissait les narines.

– Alan, écoute-moi... Alan ?

Le raptor se pencha et poussa timidement la radio de la main. Il tournait le dos à Grant et la grosse queue de l'animal était juste au-dessus de sa tête. Grant leva le bras et planta la seringue dans la queue.

Il eut à peine le temps d'injecter le poison. Le velociraptor eut un haut-le-corps et poussa un grondement de surprise. Avec une stupéfiante vivacité, il se retourna vers Grant, la gueule ouverte. Ses mâchoires se refermèrent avec un claquement sur le pied de la table qui fut projetée sur le côté quand l'animal releva la tête. Grant tomba sur les fesses et se trouva à découvert. Le raptor se dressa au-dessus de lui en levant si haut la tête qu'il heurta un projecteur à infrarouge qui se mit à osciller violemment.

– Alan ?

Le raptor tourna vivement la tête et leva son pied armé de fortes griffes. Grant roula par terre au moment où le pied de l'animal s'abattait en le frôlant. Il éprouva une douleur aiguë le long de l'omoplate et sentit sa chemise s'imbiber de sang. Grant continua à rouler sur le sol de la salle d'incubation, écrasant des œufs qui éclataient sur ses mains et son visage. Le raptor abattit de nouveau le pied, fracassant la radio et projetant une gerbe d'étincelles. Il poussa un grondement de rage et lança un troisième coup de pied. Grant heurta le mur : il ne pouvait pas aller plus loin. Le velociraptor leva une dernière fois la jambe pour frapper.

Et il bascula en arrière.

L'animal se mit à respirer bruyamment et une bave mousseuse sortit de sa gueule.

Gennaro et les enfants poussèrent la porte de la salle d'incubation, mais Grant leur fit signe de rester à l'écart.

– Ouf ! murmura la fillette en regardant le velociraptor se tordre dans les convulsions.

Gennaro aida Grant à se relever. Ils sortirent tous les quatre et s'élancèrent vers la salle de contrôle.

CONTRÔLE

Tim découvrit avec stupéfaction que l'écran de la salle de contrôle clignotait.

– Qu'est-ce qui s'est passé ? demanda Lex.

PARC JURASSIQUE – MISE EN ROUTE SYSTÈME

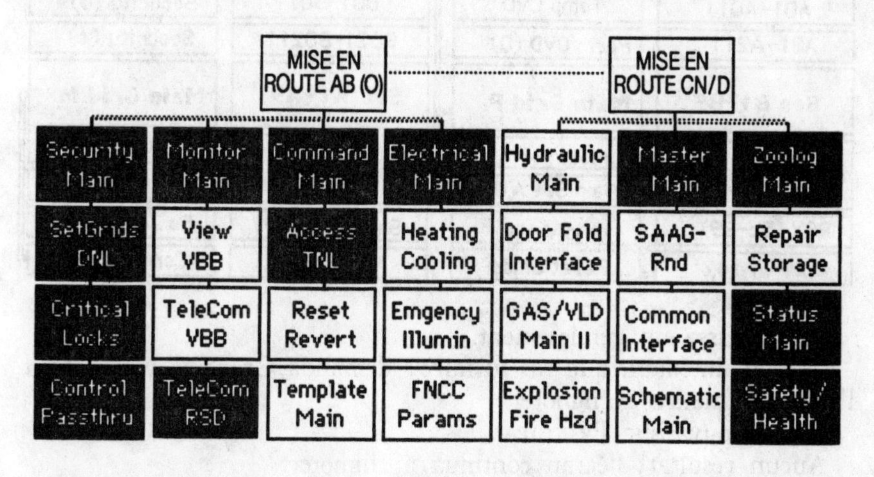

Tim vit le Dr Grant écarquiller les yeux devant l'écran et avancer timidement la main vers le clavier.

– Je n'ai jamais rien compris aux ordinateurs, fit le paléontologiste en secouant la tête.

Mais Tim se glissait déjà dans le fauteuil. Il posa le doigt sur l'écran et un moniteur vidéo montra le cargo dans le port de Puntarenas. Il n'était plus qu'à deux cents mètres du quai. Sur l'autre moniteur, il vit le pavillon et les raptors penchés par la lucarne de la chambre. La radio transmettait leurs grondements.

– Fais quelque chose, Timmy! dit Lex.

Il appuya sur SETGRD DNL, une case qui clignotait.

Une réponse s'afficha sur l'écran :

ATTENTION : EXÉCUTION DE LA COMMANDE ABANDONNÉE (ALIM AUX INSUFFISANTE)

– Qu'est-ce que ça veut dire ? demanda Tim.

– J'ai déjà vu ça un peu plus tôt, répondit Gennaro en claquant des doigts. Cela veut dire que le générateur auxiliaire ne fournit plus assez d'énergie. Il faut lancer l'alimentation principale.

– J'y vais, dit Tim.

Il appuya sur ALIMENTATION PRINCIPALE et un nouvel écran s'afficha :

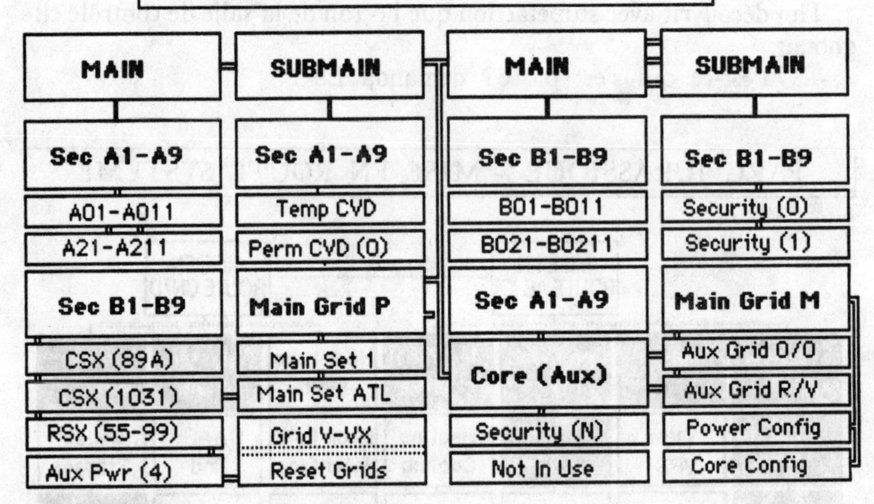

Tim poussa un gémissement.

– Et maintenant, que vas-tu faire ? demanda Grant en voyant tout l'écran se mettre à clignoter.

Tim appuya sur PRINCIPAL.

Aucun résultat ; l'écran continua à clignoter.

La gorge serrée par l'anxiété, Tim essaya CIRCUIT ÉLECTRIQUE PRINCIPAL.

CIRCUIT ÉLECTRIQUE PRINCIPAL PAS EN SERVICE/ALIMENTATION AUXILIAIRE UNIQUEMENT

Sur l'écran qui clignotait toujours, il avança le doigt vers MAIN SET 1. Un message s'afficha aussitôt :

ALIMENTATION PRINCIPALE EN SERVICE

Toutes les lumières de la salle de contrôle s'allumèrent et les écrans cessèrent de clignoter.

– Hourra! Ça marche!

Tim appuya ensuite sur RÉTABLISSEMENT CIRCUITS. Pendant quelques secondes, il ne se passa rien. Le regard de Tim se porta sur les moniteurs vidéo, puis revint sur l'écran principal.

Quel circuit voulez-vous rétablir?				
Parc	Maintenance	Sécurité	Pavillon	Autre

Grant dit quelque chose, mais Tim ne comprit pas. Il perçut seulement la tension dans sa voix. Le cœur du garçon faisait des bonds dans sa poitrine. Lex lui hurlait dans les oreilles. Il ne voulait plus regarder le moniteur vidéo; la radio lui transmettait le bruit des barres d'acier qui se courbaient et les grondements des raptors. Il entendit Malcolm murmurer :

– Seigneur...

Il appuya sur PAVILLON.

SPÉCIFIEZ NUMÉRO DU CIRCUIT À RÉTABLIR

Pendant un instant d'angoisse insoutenable, il fut incapable de s'en souvenir, puis la mémoire lui revint et il entra F4

MISE EN SERVICE CIRCUIT PAVILLON F4.

Sur le moniteur vidéo, Tim vit une gerbe d'étincelles jaillir du plafond et retomber dans la chambre. L'image disparut et l'écran devint tout blanc.

– Qu'est-ce que tu as fait? demanda Lex.

Mais l'image revint presque aussitôt et ils virent les raptors se tordre entre les barreaux, ils les entendirent hurler au milieu des crépitements d'étincelles tandis que retentissaient les cris de joie de Muldoon et des autres.

– Et voilà! dit Grant en donnant une grande tape sur l'épaule de Tim. Tu as réussi!

– Et le bateau? demanda Lex d'une petite voix au milieu de l'allégresse générale.

– Quoi?

– Le bateau, répéta la fillette en montrant le moniteur vidéo.

Les constructions qui occupaient tout l'arrière-plan de l'écran se déplaçaient vers la droite tandis que le cargo gouvernait vers bâbord pour accoster le quai. Des matelots se dirigeaient vers la proue, prêts à lancer les amarres.

Tim reprit place dans le siège qu'il venait de quitter et revint au menu principal. TeleCom VBB et TeleCom RSD semblaient être les deux commandes ayant un rapport avec le téléphone. Il essaya TeleCom RSD.

VOUS AVEZ 23 APPELS ET/OU MESSAGES EN ATTENTE. DÉSIREZ-VOUS EN PRENDRE CONNAISSANCE MAINTENANT?

Il appuya sur NON.

– L'un des appels venait peut-être du bateau, dit Lex. Comme ça, tu pourrais avoir le numéro de téléphone!

Tim ne répondit pas.

ENTREZ LE NUMÉRO QUE VOUS VOULEZ APPELER OU SÉLECTIONNEZ DANS LA LISTE AVEC F7

Il appuya sur F7. Des noms et des chiffres emplirent l'écran. Le gros répertoire n'était pas alphabétique et il fallut un certain temps à Tim pour trouver ce qu'il cherchait.

VSL ANNE B. (FREDDY) 708-3902

Il ne lui restait plus qu'à trouver comment composer le numéro. Il appuya sur une rangée de touches en bas de l'écran.

VOULEZ-VOUS APPELER MAINTENANT/PLUS TARD?

Il demanda MAINTENANT. Un message s'afficha:

DÉSOLÉ. VOTRE APPEL NE PEUT ABOUTIR. (ERREUR-598) RÉESSAYEZ

Il réessaya.

Il entendit d'abord la tonalité d'appel, puis la succession rapide des chiffres composés automatiquement.

– Ça marche? demanda Grant.

– Bravo, Timmy, dit Lex. Mais ils sont presque arrivés.

Ils voyaient sur l'écran la proue du navire se rapprocher du quai. Ils entendirent un sifflement perçant, puis une voix.

– Allô, John, c'est Freddy! Vous me recevez? A vous!

Tim décrocha un des combinés de la console, mais il ne perçut qu'une tonalité.

– Allô, John, c'est Freddy! A vous!

– Réponds! souffla Lex.

Ils commencèrent à décrocher tous les téléphones qu'ils voyaient dans la salle, mais, partout, le seul son était celui de la tonalité. Tim remarqua enfin une lumière qui clignotait à côté d'un autre combiné fixé sur le côté de la console.

– Allô, contrôle! C'est Freddy. Vous me recevez? A vous!

– Allô! Tim Murphy à l'appareil. J'ai besoin de vous...

– Pouvez-vous répéter, John? Je n'ai pas compris.

– N'accostez pas! Vous m'entendez, n'accostez pas!

Il y eut un silence, puis une voix où perçait la perplexité.

– On dirait un gamin...

– N'accostez pas! répéta Tim. Vous devez regagner l'île!

– Il a bien dit... s'appelait Murphy? dit une voix déformée par la distance.

– ... ne sais pas... Pas entendu, fit une autre voix.

Tim se tourna fébrilement vers les autres. Gennaro saisit le combiné.

– Laisse-moi faire, dit-il. Peux-tu trouver son nom?

Il y eut un bruit de friture prolongé.

– ... doit être une blague... un de ces foutus radioamateurs...

Tim tapotait sur le clavier en se demandant comment trouver qui était Freddy.

– Vous me recevez? demanda Gennaro. Si vous me recevez, répondez-moi tout de suite. A vous!

– Nous ne savons pas qui vous êtes, mais vous n'êtes pas drôle, articula une voix traînante. Nous allons commencer les manœuvres d'accostage et nous n'avons pas de temps à perdre. Veuillez vous identifier ou libérez cette fréquence!

Un nom apparut sur l'écran : FARRELL FREDERICK D. (CAPITAINE).

– Capitaine Farrell, déclara Gennaro, si vous ne faites pas demi-tour et si vous ne regagnez pas immédiatement l'île des brumes, vous tomberez sous le coup de l'article 509 de la loi de navigation maritime et vous serez passible d'un retrait de licence, d'une amende de cinquante mille dollars et de cinq ans d'emprisonnement. Avez-vous bien compris?

Il y eut un long moment de silence.

– Avez-vous compris, capitaine?

– Compris, répondit une voix affaiblie par la distance.

– En arrière toute! lança aussitôt une autre voix.

Le cargo commença à s'éloigner du quai et Lex poussa un cri de triomphe. Tim s'enfonça dans son siège et s'essuya le front.

– Qu'est-ce que c'est, cet article 509? demanda Grant.

– Aucune idée, répondit Gennaro.

Tous les regards convergèrent de nouveau sur l'écran vidéo montrant le navire qui s'éloignait du rivage.

– J'espère que nous avons fait le plus dur, dit Gennaro.

– Le plus dur, répliqua Grant, ne fait que commencer.

SEPTIÈME ITÉRATION

De plus en plus, les mathématiques exigeront que l'on ait le courage d'assumer leurs conséquences.

IAN MALCOLM

DÉTRUIRE LE MONDE

Ils transportèrent Malcolm dans une autre chambre où l'attendait un lit propre. Hammond donnait l'impression de revivre : il s'agitait beaucoup et reprenait à l'évidence du poil de la bête.

– Nous avons au moins réussi à éviter la catastrophe, dit-il.

– De quelle catastrophe parlez-vous ? demanda Malcolm d'une voix faible.

– Eh bien, les animaux ne se sont pas échappés et ils n'ont pas envahi le continent.

– C'est cela qui vous inquiétait ? demanda le mathématicien en se dressant sur un coude.

– Tel était bien le danger, non ? En l'absence de prédateurs, ces animaux auraient pu se multiplier et détruire la planète.

– Vous n'êtes décidément qu'un abruti égocentrique ! lança Malcolm, incapable de contenir sa colère. Vous imaginez pouvoir détruire la planète ? Ce pouvoir que vous croyez détenir vous est complètement monté à la tête ! Non, vous n'êtes pas en mesure de détruire la planète, poursuivit-il en retombant sur son lit. En aucune manière.

– Un grand nombre de gens considèrent pourtant qu'elle est menacée de mort, répliqua Hammond d'un air pincé.

– C'est faux.

– Tous les experts s'accordent pour dire que notre planète est en danger, insista Hammond.

– Très bien, soupira Malcolm. Parlons un peu de notre planète. La Terre existe depuis quatre milliards et demi d'années et la vie y est apparue peu de temps après. Les premières bactéries remontent à trois milliards huit cents millions d'années. Ensuite vinrent les premiers organismes pluricellulaires, puis des animaux plus complexes, terrestres et marins. Ce n'est que plus tard que sont apparus les grands groupes d'animaux complexes – amphibiens, dinosaures, mammifères – qui, tous, se sont perpétués pendant des millions et des millions d'années. L'apparition, le développement et l'extinction de grandes lignées d'animaux se sont succédé. Et tout cela a eu lieu sur fond de séismes continuels, de formations de montagnes et d'érosion, de chutes d'astéroïdes, d'éruptions volcaniques, de variations du niveau des océans, de dérive des continents... Des bouleversements permanents, d'une violence inouïe... Aujourd'hui encore, la plus importante chaîne de montagnes de la planète est le résultat de la collision de deux masses continentales sur une durée de plusieurs millions d'années. La planète a survécu à tous ces bouleversements successifs et il est infiniment probable qu'elle nous survivra égalcment.

– Le fait qu'elle existe depuis si longtemps, objecta Hammond, ne garantit pas qu'elle durera éternellement. Une catastrophe nucléaire...

– Imaginons qu'il y en ait une, le coupa Malcolm. Que, dans la pire des hypothèses, tous les animaux et les plantes soient détruits, qu'une chaleur intense règne sur la Terre pendant cent mille ans. La vie continuerait quand même quelque part, enfouie dans le sol ou congelée dans les glaces de l'Arctique. A la fin de cet interminable laps de temps, quand la planète serait devenue un peu moins inhospitalière, la vie recommencerait à poindre et tout le processus de l'évolution se reproduirait. Quelques milliards d'années seraient peut-être nécessaires pour que la vie se développe à nouveau dans toute sa variété et elle serait naturellement très différente de celle que nous connaissons. Mais la planète survivrait à la folie des hommes. La vie survivrait à la folie des hommes. Nous sommes les seuls à penser différemment.

– Mais, avança Hammond, si l'épaisseur de la couche d'ozone continue à diminuer...

– Les rayons ultraviolets atteindront la surface de la planète en plus grande quantité. Et après ?

– Eh bien... Cela provoquera des cancers de la peau.

– Les ultraviolets sont bons pour la vie, rétorqua Malcolm avec un petit haussement d'épaules. Ils apportent de l'énergie et favorisent le changement et la mutation. De nombreuses formes de vie profiteront de l'accroissement des ultraviolets.

– Et de nombreuses autres seront détruites, lança Hammond.

– Croyez-vous que ce serait la première fois que cela se produirait ? demanda Malcolm avec un soupir. Que savez-vous de l'oxygène ?

– Je sais qu'il est indispensable à la vie.

– Il l'est devenu, expliqua Malcolm. Mais l'oxygène est en réalité un poison métabolique. C'est un gaz corrosif, comme le fluor, donnant l'acide fluorhydrique qui est utilisé dans la gravure sur verre. Quand, il y a à peu près trois milliards d'années, l'oxygène a commencé à être rejeté par certaines cellules des plantes, il a représenté un danger pour toutes les autres formes de vie de la planète. Ces cellules polluaient l'environnement avec un poison mortel, un gaz nocif dont elles augmentaient la concentration dans l'atmosphère. Songez que, sur une planète comme Vénus, il y a moins de un pour cent d'oxygène. Mais, sur la Terre, la concentration augmentait rapidement : cinq, dix et enfin vingt et un pour cent ! La Terre avait une atmosphère empoisonnée, incompatible avec la vie !

– Où voulez-vous donc en venir ? demanda Hammond sans cacher son irritation. Vous voulez dire que les polluants modernes s'incorporeront, eux aussi, à l'atmosphère ?

– Non, répondit Malcolm. Ce que je veux dire, c'est que la vie sur notre planète continuera malgré tout. A l'échelle de l'être humain, cent ans représentent une longue durée. Il y a cent ans, nous n'avions ni voitures, ni avions, ni ordinateurs, ni vaccins... C'était un monde totalement différent. Mais, pour la Terre, cent ans ne sont *rien*. Un million d'années ne sont *rien*. Notre planète vit et respire à une tout autre échelle. Nous ne pouvons imaginer la lenteur et la puissance de ses rythmes et nous n'avons pas l'humilité d'essayer. Nous n'existons sur Terre que depuis une fraction de seconde et, si, demain, nous devons disparaître, notre absence passera inaperçue.

– C'est bien ce qui risque de se produire, dit Hammond avec humeur.

– C'est en effet possible, concéda Malcolm.

– Alors, que voulez-vous dire ? Que nous ne devons pas nous préoccuper de notre environnement ?

– Mais non.

– Alors, expliquez-vous !

Malcolm fut secoué par une quinte de toux et son regard se perdit dans le vague.

– Il faut que ce soit bien clair, dit-il. Ce n'est pas la planète qui est menacée, mais *nous*. Nous n'avons pas le pouvoir de détruire la planète... pas plus que de la sauver. Mais il se peut que nous ayons le pouvoir de nous sauver nous-mêmes.

RETOUR À LA NORMALE

Quatre heures s'étaient écoulées. L'après-midi était bien avancé et le soleil commençait de descendre à l'horizon. La climatisation avait été rétablie dans la salle de contrôle et l'ordinateur fonctionnait correctement. D'après les premières estimations, huit des vingt-quatre personnes se trouvant dans l'île avaient perdu la vie et six autres étaient portées disparues. Le centre des visiteurs et le pavillon ne présentaient plus aucun danger et tous les dinosaures avaient quitté la zone septentrionale de l'île. Un appel à l'aide avait été envoyé aux autorités de San José. La Garde nationale du Costa Rica était en route, ainsi qu'un hélicoptère des services de santé qui devait transporter Malcolm à l'hôpital. Mais les représentants de la Garde nationale s'étaient montrés extrêmement prudents et il ne faisait aucun doute que le téléphone fonctionnerait longuement entre San José et Washington avant que les secours soient envoyés dans l'île. Or, le temps passait et, si les hélicoptères n'arrivaient pas rapidement, il leur faudrait attendre le lendemain matin.

Attendre, c'était la seule chose qui leur restait à faire. Le cargo avait mis le cap sur l'île; les matelots avaient découvert trois jeunes raptors dans une des cales de la poupe et tué les animaux. Dans l'île des brumes, le pire semblait être passé. Tim, qui se débrouillait de mieux en mieux avec l'ordinateur, fit apparaître un nouveau tableau.

TOTAL ANIMAUX 292

ESPÈCES	RECHERCHÉS	TROUVÉS	VERSION
Tyrannosaure	2	1	4.1
Maiasaura	22	20	??
Stégosaure	4	1	3.9
Tricératops	8	6	3.1
Procompsognathus	65	64	??
Othnielia	23	15	3.1
Velociraptor	37	27	??
Apatosaure	17	12	3.1
Hadrosaure	11	5	3.1
Dilophosaure	7	4	4.3
Ptérosaure	6	5	4.3
Hypsilophodon	34	14	??
Euoplocéphale	16	9	4.0
Styracosaure	18	7	3.9
Microcératops	22	13	4.1
TOTAL	292	203	

– Mais que se passe-t-il encore ? s'exclama Gennaro. L'ordinateur nous indique maintenant qu'il y a *moins* d'animaux.

– C'est probable, fit Grant.

– Tout est enfin en train de rentrer dans l'ordre dans le parc Jurassique, ajouta Ellie.

– Que voulez-vous dire ?

– L'équilibre se rétablit, répondit Grant en indiquant un moniteur qui montrait des hypsilophodons s'enfuyant dans une prairie où pénétrait un groupe de velociraptors.

– Les clôtures ont été renversées pendant plusieurs heures, expliqua Grant, et les différentes espèces ont eu le temps de se mélanger. La population animale atteint son équilibre, le véritable équilibre du jurassique.

– Mais ce n'était certainement pas prévu, objecta Gennaro. Les animaux n'étaient pas censés se mélanger.

– C'est pourtant ce qui arrive.

Sur un autre moniteur, Grant vit un groupe de raptors filant à toute allure en terrain découvert et se dirigeant vers un hadrosaure qui devait peser quatre tonnes. L'animal se retourna pesamment pour fuir, mais un des raptors bondit sur son dos et referma les mâchoires sur son cou tandis que ses congénères couraient autour de leur proie, lui mordaient les pattes et lui tailladaient le ventre avec leurs puissantes griffes. Il ne fallut que quelques minutes aux six raptors pour abattre l'énorme herbivore.

Grant suivit toute la scène en silence.

– C'est ce que tu imaginais ? demanda Ellie.

– Je ne sais pas ce que j'imaginais, répondit-il sans quitter le moniteur des yeux. Non, je ne pense pas.

– On dirait, glissa Muldoon, que tous les raptors adultes sont en train de chasser.

Grant ne prêta pas une grande attention à ces paroles. Il observait sur les moniteurs les rapports qui s'établissaient entre les géants du passé. Au sud, un stégosaure balançait sa queue armée d'épines en tournant prudemment autour du jeune tyrannosaure qui l'observait avec perplexité et essayait de loin en loin et sans le moindre résultat de mordre les longues épines. A l'orient, les tricératops adultes se battaient entre eux et s'affrontaient tête contre tête, les cornes imbriquées. Un animal était déjà couché, mortellement blessé.

– Il nous reste une heure de lumière, docteur, reprit Muldoon. Si vous voulez, nous pouvons essayer de trouver le nid.

– D'accord, dit Grant. Allons-y.

– J'ai pensé, poursuivit Muldoon, que les Costaricains s'imagineront probablement en arrivant que l'île doit être traitée comme un problème militaire et qu'ils voudront tout détruire aussi vite que possible.

– Vous avez entièrement raison, dit Grant.

– Ils commenceront probablement par un bombardement aérien. Ils lanceront peut-être des bombes au napalm ou du gaz asphyxiant, mais il est certain que le bombardement sera aérien.

– Je le souhaite, déclara Gennaro. Cette île est trop dangereuse. Tous les animaux doivent être détruits et le plus tôt sera le mieux.

– Cette perspective me déplaît, répliqua Grant. Allez, en route, ajouta-t-il en se levant.

– Vous ne semblez pas comprendre, Alan, insista Gennaro. Je considère que cette île est trop dangereuse et que les animaux qui la peuplent doivent être détruits. C'est ce que fera la Garde nationale du Costa Rica et je suis d'avis de m'en remettre entièrement à elle. Vous comprenez ce que je veux dire ?

– Parfaitement, dit Grant.

– Alors, où est le problème ? poursuivit Gennaro. Il s'agit d'une opération militaire ; laissons l'armée s'en charger.

– Non, dit Grant en portant la main à son dos où la blessure infligée par les griffes du raptor le faisait souffrir. C'est à nous de nous en occuper.

– Laissons cela aux professionnels.

Grant se remémora l'air terrifié de l'avocat quand il l'avait trouvé, six heures auparavant, recroquevillé dans la cabine d'un camion. La moutarde lui monta brusquement au nez et il plaqua Gennaro contre le mur de béton.

– Écoutez, sale petite ordure ! Vous êtes en partie responsable de cette situation et cette responsabilité, vous allez l'assumer !

– C'est ce que je fais, protesta Gennaro d'une voix étranglée.
– Pas du tout! Vous vous y dérobez depuis le début!
– Mais...
– Vous avez engagé des investisseurs dans une entreprise dont vous ne connaissiez pas les tenants et les aboutissants. Vous étiez associé dans une affaire sur laquelle vous n'avez pas exercé la moindre surveillance. Vous n'avez pas contrôlé les activités d'un homme dont vous saviez par expérience qu'il était un menteur et vous lui avez permis de jouer à l'apprenti sorcier avec la technologie la plus dangereuse de l'histoire de l'humanité. Je répète que vous vous êtes dérobé à vos obligations.
– Maintenant, je les assume, protesta Gennaro en toussant.
– Non, vous continuez à les fuir. Et c'est terminé!
Il lâcha Gennaro, qui se plia en deux pour reprendre son souffle.
– De quelles armes disposez-vous? reprit Grant en se tournant vers Muldoon.
– Nous avons quelques filets et des aiguillons électriques, répondit Muldoon.
– Ils sont efficaces? demanda Grant.
– C'est le même principe que les armes utilisées contre les requins. Le contact produit une décharge électrique de voltage élevé et de faible intensité. Elle n'est pas mortelle, mais l'animal est fortement commotionné.
– Ce n'est pas ce qu'il nous faut, fit Grant en secouant la tête. Pas dans le nid.
– Quel nid? demanda Gennaro.
– Le nid des raptors, répondit Ellie.
– Des raptors?
– Pouvez-vous me trouver un collier émetteur? poursuivit Grant sans s'occuper de l'avocat.
– Je dois avoir cela, répondit Muldoon.
– Allez en chercher un, s'il vous plaît. Y a-t-il autre chose que nous pourrions utiliser pour nous défendre?
Muldoon secoua la tête.
– Tant pis. Rapportez tout ce que vous pouvez.
Muldoon quitta la salle et Grant se tourna vers Gennaro.
– C'est la pagaïe dans votre île, monsieur Gennaro. Votre expérience a lamentablement raté et il faut mettre de l'ordre dans tout cela. Mais on ne pourra pas le faire avant d'avoir découvert l'étendue du désastre. Et cela implique que nous trouvions tous les nids, en particulier ceux des raptors... mais ils doivent être bien cachés. A nous de les découvrir, de les inspecter et de compter les œufs. Nous devons savoir précisément combien d'animaux sont nés en liberté dans cette île avant de tout détruire. Mais nous avons d'abord des recherches à faire.

Ellie regarda le plan transparent qui indiquait les territoires des animaux pendant que Tim pianotait sur le clavier.

– Les raptors se sont regroupés dans la zone méridionale, dit-elle en montrant le plan, vers les prairies où nous avons vu les vapeurs d'origine volcanique. Peut-être aiment-ils la chaleur.

– Peuvent-ils trouver une cachette dans cette zone ?

– En l'occurrence, oui. Il y a une station de pompage destinée à éviter l'inondation de la zone littorale. De vastes galeries souterraines où ils peuvent trouver de l'eau et de l'ombre.

– C'est probablement là-bas qu'ils sont, acquiesça Grant.

– Je pense qu'il existe également un accès par la plage, poursuivit Ellie. Tim, peux-tu nous montrer les plans en coupe du réservoir ? ajouta-t-elle en se tournant vers les consoles.

Mais Tim n'écoutait pas.

– Tim ?

– Une seconde, répondit le garçon, penché sur son clavier. Je viens de trouver quelque chose.

– Quoi ?

– Un magasin dont on ne précise pas ce qu'il contient.

– Il y aura peut-être des armes, dit Grant.

Ils étaient tous réunis derrière le local de service et regardaient Muldoon ouvrir une porte blindée derrière laquelle s'enfonçaient des marches de ciment.

– Ce salaud d'Arnold, dit Muldoon en commençant à descendre l'escalier clopin-clopant. Il devait connaître depuis le début l'existence de cette réserve souterraine.

– Ce n'est pas sûr, répliqua Grant. Il n'a pas essayé de s'y réfugier.

– Alors, c'est Hammond. Il faut bien que quelqu'un ait été au courant.

– A propos, où est-il passé, celui-là ?

– Il est resté dans le pavillon.

Ils arrivèrent au pied de l'escalier et découvrirent des masques à gaz accrochés au mur dans des étuis de plastique. A la lumière des torches électriques, ils virent au fond de la salle souterraine plusieurs gros cubes de verre, hauts de soixante centimètres et fermés par un bouchon d'acier. Grant distingua de petites sphères noires à l'intérieur des cubes. Il avait un peu l'impression d'être entouré de gigantesques moulins à poivre.

Muldoon déboucha l'un des cubes de verre, plongea le bras à l'intérieur et en ressortit une sphère qu'il avança vers la lumière avec une moue perplexe.

– Ça alors ! lança-t-il.

– Qu'est-ce que c'est ? demanda Grant.

– MORO-12, annonça Muldoon. Un gaz asphyxiant... Ce sont des grenades, tout un stock de grenades !

– En route, fit Grant d'un air résolu.

– Je suis sûre qu'il m'aime, dit Lex en souriant.

Ils se tenaient dans le garage du centre des visiteurs, près du petit raptor que Grant avait capturé. La fillette caressait l'animal à travers les barreaux de la cage et le petit dinosaure se frottait contre sa main.

– A ta place, je ferais attention, lui conseilla Muldoon. Il pourrait te faire une vilaine morsure.

– Non, il m'aime bien. Je vais l'appeler Clarence.

– Clarence ?

– Oui, dit Lex.

Muldoon leva le collier de cuir auquel était fixée une petite boîte métallique. Grant entendit dans le casque les signaux aigus.

– Ce sera difficile de lui passer le collier ? demanda-t-il.

– Je parie qu'il me laissera faire, déclara Lex en continuant de caresser le raptor entre les barreaux.

– Je ne m'y risquerais pas, fit Muldoon. Les réactions de ces animaux sont imprévisibles.

– Je parie qu'il me laissera faire, répéta la fillette.

Muldoon lui donna le collier et elle le présenta au raptor pour le lui faire sentir. Puis elle le glissa lentement autour du cou de l'animal. Le petit dinosaure devint d'un vert plus brillant quand la fillette serra le collier au moyen de la boucle qu'elle recouvrit avec une languette de velcro. Puis l'animal se détendit et reprit sa couleur naturelle.

– C'est trop fort ! s'exclama Muldoon.

– Comme un caméléon, fit Lex.

– Les autres raptors n'avaient pas la faculté de changer de couleur, poursuivit Muldoon. Cet animal sauvage doit être différent. A propos, ajouta-t-il en se tournant vers Grant, comment se reproduisent-ils, s'il n'y a que des femelles ? Vous n'avez jamais donné d'explications pour cette histoire d'A.D.N. de grenouille.

– Pas de grenouille, précisa Grant, de batracien. Mais il se trouve que les études les plus approfondies ont été faites sur les grenouilles. Surtout les grenouilles d'Afrique occidentale, si ma mémoire est bonne.

– De quel phénomène parlez-vous ?

– En fait, il s'agit purement et simplement d'un changement de sexe.

Il expliqua qu'un certain nombre de plantes et d'animaux – des orchidées, certains poissons et certaines crevettes, et maintenant des grenouilles – possédaient la faculté de changer de sexe dans le courant de leur vie. Des grenouilles que l'on avait vues pondre des œufs étaient capables de se transformer en mâles en quelques mois. Elles commençaient par adopter la position de combat du mâle, puis imitaient son appel, elles sécrétaient les hormones et les gonades mâles se développaient. Et elles parvenaient au bout d'un certain temps à s'accoupler avec des femelles.

– Vous plaisantez ? dit Gennaro. Comment cela peut-il se faire ?

– Ce changement aurait lieu dans un milieu où la population est exclusivement composée d'animaux du même sexe. Dans ces conditions, une partie des batraciens femelles commenceraient spontanément à se transformer en mâles.

– Et vous pensez que le même phénomène s'est produit chez les dinosaures ?

– Faute d'une meilleure explication, je dirais oui. Je pense que c'est ce qui s'est passé. Et maintenant, si nous nous occupions de ce nid ?

Ils s'entassèrent dans la jeep et Lex sortit le raptor de sa cage. Le petit animal semblait tout à fait calme quand elle le souleva, presque apprivoisé. Elle lui fit une dernière caresse sur la tête et le lâcha.

Mais le dinosaure refusait de s'éloigner.

– Pschtt ! cria Lex. Allez, rentre chez toi !

Le raptor se retourna et disparut dans le feuillage.

Le casque sur les oreilles, Grant tenait le récepteur à la main. Muldoon conduisait la jeep qui faisait des bonds sur la route du sud.

– A quoi peut ressembler ce nid ? demanda Gennaro en s'adressant à Grant.

– Personne ne le sait, répondit le paléontologiste.

– Mais je croyais que vous en aviez exhumé.

– J'ai exhumé des nids de dinosaures *fossilisés,* expliqua Grant. Mais tous les fossiles sont déformés par le poids des millénaires. Nous avons émis des hypothèses, mais personne ne sait réellement comment étaient les nids.

Grant écoutait les signaux du récepteur et il fit signe à Muldoon de poursuivre dans la même direction. Il semblait de plus en plus évident qu'Ellie avait vu juste : le nid se trouvait dans les plaines volcaniques du sud de l'île.

– Il faut que vous compreniez, reprit Grant, que nous ne connaissons pas tous les détails de la nidification chez les reptiles vivants, tels que les crocodiles ou les alligators. Ce sont des animaux difficiles à étudier, mais l'on sait que, dans le cas de l'alligator d'Amérique, seule la femelle garde le nid, attendant l'éclosion. Au début du printemps, l'alligator mâle passe des journées entières à côté de la femelle, à faire des bulles sur ses joues afin de la rendre réceptive, jusqu'à ce qu'elle consente à soulever la queue pour le laisser introduire son pénis. Quand, deux mois plus tard, la femelle construit son nid, le mâle est parti depuis longtemps. La femelle garde son nid avec une implacable férocité et, quand les nouveau-nés commencent à sortir de leur coquille en piaillant, elle les aide souvent à briser les œufs, puis les pousse vers l'eau, les portant parfois dans sa gueule.

– Les alligators adultes protègent donc leurs petits ?

– Oui, dit Grant, et il existe aussi une sorte de protection de groupe. Les jeunes alligators ont un cri de détresse très caractéristique et tous les adultes – parents ou non – qui l'entendent se précipitent à leur secours avec une grande impétuosité. Ce n'est pas une simple attitude de menace, mais une attaque en règle.

– Ah bon ! fit Gennaro sans rien ajouter d'autre.

– Mais il s'agit, à tous égards, d'un comportement propre aux reptiles, poursuivit Grant. Restons avec nos alligators pour qui le plus gros problème consiste à tenir leurs œufs au frais. Les nids sont toujours construits dans un lieu ombragé. Une température de 37 °C provoquera la mort des œufs d'alligators et, si la mère les surveille, c'est essentiellement pour qu'ils restent au frais.

– Mais les dinosaures ne sont pas des reptiles, fit laconiquement observer Muldoon.

– Précisément. Le modèle de nidification des dinosaures pourrait être sensiblement plus proche de celui de certaines espèces d'oiseaux.

– En un mot, dit Gennaro qui commençait à s'impatienter, vous n'en savez rien. Vous ne savez absolument pas à quoi ressemble leur nid ?

– Non, répondit Grant. Je ne le sais pas.

– Voilà, marmonna Gennaro. On peut toujours compter sur les spécialistes.

Grant ne releva pas l'allusion. Il percevait déjà les premières émanations sulfureuses et, devant lui, apparaissaient les fumerolles des champs volcaniques.

Gennaro trouvait le sol chaud. Plus que chaud, brûlant. Il voyait de-ci de-là des bulles boueuses se former et éclater. L'odeur des vapeurs sulfureuses jaillissant en panache à hauteur d'homme devenait si insupportable qu'il avait l'impression de traverser l'enfer.

Il tourna la tête vers Grant qui marchait à ses côtés, coiffé du casque recevant les signaux émis par le collier. Grant, avec ses boots, son jean et sa chemise hawaïenne, semblait parfaitement à l'aise. Gennaro, lui, ne se sentait vraiment pas à l'aise dans ce lieu sinistre et nauséabond, sous la menace des velociraptors. Il ne comprenait pas comment Grant pouvait rester si calme.

Et la jeune femme ! Elle marchait tranquillement en lançant de loin en loin un bref regard autour d'elle.

– Ça ne vous ennuie pas de faire cela ? demanda l'avocat. Je veux dire : vous n'êtes pas inquiet ?

– Il faut le faire, répondit laconiquement Grant.

Ils continuèrent à avancer au milieu des fumerolles. Gennaro palpa les grenades de gaz asphyxiant qu'il avait fixées à sa ceinture.

– Pourquoi n'est-il pas inquiet ? demanda-t-il en tournant la tête vers Ellie.

– Peut-être l'est-il, répondit la jeune femme. Mais c'est aussi un moment dont il a rêvé toute sa vie.

Gennaro hocha la tête en silence et se demanda ce qui les attendait. Il se demanda aussi s'il y avait quelque chose dont il eût rêvé toute sa vie. La réponse fut non.

Grant plissa les yeux dans la lumière du soleil. Juste devant eux, à moitié masqué par les exhalaisons sulfureuses, un animal les observait. Grant le vit brusquement détaler.

– C'était notre raptor ? demanda Ellie.

– Je crois. Peut-être un autre, mais un jeune en tout cas.

– Tu crois qu'il nous montre le chemin ? poursuivit-elle.

– Peut-être.

Ellie lui avait raconté la manière dont les raptors avaient retenu son attention en jouant avec elle derrière la grille du pavillon tandis que l'un d'eux sautait du toit. Si c'était vrai, un tel comportement supposait des facultés intellectuelles dépassant celles de presque tous les êtres vivants de la planète. Il était communément admis que la faculté d'élaborer et d'exécuter des plans était l'apanage de trois espèces : les chimpanzés, les gorilles et les êtres humains. La possibilité existait maintenant qu'un dinosaure en fût également capable.

Le raptor réapparut, filant comme une flèche dans la lumière, puis il s'éloigna en poussant un glapissement. Le jeune dinosaure semblait véritablement les guider.

– Quel est le degré d'intelligence de ces animaux ? demanda Gennaro sans dissimuler son étonnement.

– Si on les considère comme des oiseaux, répondit Grant, on peut en effet s'interroger. Des études récentes montrent que le perroquet gris cendré est doué d'une intelligence symbolique égale à celle du chimpanzé. Et il est prouvé que les chimpanzés ont un langage. Les chercheurs viennent de découvrir que ces perroquets ont le développement affectif d'un enfant de trois ans, mais leur intelligence ne peut être mise en doute. Les perroquets sont capables de raisonnement symbolique.

– Mais je n'ai jamais entendu dire que quelqu'un avait été tué par un perroquet, grommela Gennaro.

Ils percevaient au loin le bruit du ressac. Les émanations volcaniques étaient derrière eux et ils venaient de s'engager sur un terrain plat parsemé de rochers. Le petit raptor bondit sur une roche, puis il disparut brusquement.

– Où est-il passé ? demanda Ellie.

– Je ne reçois plus rien, dit Grant qui ne percevait plus de signaux dans son casque.

Ils s'élancèrent vers le groupe de rochers et découvrirent un petit trou rappelant l'entrée d'un terrier de lapin, mais d'une soixantaine de centimètres de diamètre. Ils virent soudain le jeune raptor en ressortir, cligner des yeux dans la lumière et s'enfuir précipitamment.

– Pas question ! déclara Gennaro. Il n'est pas question que je descende là-dedans !

Grant garda le silence. Avec l'aide d'Ellie, il commença à préparer le matériel, une petite caméra vidéo reliée à un moniteur portable. Il attacha une corde à la caméra, la mit en marche et commença à la faire descendre dans le trou.

– Vous n'allez rien voir, dit Gennaro.

– Elle va faire la mise au point, répliqua Grant.

La lumière entrant par l'ouverture était suffisante pour leur permettre de distinguer des parois de terre lisses. Un peu plus bas, le tunnel s'évasait brusquement. Le micro leur transmit d'abord un glapissement, puis un cri plus grave évoquant un barrissement et d'autres révélant la présence de nombreux animaux.

– On dirait bien que c'est le nid, dit Ellie.

– Mais vous ne voyez rien ! lança Gennaro en essuyant la sueur qui lui couvrait le front.

– Je ne vois rien, dit Grant, mais j'entends.

Il écouta encore quelques instants, puis il remonta la caméra et la posa par terre.

– Allons-y, dit-il en s'avançant vers le trou.

Ellie alla chercher une torche et un des bâtons électrifiés de Muldoon. Grant plaça le masque à gaz sur son visage, se baissa et étendit les jambes en arrière.

– Vous n'avez pas sérieusement l'intention de descendre là-dedans ? fit Gennaro.

– Si, répondit Grant, même si cela ne m'enthousiasme pas. Je passe le premier, Ellie me suivra et vous fermerez la marche.

– Attendez une seconde ! lança l'avocat d'une voix angoissée. Pourquoi ne lancez-vous pas les grenades dans le trou avant de descendre ? Cela ne vous paraît pas plus raisonnable ?

– Tu as la torche, Ellie ?

– Alors ? insista Gennaro tandis que la jeune femme tendait la torche électrique à Grant. Qu'en dites-vous ?

– C'est de loin ce que je préférerais, répondit le paléontologiste en reculant vers le trou. Mais avez-vous déjà vu quelqu'un mourir après avoir respiré des gaz asphyxiants ?

– Non...

– La mort est en général précédée de convulsions. De convulsions terribles.

– Écoutez, je déplore que ce soit douloureux, mais...

– Si nous descendons dans ce nid, poursuivit Grant, c'est pour déterminer combien d'animaux sont venus au monde en liberté. Si nous tuons les animaux d'abord et si certains meurent dans d'atroces convulsions en écrasant les œufs, il ne nous sera plus possible de les compter. Cette solution est donc à exclure.

– Mais...

– C'est vous qui avez fabriqué ces animaux, monsieur Gennaro.

– Non, ce n'est pas vrai !

– C'est votre argent ! Vous avez contribué à les fabriquer ! Ces animaux sont votre création ! Et vous refusez de vous débarrasser d'eux parce que vous avez un peu d'appréhension !

– De l'appréhension ? Je crève de trouille, oui !

– Suivez-moi, dit Grant en se glissant dans le trou. Ça passe tout juste, ajouta-t-il en faisant une grimace.

Il expira et tendit les bras au-dessus de sa tête. Il y eut un bruit de succion et Grant donna l'impression d'être aspiré dans les entrailles de la terre.

Il ne restait plus que le trou béant, noir et vide.

– Que s'est-il passé ? demanda Gennaro d'une voix vibrante d'inquiétude.

Ellie s'avança et se pencha sur le trou en écoutant. Puis elle enfonça une touche de la radio.

– Alan ? dit-elle doucement.

Il y eut un long silence, puis une voix leur parvint faiblement.

– Je suis là.

– Tout va bien, Alan ?

Encore un silence et, quand ils entendirent de nouveau la voix de Grant, elle était bizarre, étranglée par l'émotion.

– Tout va bien, dit-il.

PRESQUE UN PARADIGME

Hammond marchait de long en large dans la chambre de Malcolm. Il se sentait à la fois agacé et gêné. Après avoir rassemblé ses forces pour son dernier discours, Malcolm était entré dans le coma et Hammond avait maintenant l'impression que le mathématicien était à l'article de la mort. Ils avaient demandé un hélicoptère, mais quand arriverait-il ? La pensée que Malcolm pouvait mourir avant la venue de l'appareil emplissait Hammond d'angoisse et de crainte.

Paradoxalement, la profonde antipathie qu'il avait pour le mathématicien lui rendait la situation encore plus pénible. C'était bien pis que si Malcolm avait été son ami ; Hammond avait le sentiment que la mort de Malcolm, si elle devait arriver, serait le coup de grâce. Et cela lui était insupportable.

En tout cas, l'odeur qui emplissait la chambre était épouvantable. Absolument épouvantable, cette puanteur de la chair humaine en train de pourrir...

– Tout... parad..., murmura Malcolm en tournant la tête sur son oreiller.

– Il se réveille ? demanda Hammond.

Harding secoua la tête.

– Qu'est-ce qu'il a dit ? Il a parlé de paradis ?

– Je n'ai pas compris, dit Harding.

Hammond fit encore quelques pas dans la chambre. Il alla ouvrir un peu plus la fenêtre pour faire entrer l'air frais.

– Est-il dangereux de sortir ? demanda-t-il quelques instants plus tard, ne pouvant plus y tenir.

– Non, je ne pense pas, répondit Harding. Il ne devrait pas y avoir de problèmes dans les environs.

– Bon, je vais faire un petit tour dehors.

– D'accord, dit Harding en réglant le débit du goutte-à-goutte.

– Je reviens très vite.
– D'accord.

Hammond sortit du bâtiment et déboucha en pleine lumière. Il se demanda pourquoi il avait éprouvé le besoin de se justifier devant Harding. Le vétérinaire était son employé et il n'avait pas à s'expliquer.

Hammond franchit la grille et contempla le parc. L'après-midi touchait à sa fin ; c'était l'heure où la brume s'amenuisait et où, parfois, le soleil se montrait. C'était le cas ce jour-là et Hammond prit cela comme un bon présage. Les autres pouvaient bien dire ce qu'ils voulaient, il savait que son parc était promis à un grand succès. Et même si cet abruti de Gennaro prenait la décision de le fermer, cela ne changerait pas grand-chose.

Hammond savait qu'à Palo Alto, au siège d'InGen, plusieurs dizaines d'embryons étaient conservés dans deux congélateurs. Il ne serait pas difficile d'assurer leur développement ailleurs, dans une autre île, une autre région du monde. S'il y avait eu des problèmes ici, ils seraient résolus la prochaine fois. C'est ainsi que se faisait le progrès.

Ces réflexions l'amenèrent à penser à Wu, qui n'avait pas vraiment été à la hauteur. Trop brouillon, le généticien avait fait montre de laisser-aller dans la réalisation de son grand projet. Et cette obsession des améliorations ! Au lieu de se contenter de fabriquer des dinosaures, il ne songeait qu'à leur apporter des améliorations. Hammond se prit à penser que c'était peut-être la cause de la ruine du parc.

C'était la faute de Wu.

Il lui fallait également reconnaître que John Arnold n'était pas l'homme le plus apte à assumer la responsabilité d'ingénieur en chef. Arnold avait d'excellentes références, mais, à ce stade de sa carrière, la lassitude commençait à le gagner et c'était un éternel inquiet. Il manquait d'organisation et avait commis des erreurs. De graves erreurs.

Hammond en conclut qu'Arnold et Wu étaient dépourvus de ce qu'il considérait comme la qualité première : ils n'avaient pas de *vision*. Cet acte d'imagination, la capacité de se représenter en esprit un parc merveilleux où les enfants se presseraient contre les clôtures en s'émerveillant devant les créatures extraordinaires sorties en chair et en os de leurs livres d'images. Une véritable vision, la capacité de voir l'avenir. La capacité de rassembler les ressources nécessaires pour faire de cette vision une réalité.

Non, ni Wu ni Arnold n'étaient faits pour cette grande tâche.

A ce propos, Ed Regis, lui aussi, était un mauvais choix. Harding au mieux un choix médiocre et Muldoon, cet ivrogne...

Hammond secoua tristement la tête. Il ferait mieux la prochaine fois.

Absorbé dans ses pensées, il se dirigea machinalement vers son bungalow en suivant l'étroit sentier qui partait du centre des visiteurs. Il croisa l'un des ouvriers qui le salua d'un bref signe de tête. Hammond ne lui rendit pas son salut ; tous ces indigènes étaient d'une telle insolence. A vrai dire, le choix de cette île du Costa Rica n'avait pas non plus été une très bonne idée. Des erreurs aussi grossières ne se reproduiraient pas...

Quand le rugissement du tyrannosaure s'éleva, il parut effroyablement proche. Hammond se retourna si vivement qu'il perdit l'équilibre et tomba sur le sentier. En regardant derrière lui, il crut reconnaître la silhouette du jeune carnivore dans la végétation bordant le sentier dallé. Il crut le voir avancer dans sa direction...

Que faisait le T-rex dans cette partie du parc ? Pourquoi n'était-il pas dans son enclos ?

Hammond sentit une colère folle monter en lui, mais, quand il vit l'ouvrier indigène s'enfuir à toutes jambes, il se releva et fonça les yeux fermés dans les arbres bordant le côté opposé du sentier. Plongé dans les ténèbres, il trébucha et tomba de nouveau. Son visage s'écrasa sur les feuilles trempées et la terre humide. Il se remit debout en vacillant, continua à courir, droit devant lui, tomba encore une fois et repartit ventre à terre. Il commença à dévaler le flanc d'une colline si pentue qu'il ne put garder l'équilibre. Il dévala la pente en roulant sur la terre meuble et ne s'arrêta qu'au pied de l'escarpement, dans un petit cours d'eau tiède et de faible profondeur. L'eau bouillonna tout autour de lui et lui remonta dans le nez.

Il était couché sur le ventre dans le ruisseau.

Il avait cédé à la panique ! Quel imbécile ! Il aurait dû courir vers son bungalow. Il commença à se relever en s'injuriant, mais il ressentit soudain à la cheville droite une douleur si vive que les larmes lui montèrent aux yeux. Il fit tourner sa cheville avec précaution en songeant qu'elle était peut-être cassée. Puis, les dents serrées, il se força à peser sur elle de tout son poids.

Oui. Elle était très probablement cassée.

– Je regrette qu'ils ne nous aient pas emmenés avec eux dans le nid, dit Lex à son frère.

– Non, Lex, c'est trop dangereux pour nous, répliqua Tim. Nous devons rester dans la salle de contrôle. Tiens, écoute celui-là.

Il appuya sur une touche et le rugissement enregistré d'un tyrannosaure fut répercuté par les haut-parleurs du parc.

– C'est chouette, dit Lex. Bien mieux que l'autre.

– Tu peux le faire, toi aussi, dit Tim. Et, si tu appuies là-dessus, tu as l'écho en plus.

– Laisse-moi essayer, dit la fillette.

Elle enfonça le bouton et le rugissement du tyrannosaure s'éleva derechef.

– Est-ce qu'on peut le faire durer plus longtemps ? demanda-t-elle.

– Bien sûr, répondit Tim. Il suffit de tourner ce petit truc...

Étendu dans le ruisseau, au pied de l'escarpement, Hammond entendit le rugissement du tyrannosaure.

Seigneur !

Il ne put se retenir de frissonner en entendant le cri terrifiant, un cri d'un autre monde. Il attendit de voir ce qui allait se passer. Qu'allait faire le tyrannosaure ? Avait-il déjà dévoré l'ouvrier du sentier ? Hammond attendit, mais il ne perçut que le chant des cigales. Il se rendit compte qu'il avait retenu son souffle trop longtemps et poussa un long soupir.

Avec sa cheville blessée, il ne parviendrait jamais à remonter en haut du versant escarpé. Tant pis, il attendrait au fond du ravin. Quand le tyrannosaure se serait éloigné, il appellerait au secours. Pour le moment, il ne courait aucun danger.

C'est alors qu'il entendit une voix amplifiée par un haut-parleur.

– Allez, Timmy, à moi d'essayer maintenant ! Allez ! Laisse-moi faire le bruit !

Les gamins !

Le rugissement du tyrannosaure retentit de nouveau, mais, cette fois, Hammond perçut des sonorités musicales et une sorte d'écho qui le prolongeait.

– Joli ! s'écria la fillette. Recommence !

Les sales gamins !

Jamais il n'aurait dû les faire venir. Depuis leur arrivée, ils n'étaient qu'une source d'ennuis et personne ne voulait d'eux. S'il les avait fait venir, c'est uniquement parce qu'il pensait que leur présence empêcherait Gennaro de prononcer la condamnation du parc, mais la décision de l'avocat semblait sans appel. Et maintenant, les gamins s'étaient introduits dans la salle de contrôle et ils jouaient avec le matériel... Qui les avait laissés faire ?

Il sentit son cœur s'emballer et une angoisse l'oppresser. Il se força à se détendre ; il n'y avait aucun danger. Même s'il était incapable de gravir le versant du ravin, il ne se trouvait pas à plus de cent mètres de son bungalow et du centre des visiteurs.

Hammond s'assit sur la terre détrempée et attendit en écoutant les bruits de la jungle. Puis, au bout d'un moment, il commença à appeler à l'aide.

– Tout... paraît différent... de l'autre côté..., murmura Malcolm d'une voix à peine audible.

– De l'autre côté ? dit Harding en penchant la tête vers lui.

Il croyait que Malcolm parlait de la mort.

– Quand... changements..., reprit le mathématicien.

– Des changements ? répéta Harding.

Malcolm ne répondit pas tout de suite. Au bout d'un moment, ses lèvres sèches remuèrent.

– Paradigme..., réussit-il à articuler dans un souffle.

– Changements de paradigme ? demanda Harding.

Le vétérinaire avait entendu parler des changements de paradigme. C'était une expression en usage depuis deux décennies pour exprimer l'idée de changement scientifique. La signification de « paradigme » était voisine de celle de modèle, mais, tel qu'il était utilisé par les scientifiques, le terme prenait une autre connotation, celle d'une vision plus globale du monde. Les changements de paradigme se produisaient donc chaque fois que la science opérait un changement majeur dans sa vision du monde. Des changements de cette importance n'avaient lieu qu'une fois par siècle. La théorie de l'évolution de Darwin avait provoqué un changement de paradigme. La mécanique quantique également, mais de moindre importance.

– Non, souffla Malcolm. Pas... paradigme... au-delà...

– Au-delà du paradigme ? suggéra Harding.

– ... me fiche... ce que...

Harding poussa un soupir de résignation. Malgré tous ses efforts, Malcolm était en train de sombrer rapidement dans un délire dont il ne sortirait plus. La fièvre était très forte et la provision d'antibiotiques s'épuisait.

– De quoi vous fichez-vous ?

– De tout, répondit Malcolm. Parce que... tout paraît différent... de l'autre côté.

Et il sourit.

DESCENTE

– Vous êtes cinglée! s'écria Gennaro en regardant Ellie Sattler se couler dans le trou en levant les bras. Vous êtes complètement cinglée!

– Probablement, répondit-elle en souriant.

Elle étendit les bras, prit appui sur ses mains et commença à glisser le long des parois de terre. En quelques instants, elle eut disparu.

Seul restait le trou noir et béant.

Gennaro était en sueur. Il se tourna vers Muldoon, appuyé contre la portière de la jeep.

– Je ne vais pas les suivre, dit-il.

– Mais si, vous allez le faire.

– Je ne peux pas... Non, je ne peux pas!

– Ils vous attendent, dit Muldoon. Vous n'avez pas le choix.

– On ne sait pas ce qu'on va trouver là-dedans, poursuivit fébrilement Gennaro. Non, je vous assure que je ne peux pas descendre!

– Il le faut.

L'avocat se retourna, regarda le trou, mais détourna aussitôt la tête.

– Je ne peux pas! Vous ne pouvez pas me forcer à le faire!

– Je suppose que non, fit Muldoon en levant son bâton. Avez-vous déjà reçu une décharge de cet instrument?

– Non...

– Ce n'est pas grand-chose, dit Muldoon. Très rarement fatal. En général, cela vous projette par terre. Le choc provoque parfois un relâchement des intestins, mais n'a, en général, pas d'effet permanent... Du moins sur un dino. Mais il est vrai qu'un homme n'a pas la même taille.

– Vous n'oseriez pas..., murmura Gennaro, le regard fixé sur l'arme.

– Je pense que vous feriez mieux de descendre pour aller compter ces animaux, reprit Muldoon. Et que vous avez intérêt à faire vite.

Gennaro se retourna vers l'excavation, le puits de ténèbres, la bouche de la terre, puis son regard revint se poser sur Muldoon qui le fixait, massif et impassible.

Gennaro sentait la sueur couler sur ses tempes et un vertige le gagnait. Il s'avança vers le trou qui semblait s'agrandir à mesure qu'il se rapprochait.

– Allez-y, dit Muldoon.

Gennaro commença à se laisser glisser dans l'excavation, les pieds devant, mais il se sentit d'un seul coup trop effrayé pour continuer – l'idée d'affronter l'inconnu en lui tournant le dos était insupportable – et, au dernier moment, il changea de position. Il plaça le masque à gaz sur son visage, s'engagea dans le trou, la tête la première, les mains tendues devant lui, pédalant dans le vide. Au moins, il verrait où il allait.

Et soudain, il sentit qu'il dégringolait, qu'il s'enfonçait dans les ténèbres de la terre. Les parois de l'excavation s'écartèrent devant lui, puis se rapprochèrent et devinrent très étroites, horriblement étroites. Tout son corps était affreusement comprimé, l'air était chassé de ses poumons. Il eut vaguement conscience que le tunnel remontait légèrement, ce qui obligea son corps à changer de position. Des étoiles dansaient devant ses yeux et la douleur devenait intolérable.

Brusquement, le tunnel redescendit et commença à s'élargir. Gennaro sentit le contact d'une surface rugueuse et un souffle d'air frais. Son corps que plus rien ne retenait rebondit sur les parois de béton.

Puis il tomba comme une pierre.

Des voix qui chuchotent dans le noir. Des mains venant de la direction des voix, qui le palpent. L'air est froid, comme dans un tombeau.

– ... pas de mal ?

– Non, je pense que ça ira...

– Il respire...

– Parfait.

Une main de femme caresse son visage. C'est la main d'Ellie.

– Vous m'entendez ? dit-elle dans un murmure.

– Pourquoi est-ce que vous parlez si bas ?

– Regardez.

Gennaro se retourna, roula sur lui-même et se mit debout. Il fallut quelques instants à ses yeux pour accommoder dans l'obscurité, mais la première chose qu'il vit, ce fut des yeux. Des yeux verts brillant dans le noir.

Des dizaines d'yeux. Tout autour de lui.

Ils se tenaient sur une saillie de béton, une sorte de corniche courant à deux mètres au-dessus du sol. De grandes boîtes de dérivation leur fournissaient un abri de fortune, les masquant à la vue des deux raptors adultes qui se tenaient juste en contrebas, à un mètre cinquante d'eux.

La peau des animaux était d'un vert sombre rayé de brun. Ils se tenaient sur leurs pattes de derrière en utilisant leur queue raide comme un balancier. Totalement silencieux, les deux raptors aux grands yeux vifs montaient une garde vigilante. Aux pieds des adultes, des bébés velociraptors se roulaient par terre en gazouillant. Un peu plus loin, à peine visibles dans la pénombre, des jeunes jouaient à des jeux plus violents, avec force grognements et grondements.

Gennaro retint son souffle.

Deux raptors adultes!

Tapi sur la saillie de béton, il était à moins de cinquante centimètres de la tête de l'animal le plus proche. Les raptors étaient nerveux et leur tête ne cessait de se tourner dans toutes les directions avec des mouvements saccadés. De loin en loin, ils poussaient un grognement irrité. Puis ils faisaient quelques pas et se retournaient vers le groupe des petits.

Les yeux de Gennaro s'étaient accoutumés à l'éclairage et il voyait maintenant qu'ils se trouvaient dans une sorte d'énorme caverne. Mais cette cavité avait été creusée par l'homme, comme en témoignaient les joints de béton d'où dépassait l'extrémité de tiges de fer. Dans cette vaste enceinte souterraine, un grand nombre d'animaux étaient rassemblés, une trentaine, selon la première estimation de Gennaro. Peut-être plus.

– C'est une colonie, murmura Grant à son oreille. Quatre ou six adultes avec des jeunes et des bébés. Au moins deux nichées; une de l'an dernier et une autre de l'année. Les bébés doivent avoir quatre mois. Probablement nés en avril.

L'un des bébés, le regard brillant de curiosité, escalada la saillie et s'avança vers eux en glapissant. Il s'approcha à moins de trois mètres.

– Bon Dieu! souffla Gennaro.

Mais un des adultes s'avança aussitôt, leva la tête et poussa délicatement le petit animal du museau. Le bébé protesta en couinant, puis il sauta sur le museau de l'adulte qui le laissa grimper sur sa tête, descendre le long de son cou et glisser sur son dos. Dès qu'il fut en sécurité, le bébé se retourna pour lancer des cris aigus dans la direction des intrus.

Mais les adultes ne semblaient toujours pas avoir remarqué leur présence.

– Je ne comprends pas, murmura Gennaro. Pourquoi n'attaquent-ils pas?

– Ils ne nous ont pas vus, répondit Grant. Et il n'y a pas d'œufs en ce moment... Ils sont plus calmes.

– Plus calmes? répéta Gennaro. Et combien de temps allons-nous rester ici?

– Le temps qu'il faudra pour faire le comptage, répondit Grant.

Il semblait y avoir trois nids, surveillés par trois couples de parents. Les différents territoires s'étendaient autour de chaque nid, même si tous les petits en franchissaient aisément les limites. Les adultes étaient bienveillants avec les bébés et plus durs avec les jeunes, n'hésitant pas à les mordiller quand leurs jeux devenaient trop brutaux.

Un jeune raptor s'avança soudain vers Ellie et frotta la tête contre sa jambe. Elle tourna vivement la tête et vit autour du cou de l'animal le collier portant la petite boîte noire. Une portion du collier était humide et il avait irrité la peau du cou.

Le petit animal poussa un gémissement plaintif.

L'attention de l'un des adultes fut attirée par le petit cri et il tourna la tête vers eux.

– Tu crois que je peux l'enlever ? demanda Ellie à voix basse.

– Oui, répondit Grant, mais fais vite.

– D'accord, dit-elle en s'accroupissant devant l'animal qui gémit de nouveau.

En bas, les adultes firent entendre des grognements nerveux.

Ellie caressa le petit raptor en essayant de le calmer et de le faire taire. Elle avança la main vers le collier et tira sur la languette de velcro. Le bruit résonna dans la caverne et les velociraptors adultes tournèrent vivement la tête dans leur direction.

L'un d'eux commença à se diriger vers Ellie.

– Merde ! souffla Gennaro entre ses dents.

– Ne bougez pas, murmura Grant. Restez calme.

Le raptor passa au-dessous d'eux, ses longues griffes crissant sur le sol de béton. Il s'arrêta devant Ellie, accroupie derrière une boîte de dérivation. D'en bas, le jeune velociraptor était visible sur la saillie, mais Ellie avait gardé la main sur le collier. L'adulte leva la tête et huma l'air. Sa grosse tête était tout près de la main de la jeune femme, mais l'animal ne pouvait pas la voir à cause de la boîte de dérivation. Le raptor avança prudemment la langue.

La main de Grant descendit vers sa ceinture. Il saisit une grenade et plaça le pouce sur la goupille. Gennaro lui retint le bras. Il secoua la tête en montrant Ellie.

La jeune femme n'avait pas mis son masque à gaz.

Grant posa la grenade et prit le bâton. Le velociraptor était toujours tout près d'Ellie.

Elle détacha le collier de cuir, mais la boucle métallique fit un petit bruit sec en tombant sur le béton. Le velociraptor tourna très légèrement la tête, puis l'inclina sur le côté. Il s'apprêtait à s'avancer un peu plus pour satisfaire sa curiosité quand le jeune raptor détala avec un cri de joie. L'adulte demeura quelques instants où il était, puis il se retourna et repartit vers les autres.

– Dieu soit loué ! soupira Gennaro. Et maintenant, pouvons-nous partir ?

– Non, répondit Grant. Mais je crois que nous pouvons nous mettre au travail.

A la clarté phosphorescente des lunettes de vision nocturne, Grant fouilla du regard la vaste salle souterraine en commençant par le premier nid. Fait de boue et de paille, il était en forme de panier large et peu profond. Le paléontologiste compta quatorze œufs. A la distance où il se trouvait, il ne pouvait à l'évidence faire le compte des coquilles qui, de toute façon, étaient depuis longtemps réduites en fragments et disséminées sur le sol, mais il était en mesure de compter les empreintes dans la boue. Les raptors devaient construire leurs nids peu avant la ponte, car les œufs déposés dans la boue y laissaient une empreinte permanente. Il releva également des indices attestant qu'un œuf au moins avait été brisé. Il compta treize animaux pour ce premier nid.

Le second était à moitié détruit, mais Grant estima qu'il avait contenu neuf œufs. Le troisième en avait eu quinze, mais les coquilles de trois d'entre eux avaient été brisées prématurément.

– A quel total arrivez-vous ? demanda Gennaro.

– Trente-quatre animaux viables, répondit le paléontologiste.

– Et combien en voyez-vous ?

Grant secoua la tête sans répondre. Les jeunes velociraptors ne cessaient de courir en tous sens, de disparaître dans les zones d'ombre pour en ressortir aussitôt.

– Je les ai bien observés, dit Ellie en dirigeant le faisceau de sa torche sur le petit carnet qu'elle tenait à la main. Il faudrait prendre des photos pour en être sûr, mais les marques du museau des bébés sont toutes différentes. J'en ai compté trente-trois.

– Et les jeunes ? demanda Grant.

– Vingt-deux. Mais, Alan, as-tu remarqué quelque chose de bizarre ?

– De quoi parles-tu ?

– De leur disposition dans l'espace. On dirait qu'ils se placent dans un certain ordre, selon une certaine orientation.

– Il fait assez sombre, murmura Grant, le front barré par un pli de perplexité.

– Mais si, regarde ! Observe bien les petits ! Quand ils jouent, ils font des culbutes et courent en tous sens. Mais quand ils restent immobiles, regarde comment ils orientent leur corps. Ils se tournent vers la paroi qui est derrière nous ou celle d'en face. Comme s'ils s'alignaient.

– Je ne sais pas, Ellie. Tu crois qu'il s'agit d'une métastructure de colonie ? Comme chez les abeilles.

– Non, pas exactement. C'est plus subtil que ça... Ce n'est qu'une tendance.

– Propre aux bébés ?

– Non, ils le font tous. Les adultes aussi. Observe-les... Crois-moi, ils s'alignent.

Grant demeurait perplexe, mais Ellie semblait avoir vu juste. Pendant les moments de repos, les moments où ils regardaient leurs congénères, les dinosaures paraissaient réellement s'orienter d'une manière particulière, presque comme si des lignes invisibles avaient été tracées sur le sol.

– Je ne comprends pas, murmura Grant. Il y a peut-être un courant d'air...

– Je ne sens rien, Alan.

– Que peuvent-ils bien faire ? On dirait une sorte d'organisation sociale se traduisant par une disposition dans l'espace.

– Cela ne tient pas debout, répliqua Ellie. Ils font tous la même chose.

Gennaro souleva le cadran de sa montre.

– Je savais que cela me serait utile un jour, dit-il.

Sous le cadran se trouvait une boussole.

– Vous en avez souvent l'utilité dans un prétoire ? demanda Grant.

– Non, répondit l'avocat. C'est un cadeau de ma femme, pour mon anniversaire.

Il étudia la boussole pendant quelques instants.

– Cette orientation ne correspond à rien, dit-il. Elle est à peu près nord-est-sud-ouest.

– Peut-être entendent-ils quelque chose, suggéra Ellie. Ils se tournent dans cette direction pour mieux entendre...

Grant fit une grimace sceptique.

– Peut-être s'agit-il simplement d'un comportement rituel, poursuivit Ellie. Un comportement propre à leur espèce et qui leur sert à se reconnaître. Mais il est également possible qu'il n'y ait pas de signification particulière. Ou peut-être les dinosaures sont-ils bizarres... A moins qu'il ne s'agisse d'une forme de communication.

C'est précisément ce que Grant était en train de penser. Les abeilles communiquaient dans l'espace en exécutant une sorte de danse. Peut-être les dinosaures faisaient-ils quelque chose de similaire.

– Pourquoi ne sortent-ils pas ? demanda Gennaro en observant les raptors.

– Ce sont des animaux nocturnes.

– Bien sûr, mais ils donnent presque l'impression de se cacher.

Grant haussa les épaules en signe d'ignorance. Quelques instants plus tard, les bébés commencèrent à pousser des glapissements d'excitation et à bondir en tous sens. Les adultes les observèrent avec curiosité pendant un moment, puis brusquement, dans un tumulte de cris et de d'appels qui se répercutèrent dans la vaste salle souterraine, tous les dinosaures se tournèrent dans la même direction, s'engagèrent en courant dans le tunnel de béton et se fondirent dans l'obscurité.

HAMMOND

John Hammond s'assit pesamment sur le sol détrempé du versant abrupt et essaya de reprendre son souffle. Comme il fait chaud! songea-t-il. Chaud et humide. Il avait l'impression de respirer à travers une éponge.

Il tourna la tête pour regarder le lit du ruisseau qui coulait à une douzaine de mètres en contrebas. Il avait l'impression qu'une éternité s'était écoulée depuis qu'il avait quitté le bord du cours d'eau pour se lancer à l'assaut de la pente. Sa cheville était très enflée et la peau devenait d'un rouge sombre. Il était absolument impossible à Hammond de prendre appui sur elle. Il était obligé de grimper en sautant à cloche-pied. Et sa jambe valide commençait à le faire beaucoup souffrir.

Et il avait soif. Même en sachant que ce n'était pas prudent, il avait bu un peu d'eau du ruisseau. Maintenant, il avait le vertige et, de temps en temps, tout se mettait à tourner autour de lui. Il avait de plus en plus de difficulté à garder l'équilibre, mais il savait qu'il devait absolument atteindre le sommet de l'escarpement et retrouver le sentier. Hammond avait cru à plusieurs reprises entendre des pas sur le sentier et, chaque fois, il avait appelé à l'aide. Mais sa voix n'avait pas dû porter assez loin, car personne n'était venu à son secours. A mesure que le temps s'écoulait, il en était arrivé à la conclusion que, malgré sa cheville en capilotade, il lui fallait atteindre le sommet du versant abrupt par ses propres moyens. C'est ce qu'il avait commencé à faire.

Les sales gamins!

Hammond secoua vigoureusement la tête pour essayer de mettre de l'ordre dans ses idées. Cela faisait plus d'une heure qu'il grimpait et il n'avait franchi que le tiers de la hauteur du versant pentu. Il était fatigué et soufflait comme un phoque. Sa jambe lui faisait affreusement mal et la tête lui tournait. Il savait parfaitement qu'il ne courait aucun danger – le bungalow était presque à portée de sa vue –, mais il devait reconnaître qu'il était très fatigué. Cela lui avait fait du bien de s'asseoir et il n'avait pas vraiment envie de continuer.

A son âge, il n'y avait pas de honte à se sentir fatigué. A soixante-seize ans, on a passé l'âge d'escalader une pente aussi raide, surtout sur une jambe. Et pourtant sa condition physique était excellente, à tel point qu'il se voyait bien devenir centenaire. Il suffisait de prendre soin de sa personne, de régler les choses à mesure qu'elles se présentaient. Ce n'étaient pas les raisons de vivre qui lui manquaient. Il avait d'autres parcs à construire, d'autres merveilles à créer...

Il entendit un petit cri aigu, suivi d'une sorte de pépiement. Sans doute de petits oiseaux qui voletaient dans le sous-bois. Il en avait entendu, des petits animaux, depuis une heure. Il y en avait de toutes sortes dans cette île, des rats, des opossums, des serpents.

Le pépiement se fit plus insistant et de petits morceaux de terre roulèrent à côté de lui. Un animal approchait. Il vit apparaître une silhouette bondissante, d'un vert sombre, qui descendait la pente en se dirigeant vers lui. Un deuxième animal se montra, puis un troisième...

Des compys, songea-t-il en réprimant un frisson.

Les petits dinosaures nécrophages.

Les compys n'avaient pas l'air dangereux. Pas plus gros qu'un poulet, ils avaient la même manière saccadée de se déplacer. Mais Hammond savait qu'ils étaient venimeux. Ils injectaient par morsure un venin à action lente à l'animal blessé dont ils faisaient leur victime.

Un animal blessé, songea Hammond en sentant l'inquiétude monter en lui.

Le premier compy s'arrêta et le regarda. Il resta à moins de deux mètres, juste hors de sa portée, se contentant de le regarder. D'autres descendirent derrière lui et formèrent une file. Sans le quitter des yeux. Ils gazouillaient en faisant de petits bonds et agitaient leurs petites mains armées de griffes.

– Pschtt ! Allez-vous-en ! cria Hammond en leur lançant une pierre.

Les compys reculèrent, mais d'à peine un mètre. Ils n'avaient pas peur. Ils semblaient savoir qu'il ne pouvait leur faire du mal.

Hammond arracha rageusement une branche d'arbre et la brandit en faisant des moulinets. Les petits dinosaures esquivèrent la branche en essayant de mordre les feuilles au passage et en poussant de petits cris joyeux. Ils semblaient considérer cela comme un jeu.

Hammond repensa à leur venin. Il lui revint en mémoire que l'un des employés avait été mordu par un compy dans une cage. L'homme avait dit que le poison avait des effets comparables à ceux d'un narcotique. Que l'on se sentait paisible et que l'on s'abandonnait au sommeil sans éprouver la moindre douleur.

On avait simplement envie de dormir.

Et merde ! songea Hammond. Il prit une pierre, visa soigneusement et la lança. Elle toucha un compy en pleine poitrine. Le petit animal poussa un cri de détresse, tomba en arrière et roula sur sa queue. Les autres reculèrent immédiatement.

C'était mieux.

Hammond se retourna et reprit son ascension. Une branche dans chaque main, il allait à cloche-pied sur sa jambe gauche, la cuisse de plus en plus douloureuse. Il n'avait pas couvert plus de trois mètres quand un des compys se jeta sur son dos. Il agita frénétiquement les bras et réussit à repousser l'animal, mais il perdit l'équilibre et dévala la pente sur le derrière. Dès qu'il s'arrêta, un autre compy bondit sur lui et lui mordit légèrement la main. Horrifié, Hammond baissa les yeux et vit le sang couler sur ses doigts. Il se remit debout et reprit l'ascension.

Un compy bondit sur son épaule et il ressentit une brève douleur quand l'animal le mordit à la nuque. Hammond poussa un hurlement et chassa le dinosaure d'un revers de la main. Le souffle court, il se retourna pour faire face à ses agresseurs et vit qu'ils l'entouraient. Ils bondissaient, inclinaient la tête sur le côté ou l'observaient. Hammond sentait une chaleur rayonner de la morsure de son cou. Elle gagnait les deux épaules et descendait le long de la colonne vertébrale.

Allongé sur le dos, il commençait à se sentit étrangement détendu, détaché de tout. Il avait le sentiment que tout allait bien ; aucune erreur n'avait été commise et l'analyse de Malcolm était complètement erronée. Hammond demeurait immobile, aussi immobile qu'un nouveau-né dans son berceau, et il se sentait merveilleusement calme. Quand un compy s'approcha et lui mordit la cheville, il le repoussa sans conviction. Les petits dinosaures se rapprochèrent et se pressèrent autour de lui en gazouillant avec excitation, comme des oiseaux. Hammond souleva la tête quand un compy sauta sur sa poitrine, mais l'animal lui semblait extrêmement léger. Hammond ressentit une douleur infime, à peine perceptible, quand le petit dinosaure se pencha sur lui pour commencer à lui dévorer le cou.

LA PLAGE

Lancé à la poursuite des dinosaures, suivant les courbes et les dénivellations du tunnel de béton, Grant déboucha soudain sur la plage, face à l'océan Pacifique. Tout autour de lui, les jeunes velociraptors couraient et gambadaient dans le sable. Mais, l'un après l'autre, les animaux se retirèrent à l'ombre des palmiers bordant la mangrove, où ils s'alignèrent dans leur disposition caractéristique, le regard fixé sur l'océan, vers le midi.

– Je ne comprends pas, dit Gennaro.

– Moi non plus, fit Grant. Tout ce qu'on peut dire, c'est qu'ils n'aiment manifestement pas le soleil.

Le soleil n'était pourtant pas très fort; une brume légère courait le long de la grève et voilait l'océan. Pourquoi les velociraptors avaient-ils quitté si précipitamment leur nid? Qu'est-ce qui avait bien pu amener la colonie tout entière sur la plage?

Gennaro souleva le cadran de sa montre et vérifia l'orientation des dinosaures.

– Nord-est-sud-ouest, annonça-t-il. Toujours la même chose.

De la forêt qui s'étendait en bordure de la plage leur parvenait le bourdonnement de la clôture électrique.

– Nous savons au moins comment ils passent de l'autre côté de la clôture, dit Ellie.

C'est alors qu'ils perçurent des halètements de moteurs diesel et virent un navire apparaître à travers la brume. Un gros cargo qui faisait lentement route vers le nord.

– C'est donc pour cela qu'ils sont sortis! s'exclama Gennaro.

– Ils ont dû l'entendre approcher, approuva Grant en hochant la tête.

Tous les animaux regardèrent passer le navire en silence. Grant fut encore une fois frappé par leur coordination, la manière dont ils se déplaçaient et agissaient en groupe. Mais peut-être n'y avait-il en réalité rien de vraiment mystérieux dans leur comportement. Il passa en revue la succession d'événements qui avait eu lieu depuis la caverne.

Tout avait commencé par l'agitation des plus jeunes. Ensuite, les adultes avaient remarqué leur changement d'attitude et, enfin, tous les animaux s'étaient précipités vers la plage. Cela semblait indiquer que les très jeunes animaux, dont l'ouïe était plus fine, avaient été les premiers à percevoir le bruit du navire. Puis les adultes avaient conduit tout le troupeau sur la plage. Leur disposition le long de la grève, beaucoup moins flottante que dans la caverne, avait une rigueur quasi militaire. Les adultes étaient échelonnés sur la plage, à une dizaine de mètres l'un de l'autre, et chacun d'eux était entouré d'un groupe de bébés. Les jeunes, placés entre les différents groupes, occupaient une position légèrement plus avancée.

Grant remarqua également que tous les adultes n'avaient pas la même importance sociale. Une femelle à la tête ornée d'une bande distinctive se trouvait au milieu de la colonie alignée sur la plage. Or, cette femelle occupait déjà le centre du groupe dans le nid souterrain. Grant en conclut que l'organisation sociale des raptors reposait sur une hiérarchie matriarcale et s'apparentait à celle de certaines troupes de singes. L'animal à la tête rayée était la femelle dominante de la colonie et les mâles défendaient les flancs.

Contrairement aux singes dont l'organisation restait souple et flexible, la disposition des dinosaures évoquait une formation militaire. Mais il y avait toujours le mystère de leur orientation. Grant ne trouvait aucune explication, mais, d'un autre côté, cela ne l'étonnait nullement. Les paléontologistes exhumaient des os depuis si longtemps qu'ils avaient fini par oublier à quel point un squelette était avare de renseignements. Les os fournissaient des indications sur l'aspect général d'un animal, sur sa taille et son poids. Ils révélaient la manière dont les muscles s'attachaient et donnaient une idée du comportement général de l'animal. Ils pouvaient même faire connaître certaines maladies osseuses. Mais l'étude d'un squelette était trop insuffisante pour que l'on pût en déduire le comportement général d'un être vivant.

Les os étant le seul matériel dont disposaient les paléontologistes, ils étaient bien obligés de s'en contenter. Comme ses confrères, Grant était devenu très habile à interpréter les indices fournis par les os, mais, au fil du temps, il avait fini par laisser de côté certaines questions : les dinosaures étaient peut-être des animaux radicalement différents de ceux que l'on connaissait ; ils possédaient peut-être un comportement et une organisation sociale restés mystérieux pour leurs lointains descendants mammifères. En outre, puisque les dinosaures étaient en réalité des oiseaux...

– Mon Dieu ! souffla Grant.

En regardant les raptors alignés sur la plage et suivant des yeux le cargo qui passait, la lumière venait de se faire dans son esprit.

– Ces animaux ont désespérément envie de s'échapper de l'île, dit Gennaro en secouant la tête.

– Non, rétorqua Grant, ils n'ont pas envie de s'échapper.

– Vous croyez ?

– Ce qu'ils préparent, déclara Grant, c'est une migration.

LA TOMBÉE DU SOIR

– Une migration ! s'écria Ellie. C'est fantastique !
– Oui, dit Grant avec un large sourire.
– Où imagines-tu qu'ils veulent aller ?
– Je n'en sais rien, fit Grant.

A cet instant, les gros hélicoptères au ventre bourré d'armes automatiques crevèrent le rideau de brume et commencèrent à tournoyer au-dessus de la plage dans les rugissements de leurs rotors. Les raptors affolés se dispersèrent tandis que l'un des appareils militaires faisait demi-tour et revenait se poser sur la grève. Une porte s'ouvrit et des soldats en uniforme vert olive s'élancèrent vers eux. Grant entendit des voix s'exprimant rapidement en espagnol et vit que Muldoon était déjà à bord de l'appareil en compagnie des enfants.

– Voulez-vous nous suivre, s'il vous plaît ? dit un des soldats en anglais. S'il vous plaît, il n'y a pas de temps à perdre ici.

Grant se tourna vers l'endroit où se trouvaient les raptors, mais tous les animaux avaient disparu. Ils semblaient s'être évanouis ; c'était comme s'ils n'avaient jamais existé. Les soldats le tiraient par la manche et il se laissa entraîner sous les pales vrombissantes et grimpa dans l'appareil. Muldoon se pencha vers lui.

– Ils veulent que nous partions tout de suite ! lui hurla-t-il dans l'oreille. Ils vont nettoyer l'île.

Les soldats poussèrent Ellie, Grant et Gennaro vers des sièges et les aidèrent à attacher leur ceinture de sécurité. Tim et Lex firent un signe de la main à Grant et il fut frappé de les voir si jeunes. Si jeunes et si fatigués. Appuyée sur l'épaule de son frère, la fillette bâillait à se décrocher la mâchoire. Un officier s'avança vers Grant.

– C'est vous le responsable, *señor* ?
– Non, répondit Grant, ce n'est pas moi.
– Qui est le responsable, s'il vous plaît ?

– Je ne sais pas.
L'officier se dirigea vers Gennaro et lui posa la même questio
– Êtes-vous le responsable ?
– Non, répondit l'avocat.
L'officier regarda Ellie, mais ne lui demanda rien. La porte resta ouverte pendant que l'hélicoptère décollait et Grant se pencha en espérant apercevoir une dernière fois les raptors. Mais l'appareil était déjà au-dessus des palmiers et il avait mis le cap au nord.
– Et les autres ? cria Grant en se penchant vers Muldoon.
– Ils ont déjà emmené Harding et quelques ouvriers. Hammond a eu un accident : on l'a retrouvé sur le versant d'un ravin, tout près de son bungalow. Il a dû tomber.
– Il est indemne ?
– Non, répondit Muldoon. Les compys l'ont trouvé avant nous.
– Et Malcolm ? demanda Grant.
Muldoon secoua la tête sans répondre.
Grant était trop fatigué pour éprouver grand-chose. Il se détourna et regarda par la porte ouverte. Le soir commençait à tomber et, dans la lumière qui allait s'affaiblissant, il aperçut le petit T-rex penché sur le corps d'un hadrosaure, au bord de la lagune. Le jeune prédateur leva la tête au passage de l'hélicoptère et poussa un rugissement.
Derrière eux, Grant entendit des explosions et, juste devant, il aperçut un autre appareil qui survolait le centre des visiteurs. Quelques secondes plus tard, une énorme boule de feu orange s'éleva du bâtiment. Lex éclata en sanglots et Ellie passa le bras autour d'elle en essayant de l'empêcher de regarder.
Grant continuait à scruter le sol qui défilait sous l'hélicoptère. Il eut le temps d'apercevoir un troupeau d'hypsilophodons bondissant avec la grâce de gazelles avant qu'une nouvelle explosion n'illumine tout le paysage, juste au-dessous de l'appareil. L'hélicoptère prit de l'altitude et mit le cap à l'est, au-dessus de l'océan.
Grant s'enfonça dans son siège. Il pensa aux dinosaures alignés sur la plage et se demanda où ils émigreraient s'ils avaient la possibilité de le faire. Puis il comprit qu'il ne le saurait jamais et en éprouva une tristesse mêlée de soulagement.
L'officier qui était déjà passé revint à la charge.
– Est-ce vous le responsable ?
– Non, répondit Grant.
– Qui est le responsable, *señor*, s'il vous plaît ?
– Personne.
L'hélicoptère prit de la vitesse et fila vers le continent. Il commençait à faire froid et plusieurs soldats se levèrent pour fermer la porte. Grant se retourna et il eut le temps de voir une dernière

fois les contours de l'île sur le fond du ciel et de la mer aux reflets pourpres, l'île enveloppée d'un linceul de brume estompant le flamboiement des explosions qui se succédaient en rafales, l'île qui se rapetissait au loin jusqu'à ce qu'il ne reste plus qu'un point brillant dans le crépuscule.

SAN JOSÉ

Plusieurs jours s'écoulèrent. Le gouvernement du Costa Rica fit montre d'une grande courtoisie et les logea dans un agréable hôtel de la capitale. Ils étaient libres d'aller et venir, et de téléphoner à qui ils voulaient. Mais ils n'avaient pas l'autorisation de quitter le pays. Chaque jour, un jeune membre du personnel de l'ambassade des États-Unis venait leur rendre visite, leur demander s'ils avaient besoin de quelque chose et leur expliquer que Washington faisait tout son possible pour accélérer leur départ. Mais il n'en était pas moins vrai qu'un certain nombre d'hommes avaient trouvé la mort dans une possession territoriale du Costa Rica et qu'une catastrophe écologique avait été évitée de justesse. Le gouvernement du Costa Rica avait le sentiment d'avoir été leurré, berné par John Hammond et son projet de parc de loisirs. Dans ces circonstances, le gouvernement n'était pas disposé à rendre en hâte la liberté aux survivants. Il n'autorisa même pas l'inhumation de John Hammond et de Ian Malcolm. Le gouvernement faisait manifestement traîner les choses.

Grant avait l'impression d'être conduit chaque jour dans un bureau différent où il était courtoisement questionné par un fonctionnaire différent. On lui faisait inlassablement répéter la même histoire. Comment avait-il rencontré John Hammond ? Que savait-il du projet du parc Jurassique ? Comment avait-il reçu le fax de New York ? Pourquoi s'était-il rendu dans l'île ? Que s'était-il passé là-bas ?

Les mêmes questions, jour après jour. Les mêmes détails. La même histoire.

Grant s'imagina longtemps que les fonctionnaires devaient croire qu'il leur mentait, qu'il leur cachait quelque chose. Mais il n'avait pas la moindre idée de ce que cela pouvait être. Et pourtant, sans qu'il s'explique pourquoi, ils semblaient attendre.

Enfin, un après-midi où, assis au bar, il regardait Tim et Lex barboter dans la piscine de l'hôtel, un Américain en short et chemise kaki s'avança vers lui.

– Permettez-moi de me présenter, dit-il. Je m'appelle Marty Guitierrez et je suis chercheur à la réserve biologique de Carara.

– C'est vous qui avez découvert le spécimen de *Procompsognathus*? demanda Grant.

– Oui, c'est bien moi, dit Guitierrez en prenant place à sa table. Mais vous devez être impatient de rentrer chez vous.

– En effet, dit Grant. Il ne me reste plus que quelques jours de fouilles avant que l'hiver prenne ses quartiers dans le Montana. Vous savez, chez nous, les premières chutes de neige ont lieu dès le mois d'août.

– C'est pour cela que la fondation Hammond finançait les sites septentrionaux? demanda Guitierrez. Parce qu'il y avait de meilleures chances d'exhumer du matériel génétique intact dans les régions froides?

– Oui, je suppose que c'est pour cette raison, fit Grant.

– C'était un vieux malin, ce Hammond.

Grant garda le silence et Guitierrez s'enfonça dans son fauteuil.

– Il se passe en ce moment des choses bizarres dans une région agricole, poursuivit le biologiste. Les autorités ne vous en parleront pas, d'une part, parce qu'elles redoutent le pire, mais peut-être aussi parce qu'elles vous en veulent de ce que vous avez fait dans cette île.

– D'autres bébés ont été attaqués?

– Non, Dieu merci, c'est terminé. Mais il y a autre chose. Au printemps, dans la région d'Ismaloya, au nord du pays, des animaux d'une espèce inconnue ont dévoré les cultures d'une manière très particulière. Ils avançaient chaque jour en ligne droite, droite comme une flèche, partant du littoral pour gagner les montagnes et la jungle.

Grant se redressa brusquement.

– Un genre de migration, ajouta Guitierrez. Qu'en pensez-vous?

– Quelles sortes de cultures?

– Eh bien, c'est très curieux. Ils n'ont mangé que des haricots et du soja, et ont tué quelques poulets.

– Une nourriture riche en lysine, murmura Grant. Que sont devenus ces animaux?

– Selon toute vraisemblance, répondit Guitierrez, ils ont pénétré dans la jungle. En tout cas, ils ont disparu et il serait extrêmement difficile de les retrouver. Une expédition pourrait passer des années dans les montagnes d'Ismaloya sans rien découvrir.

– C'est à cause de cela qu'on nous retient ici?

– Le gouvernement est inquiet, répondit le biologiste avec un petit haussement d'épaules. Il y aura peut-être d'autres animaux, d'autres ennuis. Ils se montrent très prudents.

– Croyez-vous qu'il y ait d'autres animaux? demanda Grant.

– Je n'en sais rien. Et vous ?

– Non, répondit Grant. Je n'en sais rien non plus.

– Mais vous soupçonnez que c'est possible ?

– Oui, dit Grant en hochant lentement la tête. C'est possible.

– Je partage votre opinion.

Guitierrez se leva. Il fit un signe de la main à Tim et Lex qui continuaient à jouer dans la piscine.

– Les autorités vont probablement renvoyer les enfants chez eux, dit-il. Il n'y a aucune raison de les garder ici. Profitez bien de votre séjour chez nous, docteur, ajouta-t-il en mettant ses lunettes de soleil. Ce pays est magnifique.

– Vous voulez dire que nous ne partons pas ?

– Personne ne part pour l'instant, fit Guitierrez en souriant.

Il se retourna et s'éloigna vers l'entrée de l'hôtel.

Remerciements

Pour préparer cet ouvrage, je me suis inspiré des travaux de plusieurs éminents paléontologistes et, plus particulièrement, de ceux de Robert Bakker, John Horner, John Ostrom et Gregory Paul. J'ai également été influencé par les réalisations de la nouvelle génération d'illustrateurs, Kenneth Carpenter, Margaret Colbert, Stephen et Sylvia Czerkas, John Gurche, Mark Hallett, Douglas Henderson et William Stout, dont les reconstitutions traduisent la nouvelle conception du comportement des dinosaures.

Certaines idées présentées dans cet ouvrage sur le paléo-A.D.N., le matériel génétique d'animaux disparus, ont été exprimées pour la première fois par Charles Pellegrino, d'après les travaux de George O. Poinar Jr. et Roberta Hess qui ont formé à Berkeley le Groupe d'études de l'A.D.N. des espèces éteintes. Certaines discussions sur la théorie du chaos découlent en partie des commentaires d'Ivar Ekeland et James Gleik. Les programmes informatiques de Bob Gross sont à l'origine de certains des graphiques. Les travaux de Heinz Pagels ont donné naissance au personnage de Ian Malcolm.

Mais ce roman est un ouvrage de pure fiction et je revendique les idées qui y sont exprimées, ainsi que toute inexactitude qui pourrait exister dans le texte.

Table des matières

PREMIÈRE ITÉRATION

DEUXIÈME ITÉRATION

TROISIÈME ITÉRATION

QUATRIÈME ITÉRATION

CINQUIÈME ITÉRATION

SIXIÈME ITÉRATION

SEPTIÈME ITÉRATION

Cet ouvrage a été réalisé par la
SOCIÉTÉ NOUVELLE FIRMIN-DIDOT
Mesnil-sur-l'Estrée
pour le compte des Éditions Robert Laffont
en juillet 1992

Imprimé en France
Dépôt légal : mai 1992
N° d'édition : 34255 – N° d'impression : 21448